PETROBRAS
Uma história de orgulho e vergonha

Roberta Paduan

PETROBRAS
Uma história de orgulho e vergonha

Copyright © 2016 by Roberta Paduan

Grafia atualizada segundo o Acordo Ortográfico da Língua Portuguesa de 1990, que entrou em vigor no Brasil em 2009.

Capa
Alessandro Meiguins e Sergio Magno | Atol Estúdio

Checagem
Simone Costa

Pesquisa
Carla Knoplech

Assessoria jurídica
Taís Gasparian – Rodrigues Barbosa, Mac Dowell de Figueiredo, Gasparian – Advogados

Preparação
Fernando Santos

Revisão
Pedro Ribeiro
Fátima Couto

Índice remissivo
Probo Poletti

Dados Internacionais de Catalogação na Publicação (CIP)
(Câmara Brasileira do Livro, SP, Brasil)

Paduan, Roberta.
 Petrobras : uma história de orgulho e vergonha / Roberta Paduan. — Rio de Janeiro : Editora Objetiva, 2016.

 ISBN 978-85-470-0010-3

 1. Indústria petrolífera — Nacionalização — Brasil — História 2. Petrobras — História I. Título.

16-06031   CDD-338.27282

Índices para catálogo sistemático:
1. Petrobras : História   338.27282

[2016]
Todos os direitos desta edição reservados à
EDITORA SCHWARCZ S.A.
Praça Floriano, 19 — sala 3001
20031-050 — Rio de Janeiro — RJ
Telefone: (21) 3993-7510
www.objetiva.com.br

Sumário

Introdução 7
1. O policial, o doleiro e o juiz 17
2. "Não posso revelar meus sócios" 31
3. Efeito caixa de Pandora 41
4. De peito estufado 62
5. "Não demito amigos" 78
6. A primeira grande tentativa de assalto 86
7. O fim de um tabu 103
8. Um cavalo de pau na Petrobras 115
9. Blindada, mas nem tanto 129
10. A partilha do poder 147
11. Os novos doutores 165
12. O Clube 175
13. "Bilhete premiado" 187
14. Sem pisar no freio 201
15. Um puro-sangue petista que se rebelou 215
16. Pombos sem asas 237
17. Pasadena 257
18. Um naufrágio no horizonte.....................................279
19. Uma empresa asfixiada 295

Epílogo — A tempestade perfeita 315

Linha do tempo 339
Notas..358
Índice remissivo 379
Créditos das imagens 391

Introdução

Quando aceitei a tarefa de escrever este livro, em maio de 2014, ninguém — nem os policiais federais que iniciaram a Operação Lava Jato, nem os funcionários mais desconfiados da Petrobras, nem os mais ferrenhos críticos das gestões petistas — tinha ideia da extensão da corrupção que havia se instalado na estatal. Àquela altura, a Lava Jato estava em seu estágio inicial. Na verdade, estava em ponto morto. Nenhum acordo de delação premiada havia sido fechado. O investigado que jogara a estatal no radar da operação, o ex-diretor de Abastecimento Paulo Roberto Costa, havia sido preso pela primeira vez, mas já estava solto. O ministro Teori Zavascki, do Supremo Tribunal Federal, tinha suspendido as investigações e quase libertado todos os presos a pedido dos advogados de Costa.

Os defensores do ex-diretor alegavam que a competência do caso não era da 13ª Vara Federal Criminal de Curitiba, de primeira instância. O processo, sustentavam os advogados, deveria ser encaminhado ao STF, pois o principal alvo da operação, o doleiro Alberto Youssef, tinha relacionamento com parlamentares que também seriam investigados. E, pela lei brasileira, parlamentares têm foro privilegiado. Só podem ser processados em tribunais superiores. Youssef e os outros doleiros, alvos originais da Lava Jato, só não foram soltos junto com Costa porque o juiz de primeira instância, o então desconhecido Sérgio Moro, enviou um ofício ao STF. Alertou o ministro que entre os presos havia criminosos reincidentes. Zavascki voltou atrás na decisão de libertar todos os presos, e apenas Costa foi solto. A Operação, no entanto, permanecia parada. O STF teria de decidir em qual esfera judicial correria o caso.

Foi nesse período, em junho de 2014, que estive em Curitiba pela primeira vez em função deste livro. Lá, encontrei policiais federais desanimados. Estavam convencidos de que a operação "subiria" ao Supremo e, com isso, morreria prematuramente. Acabaria soterrada em um mar de processos que se acumulam na mais alta Corte do país. Eles já haviam passado outras vezes pela mesma frustração. Confesso que fiquei perturbada ao ouvir os relatos dos policiais e decidi ali mesmo que escreveria sobre o assunto no futuro. Naquele momento, porém, mesmo que a Lava Jato entrasse no triste rol de operações natimortas, a história que eu me propunha a contar continuava de pé: como a maior empresa do país — que descobriu reservas gigantes no pré--sal e chegou a ser a segunda mais valorizada da Bolsa de Nova York (em maio de 2008) — afundava em uma crise financeira e de credibilidade tão profunda em tão pouco tempo?

Sim, àquela altura já era possível fazer esse questionamento. Não só brasileiros, mas investidores de todo o mundo haviam visto a Petrobras subir ao céu e descer ao inferno no período de seis anos (a contar de seu pico de valorização em bolsa). A estatal já havia se tornado a dona da segunda maior dívida entre as empresas listadas em Nova York.[1] Isso em setembro de 2010, apesar de ter feito a maior capitalização da história mundial, ao levantar US$ 70 bilhões. Como era possível que, em menos de quatro anos, a mesma empresa que colocou tantos bilhões adicionais (US$ 27,4 bilhões)[2] para dentro de seu caixa tivesse acumulado uma dívida que começava a asfixiá-la? Esse era um dos sinais de que a estatal padecia de uma grave enfermidade.

Com a deflagração da Lava Jato, a Petrobras passou a enfrentar também uma grave crise de reputação. Apesar de suspensa, a operação havia encontrado indícios de que Costa poderia estar envolvido em crimes de corrupção contra a estatal. As pistas apontavam para desvios nas obras da construção da Refinaria Abreu e Lima, que estava sendo erguida em Pernambuco. Costa tinha se enredado na investigação quando os policiais, que investigavam Youssef, descobriram que este havia pago R$ 250 mil em um carro Range Rover, comprado em nome do ex-diretor (capítulo 1, "O policial, o doleiro e o juiz"). Para os investigadores, o pagamento do veículo pelo doleiro cheirava a lavagem de dinheiro. De teor ainda mais explosivo eram as anotações feitas por Costa em uma caderneta apreendida pela Polícia Federal durante a busca e apreensão em sua casa. Siglas, nomes e valores remetiam a repasses de dinheiro ao Partido Progressista (PP) e a parlamentares da legenda. Uma simples pesquisa na internet já havia mostrado que Costa fora indicado ao cargo de diretor na estatal, em 2004, pelo ex-deputado federal José Janene, do PP do Paraná, falecido em 2010. Os policiais também já haviam descoberto que Alberto Youssef mantinha uma relação estreita com deputados pepistas. Esse conjunto de evidências indicava que a estatal poderia ser o ponto em comum da relação entre Costa, Youssef e parlamentares do PP. Mais que isso, as descobertas amplificavam outras suspeitas de corrupção que já pairavam sobre a petroleira. A prisão de um ex-diretor, porém, era um fato inédito na história da companhia, que mexia com os brios dos funcionários, ainda que Costa continuasse negando firmemente qualquer ato ilícito.

Eu mesma testemunhara a veemência de seus argumentos dias antes de sua prisão. Costa havia me recebido em seu escritório, na Barra da Tijuca, onze dias antes de ser preso (capítulo 2, "Não posso revelar meus sócios"). Na ocasião, eu preparava um perfil de Graça Foster, a então presidente da estatal, para a revista *Exame*, onde trabalhei de 2001 a 2015. O executivo havia sido chefe dela e fora demitido logo que ela assumiu a presidência. Durante a conversa, Costa falou sobre a família, a carreira e chegou a se emocionar ao lembrar a demissão. Não posso negar que foi um choque ver Costa algemado na TV e nos jornais poucos dias depois daquela conversa. O objetivo deste livro, no entanto, não é abordar apenas o esquema de corrupção, mas também mostrar o desmantelamento da estratégia, da governança e da gestão — e, sobretudo, a supremacia das decisões baseadas em interesses políticos, em vez de empresariais. Foi esse conjunto que debilitou a saúde da Petrobras.

Este livro é resultado de um trabalho intenso de reportagem e de reflexão sobre uma empresa — uma personagem complexa, que não fala por si. Para entender sua história, recorri a incontáveis jornais e revistas antigos, nesse caso, desde a década de 1950; planos estratégicos; planos de negócios; relatórios de analistas de bancos; atas de reuniões e livros. Foi preciso, sobretudo, ouvir o relato de quem trabalha e de quem já trabalhou na estatal. Essa foi uma das tarefas mais fascinantes desse projeto. Ouvi cerca de cinquenta profissionais, de presidentes a secretárias que trabalharam ou ainda trabalham na estatal. Com alguns, conversei mais de uma dezena de vezes e troquei muitas dezenas de mensagens. Devo muito à paciência dessas pessoas. Elas me contaram a história de suas carreiras, suas visões sobre a trajetória da

Petrobras, me ensinaram sobre os negócios do setor, explicando pacientemente conceitos que me pareciam incompreensíveis de início, e tiraram muitas dúvidas que surgem todos os dias. Também me ajudaram a reconstituir episódios, vários deles envolvendo políticos e governantes, que tiveram impacto decisivo no destino da estatal. Outras 24 pessoas me deram verdadeiras aulas sobre a história do petróleo, a situação financeira da estatal em diferentes épocas, o setor elétrico (a Petrobras é uma das cinco maiores geradoras de energia elétrica do país) e vários outros assuntos. Sou muito grata a todos.

Desde o início, a maioria dos entrevistados só concordou em falar desde que pudesse permanecer no anonimato. Alguns marcaram encontros em locais estranhos, como dentro do carro no estacionamento de um shopping (com todos os vidros fechados, mas o ar-condicionado ligado). Houve quem preferisse falar na barca da Rio-Niterói (fiz o trajeto quatro vezes consecutivas em um dia). Com o tempo consegui compreender o receio que essas pessoas tinham de ser identificadas. Os grupos de poder dentro da companhia costumam mudar junto com a eleição de um novo governo. A cultura da não demissão faz com que um "petronauta" de hoje (funcionário colocado na geladeira) possa ser o chefe de amanhã. Entre os ex-funcionários, há também o temor de se criarem arestas com personagens ligadas ao mundo político, que podem dificultar a vida de qualquer tipo de empresa, principalmente dos ramos de óleo, gás e energia, todos setores regulados pelo governo.

A primeira pergunta que este livro gerou se desdobrou em muitas outras. Uma das que me pareceram de resposta obrigatória foi se a Petrobras já havia passado por uma crise de dimensão igual à atual. A resposta é não, e parece óbvia hoje, mas até meados de 2014 não era. Em seis décadas de existência, a estatal já havia atravessado outras crises de diversas naturezas. Passara por dois choques do petróleo, períodos de inflação galopante e escândalos de corrupção que também ganharam as manchetes dos jornais.

A tarefa de comparar a fase atual às outras já atravessadas pela companhia me levou a mergulhar na história da empresa. Nessa pesquisa, a mais prazerosa da minha vida profissional, percebi que o caminho da Petrobras se confunde o tempo todo com a história do Brasil e, mais precisamente, com a da política brasileira. Foi assim desde o início. Getúlio Vargas, por exemplo, não pretendia estabelecer o monopólio estatal nem impedir a participação de acionistas privados na petroleira quando propôs a sua criação. Admitia, inclusive, a entrada de acionistas estrangeiros.[3]

Para fazer oposição ao governo, a União Democrática Nacional (UDN) simplesmente abandonou o discurso liberal e encampou a reivindicação do monopólio estatal. Assim, os "liberais" da UDN engrossaram o coro da campanha "O petróleo é nosso", liderada por estudantes de esquerda e pelas alas militares autointituladas nacionalistas. Juntas, direita e esquerda passaram a chamar o governo de "entreguista". Vargas chegou a argumentar que o movimento a favor do monopólio estatal era, na verdade, um falso nacionalismo. Pragmático como era, o presidente logo percebeu a força do discurso da oposição e aprovou o monopólio estatal no setor de petróleo.

Para não incorrer em propaganda enganosa, aviso o leitor que trato sumariamente do processo de criação da companhia, que, sozinho, valeria um livro. Na verdade, trato de maneira sumária toda a primeira metade da vida da empresa. Diante da riqueza e da extensão da história da estatal, decidi concentrar esse projeto a partir do período de redemocratização (que ocupa do quinto ao vigésimo capítulo). Considero que esses últimos 32 anos são os mais relevantes para a compreensão do momento atual da companhia.

Em relação às três primeiras décadas, tentei abordar apenas os elementos que me pareceram essenciais para que o leitor possa enxergar uma fotografia relativamente completa da estatal — ainda que lhe falte a alta definição dos detalhes (capítulo 4, "De peito estufado"). Desse período, aprendi que a construção da Petrobras foi uma espécie de missão militar. O petróleo já havia se transformado em recurso vital para qualquer economia no início dos anos 1950. Seus derivados eram os mais eficientes para movimentar motores e para lubrificar as máquinas das indústrias. O Brasil, no entanto, não havia encontrado jazidas significativas do chamado ouro negro (nem encontraria antes de meados da década de 1970). Dependia quase que totalmente de importações. Ter petróleo, portanto, era uma questão de segurança nacional, e a direção da Petrobras foi delegada a militares (em seus primeiros trinta anos de existência, a companhia foi comandada por militares ou civis que se identificavam com a cultura militar durante quase todo o tempo). Nessa primeira etapa, a estatal criou a indústria de petróleo brasileira praticamente do zero. Trata-se de uma realidade bem diferente de outras estatais sul-americanas e árabes, por exemplo, que nasceram da estatização de petroleiras europeias e americanas. No caso da Petrobras, foi preciso começar pela formação, por conta própria, dos profissionais de que a companhia precisava. No início da década de 1950, não havia curso de geologia no Brasil. O primeiro curso de engenharia de petróleo foi criado pela estatal, na Bahia, por uma equipe da Universidade Stanford trazida ao Brasil.

Foi durante a transição democrática, no governo de José Sarney, que a Petrobras deixou de ser um reduto militar. O restabelecimento da liberdade de imprensa e da atuação de instituições e órgãos de controle facilitou que as interferências políticas e as suspeitas de corrupção viessem a público. Relembro o leitor que não abordei os casos de corrupção envolvendo a empresa no período militar, não porque considere que eles não tenham ocorrido, mas porque o trabalho exigiria uma pesquisa muito mais longa e sobretudo porque não havia liberdade de imprensa, o que dificultou o registro histórico do tema, que, por si só, também valeria outro livro. Não se pode ignorar que foi nesse período que as empreiteiras nacionais se tornaram verdadeiras potências com a reserva de mercado criada pelo presidente Artur da Costa e Silva, em 1969. O decreto-lei nº 64.345 obrigou que todas as obras públicas do país, incluindo as da administração indireta, fossem realizadas exclusivamente por empreiteiras brasileiras.

Sem a competição de empresas estrangeiras, que ficavam com a maior parte das obras de infraestrutura, construtoras como Odebrecht, Camargo Corrêa, Andrade Gutierrez e Mendes Júnior cresceram rapidamente. Até o final dos anos 1960, a Odebrecht, por exemplo, tinha em seu portfólio empreendimentos médios, como o Teatro Castro Alves, em Salvador. Depois do decreto, ganhou a concorrência para construir o aeroporto do Galeão e a usina nuclear de Angra, ambos no estado do Rio de Janeiro. A empreiteira ergueu também o edifício-sede da Petrobras, na capital fluminense. O faturamento da empresa chegou a triplicar em um ano durante a década de 1970. O consórcio formado por Camargo Corrêa, Andrade Gutierrez e Mendes Júnior construiu a hidrelétrica de Itaipu. Não se pretende dizer aqui que tais obras foram conseguidas por meio de acordos espúrios, mas é indiscutível que as empreiteiras nacionais foram beneficiadas pela reserva de mercado. O empresário Sebastião Camargo, fundador da Camargo Corrêa, era tão próximo dos militares que ajudou a financiar a Operação Bandeirantes, de repressão aos grupos de oposição à ditadura. O decreto de 1969 durou 22 anos, até que fosse revogado, em 14 de maio de 1991, pelo então presidente Fernando Collor.[4]

O fato é que ao longo de toda a sua história a Petrobras sofreu interferências políticas que se contrapuseram a seus interesses empresariais. A estatal foi chamada a construir diversas indústrias, como as de petroquímica, fertilizantes, etanol e geração de energia com base térmica. Houve até quem quisesse que a petroleira erguesse usinas nucleares (proposta do ministro de Minas e Energia Silas Rondeau durante o governo Lula). O coronel Ozires Silva, ex-presidente da petroleira durante o governo Sarney, definiu bem a posição da empresa: "O centro de decisão da Petrobras não fica na Avenida Chile [endereço da sede da companhia, no Rio de Janeiro]. Fica em Brasília".

O grau e a natureza das intervenções, no entanto, variaram um bocado ao longo do tempo. Hoje, depois de dois anos de dedicação exclusiva a estudar a empresa, posso afirmar com segurança que nunca um governo planejou e executou um plano tão amplo de uso da estatal como ocorreu durante os mandatos do presidente Lula e da presidente Dilma Rousseff. Digo isso com a tranquilidade de quem não acreditou nessa tese antes de confrontá-la; de quem ajudou a eleger Luiz Inácio Lula da Silva para a presidência em 2002; de quem não tem filiação partidária e nem se sente representada por qualquer partido político brasileiro; de quem não demoniza a esquerda, mas refuta como sendo "esquerda" os partidos que se intitulam como tal no Brasil; e de quem acredita que é preciso utilizar os melhores instrumentos de mercado para construir sociedades mais saudáveis e mais solidárias.

Durante a imersão na história da petroleira, foi impressionante constatar a semelhança entre o modus operandi do esquema de corrupção criado durante o governo do presidente Fernando Collor de Mello e o originário dos governos petistas. Durante o governo Collor, seu amigo e então secretário de Assuntos Estratégicos Pedro Paulo Leoni Ramos caiu ao ser acusado de montar o "esquema PP" (apelido de Pedro Paulo) dentro da Petrobras. O esquema consistiu em oferecer cargos de chefia a funcionários de carreira da petroleira, em troca de que eles realizassem — ou, pelo menos, não atrapalhassem — negociatas com empresas recomendadas por intermediários que se diziam representantes do governo federal. Várias das empresas eram de amigos e de amigos de amigos de PP. No início da década de 1990, era impossível imaginar Lula e Collor unidos. Hoje, ambos são investigados pela Lava Jato, assim como Pedro Paulo Leoni Ramos. PP é acusado de ter operado o esquema de corrupção na BR Distribuidora em nome do senador Fernando Collor, que teria recebido de Lula e de Dilma o direito de indicar os diretores da subsidiária da Petrobras. O ex-tesoureiro de campanha de Collor, Paulo César Farias, também investiu contra a petroleira (capítulo 6, "A primeira grande tentativa de assalto").

Os esquemas ensaiados pelo breve governo Collor parecem um projeto-piloto aprimorado pelos governos petistas. Ironicamente, o então deputado federal José Dirceu (PT-SP) foi um dos mais ferrenhos investigadores da Comissão Parlamentar de Inquérito (CPI) que apurou os desvios e culminou no impeachment de Collor. Homem forte da campanha de Lula à presidência, Dirceu participou do processo de cooptação de funcionários da Petrobras ainda durante a transição de governo (capítulo 10, "A partilha do poder").

Felizmente, os policiais que encontrei na primeira viagem a Curitiba estavam enganados. A Operação Lava Jato teria vida longa. O Supremo decidiu que apenas os investigados com foro privilegiado seriam subordinados ao STF. O restante das investigações permaneceria a cargo da primeira instância, em Curitiba. Em seguida, o Ministério Público Federal criou uma força-tarefa com procuradores e policiais federais especializados em crimes financeiros. O foco das investigações passou de um grupo de doleiros especialistas em lavagem de dinheiro para a corrupção na Petrobras.

Os desdobramentos da Lava Jato tornaram o projeto deste livro infinitamente mais interessante, mas também muito mais complexo. Boa parte do trabalho foi voltada a ler centenas de termos de colaboração premiada, denúncias do MPF, sentenças da Justiça Federal, além de todo tipo de material apreendido nas casas e escritórios dos investigados. Cartões de visita e listas de convidados de festas podem revelar a rede de relacionamento de um investigado, assim como os e-mails entre funcionários e donos de empreiteiras podem mostrar o nível de detalhe e de interferência que uma fornecedora tem sobre as decisões tomadas pela petroleira. Meu objetivo não era apenas inventariar o número e as formas de desvios sofridos pela petroleira, mas explicar quando o crime começou a ser planejado e por que a vítima foi escolhida; descobrir se houve tentativas de resistência e, se houve, como essas tentativas foram neutralizadas. Espero que o leitor encontre essas respostas a partir do capítulo 10.

Hoje, em quase dois anos e meio de funcionamento, a Operação Lava Jato desvendou praticamente todas as engrenagens de desvios que drenaram bilhões de reais da companhia durante anos. Estou convencida de que agora, mais do que nunca, a história dessa empresa merece ser contada. Vale lembrar que, além do assalto empreendido por meio da corrupção, a Petrobras foi espoliada pelo governo, que, em apenas quatro anos, sangrou seu caixa em US$ 45 bilhões ao impedir que a empresa reajustasse o preço de seus produtos. Mas não foi só isso. A petroleira foi obrigada a arcar com uma carga pesadíssima de investimentos para ajudar o governo federal a manter a economia rodando, como se o seu caixa fosse infinito. Muitos dos investimentos bilionários que a Petrobras encampou nada tinham a ver com interesses empresariais — eram, isto sim, políticos: acordos com governadores, senadores, deputados. Hoje já está claro que esse tipo de intervenção abalou a saúde da estatal, provocou a falência de empresas que gravitavam ao seu redor e, obviamente, gerou muito desemprego.

Espero que este livro seja apenas o primeiro de vários que venham a contribuir para o entendimento do que aconteceu com a Petrobras e que, sobretudo, conduza a pelo menos duas reflexões: 1ª) Qual é a Petrobras que o brasileiro quer? 2ª) O que o brasileiro quer fazer com o petróleo que está enterrado no chão do país? É esse recurso valioso e não renovável que pertence integralmente ao conjunto da sociedade.

1. O policial, o doleiro e o juiz

O policial Márcio Adriano Anselmo trabalha em uma área considerada maldita pela maioria de seus colegas da Polícia Federal: a de repressão a crimes financeiros. É lá que se investigam os crimes de colarinho branco, difíceis de provar e geralmente praticados por políticos, empresários e executivos, que conseguem pagar os melhores advogados do país para se defender. Poucos policiais e agentes se candidatam a servir nesse departamento. Consideram o trabalho maçante, de pouca ação. Em doze anos de PF, Anselmo nunca fez um disparo em serviço. A informação é a principal arma dos policiais das Delegacias de Repressão a Crimes Financeiros e Desvios de Recursos Públicos (Delefins). As operações acontecem bem cedo, logo que o dia clareia. O objetivo é chegar à casa do investigado quando ele ainda está dormindo. Tudo é planejado para evitar confrontos, perseguições e, principalmente, que o alvo suma de vista.

Antes de chegar à operação de fato que os policiais chamam de "fase ostensiva da investigação", delegados e agentes passam meses, ou até anos, coletando informações. Quase todo o tempo desses profissionais é consumido na análise de documentos, um trabalho que exige, sobretudo, muita paciência, além de conhecimento do sistema financeiro e de contabilidade. São pilhas e mais pilhas de extratos bancários, declarações de imposto de renda e contratos. Horas e mais horas de escutas telefônicas e lendo trocas quilométricas de mensagens eletrônicas entre os investigados. É uma papelada indecifrável à primeira vista, que começa a fazer sentido aos poucos.

* * *

Março de 2014 começou com um ritmo agitado de trabalho e de tensão na Delefin de Curitiba. A equipe coordenada pelo delegado Anselmo estava prestes a pegar quatro dos maiores especialistas do país em lavagem de dinheiro. Seria uma operação grande. Cerca de quatrocentos policiais cumpririam dez mandados de prisão temporária (com prazo de cinco dias cada) e dezoito de prisão preventiva (sem prazo definido). Também realizariam 81 mandados de busca e apreensão de documentos e bens (grandes volumes de dinheiro em espécie, carros de luxo, joias, obras de arte, enfim, o que pudesse se transformar em ressarcimento a possíveis lesados, caso os crimes se confirmassem). A ação ocorreria em dezessete cidades de sete estados brasileiros. Dezenove pessoas também deveriam ser levadas a delegacias para responder a perguntas formuladas pelos investigadores, as chamadas conduções coercitivas.

A deflagração da operação estava marcada para o dia 17, uma segunda-feira. Na terça-feira anterior, porém, dois dos investigados começaram a falar de uma viagem a Milão, na Itália. Nelma Mitsue Penasso Kodama e seu namorado Raul Henrique Srour já haviam comprado as passagens. Sairiam de São Paulo na sexta-feira à noite, três dias antes da data marcada para a operação. O imprevisto da viagem poderia colocar tudo a perder. Àquela altura seria impossível antecipar a operação, dado o número de policiais envolvidos e dada a sua complexidade. Se os dois conseguissem viajar, ela teria de ser adiada para uma data indefinida.

A solução surgiu através da própria Nelma, que, em um telefonema, deu sinais de que levaria uma boa quantidade de dinheiro para a Itália. A saída seria prendê-los na hora do embarque, com o argumento de que a polícia havia recebido uma denúncia anônima. A prisão dos dois teria de parecer um caso isolado, de modo a não levantar suspeitas nos outros investigados, que só seriam presos na segunda-feira.

No meio da semana, Raul desistiu da viagem. Nelma iria sozinha. Na sexta-feira à noite, ela estava prestes a embarcar no Aeroporto Internacional de Guarulhos, em São Paulo, quando uma agente da PF avisou que teria de revistá-la, pois a polícia havia recebido uma denúncia. A doleira foi presa em flagrante com € 200 mil, boa parte escondida em uma calcinha dupla que vestia. A prisão não despertou a desconfiança dos demais investigados, que continuaram sendo monitorados por policiais à distância durante o final de semana (Raul acabaria preso no dia da operação).

Um dia antes da operação, outro imprevisto quase pôs tudo a perder novamente. Dessa vez, quem decidiu viajar, sem aviso prévio, foi o doleiro Alberto Youssef, que havia se transformado no principal alvo da investigação. No domingo, dia 16 de março, Youssef não havia saído de casa, na Vila Nova Conceição, um dos metros quadrados mais caros de São Paulo. Ele passava boa parte da semana na capital paulista, onde morava com duas filhas, estudantes da Universidade de São Paulo. Nos outros dias, ia para Londrina, sua cidade natal, no Paraná, onde vivia a esposa.

Pelos hábitos observados pelos policiais que o monitoravam havia meses, ele já deveria estar pronto para dormir. Pouco antes das dez da noite, no entanto, o sistema de interceptação telefônica revelou que seu celular estava no aeroporto de Congonhas, na capital paulista. Os policiais começaram a checar os voos que faltavam decolar, já que o aeroporto fecha às onze. O nome de Youssef não estava nas listas de passageiros das companhias aéreas comerciais. Em seguida, o sinal do seu celular desapareceu. A equipe toda ficou em suspense. Sem o doleiro, peça-chave da investigação, a operação não aconteceria.

Já havia passado de uma da madrugada quando o celular de Youssef foi captado por uma antena no Maranhão. Ele tinha usado um jato particular, constataram os policiais. Eles teriam de descobrir sua localização exata, além de formar, às pressas, uma equipe com policiais do Maranhão que pudesse realizar a prisão às seis horas da manhã, horário em que a operação começaria nos outros estados. Nesse tipo de caso, o trabalho dos policiais tem de ser orquestrado com extremo cuidado. O atraso de um grupo pode levar à fuga dos outros investigados, caso eles descubram a ação policial antes de serem abordados. Youssef foi localizado às três da manhã no hotel Luzeiros, um dos mais caros de São Luís. Às 6h30, ele foi preso por uma equipe da Polícia Federal do Maranhão e encaminhado ao Paraná.

Antes de ser preso, Youssef conseguiu cumprir a tarefa que o levara ao Nordeste: entregar uma bolsa com R$ 1,4 milhão a um homem que estava hospedado no mesmo hotel. A entrega havia sido feita de madrugada, logo que o doleiro chegou no hotel. Ao receber um telefonema em seu quarto pouco depois das seis da manhã, e ouvir do recepcionista que se tratava de um engano, Youssef ficou desconfiado. Ligou imediatamente de volta para a recepção e ouviu que policiais federais estavam à sua procura. Ele não fugiu. Enviou uma mensagem de celular para a amante, em São Paulo, e aguardou a chegada dos agentes.

A entrega da bolsa foi descoberta dias depois da prisão, quando os policiais assistiram às imagens das câmeras de vídeo do hotel. Os detalhes da história, entretanto, só começaram a ser revelados meses mais tarde, primeiro por uma denúncia da contadora Meire Poza, que havia prestado serviços ao doleiro. Seis meses após sua prisão, o próprio Youssef confessou o motivo que o levara a São Luís naquele domingo à noite.

O homem que recebeu a mala de dinheiro era um emissário de João Guilherme de Abreu, chefe da Casa Civil do governo do estado do Maranhão.[1] A governadora na época era Roseana Sarney, filha do senador e ex-presidente da República José Sarney. O dinheiro era a última parcela da propina paga pela construtora Constran-UTC ao governo maranhense[2] para que a empresa furasse a fila de recebimento de precatórios devidos pelo estado. A Constran tinha R$ 134 milhões a receber por obras realizadas em uma rodovia, porém não pagas pelo governo, ainda na década de 1980, antes de a empresa ser comprada pelo Grupo UTC (a construtora foi fundada pelo empresário paulista Olacyr de Moraes, que ficou conhecido como o Rei da Soja nos anos 1980). O pagamento do precatório ainda demoraria a acontecer, dado o grande número de empresas e pessoas físicas que receberiam antes da empreiteira. Youssef entrou no circuito para acelerar o recebimento, subornando o funcionário do governo maranhense.

A intermediação entre governos e empresas havia se tornado uma especialidade de Youssef. E ele ganhava muito por isso. A Constran-UTC pagou R$ 10 milhões para que ele negociasse o suborno e fizesse o dinheiro chegar ao destinatário sem deixar pistas de sua origem.[3] Nesse caso, o doleiro pagou R$ 3 milhões a Abreu e ficou com os R$ 7 milhões restantes. Antes da entrega feita pelo próprio Youssef, dois de seus funcionários já haviam pago R$ 1,6 milhão a Abreu em viagens anteriores. Já preso, Youssef afirmou que não sabia se Abreu havia informado a governadora e outros membros do governo sobre o ocorrido. Abreu foi detido em 25 de setembro de 2015, um ano e meio após a prisão de Youssef, e solto semanas depois para responder ao processo em liberdade.[4] A ex-governadora não foi indiciada, por falta de provas de que soubesse do suborno. Youssef continuou preso após ser detido no dia da operação.

* * *

Alberto Youssef já era uma figura conhecida da Polícia Federal e da Justiça paranaenses. Nascido em Londrina, chamou a atenção das autoridades pela primeira vez na década de 1980, em razão da frequência com que cruzava a Ponte da Amizade (que liga Foz do Iguaçu a Ciudad del Este, no Paraguai). Junto com uma de suas irmãs mais velhas, contrabandeava uísque e produtos eletrônicos para vender no Brasil. Ele foi preso várias vezes sob acusação de contrabando. Uma das prisões ocorreu após uma perseguição em alta velocidade, enquanto aparelhos de videocassete caíam da traseira de sua caminhonete.[5]

Em 2 de novembro de 2003, Youssef foi preso novamente quando saía do cemitério Parque das Oliveiras, em Londrina, após visitar o túmulo da mãe. Era feriado de Finados. Dessa vez, aos 36 anos, era acusado de participar de um esquema bilionário de remessas ilegais de dinheiro operado por doleiros em conluio com funcionários do Banco do Estado do Paraná (Banestado).[6] O esquema de evasão de divisas movimentou pelo menos US$ 30 bilhões, principalmente de políticos e empresários entre 1996 e 1999. Uma parte das operações, geralmente disfarçadas em pagamentos de importação e exportação, tinha o objetivo de sonegar impostos. Outra parte das remessas visava esconder a origem de recursos obtidos por meios ilícitos — como recebimento de propina —, prática conhecida como lavagem de dinheiro.

Youssef era um dos principais operadores do esquema Banestado. Com o auxílio de contas de empresas de fachada, abertas em agências do Banestado no Brasil e no exterior, ele próprio revelou ter enviado US$ 2,5 bilhões para paraísos fiscais durante a década de 1990. Entre os clientes famosos de sua lavanderia estava Paulo Maluf, ex-prefeito de São Paulo, confessou Youssef.[7]

Para permitir que as operações criminosas transitassem através do Banestado, e assim adquirissem aparente legalidade, diretores do banco estatal recebiam de Youssef uma propina quinzenal de US$ 7 mil. O doleiro também subornou funcionários do banco para obter empréstimos fraudulentos a companhias de fachada e utilizou sua empresa, a Youssef Câmbio e Turismo, para praticar crimes financeiros em série.

A investigação do Banestado se transformou na maior operação de combate a crimes de colarinho branco realizada no Brasil até então. Procuradores do Ministério Público Federal e policiais federais trabalharam juntos em uma força-tarefa. No Judiciário, o encarregado do caso foi o juiz federal Sérgio Fernando Moro, então titular da 2ª Vara Criminal de Curitiba, especializada em crimes financeiros. Foi ele quem expediu o mandado de prisão de Youssef no feriado de Finados de 2003, assim como ocorreu em março de 2014, na Operação Lava Jato.

Em 2003, aos 31 anos de idade, Moro era um dos representantes da primeira geração de juízes de varas especializadas — diferentes das varas comuns, em que os magistrados têm de julgar qualquer tipo de crime. Ele tinha ingressado na magistratura havia sete anos, e era um estudioso dos acordos de colaboração premiada, instrumento de investigação praticamente desconhecido no país até então. Esse recurso, em que a Justiça utiliza um criminoso como testemunha, é usado com frequência pela Justiça americana e foi fundamental para o sucesso da Operação Mãos Limpas (Mani Pulite), na Itália, um marco mundial no combate à corrupção. A operação italiana era outro tema de estudo do juiz.

A Operação Mãos Limpas teve início em fevereiro de 1992, com a prisão de Mario Chiesa, diretor de um asilo, cujo cargo era indicado pelo Partido Socialista Italiano.[8] Chiesa foi preso em Milão com o equivalente a US$ 4 mil, propina recebida de uma empresa de limpeza que prestava serviços ao asilo. Após um mês e meio na prisão, confessou que exigia pagamento de propina em todo contrato celebrado pela instituição filantrópica que dirigia. Os recursos eram utilizados para financiar o partido que o indicara e, assim, para que ele se mantivesse no cargo.

As revelações feitas por Chiesa levaram outros envolvidos a confessar seus crimes e a apresentar provas de seus depoimentos, o que é obrigatório em um acordo de colaboração premiada. Dois anos após a deflagração da Operação Mãos Limpas, 2.993 mandados de prisão haviam sido expedidos e 6.059 pessoas estavam sob investigação, entre elas 872 empresários, 1.978 administradores locais e 438 parlamentares, dos quais quatro haviam sido primeiros-ministros. Gabriele Cagliari, então presidente da ENI, estatal italiana de petróleo, estava entre os altos executivos que foram para a prisão. A petroleira fazia parte de um esquema ilícito de financiamento de partidos políticos. Cagliari foi uma das onze pessoas envolvidas no caso que cometeram suicídio.

O caso Banestado não foi tão longe quanto a Operação Mãos Limpas, mas serviu como uma importante experiência para policiais, procuradores e magistrados brasileiros. Sua elucidação contou com o primeiro acordo de colaboração premiada do país, em 2004, assinado entre Youssef e o Ministério Público, e homologado por Sérgio Moro. Em troca da promessa de não praticar novos crimes, ajudar a esclarecer os que havia cometido, delatar outros envolvidos no esquema e pagar uma multa de R$ 900 mil, Youssef teve a pena reduzida. Originalmente era de sete anos. Ele cumpriu cerca de um ano e passou para o regime aberto. Durante a investigação, outros vinte acordos de colaboração ajudaram a recuperar R$ 30 milhões. Noventa e sete pessoas foram condenadas por crimes contra o sistema financeiro nacional, de lavagem de dinheiro, de formação de quadrilha e de corrupção. Apesar do esforço inicial, muitos dos condenados em primeira instância por Moro tiveram suas penas prescritas enquanto esperavam as decisões das cortes superiores.

A investigação que se transformou na Operação Lava Jato teve origem em uma denúncia feita no final de 2008, mais de cinco anos antes de vir a público. Ela envolvia valores relativamente pequenos, quando comparados aos dos escândalos que viriam à tona depois, pouco mais de R$ 1 milhão. O empresário Hermes Freitas Magnus procurou a Polícia Federal, em Londrina, para contar que tinha quase certeza de que sua empresa, a Dunel, uma pequena indústria do ramo plástico, estava sendo usada para lavar dinheiro. E de fato estava.

Em 2007, passando por dificuldades financeiras, Magnus decidiu procurar sócios interessados em investir na empresa. Já em 2008, um corretor de negócios apresentou a Magnus o ex-deputado José Mohamed Janene, que havia se aposentado em 2006 por problemas cardíacos. O ex-parlamentar paranaense fez carreira política em Londrina. Naquele momento, estava disposto a investir R$ 1 milhão na Dunel, em troca de 50% de participação. A transação ocorreria por meio da CSA, uma empresa de participações (especializada em investir em outras empresas em troca de uma fatia do negócio). Segundo Magnus, Janene dizia que a CSA pertencia a um grupo de investidores, entre eles o próprio ex-deputado, que comandava os investimentos.

O representante oficial da CSA era o advogado Carlos Alberto Pereira da Costa, uma pessoa da confiança do ex-deputado. Pelo acordo, a CSA ficaria com 50% do negócio. Magnus e sua sócia original, Maria Teodora Silva, ficariam com 25% cada um. A CSA teria o direito de indicar três pessoas para a direção da Dunel. A filha de Janene, Danielle Janene, assumiria a diretoria comercial; um primo do deputado, Meheidin Jenani, ocuparia a gerência de fabricação; e um amigo, Carlos Murari, seria o novo gerente da área financeira. A direção da Dunel, entretanto, permaneceria com o fundador, o que ficou acertado em um documento avalizado pelos sócios.

Segundo Magnus, Janene comandava tudo, junto com Alberto Youssef. A CSA fez o investimento combinado, mas de um modo pouco ortodoxo. Mais da metade do valor chegou às contas da Dunel em depósitos feitos em espécie, na boca do caixa. Eram operações seguidas, de valores fracionados, recurso comumente usado para despistar o órgão de controle do sistema financeiro do Banco Central. Na versão contada à polícia e ao Ministério Público Federal, Magnus afirmou que a segunda parte do acordo, a de que ele permaneceria no controle da empresa, não foi cumprida. Ele teria sido afastado das decisões do negócio, tornando-se um "zumbi", em suas palavras. Apenas circulava na fábrica, mas não tinha mais poder.

Ao descrever a situação a um parente, o fundador da Dunel chegou à conclusão de que a entrada da CSA em sua empresa havia sido, na verdade, uma maneira de Janene lavar dinheiro obtido de maneira ilícita. Ainda de acordo com sua versão, Magnus não tinha conhecimento das irregularidades do ex--deputado, embora ele já fosse réu no escândalo do mensalão. Janene fora líder do Partido Progressista (PP) na Câmara durante o primeiro governo Lula, e se tornara réu no esquema de corrupção. A Procuradoria-Geral da República denunciou Janene por ter recebido pelo menos R$ 4 milhões em propinas desviadas de cofres públicos, em troca de votar na Câmara junto com o governo do Partido dos Trabalhadores (PT) nos anos de 2003 e 2004. O ex-deputado só não foi a julgamento por ter falecido antes, em setembro de 2010.

Certa ocasião, ao se negar a assinar um documento de abertura de uma empresa no exterior, Magnus teria sido ameaçado com uma arma pelo próprio Janene. Depois disso, abandonou a empresa, fez a denúncia e saiu do Brasil, mudando-se para os Estados Unidos. A hipótese de lavagem de dinheiro fazia sentido para os investigadores, mas era preciso ter provas.

O inquérito aberto pela denúncia de Magnus chegou às mãos do delegado Anselmo em 2011, quando foi encaminhado de Londrina para Curitiba, onde fica a delegacia que centraliza as investigações de crimes financeiros do estado do Paraná. Até então pouca coisa havia sido feita. A falta de profissionais especializados para trabalhar nesse tipo de caso e a concorrência com crimes considerados mais urgentes para a segurança pública, como os de tráfico de drogas, haviam mantido a investigação praticamente parada durante quase três anos.

Em Curitiba, a história também caminhou devagar por falta de recursos. A Delefin do Paraná contava, na época, com cinco delegados, quatro escrivães e quatro agentes que cuidavam de cerca de 250 inquéritos. Em 2012, a investigação parou de vez, enquanto Anselmo se afastava do trabalho por nove meses para se dedicar a um doutorado na Faculdade de Direito da Universidade de São Paulo, voltado também ao estudo de lavagem de dinheiro.

Em 2013, a investigação começou a tomar corpo com a análise dos documentos obtidos com a quebra de sigilo da Dunel. Os extratos tinham chegado havia mais de dois anos, mas ainda não tinham sido analisados. Quando os laudos finalmente ficaram prontos, mostraram que uma das fontes pagadoras do investimento feito por Janene era um posto de gasolina localizado em Brasília, o Posto da Torre, de propriedade de Carlos Habib Chater.

Para sorte da polícia e azar de Chater, o delegado Anselmo havia trabalhado em Brasília por três anos. Lá, tomara conhecimento do histórico de irregularidades praticadas pelo dono do Posto da Torre. Chater era filho de um doleiro conhecido na cidade, já falecido. Ele mesmo, Chater, já havia sido processado e condenado a um ano e meio de prisão por exercer atividade de câmbio de maneira ilegal na década de 1990 — embora o crime tivesse prescrito durante recursos nos tribunais superiores.

Com a descoberta de que parte do investimento na Dunel fora feita via depósitos do posto de gasolina de Chater, Anselmo conseguiu autorização do juiz Sérgio Moro para quebrar o sigilo telefônico e de e-mails do doleiro. A partir daí o caso ganhou relevância. Os telefonemas e as mensagens de Chater revelaram que ele lavava dinheiro por meio do posto de gasolina, da loja de conveniência e da casa de câmbio, que funcionavam no mesmo local, e ainda através de uma rede de lavanderia de roupas com várias lojas na capital federal. Uma das atividades de Chater era fornecer dinheiro vivo a vários políticos de Brasília. O nome Lava Jato, que batizou a investigação, foi inspirado nos negócios do doleiro: o posto de gasolina, ainda que não tivesse lava jato de carros, combinado com a rede de lavanderias.

Pelo conteúdo das conversas, os policiais descobriram novos criminosos. Chater era apenas um de uma rede de quatro doleiros especializados em lavar dinheiro. Eles discutiam valores, definiam o preço do dólar para cada transação e falavam em entregas. Mantinham uma contabilidade baseada em créditos e débitos para facilitar o atendimento de seus clientes. Assim, um doleiro podia fornecer reais em espécie, no Brasil, enquanto outro operava com dólares em contas bancárias no exterior. Funcionavam como bancos informais, operando um sistema paralelo de compensação de dinheiro.

A comunicação entre os componentes do grupo era cifrada. Eles usavam codinomes, às vezes mais de um. Os policiais tiveram uma dificuldade especial para descobrir quem era um dos interlocutores de Chater, que se identificava como "Primo", apelido comum entre descendentes de árabes no Brasil. Os dois só se comunicavam por BBM, o sistema de mensagens instantâneas do celular BlackBerry. Pelas conversas, o delegado soube que Primo estava internado no hospital Albert Einstein, em São Paulo, recuperando-se de um enfarte.

Anselmo começou a desconfiar de que o tal "Primo" fosse Alberto Youssef quando os dois doleiros mencionaram Londrina. A suspeita se transformou em certeza quando Chater chamou o interlocutor misterioso de "Beto". Imediatamente Anselmo se lembrou das diligências de que participara durante as investigações do Banestado, quase dez anos antes. Na época, ficou sabendo que Youssef era de Londrina (por coincidência, sua cidade natal) e que era chamado de "Beto".

O delegado é mais uma personagem que participou das investigações do Banestado e passou a atuar na Lava Jato. Seu primeiro contato com Youssef ocorreu em 2004, quando trabalhava na Polícia Federal como escrivão. Recém-formado em direito pela Universidade Estadual de Londrina, ele foi convocado a participar da força-tarefa instalada em Curitiba para investigar o escândalo Banestado. Depois da experiência, decidiu se especializar na área de combate a crimes de colarinho branco. Nada parecia mais importante do que desvendar esquemas financeiros intrincados, cujo objetivo é ocultar a origem criminosa de quantias milionárias, muitas vezes provenientes de roubo de dinheiro público. O escrivão passou no concurso para delegado da PF em 2004 e conseguiu seu intento: trabalhar na Divisão de Repressão a Crimes Financeiros. Foi mandado para a sede da corporação, em Brasília. Lá, fez mestrado na Universidade Católica de Brasília, dedicando-se a estudar o papel da cooperação internacional no combate à lavagem de dinheiro.

Em março de 2014, quase onze anos depois da deflagração do escândalo Banestado, os caminhos do doleiro Youssef, do delegado Anselmo e do juiz

Moro se cruzaram novamente. Youssef, aos 46 anos, era novamente um homem rico, dono de uma rede de relacionamentos que incluía alguns dos políticos, empresários e executivos mais poderosos do país. Era sócio de uma agência de viagens e de vários hotéis Brasil afora. Ao mesmo tempo, operava um esquema criminoso montado para lavar e distribuir dinheiro oriundo de transações que envolviam principalmente corrupção em empresas e órgãos estatais para abastecer o caixa de políticos e partidos políticos.

Moro, aos 41 anos, trabalhava como juiz na 13ª Vara Criminal Federal de Curitiba e lecionava processo penal no curso de direito da Universidade Federal do Paraná (UFPR), onde fizera mestrado e doutorado. Sua experiência com crimes de lavagem de dinheiro havia lhe rendido o importante convite da ministra do Supremo Tribunal Federal Rosa Weber para assessorá-la no julgamento do mensalão, em 2012. Antes disso, o juiz também havia publicado o livro *Crime de lavagem de dinheiro*, em 2010.

Anselmo, aos 36 anos, coordenava a maior investigação de sua carreira, ao mesmo tempo que escrevia sua tese de doutorado, "O regime internacional de combate à lavagem de dinheiro". A investigação acabou se transformando na maior operação da Polícia Federal da história do país. Personagens novos, incluindo políticos com os mais altos postos da República, apareciam a cada semana. A defesa da tese de Anselmo foi adiada em três meses. O delegado conseguiu o título de doutor pela Faculdade de Direito do Largo São Francisco em maio de 2015, sob um forte estresse e críticas de alguns membros da banca examinadora. "Não posso deixar de lamentar a maneira apressada e descuidada com que o trabalho foi concluído", disse o professor de direito penal da USP Sérgio Shecaira, que fez parte da banca. Outra professora da USP, Ana Elisa Bechara, reclamou: "Não há análise crítica da lavagem. É uma descrição fotográfica". O juiz Sérgio Moro, também membro da banca como professor da Universidade Federal do Paraná, ressaltou que Anselmo citava o uso de tratados internacionais no julgamento do mensalão, mas não reproduzia as decisões do processo. Ao final de quatro horas de questionamentos, Anselmo recebeu o título de doutor. Dali para a frente, a Lava Jato tomaria cada vez mais o seu tempo.

Apesar de ter sido beneficiado com a redução de pena no caso Banestado, Youssef não havia abandonado o crime. Pelo contrário, sofisticou sua forma de atuação. Na tentativa de despistar possíveis investigações, utilizava mais de trinta celulares para se manter em contato com os membros mais importantes da sua rede de comparsas, distribuindo telefones para falar com cada pessoa por um número diferente. Ele imaginava que, caso caísse em uma escuta telefônica, conseguiria ocultar os demais membros da organização criminosa.

Durante as escutas telefônicas, a equipe de Anselmo já havia identificado outros dois doleiros: Raul Henrique Srour, também condenado no escândalo Banestado, e sua namorada, Nelma Mitsue Penasso Kodama. No período das investigações do Banestado, Nelma era amante de Youssef.

Com a quebra de sigilo dos quatro doleiros, o caso se tornou tão complexo que foi dividido em núcleos. O nome original, Lava Jato, passou a se referir apenas à investigação de Carlos Habib Chater. As três novas frentes ganharam nomes de clássicos do cinema depois que os policiais descobriram que Nelma usava nomes de atrizes em perfis de redes sociais. Era Greta Garbo no Skype. No Facebook era Cameron Diaz. Para sua cadelinha Puka, criou um perfil com o nome de Anita Ekberg, a atriz de *La dolce vita*, do diretor italiano Federico Fellini.

O núcleo de Nelma foi batizado de Dolce Vita. O de seu namorado, Raul Srour, ganhou o nome de Casablanca, filme do diretor americano Michael Curtiz estrelado por Humphrey Bogart e Ingrid Bergman. A história se passa durante a Segunda Guerra Mundial, e Bogart vive o dilema entre ajudar a mulher que ama a fugir com o marido ou tentar ficar com ela. Os policiais escolheram o nome Casablanca por causa do trio amoroso formado por Youssef-Nelma-Raul, depois de descobrirem que Nelma namorava Raul depois de ter sido amante de Youssef. A frente de investigação de Youssef foi chamada de Bidone, referência ao filme *Il bidone* (traduzido no Brasil como *A trapaça*), também de Fellini, que conta a história de um grupo de trapaceiros na Itália do pós-guerra. Na opinião dos policiais, Youssef seria um trapaceiro incorrigível, capaz de escolher um negócio ilícito ainda que pudesse ganhar o mesmo com uma atividade honesta. Apesar do esforço criativo dos policiais federais, a operação acabou ficando conhecida apenas como Lava Jato, o nome original.

Em 17 de março de 2014, enquanto Youssef era preso na capital maranhense, um grupo de policiais federais do Rio de Janeiro revistava a casa de Paulo Roberto Costa, um ex-diretor da Petrobras, que até então havia sido pouco investigado pela equipe do delegado Anselmo. O nome de Costa surgiu durante o monitoramento de e-mails de Youssef. Em um determinado momento, começaram a aparecer mensagens que mostravam o doleiro negociando um carro, um Range Rover Evoque, com uma concessionária de São Paulo. Um e-mail revelava que o carro sairia por R$ 250 mil. A surpresa veio no fim da negociação, quando o doleiro avisou a concessionária que a nota fiscal deveria sair em nome de Paulo Roberto Costa. O carro também deveria ser emplacado com o número 1954, ano de nascimento do ex-diretor da Petrobras.

Na hora, o nome não disse nada ao delegado. Porém, ao pesquisar o CPF de Costa, o policial descobriu que ele havia sido um dos executivos mais poderosos do país até pouco tempo atrás. Entre 2004 e 2012, Costa ocupara o cargo de diretor de Abastecimento da Petrobras, a maior empresa brasileira em receita e em lucro até então. Em abril de 2012, fora demitido pela nova presidente da companhia, Maria das Graças Foster, ou Graça Foster, como é conhecida. Fora da estatal, Costa abriu uma empresa de consultoria, a Costa Global.

Depois de pesquisar um pouco mais, o delegado chegou a notas na imprensa que atribuíam ao ex-deputado José Janene a indicação de Costa para a diretoria da estatal. Mesmo assim, Costa não foi classificado como alvo prioritário. Não teve o sigilo telefônico nem bancário quebrado, como outros investigados da Lava Jato. Àquela altura, era preciso evitar novas frentes de apuração, pois a investigação já havia crescido demais. De qualquer forma, o juiz Sérgio Moro acatou o pedido da PF: no dia da operação, os policiais deveriam apreender o Range Rover, levar Costa à delegacia para explicar sua relação com Youssef e vasculhar sua casa e sua empresa em busca de documentos que pudessem explicar a ligação do executivo com o doleiro.

Ao chegarem ao condomínio de casas de alto padrão na Barra da Tijuca, zona oeste do Rio de Janeiro, os policiais avistaram o carro estacionado na frente da residência de Costa. Quando começaram a busca na parte interna da residência, encontraram um cofre abarrotado com notas de real, dólar e euro que, somadas, passavam de R$ 1,2 milhão. Costa não ofereceu resistência à entrada dos policiais. Abriu o cofre e disse que usava dinheiro vivo em viagens e no pagamento de empregados. Depois, acompanhou os policiais até a delegacia. Antes disso, porém, conseguiu enganar os agentes.[9] Ligou para uma de suas duas filhas, Arianna, e pediu que ela retirasse computadores e papéis de sua empresa. Aos policiais, disse que não tinha secretária, e que só ele tinha a chave do escritório. Depois, sugeriu que ele mesmo fosse abrir a empresa, assim que os policiais tivessem terminado a inspeção em sua casa.

Isso ocorreu porque, ao encontrarem o cofre cheio de dinheiro vivo na casa de Costa, os policiais resolveram pedir reforço da segunda equipe que havia sido enviada para o local de trabalho do ex-diretor. Esse segundo grupo de policiais aguardava o início do horário comercial para iniciar a busca no escritório da Costa Global. A equipe que estava na casa de Costa não tinha máquina de contagem de cédulas,[10] e precisava de ajuda para concluir os procedimentos obrigatórios em uma apreensão que envolve muito dinheiro — a polícia tem de seguir uma série de regras para se precaver de possíveis acusações de sumiço de valores, por exemplo. Com as duas equipes na casa de Costa, as filhas do ex-diretor foram ao escritório do pai e, acompanhadas dos maridos, retiraram tudo o que poderia incriminá-lo.

Quando os policiais chegaram ao prédio onde funcionava a Costa Global, não encontraram nada útil. Durante a busca, souberam por funcionários do edifício que as filhas e os genros do ex-diretor haviam entrado no escritório mais cedo e saído com computadores e sacolas cheias de papéis. Três dias depois, Costa foi preso. O juiz Moro decretou sua prisão por ocultação e destruição de provas, depois que a polícia teve acesso às imagens das câmeras do prédio, que mostraram os familiares esvaziando o escritório. A partir daí a investigação tomou um novo rumo. Mais que isso, lançou a Petrobras no mais grave escândalo de corrupção de seus sessenta anos de existência.

2. "Não posso revelar meus sócios"

A prisão de Paulo Roberto Costa, em 20 de março de 2014, caiu como uma bomba na Petrobras. Assim que foi veiculada pelos sites de notícias e pela televisão, a petroleira praticamente parou. Perplexos, os funcionários reviravam a internet em busca de mais informações. Também ligavam uns para os outros freneticamente. Queriam dividir histórias protagonizadas por Costa. Uma bronca dada por ele, uma reunião em que ele estava, uma troca de palavras no elevador, uma conversa numa festa da empresa... Enfim, qualquer informação sobre o ex-diretor de Abastecimento servia de desculpa para voltar ao assunto e extravasar um pouco do choque provocado pela notícia. Àquela altura, a imprensa já veiculava as primeiras matérias que relacionavam Costa a Youssef, preso três dias antes. No escritório do doleiro fora encontrado o contrato de compra de um terreno em Mangaratiba, região de Angra dos Reis, no valor de R$ 3,3 milhões, onde Costa estava construindo uma casa de veraneio. Os policiais também haviam apreendido em um cofre de Youssef o contrato de compra de um barco, o *Costazul*, em nome de uma empresa do ex-diretor da Petrobras. A embarcação custara R$ 1,1 milhão.

A cena do executivo algemado e escoltado por policiais mexeu com o brio dos funcionários. "É como se todos nós fôssemos chamados de bandidos", comentou, semanas depois, um funcionário com mais de trinta anos de empresa. A mesma pessoa viu uma colega guardando na gaveta uma foto que havia tirado com Costa, nos tempos em que o ex-chefe aparecia na televisão para dar notícia de grandes investimentos. O orgulho havia se transformado em vergonha.

Ao ser preso, Costa já não trabalhava na Petrobras havia quase dois anos, mas seu nome ainda era bastante presente no dia a dia da companhia. Dos 35 anos em que trabalhou na estatal, passou oito no comando da diretoria de Abastecimento, de 2004 a 2012. Na escala de importância dentro da empresa, a área de Abastecimento só fica atrás da de Exploração e Produção (E&P), o carro-chefe de toda grande petroleira. A diretoria de Abastecimento é responsável pela operação de treze refinarias, que todos os dias transformam mais de 2 milhões de barris de petróleo em gasolina, óleo diesel, querosene de aviação, asfalto e todo tipo de derivado. Essa também é a diretoria que realiza todas as compras e vendas de petróleo e de combustíveis feitas com empresas do mundo inteiro. Sob a responsabilidade de Costa ainda estavam investimentos bilionários, como a construção do Complexo Petroquímico do Rio de Janeiro (Comperj) e da Refinaria Abreu e Lima, em Pernambuco, orçados em US$ 21,6 bilhões[1] e US$ 18,5 bilhões, respectivamente. Sob suas ordens estavam mais de 20 mil funcionários.

Eu havia encontrado Costa nove dias antes. O ex-diretor me recebera em 11 de março, no escritório da Costa Global. Meu objetivo era escrever um perfil de Graça Foster, então presidente da Petrobras, para a revista *Exame*, onde eu trabalhava. Na época, a ideia era mostrar como a executiva vinha suportando a pressão de comandar uma empresa mergulhada em problemas: denúncias de corrupção (que até então não envolviam Costa diretamente), enormes atrasos em projetos de todas as diretorias, além de estouros bilionários no orçamento de suas principais obras. Para completar, o caixa da companhia vinha sendo asfixiado por uma política contraditória de seu maior acionista, o governo federal. Ele obrigava a estatal a investir cada vez mais, ao mesmo tempo que congelava o preço dos produtos da petroleira — os combustíveis — para conter a inflação.

Apesar de estar fora da Petrobras, Costa provavelmente seria uma boa fonte para a reportagem. Ele fora chefe de Graça — quando ela comandava a área de petroquímica, subordinada à diretoria de Abastecimento — e, mais tarde, seria demitido por ela, dois meses depois de a executiva assumir a presidência da companhia. A conversa se estendeu por mais de duas horas. Educado, de fala mansa e com resquícios do sotaque interiorano herdado de sua cidade natal, no Paraná (onde hoje fica Telêmaco Borba), Costa falou da Petrobras, de Graça, da carreira e da família. Mostrou fotos das duas filhas e dos três netos, que decoravam um aparador de sua sala.

A Costa Global ocupava um escritório pequeno e confortável, em um ótimo endereço da Barra da Tijuca, a Península, um sub-bairro de alto padrão na zona oeste do Rio com edifícios residenciais e comerciais. Além da recepção, havia duas salas: uma ocupada por Paulo e a outra, um pouco menor, onde trabalhava sua filha mais nova, Arianna, na época com 31 anos. A filha mais velha, Shanni, 32, havia abandonado a carreira de advogada para se dedicar aos filhos. Enquanto conversávamos, Costa mostrou a filha através da parede de vidro que dividia os dois ambientes. O local era perfeito para ele e para ela. Ele morava a quinze minutos de lá. Já Arianna morava na própria Península, quase ao lado do escritório. As duas filhas eram vizinhas. Os três netos, um de Arianna e dois de Shanni, viviam livres no condomínio, uma espécie de clube, cheio de espaço e lazer, explicou o avô.

Durante a nossa conversa, Costa mostrou que ainda se ressentia da demissão da Petrobras. Ficou com os olhos marejados ao se lembrar da época em que ingressara na companhia, em 1977. Aos 23 anos, recém-formado em engenharia mecânica pela Universidade Federal do Paraná, Costa foi mandado para Vitória, no Espírito Santo, para trabalhar na área de E&P. Na época, a capital capixaba era o centro operacional da Bacia de Campos, que produzia apenas cerca de 10 mil barris de óleo equivalente por dia. O principal polo de produção da empresa ainda era a Bahia. (Hoje, a maior região produtora de óleo e gás do país é a Bacia de Campos, com cerca de 2 milhões de barris de óleo equivalente por dia, e seu centro operacional fica em Macaé, no norte do Rio de Janeiro.)

Costa construiu a maior parte da carreira na área de produção, dentro da diretoria de E&P. Seu sonho, dizem pessoas que conviveram com ele, era se tornar diretor de E&P, o que nunca aconteceu. Depois do Espírito Santo, ele foi para Macaé, em 1979, onde permaneceu por dezesseis anos, até 1994. Lá, constituiu família com Marici da Silva Azevedo Costa, técnica de nível médio da Petrobras, com quem teve as filhas no começo da década de 1980. Foi um período feliz. Costa ia, aos poucos, ascendendo na empresa. As filhas cresciam perto da família da mãe, que é da cidade. Ele e a mulher, hoje aposentada pela estatal, se divertiam jogando vôlei de praia. Também entraram num grupo de carteado, formado por casais de petroleiros. A turma se reunia duas ou três vezes por mês, e o dinheiro arrecadado com os jogos era doado de tempos em tempos a instituições de caridade.

Ao longo de mais de trinta anos alguns casais entraram, outros saíram, mas Costa e Marici permaneceram no grupo de buraco até estourar o escândalo, em março de 2014. Diversas vezes, o jogo foi na casa de Costa e Marici, na Barra da Tijuca. É uma casa espaçosa, de dois andares. Na parte de trás havia uma edícula, onde Costa mantinha um escritório. No quintal, entre a casa e a edícula, havia um jardim e uma piscina, que acabou sendo aterrada por insistência de Marici. Ela temia que algum de seus cachorros se afogasse — o que quase ocorreu em uma ocasião. Segundo os amigos do casal, era uma residência sem sinais de riqueza desproporcionais aos ganhos de Costa, considerando que um diretor da Petrobras ganhava o equivalente a R$ 100 mil por mês em 2012.

Entre 2007 e 2008, o grupo sofreu uma baixa importante. Almir Barbassa, diretor financeiro da Petrobras, e sua mulher, Rosa, começaram a faltar e, depois, pararam de comparecer às noites de carteado. Só depois da Operação Lava Jato Barbassa confidenciou a alguns colegas o motivo de ter se distanciado do grupo. Ele havia estranhado a presença de dois novos participantes, o empresário Henry Hoyer de Carvalho e o grego Konstantinos Kotronakis, cônsul honorário da Grécia no Rio de Janeiro.

A atividade de Hoyer nunca havia ficado clara. Um dia, alguém do grupo comentou que ele tinha uma casa palaciana na Serra Fluminense. A pessoa não tinha certeza de quantas suítes possuía o imóvel, mas era um número como sete, oito, talvez dez. A adega era coisa de cinema. A luz amarela acendeu quando o diretor financeiro soube que Hoyer havia sido assessor do ex-senador Ney Suassuna, do PMDB da Paraíba. Ao pesquisar na internet, tomou conhecimento de que Hoyer fora demitido em setembro de 2005, depois de ser denunciado pelo Ministério Público de participar, junto com Suassuna, de um suposto esquema de corrupção para favorecer uma empresa de consultoria fiscal.

Barbassa já estava desconfortável com a presença de Kotronakis, também convidado de Paulo Roberto Costa. Era apenas uma desconfiança, mas ele sabia que muitos dos navios que transportam petróleo mundo afora pertencem a armadores gregos. Será que Costa estaria ganhando propina desse tipo de empresa? Não era uma suspeita descabida, mas parecia uma traição pensar esse tipo de coisa de um colega. De qualquer forma, a situação o incomodava, e ele decidiu se afastar do grupo.

Após o estouro do escândalo, alguns colegas do baralho comentaram que haviam estranhado as aquisições recentes de Costa. Depois de deixar a empresa, ele havia comprado uma casa bastante luxuosa em Itaipava, na Serra Fluminense. A residência tinha quatro suítes. Mas não foi o tamanho que impressionou os colegas que visitaram o local, e sim o acabamento do imóvel, a decoração sofisticada, as plantas exuberantes do jardim impecável. Era tudo muito confortável, belo e, certamente, caro. Os colegas também souberam que Costa estava construindo uma casa no balneário de Mangaratiba e que havia comprado um barco de luxo.

Em Macaé, Costa galgou várias posições na hierarquia até chegar a superintendente de produção, um cargo alto dentro da corporação, e no qual muitos profissionais se orgulhariam de terminar a carreira. Na época, a Petrobras dividia a atividade de E&P em três grandes áreas: a exploração (que procura sinais de óleo e gás de maneira indireta, com a ajuda de sondas que fazem uma espécie de radiografia do subsolo), a perfuração (que abre os poços para confirmar ou não a existência de petróleo, indicada nos estudos feitos pela exploração) e a produção propriamente dita (que define como devem ser as plataformas, como devem ser a instalação e a operação). Comandar a área de produção da maior bacia produtora do país é, portanto, um cargo de alta responsabilidade e também de muito status.

Espera-se que executivos da Petrobras do nível de Costa tenham de interagir com políticos. A estatal é, de longe, a empresa mais importante de Macaé. O contato com prefeitos de cidades vizinhas, secretários de estado, deputados, enfim, políticos de todas as esferas, é inevitável. O motivo pode ser a apresentação de um projeto, uma questão de licenciamento ambiental ou uma solenidade. Foi nessa época que Costa tomou gosto pelo contato com políticos, disseram alguns de seus colegas de trabalho. Tornou-se amigo muito próximo de Silvio Lopes, então prefeito de Macaé e ex-deputado federal. Quando deixou a cidade, Costa recebeu calorosas homenagens de prefeitos, vereadores e também de deputados estaduais e federais, que compareceram à Câmara Municipal.

Em 1994, Costa comandava a área de produção em Macaé quando houve uma mudança na estrutura organizacional de E&P. As três áreas — exploração, perfuração e produção — seriam reunidas em uma só. Em vez de três superintendentes para cada bacia, haveria um só, bem mais poderoso. De 21 superintendentes, permaneceriam apenas sete. O presidente da companhia era Joel Mendes Rennó, que permaneceu no posto entre 1992 e 1999.

Na escalação dessa nova safra de superintendentes (ou "Chepot", sigla criada pelos petroleiros para abreviar a expressão "Chefe da porra toda"), Costa foi transferido de Macaé, sede da Bacia de Campos, para Itajaí, em Santa Catarina, onde administraria as bacias de Santos e de Pelotas. Foi um rebaixamento traumático para ele. Na época, a Bacia de Campos operava com trinta plataformas e 7 mil funcionários, e era responsável por 85% da produção de óleo e gás do país. As bacias de Santos e Pelotas ainda eram insignificantes na companhia. Durante as reuniões para decidir quem seriam os novos "Chepots" de cada bacia, ficou decidido que nenhum dos novos superintendentes permaneceria no mesmo local em que já trabalhava. Por esse motivo, Costa não poderia ficar em Campos. O escolhido para comandar a operação de Campos foi o engenheiro Rodolfo Landim, especialista em reservatórios.

Com a mudança para Itajaí, Costa decidiu morar com a família no Balneário Camboriú, a 15 quilômetros da sede catarinense da estatal. Ele amargou a perda de status, mas conseguiu voltar ao Rio em um ano e meio para trabalhar na sede da estatal, convidado pelo então diretor de E&P Antônio Carlos Agostini. Em seu novo posto, gerente-geral de logística de E&P, era responsável por contratar barcos de apoio e helicópteros para as operações offshore (marítimas). Na época, Agostini comentou com alguns funcionários que o prefeito de Macaé, Silvio Lopes, havia intercedido em nome de Costa. Mais tarde, Agostini o indicou para assumir uma área nova na companhia, uma gerência de comercialização de gás. Nessa época, a área de gás começava a adquirir importância na companhia. A construção do Gasoduto Bolívia-Brasil fora iniciada em 1997 e ampliara fortemente a oferta de gás no país com a inauguração do trecho que ligava São Paulo a Santa Cruz de la Sierra (1.968 quilômetros), em 1999.

Mas, se o relacionamento com políticos foi capaz de transferi-lo de Santa Catarina para o Rio de Janeiro, também serviu para atrapalhá-lo. Era o final de 1999, época em que Henri Philippe Reichstul presidia a companhia, no segundo mandato do presidente Fernando Henrique Cardoso. Durante uma reunião, um dos diretores disse a Reichstul que um político o havia procurado para falar das qualidades de Paulo Roberto Costa. Reichstul encerrou o assunto dizendo que com ele pedidos desse tipo tinham mais chance de render um rebaixamento do que uma promoção.

Logo depois, quando a Petrobras criou a diretoria de Gás e Energia, Costa não foi promovido. Permaneceu no cargo de gerente-geral, agora de logística de gás, que cuidava da operação dos gasodutos da companhia. Seu superior imediato era o gerente executivo Rodolfo Landim, que respondia pela produção e pelo transporte de gás natural. Acima de ambos estava Delcídio do Amaral, o primeiro diretor de Gás e Energia da companhia. Delcídio chegara à petroleira em 1999 indicado pelo PMDB. Reichstul diz que não se lembra da história envolvendo represália a Costa. Dois diretores do período, no entanto, garantem que o episódio ocorreu.

O auge da carreira de Costa ocorreu em 2004. Um ano e quatro meses depois de o presidente Luiz Inácio Lula da Silva tomar posse, Costa chegaria à diretoria de Abastecimento da Petrobras. Não era exatamente a área que ele sonhava dirigir, mas alcançava, enfim, a elite da companhia, abaixo apenas da presidência. Sua indicação foi feita pelo deputado federal José Janene, do Partido Progressista (PP) do Paraná, que havia negociado a entrada do PP na base de sustentação do governo Lula. Uma das condições impostas para apoiar o governo foi que o PP pudesse nomear a diretoria de Abastecimento da maior empresa do país. E Costa já era conhecido de Janene, pelo menos, desde 2003, conforme revelou o doleiro Alberto Youssef em depoimento de colaboração premiada.[2] Youssef afirmou ter pagado US$ 300 mil a Costa, em 2003, antes de ser preso pelo caso Banestado. O dinheiro fora entregue em espécie, a pedido de Janene, relatou o doleiro. Tratava-se de propina referente a um contrato fechado entre o consórcio formado pela Mitsui e a Camargo Corrêa e a TBG, subsidiária da Petrobras e proprietária do Gasoduto Bolívia-Brasil. Paulo Roberto Costa havia se tornado diretor da TBG no início de 2003.

Durante a conversa que tivemos dias antes da prisão, Costa não falou sobre suas relações políticas, nem sobre os reveses que sofreu na carreira. Ficou novamente com os olhos marejados quando relembrou a demissão. Era 26 de abril de 2012. Ele estava em Fortaleza, no Ceará, no meio de uma palestra em uma universidade, quando recebeu uma ligação de Graça Foster, já presidente da companhia. Na volta do compromisso, disse Graça, ele deveria passar em Brasília para conversar com o então ministro Edison Lobão, de Minas e Energia. Costa mudou o voo, parou em Brasília e voltou demitido para o Rio de Janeiro.

O rito de sua demissão diz muito sobre a estrutura de poder na Petrobras e o poder de que ele desfrutou por anos na companhia. Costa foi demitido a pedido de Graça Foster e com apoio de Dilma Rousseff. Havia tempos as duas tentavam se livrar dele. "A Graça dizia que ele tinha vendido a alma ao diabo", diz um ex-executivo da companhia. Mas quem o demitiu foi o ministro de Minas e Energia. Costa não se reportava apenas à presidente da companhia. Suas conexões com Brasília dispensavam intermediários. Muitas vezes, ele despachava diretamente com o ministro.

Antes de cair em desgraça, o ex-diretor se orgulhava da proximidade que mantinha com o poder. A um conhecido, confidenciou que Lula o chamava de Paulinho — o ex-presidente costuma dar apelidos às pessoas com quem se relaciona e, muitas vezes, é o diminutivo do nome. Pude testemunhar pessoalmente sua reverência a Lula. Ao me levar até a recepção na primeira vez em que estive na Costa Global, em 2013, para escrever uma reportagem sobre as dificuldades das obras do Comperj, Costa parou na frente de um dos quadros que decoravam o escritório. A moldura de vidro protegia uma jaqueta laranja usada pelos petroleiros que trabalham em plataformas. O uniforme tinha o nome de Costa gravado no bolso, na altura do peito. Um pouco mais abaixo, a assinatura do ex-presidente Lula. Costa apontou para o autógrafo e disse: "Esse era o cara".

Recomposto da emoção de recordar a saída da Petrobras, o ex-diretor falou com entusiasmo da nova carreira que estava construindo. A Costa Global, segundo ele, era uma espécie de "agência de matrimônio". Prestava consultoria a empresas e empresários com interesse em investir na área de óleo e gás. Fazia sentido. Com a vivência de 35 anos no ramo, Costa tinha uma visão privilegiada do mercado. Não seria difícil aconselhar empresários e também reunir interessados em fazer negócios.

Ele estava mais empolgado em se tornar empresário. Queria construir minirrefinarias nas áreas em que a Petrobras tem mais dificuldade de distribuir combustíveis. A REF Brasil, da qual era sócio, teria quatro pequenas refinarias com capacidade de processar entre 5 mil e 10 mil barris de petróleo por dia cada uma. O plano era instalá-las em Sergipe, Espírito Santo, Alagoas e Ceará. A construção das plantas, segundo ele, seria bastante rápida, feita em módulos pré-fabricados, num sistema semelhante ao de um brinquedo Lego.

O projeto mais adiantado era o de Sergipe. O então governador Jackson Barreto (PMDB) havia assinado um protocolo de intenções para a instalação da unidade, que levaria o nome de Marcelo Déda (PT), governador de Sergipe morto por um câncer em 2013, durante o mandato. As quatro minirrefinarias deveriam consumir investimentos de R$ 960 milhões. O tom da explicação, cheia de detalhes, mudou quando perguntei quem eram seus sócios na REF Brasil. Costa tornou-se sucinto e disse apenas: "Não posso revelar meus sócios".

Estávamos terminando a conversa, e a secretária já havia avisado que uma pessoa o esperava na recepção. Perguntei se ele havia presenciado ou tomado conhecimento de alguma atitude antiética por parte de Graça Foster — lembrando que o objetivo da nossa conversa era levantar informações sobre a presidente da companhia. Ele respondeu que não, enquanto procurava, em pé, algo em uma gaveta de sua mesa de trabalho. Minha intenção era saber se a presidente Graça Foster trabalhava para levantar fundos para campanhas do PT, partido ao qual se filiou em 2008, ou tolerava que outros o fizessem.

Insisti no assunto e complementei a pergunta: "Já ouvi de muitas pessoas que a Petrobras é uma fonte riquíssima de financiamento de campanhas eleitorais. Afinal, a estatal é a maior investidora do país e fecha milhares de contratos por ano, com todo tipo de empresa". A resposta de Costa demorou alguns instantes a mais do que as outras. Ele parou de mexer na gaveta onde procurava algo e levantou o rosto para responder com honestidade surpreendente: "Mas isso sempre foi, é e continuará sendo assim na Petrobras". Não deu mais detalhes. Convencido — ou tentando convencer — que esse era o funcionamento normal e aceitável dentro da companhia, afirmou que "só estava dizendo o que todo mundo já sabia". Ou seja, que a Petrobras era um instrumento de financiamento de campanhas políticas.

Costa ficou preso por sessenta dias, de 20 de março a 19 de maio de 2014, quando conseguiu um habeas corpus do Supremo Tribunal Federal que lhe deu o direito de responder à Justiça em liberdade. Menos de um mês depois, foi preso novamente. O Ministério Público da Suíça informou à Justiça brasileira ter encontrado US$ 23 milhões em contas relacionadas a Costa em bancos daquele país (havia mais US$ 2,8 milhões em outras contas nas Ilhas Cayman).

O ex-diretor havia criado uma rede de negócios em família que gravitavam em torno de sua influência na Petrobras. A filha mais nova, Arianna, era aparentemente a mais ambiciosa. Formada em fisioterapia, ela abandonou a profissão para entrar no mundo dos negócios, sempre, ou quase sempre, contando com a ajuda do pai. Ligava para conhecidos de Costa, de preferência os que ocupavam cargos executivos em grandes empresas, para oferecer móveis de escritório de uma fábrica paranaense que representava no Rio de Janeiro. Depois, passou a vender serviços de alimentação corporativa.

Arianna era agressiva. Sem constrangimento, falava em nome do pai para ser atendida. Em seguida, passava a cobrar insistentemente se o contrato seria ou não fechado. Um ex-executivo da Petrobras que fora abordado por Arianna — quando já estava fora da estatal — contou que em certa ocasião o próprio Costa ligou para lhe pedir que ajudasse a filha. "No meio da conversa ele teve coragem de dizer que a empresa em que eu trabalhava tinha interesses com a Petrobras", afirma o ex-funcionário da petroleira. "Fingi que não entendi o recado, e o assunto morreu."

Um dos genros de Costa, o economista Humberto Sampaio de Mesquita, casado com Shanni, participou ativamente do esquema de corrupção do sogro.[3] Sócio da consultoria de gestão Pragmática, Mesquita cedeu, inicialmente, uma conta de sua empresa para que Costa recebesse propinas de operações individuais — ou seja, sem repartir com partidos políticos —, o que aconteceu várias vezes.

Um dia antes da segunda prisão, Costa havia deposto no Senado à Comissão Parlamentar de Inquérito aberta para investigar desvios na Petrobras. Aos parlamentares, afirmou ser inocente e se disse vítima de uma injustiça. Insistiu que o carro que ele ganhara de Youssef lhe fora dado em pagamento a um trabalho de consultoria. Não era verdade. Na cadeia pela segunda vez, o ex-diretor da Petrobras percebeu que não teria como escapar de provas tão contundentes. Elas comprometiam seus familiares, que foram cúmplices de seus crimes. Em 29 de agosto, quase três meses depois da segunda prisão, Costa assinou um acordo de colaboração premiada com o Ministério Público Federal e começou a confessar.

3. Efeito caixa de Pandora

Os depoimentos de Paulo Roberto Costa se transformaram em uma espécie de caixa de Pandora. Provocaram uma série de outras colaborações premiadas, que revelaram, em detalhes, como funcionava a eficiente máquina de desviar dinheiro da petroleira. Costa delatou dezenas de políticos, outros diretores da companhia e alguns dos mais altos executivos e maiores empresários do país. Ele, por sua vez, revelou-se um especialista em ganhar "comissões", eufemismo usado pelo próprio para designar propinas. Todo tipo de negócio envolvendo a estatal podia lhe render "vantagens indevidas", na linguagem jurídica.

Durante os oito anos em que permaneceu na diretoria de Abastecimento, Costa acumulou pelo menos US$ 30 milhões pela sua participação no esquema criminoso instalado dentro da Petrobras. Reconheceu que sua chegada à diretoria, em maio de 2004, se deveu ao deputado federal José Janene, do PP. Ele aceitou o cargo já sabendo que teria de facilitar o saque à empresa onde trabalhava desde 1977. O dinheiro roubado serviria para abastecer o caixa do partido que o sustentaria no cargo de comando da petroleira.

O esquema havia sido bolado por representantes da cúpula do partido do governo, o PT, em conjunto com líderes de legendas aliadas, entre elas o PP. Já estava tudo combinado também com as maiores empreiteiras do país, que ganhariam as grandes obras e serviços contratados pela Petrobras. As empresas formaram um cartel, cujo funcionamento foi detalhado por outros delatores, entre eles o empresário Augusto Ribeiro de Mendonça Neto, sócio da Setal Engenharia e Construções e da Setal Óleo e Gás (SOG). Segundo Mendonça

Neto, inicialmente o grupo era formado por Odebrecht, UTC, Andrade Gutierrez, Camargo Corrêa, Techint, Mendes Júnior, Promon, MPE e Setal/SOG. Depois, no final de 2006, entraram outras: Skanska, OAS, Queiroz Galvão, Galvão Engenharia, Engevix, GDK e Iesa.[1]

A cada contrato assinado com a estatal, as fornecedoras separariam um percentual do valor recebido, geralmente de 3%, no caso da diretoria de Abastecimento. Essa era a fonte de dinheiro que abasteceria os partidos políticos e executivos da estatal, como Costa, que facilitariam a concretização do esquema. As empresas, organizadas em cartel, combinavam entre si quem ficaria com cada contrato a ser fechado com a estatal. Depois, o coordenador do grupo procurava os diretores da petroleira e passava a lista das empreiteiras que deveriam ser chamadas para o certame. Bastava que a ganhadora da vez embutisse o valor da propina em seu preço. Depois, era só combinar com as demais empresas para que elas apresentassem valores mais altos ou não entrassem na licitação. Sem competição e esforço para reduzir os preços, elas se revezariam a cada novo serviço contratado.

E haveria muitos contratos, pois a Petrobras não era apenas a maior empresa do país, mas também a maior investidora. Entre 2003 e 2014, a média anual de investimentos efetivamente realizados pela companhia foi de R$ 76 bilhões (a preços atualizados para 31 de dezembro de 2015). Em seus depoimentos, Costa revelou que todos os contratos fechados pela estatal com as empresas do cartel geravam propinas. Do total de recursos desviados das obras de Abastecimento, o PT ficava com dois terços, enquanto ao PP cabia um terço.[2] Os valores destinados ao PT eram negociados com os fornecedores pelo diretor de Serviços Renato Duque e por Pedro Barusco, um de seus subordinados diretos, ou, ainda, pelo então tesoureiro do PT, João Vaccari Neto.[3] Era Vaccari o responsável por arrecadar os valores com as empresas ou seus operadores (intermediários que efetivavam os pagamentos, recorrendo a diversas modalidades de lavagem de dinheiro). Já os valores destinados ao PP eram negociados inicialmente por Janene e por João Cláudio Genú, ex-assessor parlamentar e ex-tesoureiro do PP. Com o passar do tempo, e depois que Janene e Genú se envolveram no mensalão, Youssef passou a negociar com as empresas. Era também o doleiro que realizava a arrecadação e a distribuição do dinheiro aos políticos e ao próprio Costa.[4]

Na estrutura da Petrobras da época havia duas áreas de apoio — a Financeira e a de Serviços, que atendiam a toda a companhia — e quatro áreas de negócios: 1) Exploração e Produção, 2) Gás e Energia, 3) Abastecimento e 4) Internacional. São as diretorias de negócios que precisam construir, reformar e ampliar refinarias, oleodutos, gasodutos, usinas de eletricidade, ou, ainda, alugar navios e plataformas de petróleo, além de uma infinidade de outras estruturas. Para tanto, essas áreas de negócios dispõem de orçamentos bilionários, pois são elas que pagam efetivamente pelas aquisições e contratações feitas pela estatal.

O sistema de corrupção montado a partir de 2003 na Petrobras promoveu uma espécie de fatiamento das áreas de negócios da companhia. Os contratos fechados pelas diretorias de E&P e de Gás e Energia geravam propinas para o PT (os recursos eram arrecadados pela diretoria de Serviços, de influência direta do PT, comandada por Renato de Souza Duque entre 2003 e 2012). O partido do governo ainda ficava com dois terços das propinas geradas pelas áreas Internacional e Abastecimento, que também abasteciam o PMDB e o PP, respectivamente, com o terço restante dos recursos desviados da estatal.

Apesar de não ser uma área de negócios, mas de apoio, a diretoria de Serviços foi a peça-chave para a instalação do propinoduto na Petrobras. Todos os contratos de obras, de engenharia, de compras de materiais e de serviços gerais (como suporte de informática, mão de obra temporária, limpeza, entre outros) passavam pela diretoria de Duque. Como diz o nome, a diretoria prestava serviços para as demais áreas da petroleira, organizando licitações, negociando com os fornecedores, comprando materiais e equipamentos e fiscalizando obras. Mal comparando, as áreas de negócios eram como clientes que queriam construir ou reformar uma casa, enquanto a diretoria de Serviços funcionava como um escritório de arquitetura que cuidava da obra.

Geralmente, o cliente fiscaliza de perto as compras e contratações feitas pelo arquiteto. Porém, como parte dos diretores estava envolvida no esquema, caso de Costa, as licitações eram feitas sob medida para render contratos às empreiteiras, que, por sua vez, repassavam propinas para políticos e para os executivos da estatal que participavam do esquema. Os funcionários que questionaram as contratações foram duramente penalizados.

Na prática, a diretoria de Serviços tornou-se a mais poderosa da companhia, não por gerar receita, mas por comandar os gastos. Não foi por acaso que Duque foi estrategicamente escolhido para representar os interesses do PT dentro da estatal. Sua nomeação passou pelo crivo do ministro da Casa Civil José Dirceu, ainda no período de formação do governo, no final de 2002. As investigações do Ministério Público Federal e da PF indicam que, além de Costa e Duque, pelo menos outros dois diretores participaram do esquema de corrupção: Nestor Cerveró, diretor da área Internacional entre 2003 e 2008, e seu sucessor, Jorge Luiz Zelada, de 2008 a 2012.

Na área de Abastecimento, enquanto Costa propunha os investimentos a serem feitos pela Petrobras, José Janene atuava como administrador do caixa de propinas. Janene delegava a Alberto Youssef a coleta do dinheiro nas construtoras, os malabarismos financeiros necessários à lavagem dos recursos e, finalmente, sua distribuição aos políticos e a Costa. (No caso do PT, a operação de coleta e distribuição do dinheiro ficava a cargo de João Vaccari Neto, então tesoureiro do partido.)

A divisão das propinas da área de Abastecimento mudou a partir de 2007, quando o PMDB também passou a receber parte dos recursos da diretoria. A mudança ocorreu depois que o ex-diretor Paulo Roberto Costa ficou afastado da Petrobras por problemas de saúde. Depois de uma viagem de trabalho à Índia, Costa foi diagnosticado com malária e pneumonia. Os médicos chegaram a lhe dar apenas 5% de chances de sobrevivência. Costa ficou dois meses afastado da empresa. Nesse período, abriu-se uma luta entre grupos políticos que queriam o direito de indicar o próximo diretor de Abastecimento. Segundo Costa, um de seus subordinados diretos, o gerente executivo de refino Alan Kardec, teria começado a arregimentar apoio político de outros partidos para ocupar a diretoria.

O período era especialmente delicado para o governo, que tentava aprovar a prorrogação da Contribuição Provisória sobre Movimentação Financeira (CPMF). Na época, o deputado federal Eduardo Cunha, do Rio de Janeiro, então vice-líder do PMDB na Câmara, deu uma entrevista dizendo que não reconhecia a indicação de Kardec como sendo de seu partido. "O Alan Kardec é uma indicação do PT e do ministro das Relações Institucionais, Walfrido dos Mares Guia [que era do PTB na época]", afirmou Cunha, durante a votação da emenda para prorrogar a CPMF, ocorrida em 2007.

Em meio a um embate político, o PP, enfraquecido, resolveu unir forças com o PMDB para manter, mesmo que parcialmente, o caixa de propinas gerado pela diretoria de Abastecimento. Costa contou à Justiça que foi procurado pelo deputado federal Aníbal Gomes, do PMDB. O parlamentar teria oferecido ajuda de seu partido para que ele permanecesse no cargo. Em troca, o PMDB passaria a dividir as propinas geradas por sua diretoria com o PP. Os dirigentes do PP já estavam de acordo, segundo Costa. Depois do primeiro contato de Aníbal Gomes, Costa teria participado de várias reuniões com os senadores peemedebistas Renan Calheiros, de Alagoas, e Romero Jucá, de Roraima. Uma delas teria ocorrido na casa de Calheiros, em Brasília. Outra, na casa de Jucá, também no Distrito Federal. A partir daí os dois partidos teriam passado a dividir as propinas originadas pela diretoria de Abastecimento, que, na época, estavam em franca ascensão. Os projetos bilionários da Refinaria Abreu e Lima, em Pernambuco, e do Complexo Petroquímico do Rio de Janeiro (Comperj) nasceram em 2005.

Outro problema de saúde, dessa vez de José Janene, alterou a operação do esquema do propinoduto da área de Abastecimento. Em 2008, Janene, que sofria de uma grave cardiopatia, teve uma piora de estado físico e repassou todas as suas atividades referentes à estatal a Alberto Youssef, que já era seu braço direito na lavagem e distribuição do dinheiro.

Hoje, com as revelações obtidas pela Lava Jato, sabe-se que a relação de Youssef com Janene remonta à década de 1990. Os dois teriam se conhecido no início de 1997.[5] Na época, Youssef era um dos principais doleiros do esquema de evasão de divisas por meio de contas CC5 (de residentes fora do país) do Banestado. Em 2001, teria emprestado US$ 12 milhões para que Janene fizesse sua campanha a deputado federal. O pagamento seria feito por Janene no futuro próximo, já que o plano era ser reeleito como parlamentar, função que lhe renderia propinas suficientes para pagar a dívida com o doleiro. Youssef se tornara credor e ao mesmo tempo fornecedor de serviços de lavagem de dinheiro para o deputado. O doleiro diz que continuou fazendo operações para Janene até ser preso, em 2003, e que ele mesmo transportava valores em dinheiro vivo para o deputado. A revelação só foi feita nos depoimentos da Lava Jato, quando Janene já estava morto. Na época do Banestado, Youssef não delatou o parlamentar.

Hoje também se sabe que Youssef já tinha um acordo com Janene enquanto estava preso pelos crimes do Banestado: quando fosse posto em liberdade, voltaria às atividades ilícitas. E foi assim que aconteceu. Ao sair da cadeia, em 2005, Youssef passou a recolher as propinas pagas pelas empreiteiras que tinham contratos com a Petrobras. Janene é quem dava as instruções de quem Youssef deveria procurar nas empresas e a quem deveria distribuir o dinheiro. Com o tempo, Janene passou a levar Youssef às reuniões com representantes das empreiteiras e também com políticos. Mais tarde, em razão de sua doença, Janene delegou ao doleiro as próprias negociações com as empreiteiras. Apesar de ter apenas o ensino médio, Youssef dominava os caminhos das finanças legais e ilegais. Enxergava oportunidades de negócios ilícitos, e também de empreendimentos limpos, como hotéis de que era dono, financiados com dinheiro sujo.

Youssef permaneceu como operador do PP até 2012, mesmo depois da morte de Janene, em 2010. Isso porque, com o falecimento do ex-deputado, o comando, de fato, do partido ficou com Mário Negromonte, deputado federal pela Bahia, que representava uma ala do PP próxima à de Janene (o presidente oficial da sigla era o senador Francisco Dornelles, do Rio de Janeiro, mas a distribuição de recursos não era sua atribuição, segundo afirmaram Costa e Youssef em seus depoimentos à Justiça). Negromonte teria assumido as decisões sobre a partilha da propina desviada da Petrobras, responsabilidade que se estendeu até ser apeado do cargo de ministro das Cidades do governo Dilma, que ocupou de janeiro de 2011 a fevereiro de 2012. Sua queda do ministério teria ocorrido por causa de um racha na legenda, provocado justamente pela disputa por propinas. O então ministro das Cidades teria passado a beneficiar a si e a seu grupo mais próximo de deputados com um quinhão maior dos recursos desviados pela diretoria de Abastecimento. A conduta teria desagradado a outros parlamentares pepistas,[6] que, por fim, conseguiram tirá-lo da liderança do partido e do governo.

Em fevereiro de 2012, Aguinaldo Ribeiro, deputado federal pelo PP da Paraíba e da ala contrária a Negromonte, assumiu o Ministério das Cidades e teria decidido trocar de operador de propinas. Nesse momento Youssef teria sido substituído por Henry Hoyer de Carvalho — o mesmo que havia começado a frequentar as noites de carteado na casa de Costa.[7] Mas nesse momento o esquema de novas propinas já estava começando a se deteriorar dentro da Petrobras. A atuação de Hoyer teria se limitado a poucos meses, do final de 2011 a abril de 2012, quando Costa foi demitido da estatal e o esquema de corrupção aparentemente parou de funcionar.

À exceção de alguns atrasos de pagamento por parte das empreiteiras, os repasses aos partidos continuaram regulares e em volumes elevados até 2012. A fama de Costa se espalhou por Brasília. Governadores, senadores, deputados e ministros tornaram-se figuras constantes em sua agenda. A eficiência em fazer com que recursos da diretoria de Abastecimento fossem desviados para grupos políticos lhe rendeu até uma homenagem dos parlamentares do PP. O evento ocorreu em 2011, em um restaurante da capital. Durante o jantar, Costa foi presenteado com um relógio Rolex.[8]

A homenagem foi um reconhecimento ao trabalho de Costa no ano anterior, 2010, de eleições gerais, incluindo a de presidente da República. Naquele ano, o diretor havia recebido romarias de políticos em busca de um naco das propinas geradas pela Petrobras. O então ministro de Minas e Energia Edison Lobão teria pedido que Costa providenciasse R$ 2 milhões para a campanha de Roseana Sarney ao governo do Maranhão.[9] A solicitação teria sido feita pelo ministro em seu gabinete, em Brasília, onde Costa era muitas vezes chamado a comparecer para reuniões relacionadas à Petrobras. O ex-diretor teria repassado a ordem de pagamento para que Youssef o realizasse.

A questão também foi discutida entre Costa e a própria governadora em um dos vários encontros com a equipe do governo maranhense para tratar da construção de uma refinaria no estado. Uma das reuniões teria ocorrido durante um almoço na casa de Roseana, na praia do Calhau, em São Luís. "As tratativas da governadora em relação ao pagamento de propina para abastecimento da sua campanha eram breves e se restringiam a perguntar se estava tudo acertado",[10] afirmou Costa. Dois anos antes, em 2008, o senador Edison Lobão, ainda no comando do Ministério de Minas e Energia, teria pedido R$ 1 milhão a Costa, sem dar explicações sobre o uso do dinheiro. O pagamento teria sido feito por Youssef, em dinheiro.[11]

O governador Sérgio Cabral, do Rio de Janeiro, também teria recorrido a Costa para ajudá-lo no financiamento de sua campanha à reeleição em 2010. Cabral precisaria de R$ 30 milhões, o que Costa conseguiu levantar com as empresas envolvidas nas obras de construção do Complexo Petroquímico do Rio de Janeiro (Comperj).[12] Segundo ex-executivos da Andrade Gutierrez, o ex-governador cobrava propina de todas as obras realizadas pela empresa no estado do Rio de Janeiro, mesmo das que não tinham recursos do governo. Rogério Nora de Sá, ex-funcionário da empreiteira, revelou que Cabral cobrou

1% do valor do contrato de terraplenagem do Comperj. A afirmação foi feita em depoimento de delação premiada homologada pelo STF. Cabral teria dito a Sá que já estava "tudo combinado com Paulo Roberto Costa, da Petrobras". Sá teria procurado o diretor da estatal para se certificar do acordo e ouvido de Costa a frase "Tem que honrar". Depois disso, o então diretor comercial da Andrade Gutierrez, Alberto Quintaes, teria efetuado o pagamento de R$ 2,7 milhões a Cabral por meio de caixa dois.

Outros R$ 20 milhões teriam sido providenciados para a campanha de reeleição do governador Eduardo Campos, de Pernambuco.[13] O pedido, feito diretamente a Youssef e aprovado por Costa, partira de Fernando Bezerra, então secretário de Desenvolvimento Econômico do estado. O valor teria sido doado pelo consórcio formado pela Queiroz Galvão e Iesa, responsável pela construção da Refinaria Abreu e Lima no Porto de Suape, em Pernambuco. Segundo Costa, no caso do governo pernambucano o pagamento fora feito pelas empreiteiras como um adiantamento, diante da perspectiva de elas conseguirem fechar contratos de obras no futuro com o governo daquele estado.

O caixa de propinas criado pela Petrobras era tão robusto que a fama de seu poderio se espalhou pelo mundo político, e o esquema passou a ter novas ramificações. Segundo as revelações de Costa, até a oposição teria se valido do propinoduto da estatal. Em 2009, o senador Sérgio Guerra, então presidente do PSDB, o principal partido de oposição ao PT, teria procurado Costa com a proposta de neutralizar a CPI instalada no Senado para investigar a Petrobras.[14] Na ocasião, a Comissão investigava, entre outras questões, suspeitas de superfaturamento na Refinaria Abreu e Lima e na construção e reforma de plataformas. A "ajuda" de Guerra, no entanto, custaria R$ 10 milhões, valor que ajudaria a custear as despesas da campanha eleitoral do ano seguinte, 2010. A história revelada por Costa foi confirmada também pelo doleiro Alberto Youssef e, mais tarde, por Carlos Alexandre de Souza Rocha, o Ceará, um dos entregadores de dinheiro em espécie que trabalhavam para Youssef. Ceará também se tornou delator.

Guerra teria entrado em contato com Costa por intermédio do deputado federal Eduardo da Fonte, do PP.[15] Fonte convidou Costa para uma reunião em um hotel na Barra da Tijuca, no Rio de Janeiro. Ao chegar ao quarto reservado pelo deputado — era comum as reuniões desse tipo acontecerem em quartos de hotel —, o diretor da Petrobras se surpreendeu com a presença de Guerra. O deputado oposicionista iniciou a conversa explicando que se tratava de um ano de eleição, e que uma CPI não interessava nem ao governo nem à oposição. Ele poderia atuar para que a investigação não fosse em frente, desde que recebesse os R$ 10 milhões para ajudar no custeio das campanhas de seu partido.

Após o encontro inusitado, Costa procurou Armando Tripodi, chefe de gabinete de José Sergio Gabrielli, presidente da estatal na época. Tripodi concordou que a CPI deveria ser barrada.[16] Costa teria, então, procurado Ildefonso Colares, presidente da empreiteira Queiroz Galvão, contratada para uma das obras da Refinaria Abreu e Lima, que concordou em fazer o pagamento a Guerra.

A CPI da Petrobras foi instalada em julho de 2009 e funcionou até novembro, sendo encerrada sem esclarecer coisa alguma. O presidente da Comissão foi o suplente João Pedro (PT-AM), e a relatoria ficou com Romero Jucá (PMDB-RR), que era líder do governo.

No mesmo ano, vários políticos petistas teriam avançado sobre o caixa de propinas do PP, procurando diretamente Alberto Youssef, que pedia a autorização dos repasses a Costa. O empresário Mário Beltrão teria solicitado R$ 1 milhão para a campanha ao Senado do ex-ministro da Saúde Humberto Costa.[17] O ex-diretor da Petrobras sabia que Beltrão e Costa eram amigos. O ministro Paulo Bernardo, na época na pasta do Planejamento, teria pedido R$ 1 milhão a Youssef para a campanha de sua esposa, Gleisi Hoffmann, ao Senado. Já o senador Lindbergh Farias, pelo PT do Rio de Janeiro, teria sido agraciado com R$ 2 milhões para custear sua campanha ao Senado.[18] Segundo Costa, todos os pagamentos foram autorizados por ele e realizados por Youssef. O ex-ministro da Fazenda Antonio Palocci também teria solicitado R$ 2 milhões da cota do PP para a campanha de Dilma Rousseff.[19] Costa e Youssef entraram em contradição em relação ao suposto pedido de Palocci. Youssef negou ter feito o pagamento. Segundo ele, Costa teria se confundido em relação a essa operação. Mais tarde, outro delator do petrolão, o lobista Fernando Falcão Soares, conhecido como Fernando Baiano, afirmou que ele teria realizado o pagamento, acordado entre ele, Costa, o ex-ministro Palocci e o empresário José Carlos Bumlai, amigo de Lula e preso na 21ª fase da Lava Jato. Palocci responde a inquérito sigiloso com foro na 13ª Vara Federal de Curitiba por decisão do STF.

O PP permitia que parte de seu caixa "original" fosse destinada a políticos de outros partidos, com medo de perder a parte que lhe restava, o que não era pouco. Em 2010, além de quantias enviadas ao conjunto da bancada, alguns parlamentares pepistas receberam contribuições extraordinárias de propinas, afirmou Youssef em seus depoimentos à Justiça. Nelson Meurer, deputado federal pelo Paraná, teria ganhado R$ 4 milhões; Pedro Corrêa, ex-deputado federal por Pernambuco, teria recebido R$ 5,3 milhões, apesar de ter sido cassado e condenado no mensalão; Mário Negromonte, então deputado federal pela Bahia, R$ 5 milhões; João Alberto Pizzolatti, então deputado federal por Santa Catarina, R$ 5,5 milhões, além de R$ 560 mil para pagar advogados. Esses quatro parlamentares faziam parte do grupo mais próximo a José Janene, que liderou o PP por vários anos antes de morrer. Benedito de Lira, então deputado federal e hoje senador, teria recebido R$ 1 milhão; Simão Sessim, deputado federal pelo Rio de Janeiro, teria ganhado R$ 200 mil. A lista foi confirmada à Justiça por Costa, depois que os policiais federais encontraram em seu escritório uma agenda e relatórios com siglas e valores referindo-se aos políticos.[20]

Um dos interlocutores de mais alto posto da República com Costa foi o senador Renan Calheiros, do PMDB de Alagoas, que preside o Senado pela terceira vez. Segundo Costa revelou nos depoimentos de colaboração premiada,[21] Calheiros recebia repasses das propinas arrecadadas pela Transpetro, subsidiária de transportes da Petrobras. Calheiros seria o responsável pela indicação de Sérgio Machado à presidência da Transpetro[22] no início do governo Lula, em 2003.

A força política do senador e de seu partido teriam conseguido manter Machado no cargo até novembro de 2014, oito meses depois da deflagração da Lava Jato. Machado também fora político, eleito deputado federal e senador pelo Ceará pelos partidos PSDB e PMDB. Segundo Costa, Machado era o responsável por assegurar o funcionamento do esquema de arrecadação de propinas para o PMDB via Transpetro. O PMDB, portanto, seria beneficiado com as comissões ilícitas cobradas nos contratos da Transpetro, além da diretoria Internacional da Petrobras.

Costa também conseguia obter vantagens das operações feitas pela Transpetro. Ele recebeu R$ 500 mil por contratos de afretamento de navios realizados pela subsidiária, na qual ocupava uma das cadeiras do conselho de administração.[23] O diretor afirma ter recebido o valor em 2007 ou 2008 em dinheiro vivo, das mãos de Machado, no apartamento do presidente da Transpetro, em São Conrado, zona sul do Rio de Janeiro. Costa teria direito a parte da propina por não atrapalhar o esquema, já que sua função como conselheiro era avaliar e fiscalizar os negócios da empresa.

A "sociedade" com a Transpetro também rendeu a Costa R$ 1,4 milhão pago pelo empresário Wilson Quintella, sócio da Estre Ambiental e Estre Petróleo, confessou Costa. O dinheiro lhe foi entregue em espécie nos anos de 2011 e 2012 por Fernando Baiano (que fazia papel semelhante ao de Youssef, mas para o PMDB). A conexão entre Costa e Baiano ocorreu no final de 2005. Segundo o diretor de Abastecimento, os dois foram apresentados por Nestor Cerveró, que comandava a diretoria Internacional. Baiano foi quem ofereceu US$ 1,5 milhão para que Costa não apresentasse obstáculos à compra da Refinaria de Pasadena, nos Estados Unidos, que estava sendo negociada pela área de Cerveró.[24]

O "agrado", segundo Costa, lhe fora dado porque Quintella pretendia construir um estaleiro para fabricar barcaças e empurradores de barcaça[25] para transporte de etanol entre Mato Grosso do Sul e São Paulo. O projeto de escoar o combustível pela hidrovia Tietê-Paraná fora incluído no Plano de Aceleração do Crescimento (PAC) do governo federal, e era de responsabilidade da Transpetro.

Quintella montou um consórcio formado pela Estre Petróleo, a Rio Maguari e a SS Administração. O consórcio ganhou o contrato de R$ 423 milhões, mas a licitação passou a ser investigada por suspeita de fraude pelo Ministério Público Federal de Araçatuba, no interior de São Paulo. Um dos indícios de irregularidade é que o consórcio arrendou o terreno para a construção do estaleiro um mês antes de a licitação ser aprovada, o que levantou a hipótese de direcionamento da disputa. A investigação conduzida pelo MPF também descobriu que o consórcio fez um pagamento de R$ 2,1 milhões a uma empresa cuja sede não foi localizada e cujo serviço não foi realizado.

Os procuradores descobriram, ainda, que duas empresas do consórcio — a SS e a Rio Maguari — fizeram doações ao diretório do PMDB de Alagoas em 2010, embora nenhuma das duas tenha operações naquele estado. A suspeita é de que as doações tenham sido destinadas à campanha de Renan Calheiros, o padrinho político de Machado. O lançamento da pedra fundamental do estaleiro, ocorrido em setembro de 2011, contou com a presença da então presidente Dilma Rousseff e do governador paulista Geraldo Alckmin. Os executivos Sérgio Machado, então presidente da Transpetro, e Paulo Roberto

Costa participaram da cerimônia, postando-se no palco junto das autoridades. Até maio de 2016, porém, as embarcações construídas permaneciam sem função no estaleiro.[26] Isso porque os terminais que deveriam acompanhar o trajeto da hidrovia ainda não haviam sequer começado a ser construídos.

Políticos menos influentes também passaram a procurar Costa para lhe pedir favores ilícitos. Os deputados Luiz Fernando Ramos Faria e José Otávio Germano, do PP, que não tinham grande influência no partido, o contataram para pedir que ele incluísse a construtora Fidens nos certames da estatal.[27] Como a empresa já possuía cadastro na Petrobras, poderia competir em determinados tipos de contratação. Porém, não era chamada a participar dos processos pelo sistema de convite — em que a diretoria de Serviços seleciona possíveis fornecedoras de seu cadastro técnico. Segundo Costa, isso ocorria provavelmente porque a Fidens não constava do "grupo A" do cadastro de fornecedores. Ou seja, não estava entre as mais bem classificadas pelos técnicos da área de cadastro. Diante do pedido dos deputados, Costa recomendou que a Fidens fosse incluída nos próximos convites de sua diretoria.

A seleção das participantes de um convite é feita pela comissão de licitação — formada por funcionários da diretoria de Serviços e da área contratante. Esses técnicos são os profissionais mais indicados a mapear os melhores fornecedores, já que são especialistas nos serviços a serem contratados. A recomendação de um diretor não é necessariamente suspeita ou negativa; um número maior de participantes geralmente aumenta a concorrência. Nesse caso, no entanto, Costa não estava agindo no interesse da Petrobras, mas em seu próprio interesse.

A construtora ganhou contratos para erguer dois prédios administrativos do Comperj e, mais tarde, também foi vencedora em um consórcio de uma das obras da Refinaria Premium I, do Maranhão (que teve a construção suspensa em 2012). Segundo Costa, não houve qualquer favorecimento à empresa nas licitações, a não ser sua inclusão na lista dos convidados. Para demonstrar seu "agradecimento", como Costa afirmou em um de seus depoimentos, a Fidens lhe enviou um envelope com R$ 200 mil em dinheiro vivo por intermédio do deputado Faria.[28] O então diretor recebeu o presente do parlamentar em um quarto do hotel Fasano, no Rio de Janeiro, onde Faria estava hospedado. O dinheiro foi levado para casa e gasto aos poucos com despesas domésticas.

Costa também passou a realizar negócios fora do esquema estabelecido com o PP. Em 2008, o então diretor fora procurado pelo empresário Humberto Amaral Carrilho, dono de uma distribuidora de derivados de petróleo, a Equador. Carrilho queria construir um terminal de armazenagem de derivados no rio Amazonas, na região de Itacoatiara. Seu objetivo era conseguir um contrato com a Petrobras, que fazia esse tipo de armazenamento em um navio que permanecia parado na região. Costa trabalhou para que a Petrobras aprovasse o projeto apresentado por Carrilho. Como compensação pela "ajuda", Costa receberia R$ 3 milhões da Equador. O pagamento, feito em quinze parcelas de R$ 200 mil a partir de maio de 2013, foi interrompido após a prisão do ex-diretor.[29]

Entre as propinas recebidas por Costa, nada se compara às que foram pagas pelo Grupo Odebrecht.[30] Em sua delação, o ex-diretor reconheceu ter recebido US$ 23 milhões em contas no exterior — a pequena fortuna foi depositada em bancos estrangeiros a partir de 2008 ou 2009 até 2013 ou 2014 (ele não se lembrava bem das datas, disse em um dos depoimentos). Os depósitos se mantiveram após sua saída da Petrobras, em abril de 2012, porque a empreiteira continuava recebendo por contratos assinados por ele enquanto era diretor.

A relação do Grupo Odebrecht com a Petrobras vai muito além das obras da construtora. Um dos principais interesses do Grupo com a petroleira é o contrato de fornecimento de nafta, um dos derivados do petróleo, que abastece as petroquímicas da Braskem e envolve bilhões de dólares por ano. A Petrobras é sócia minoritária da Odebrecht na Braskem, mas deveria fornecer a matéria-prima em condições de mercado também para a empresa da qual participa. Não foi o que aconteceu na gestão de Costa.

Em 2009, quando o contrato foi renegociado para os cinco anos seguintes, a tonelada de nafta passou a ser vendida pela Petrobras com desconto de até 8% em relação ao preço de referência (média da cotação nos portos de Amsterdã, Roterdã e Antuérpia, conhecido como "preço ARA"). Pelo contrato anterior, a estatal cobrava ARA mais US$ 2. Segundo os procuradores do MPF, a nova fórmula de preço negociada pela diretoria de Abastecimento teria causado mais de US$ 1,8 bilhão de prejuízo à petroleira entre 2009 e 2014.

À Justiça, o ex-diretor confessou que a maior parte dos valores depositados em suas contas no exterior referia-se a propinas pagas pela Braskem, em razão do contrato de fornecimento de nafta. O acordo dos valores ilícitos teria sido fechado por volta de 2008 pelo ex-deputado José Janene, pelo executivo Alexandrino Ramos de Alencar, diretor da petroquímica na época, e pelo próprio Costa. Ele, sozinho, receberia US$ 5 milhões por ano durante a validade do contrato.

Em depoimento ao juiz Sérgio Moro, Costa afirmou e repetiu que a estatal não fora prejudicada na renegociação. A companhia, disse ele, ganharia o mesmo ou até mais vendendo para a Braskem, ainda que abaixo do preço de referência. Se tivesse de exportar o derivado, a petroleira teria de descontar o frete do preço. O que Costa não explicou aos procuradores e ao juiz federal é que a nafta gera lucro praticamente zero para as petroleiras. Seu preço é quase o mesmo que o do petróleo cru, ou seja, antes de passar pelo processo de refino. As companhias costumam usar a nafta para aumentar o volume de produtos mais valorizados — como a gasolina, por exemplo — e, assim, aumentar sua rentabilidade.

A Petrobras, portanto, não deveria dar desconto em um produto que já é pouco valorizado. Deveria menos ainda ter assumido a obrigação de abastecer um alto volume de demanda da Braskem, que exigiria a importação da matéria-prima quando a petroleira não conseguisse produzir todo o volume assumido. Essa condição, estabelecida em contrato, era prejudicial à Petrobras, porque o preço acordado com a petroquímica, sem frete, ficava abaixo do valor da nafta importada. É esse tipo de regra que o Grupo Odebrecht conseguiu manter com as propinas milionárias pagas a Paulo Roberto Costa e ao PP. "Na mesa de negociação em 2009, o principal negociador da Petrobras estava na 'folha de pagamento' da Braskem, o que, à toda evidência, desde o início comprometeu as chances da estatal de obter uma posição mais favorável na revisão do preço da nafta", afirmou o juiz Sérgio Moro na sentença em que condenou Costa e executivos da Odebrecht.

A oferta de propinas a Costa por parte da Odebrecht teria partido de Rogério Araújo, diretor de Plantas Industriais e Participações do Grupo.[31] Durante uma reunião, Araújo teria dito: "Paulo, você é muito tolo. Você ajuda mais aos outros do que a si mesmo. E em relação aos políticos que você ajuda, a hora que você precisar de algum deles, eles vão te virar as costas".

Foi o próprio diretor da Odebrecht, Araújo, que apresentou a Costa o operador financeiro Bernardo Freiburghaus, especialista em lavagem de dinheiro.[32] Freiburghaus tinha um perfil sofisticado, estudara na Suíça e trabalhara em instituições financeiras daquele país. Desde 2007, havia se estabelecido com a Diagonal Investimentos no bairro nobre do Leblon, no Rio de Janeiro. O financista abriu empresas estrangeiras (offshores) e suas respectivas contas bancárias no exterior para Costa receber as propinas da Odebrecht. Ele controlava os depósitos feitos e apresentava extratos bancários a Costa de tempos em tempos, além de aplicar o dinheiro em fundos de investimentos de bancos suíços.[33]

Entre 2013 e o início de 2014, Costa foi à Suíça conhecer os gerentes de suas contas e se certificar pessoalmente de que o dinheiro acumulado no exterior permanecia seguro. Além de Araújo e Freiburghaus, a mulher, as filhas e os genros de Costa sabiam da existência das contas secretas no exterior. Freiburghaus continuou administrando o dinheiro, embora Costa tenha passado a controlar as contas do Brasil depois da visita aos bancos na Suíça. Ele nunca teria feito saques nessas contas, pois não precisava dos recursos para se manter. Outra parte dos pagamentos era realizada no Brasil, em espécie, por Alberto Youssef.

Embora o núcleo mais forte de geração de propinas da Petrobras tenha sido o das empreiteiras, a prática se alastrou para outros tipos de empresas e de contratos. Numa operação com a trading Trafigura — comercializadora de commodities, principalmente de petróleo e minério —, Costa ganhou US$ 600 mil.[34] A propina, segundo ele, foi oferecida por Mariano Marcondes Ferraz, alto executivo da trading,[35] que o procurou para propor que a Petrobras alugasse o terminal de tancagem da empresa no porto de Suape. Costa recomendou à área técnica da estatal que, caso fosse necessário alugar um terminal, que fosse alugado o da Trafigura. E a necessidade aconteceu.

Para receber os depósitos da trading, Costa contou com a ajuda do genro, Humberto Mesquita, casado com sua filha mais velha, Shanni. Mesquita abriu uma conta no banco Lombard Odier, em Genebra, em nome de uma offshore. Em troca de ocultar a vinculação do dinheiro ao nome do sogro, Mesquita ficava com valores entre 20% e 30% dos depósitos.[36] O genro teria tido bastante trabalho para receber da Trafigura os valores referentes ao primeiro semestre de 2013, provavelmente pelo fato de Costa já não trabalhar mais na Petrobras. E não interessava o valor da propina — fosse na casa do milhão ou do milhar, Costa aceitava. Um dos depósitos feitos na conta do genro foi de menos de R$ 10 mil, de outra trading, a Glencore.[37]

A conta administrada por Mesquita também recebeu US$ 192.800 de propina da empresa Sargeant Marine referentes a um contrato de importação de asfalto pela Petrobras.[38] O contrato fora feito sem licitação, com a recomendação de Costa para que a fornecedora de asfalto fosse escolhida. A Sargeant Marine fora apresentada a Costa por Jorge Luz, seu representante no Brasil.[39] Além de apresentar a empresa, Luz explicou a Costa que a operação renderia US$ 400 mil ao deputado Cândido Vaccarezza, do PT, além dos quase US$ 200 mil de Costa.[40]

Outra fonte de gordas propinas de Costa era a venda de informações estratégicas sobre a demanda de navios petroleiros pela Petrobras. Por volta de 2005 ou 2006, Wanderley Saraiva Gandra lhe apresentou a Viggo Andersen, representante no Brasil da Maersk, companhia de navegação dinamarquesa, uma das maiores do mundo. Andersen queria saber sobre as perspectivas para o setor de afretamento de navios de grande porte. A Maersk já era fornecedora de navios de apoio (como rebocadores) para a Petrobras, e Andersen estudava a possibilidade de representar a empresa também no segmento de transporte de petróleo e derivados.

Depois dessa conversa, Gandra teria decidido abrir uma empresa de corretagem de frete (brokeragem, como se fala no setor), a Gandra Brokeragem. Costa teria papel fundamental no negócio: forneceria a Gandra os relatórios com a quantidade de navios que deveriam ser afretados pela Petrobras e quando a estatal pretendia realizar a contratação. Em geral, esse planejamento é feito anualmente. De posse dessas informações, Gandra e Andersen tinham como planejar a liberação dos navios da Maersk para oferecê-los nas licitações da estatal. Esse tipo de informação é relevante, porque o mercado de frete é bastante volátil. As empresas que não sabiam do planejamento da Petrobras ficavam em desvantagem, pois poderiam estar com os navios contratados, em condições piores, justamente quando a estatal precisaria do transporte. Dos 3% de comissão ganhos com a corretagem, 0,5% ia para Andersen, 1,25% ficava com Gandra e 1,25% com Costa, o que lhe rendeu cerca de R$ 30 mil por mês de 2006 até sua prisão.[41]

O mesmo tipo de informação foi vendido a Konstantinos Kotronakis, cônsul honorário da Grécia no Rio de Janeiro — que também havia ingressado no jogo de baralho dos petroleiros. Kotronakis repassava as informações a armadores gregos — grandes fornecedores desse tipo de serviço à estatal —, que lhe pagavam 3% de comissão quando fechavam contrato com a Petrobras. A parceria com o cônsul grego começou em 2008. Henry Hoyer (o mesmo que substituiu Youssef como operador do PP, em 2012) era quem realizava a burocracia de emissão de notas da corretagem. Na época, Costa ganhava 40% da comissão, que girava entre R$ 20 mil e R$ 30 mil por mês, em pagamentos feitos em dinheiro por Hoyer.[42]

Em 2011, Michel Georgios Kotronakis, filho do cônsul grego, abriu uma empresa sediada em Londres, a GB Maritime, e Hoyer saiu do negócio. Nessa fase, Humberto Mesquita, genro de Costa, passou a auxiliar Georgios na GB Maritime. Daí em diante, Costa começou a dividir as comissões em partes iguais com o cônsul, Georgios e Mesquita. Eram cerca de US$ 15 mil depositados todo mês em uma conta do genro no exterior.[43]

O ex-diretor ainda pediu que seus genros — Mesquita e Márcio Lewkowicz — figurassem como diretores de uma outra offshore com conta aberta nas Ilhas Cayman, para receber US$ 3 milhões de Fernando Baiano.[44] O dinheiro tinha origem em modalidades distintas de propina. Uma parte vinha da compra de Pasadena; outra, de pagamentos da Andrade Gutierrez relacionados a obras da diretoria de Abastecimento. Embora Fernando Baiano fosse operador das propinas geradas pela diretoria Internacional e ocasionalmente pela Transpetro, também passou a cuidar dos valores ilícitos pagos pela Andrade Gutierrez relacionados às obras de Abastecimento.

Após sua demissão, em abril de 2012, Costa utilizou sua empresa, a Costa Global, para continuar recebendo as propinas referentes a contratos celebrados antes de sua saída da Petrobras. (As propinas eram pagas à medida que as empreiteiras recebiam da Petrobras, que, por sua vez, só realiza o pagamento depois que funcionários da estatal comprovam que o serviço foi prestado.) Entre a saída da estatal e sua prisão, em março de 2014, o ex-diretor chegou a receber R$ 550 mil por mês a título de propinas retroativas. Sua filha Arianna, que trabalhava com ele na Costa Global, era responsável por fazer as minutas dos contratos e emitir as notas fiscais. Costa fechou contratos simulados com a Queiroz Galvão (R$ 800 mil pagos em oito parcelas de R$ 100 mil); com a Camargo Corrêa (R$ 3 milhões); com a Iesa (R$ 1,2 milhão, pagos em doze parcelas de R$ 100 mil); com a Engevix (R$ 665 mil, a serem pagos em dezenove parcelas de R$ 35 mil).[45] Não conseguiu receber todas as parcelas da Iesa, que entrou em crise financeira em 2013, nem da Engevix, que ainda tinha pagamentos pendentes quando ele foi preso.

As revelações feitas por Costa começaram a vir a público em setembro de 2014 e aprofundaram mais e mais a crise da estatal. Àquela altura, a situação da Petrobras em nada lembrava a pujança do passado recente. Em março de 2007, uma reportagem do jornal britânico *Financial Times* elencou a Petrobras como uma das "Sete Irmãs" do século XXI. O termo foi criado após a Segunda Guerra Mundial pelo italiano Enrico Mattei para designar as maiores companhias de petróleo da época: Standard Oil de Nova Jersey, Royal Dutch Shell, Anglo Persian Oil Company, Standard Oil de Nova York, Standard Oil da Califórnia, Gulf Oil Company e Texaco. Primeiro presidente da estatal italiana ENI (criada em 1953, mesmo ano de fundação da Petrobras), Mattei usava o apelido para denunciar o que chamava de "poder desproporcional" das sete petroleiras. Juntas, elas controlavam a maior parte da produção e do refino de petróleo mundial e impunham ao mundo o preço que quisessem. Cinquenta e quatro anos depois, em 2007, o jornal recorreu ao termo para elencar as companhias mais promissoras do setor de óleo e gás. As novas Sete Irmãs definidas pelo *FT* eram muito diferentes das originais. Suas matrizes localizavam-se em países emergentes e eram, na maioria, estatais. A brasileira Petrobras estava entre elas, junto com Aramco (Arábia Saudita), Gazprom (Rússia), CNPC (China), NIOC (Irã), PDVSA (Venezuela) e Petronas (Malásia).

A reportagem refletia a empolgação com as economias emergentes, especialmente com a chinesa, que crescia 10% ao ano havia uma década e causava o chamado "boom das commodities". Foi nessa época que se popularizou a sigla BRIC — iniciais de Brasil, Rússia, Índia e China —, criada pelo economista americano Jim O'Neill para se referir ao grupo de nações cada vez mais relevantes para a definição do ritmo da economia mundial. O preço do barril de petróleo havia saído da casa dos US$ 30 em que era negociado em 2004 para a dos US$ 90, em 2007. A Petrobras brilhava. E brilharia ainda mais, após novembro de 2007, quando confirmou que a primeira descoberta de petróleo no pré-sal era um campo supergigante, com volume de 5 a 8 bilhões de barris recuperáveis.

As novas perfurações e os testes que se seguiram confirmaram campos gigantes localizados abaixo da camada de sal na Bacia de Santos. Foi uma das maiores descobertas da história, que levou a companhia a valer quase US$ 310 bilhões em maio de 2008, seu pico histórico de valorização. No dia do recorde, a estatal brasileira só valia menos que a petroleira ExxonMobil,[46] entre todas as empresas de capital aberto dos Estados Unidos, ficando à frente da General Electric e da Microsoft, por exemplo.

Em sete anos a companhia fora do céu ao inferno. A crise financeira e as revelações da Operação Lava Jato refletiram-se no balanço de 2014 da companhia, o pior de sua história até então. Em vez de lucro, a estatal apresentou prejuízo de R$ 21,6 bilhões. Foi o primeiro ano no vermelho desde 1991. O resultado foi provocado, em grande parte, por uma baixa contábil de R$ 44,6 bilhões, consequência da desvalorização de ativos (impairment) da companhia, que haviam sido objeto de corrupção (entre 2004 e 2012) e eram investigados pela Polícia Federal e pelo Ministério Público. A revisão dos ativos revelou que muitos deles não se pagarão (ou não se pagariam, no caso dos abortados) no futuro. Ou seja, as receitas geradas por esses empreendimentos não serão (ou não seriam) capazes de compensar os financiamentos contraídos para suas execuções.

Só nos casos da Refinaria Abreu e Lima e do Comperj, a comparação dos custos e das receitas projetadas para os dois empreendimentos resultou em R$ 31 bilhões de perdas (impairment). As contas das refinarias Premium I e II, que seriam construídas nos estados do Maranhão e do Ceará, também não fecharam, e ambas foram abandonadas. Juntos, os dois empreendimentos já haviam consumido R$ 2,8 bilhões com terraplenagem e elaboração de projetos, montante também contabilizado como perda no balanço de 2014.

Fora os R$ 44,6 bilhões de impairment, a estatal também deu baixa em R$ 6,2 bilhões referentes ao custo-propina embutido em diversos contratos (em que fornecedores aumentavam o preço dos serviços para repassar a diferença a políticos e executivos da própria petroleira).

O reconhecimento de perdas tão gigantescas ocorreu depois que vários dos envolvidos no esquema de corrupção revelado pela Lava Jato admitiram suas culpas e aceitaram devolver somas escandalosas desviadas da companhia. Paulo Roberto Costa devolveu R$ 70 milhões; o ex-gerente executivo Pedro José Barusco Filho, R$ 300 milhões; o empresário Julio Gerin Camargo, R$ 40 milhões; Alberto Youssef devolveu R$ 55 milhões. Não restavam mais dúvidas de que a estatal havia sofrido assaltos premeditados e regulares.

Até maio de 2016, R$ 300 milhões haviam retornado ao caixa da Petrobras, mas a Justiça já havia recuperado um total de R$ 2,9 bilhões em acordos de colaboração premiada. Desse montante, R$ 2,4 bilhões são bens (imóveis, veículos e outras propriedades) que precisam ser leiloados para que a companhia seja ressarcida. A Camargo Corrêa, terceira maior construtora do país, admitiu envolvimento no cartel que fraudou obras da petroleira e também da Eletrobras e da Eletronuclear, comprometendo-se a ressarcir as três estatais em R$ 630 milhões.[47]

Pelo fato de negociar ações na Bolsa de Nova York desde 2000, a Petrobras se tornou alvo de investigação do Departamento de Justiça dos Estados Unidos (equivalente no Brasil ao Ministério da Justiça, Ministério Público e Advocacia Geral da União). A companhia também está sendo investigada pelo órgão que regula o mercado americano de capitais, a Securities and Exchange Commission. Afora isso, a empresa terá de responder por diversas ações na Justiça americana, movidas por investidores estrangeiros. Eles reivindicam ressarcimento pelas perdas que tiveram com a queda dos papéis da petroleira, já que boa parte da desvalorização ocorreu por razões criminosas, desconhecidas do mercado e não inerentes ao negócio.

A pior crise da história da estatal ainda foi agravada pelo arrefecimento da economia chinesa e pela queda do preço do barril de petróleo. Mas a maior parte das dificuldades vividas pela companhia foi gerada dentro da empresa, com a anuência ou por ordem de seu controlador, o governo federal, e executada por elementos do topo de sua cadeia de comando. Os desdobramentos da Operação Lava Jato desnudaram uma Petrobras acometida não só por um gigantesco esquema de corrupção, mas também pela péssima gestão que imperou na estatal nos últimos treze anos.

Decisões cruciais para a saúde de qualquer negócio — como a definição dos investimentos a serem feitos — foram tomadas com base em critérios políticos, em obediência às necessidades ou vontades de seu controlador, sem levar em conta os danos que poderiam causar à estatal. A petroleira encampou uma infinidade de projetos complexos e caros, tocados ao mesmo tempo. Um terço de todos os recursos previstos no Plano de Aceleração do Crescimento (PAC), lançado pelo governo federal em 2007, foi jogado sobre suas costas. Só refinarias, a Petrobras estava construindo quatro ao mesmo tempo, antes de abandonar duas. Entre 2003 e 2014, a estatal investiu R$ 914 bilhões, em valores atualizados para 31 de dezembro de 2015.[48] Trata-se de uma média de R$ 76 bilhões investidos por ano. Essa montanha de dinheiro, porém, não gerou os resultados esperados. Nos mesmos doze anos, a produção de óleo e gás natural aumentou em apenas 30%.[49] A falta de eficiência nos investimentos é flagrante quando se compara com o desempenho da companhia em outros períodos. Nos oito anos imediatamente anteriores, de 1995 a 2002, a produção da Petrobras mais que dobrou (118%),[50] enquanto os investimentos somaram R$ 120 bilhões, também em valores atualizados para 31 de dezembro de 2015.

Outra fonte de prejuízo para a empresa foi patrocinada por seu controlador, o governo federal, que obrigou a estatal a vender combustíveis a preços defasados para conter a inflação. Essa política gerou perdas calculadas em R$ 159 bilhões[51] à companhia entre 2010 e 2014, período em que o barril permaneceu nas alturas, de acordo com o Centro Brasileiro de Infra Estrutura (CBIE). Internamente, porém, a diretoria executiva tratava o rombo produzido pelo governo só em dólares, e a soma ficava em torno de US$ 45 bilhões. A equação que combinou alto nível de investimentos, baixo aumento da produção de petróleo (e, portanto, pouca receita adicional) e venda de produtos a preços defasados gerou a explosão da dívida da companhia. De 2003 a 2015, a dívida líquida da estatal explodiu de US$ 6 bilhões para mais de US$ 100 bilhões,[52] fazendo da Petrobras a mais endividada entre as petroleiras de capital aberto do mundo. A ExxonMobil, que possui a segunda maior dívida do setor, deve o equivalente a um terço da dívida da brasileira.

Não foi por acaso que a estatal perdeu o grau de investimento da agência de classificação de risco Moody's, em fevereiro de 2015. A nota (ou rating) dada por esse tipo de agência reflete a capacidade que a empresa tem de honrar suas dívidas. A Petrobras havia alcançado o selo de boa pagadora pela Moody's em 2005. O rebaixamento colocou a petroleira na categoria de grau especulativo, ou seja, com grande risco de dar calote. A mudança é péssima porque fecha as portas de importantes fontes de financiamento para a companhia. Com o novo rating, a Petrobras passou a ter nota superior a apenas duas petroleiras no mundo: a YPF, argentina, e a PDVSA, da Venezuela. As duas outras agências de rating, a Fitch e a Standard & Poor's, também retiraram o grau de investimento da estatal.

4. De peito estufado

"Com a Petrobras eu vou até no inferno!" A frase do geólogo Giuseppe Bacoccoli, que trabalhou 34 anos na estatal, diz muito sobre o orgulho que grande parte dos funcionários nutriu — talvez muitos ainda nutram — pela empresa. Nascido na Itália e naturalizado brasileiro, Bacoccoli atuou na exploração de petróleo na selva Amazônica durante a década de 1960, uma época em que a comunicação e o transporte nada tinham das facilidades de hoje em dia. Também estava na equipe que perfurou o primeiro poço marítimo do Brasil, em 1968, no litoral do Espírito Santo.

Era quando estava de mudança para algum lugar novo e quando chefes e amigos perguntavam como ele tinha coragem de trabalhar em locais tão isolados que Bacoccoli respondia que com a estatal iria até o fim do mundo. "A Petrobras representava segurança, uma infraestrutura fantástica de apoio e a grande chance, desde os primeiros dias na Bahia, de aprender", resumiu o geólogo em um depoimento concedido ao Projeto Memória Petrobras, em 2007, dois anos antes de falecer.

Desde a criação, em 1953, a Petrobras foi adquirindo características que a tornaram uma estatal diferente das demais empresas públicas brasileiras. A percepção dessa distinção começa dentro da companhia, por parte de seus empregados, que nunca aceitaram ser chamados de funcionários públicos. Principalmente entre os mais antigos, isso continua sendo um insulto. Segundo a lei, os empregados da petroleira não são realmente funcionários públicos. Apesar de prestarem concurso para ingressar na companhia, são contratados pelo regime da Consolidação das Leis do Trabalho (CLT) e estão submetidos às mesmas regras de qualquer empresa privada.

A confusão feita pela maioria da população — que os considera servidores públicos — não é de todo injustificada. A estabilidade de emprego é mantida na Petrobras não pela lei, mas pela cultura de não demissão. Um empregado da Petrobras só é demitido quando fica provado algo muito grave contra ele, ou se ele próprio aceita sair da empresa em um plano de demissão voluntária, instrumento utilizado nos momentos em que a estatal tem de enxugar a folha de pagamento.

É claro que a estabilidade de emprego e o salário acima da média (para o início de carreira) atraíram e continuam atraindo profissionais para os concursos da Petrobras. Mas o que fazia brilhar os olhos de boa parte dos candidatos a um "crachá verde" da estatal era o orgulho de entrar para uma elite profissional. "Talvez pareça até meio arrogante, mas fazíamos parte de um time de alto gabarito, e sabíamos disso. Entrávamos em campo de peito estufado", diz Roberto Villa, ex-diretor Industrial e Comercial (áreas responsáveis pelo refino, petroquímica e comercialização de petróleo e derivados, equivalentes à atual diretoria de Abastecimento).

Quando decidiu criar a Petrobras, Getúlio Vargas convocou o general Juracy Magalhães — que na época servia como adido militar nos Estados Unidos — para estruturar e presidir a estatal. Na visão de Getúlio, e de boa parte dos governantes brasileiros, petróleo era uma questão de segurança nacional, e ninguém melhor que um militar para tratar do assunto. Magalhães havia sido governador-interventor da Bahia, nomeado por Vargas, no período em que as pesquisas geológicas no Recôncavo Baiano davam sinais da existência de petróleo na região.

A primeira tarefa de Magalhães foi encontrar um profissional para criar e chefiar a área de Exploração e Produção (E&P) da Petrobras, e Vargas lhe deu carta branca para recrutar essa pessoa dentro das majors americanas. A missão foi cumprida com a contratação do americano Walter Link, geólogo-chefe da Standard Oil de Nova Jersey (futura Exxon), a maior companhia de petróleo que resultou da divisão do conglomerado Standard Oil, em 1911.

Link, que estava prestes a se aposentar na Standard, chegou ao Brasil em 1955 como um dos profissionais mais bem pagos do país. Seu contrato, de

US$ 500 mil pelo período de cinco anos,[1] era uma fortuna na época, e foi pago pelo Banco do Brasil. O americano tinha duas missões desafiadoras: estruturar a área de E&P da companhia e avaliar as bacias sedimentares (formação geológica onde pode haver formação de óleo e gás) brasileiras.

Mas como fazer isso em um país onde não existia nem curso de geologia? O curso que passava mais perto desse era o de engenharia de minas, da Escola de Minas de Ouro Preto, em Minas Gerais. Só em 1957 as primeiras universidades brasileiras abriram cursos de geologia.

Diante do problema, Link foi pragmático: contratou a Universidade Stanford, da Califórnia, para desenvolver um curso de pós-graduação em geologia de petróleo para os engenheiros da companhia. Ele teria um ano e meio de duração e seria dado em período integral, ministrado totalmente em inglês. A primeira turma começou em 1957. Link também determinou que vários funcionários da estatal fossem estudar em universidades americanas, mas só nas mais reputadas e mais rígidas. Eles estudavam dia e noite para concluir o mestrado em um ano e retomar o trabalho no Brasil. Um ano antes da chegada de Link, a companhia também havia criado o curso de refinação, desenvolvido em 1952 pelo Conselho Nacional de Petróleo (CNP) em parceria com a Escola Nacional de Química (atual UFRJ). Desse modo, a estatal foi criando um contingente profissional de primeira linha.

O sistema de contratação de funcionários da estatal visava selecionar os melhores alunos das melhores escolas brasileiras para que a companhia pudesse formá-los, por conta própria, nas áreas de especialidade de que necessitava. A seleção combinava um concurso público de abrangência nacional ao curso de formação, o que equivalia a uma pós-graduação. Assim como o curso de refinação e geologia de petróleo, vários outros foram criados nos mesmos moldes, como o de manutenção de equipamentos e o de análise de comércio exterior e suprimentos.

Os cursos variavam de um ano a um ano e meio, dependendo da formação do candidato e da carreira em que ele ingressava, e eram a última etapa da seleção da estatal. Quem não alcançasse a nota mínima não era contratado. Não havia no Brasil uma empresa que pagasse para que o funcionário estudasse por um ano ou um ano e meio e ainda estagiasse por seis meses ou um ano antes de começar a trabalhar. O alto nível de qualificação profissional tornou-se um valor dentro da empresa, que se perpetuou de geração em geração até hoje, apesar dos problemas de corrupção. "Nós, do setor elétrico, babávamos (de inveja) diante da qualidade do corpo técnico da Petrobras", diz Mario Veiga, especialista no setor de energia e sócio da PSR Consultoria.

Durante o curso de formação, os candidatos viviam um clima de competição ferrenha. Todos queriam tirar as notas mais altas, pois a escolha do local de trabalho era feita pelo candidato, de acordo com sua classificação final no curso. O mais bem colocado escolhia primeiro e assim por diante. Os novos funcionários eram cortejados pelos chefes da companhia, que disputavam os aprovados com o melhor desempenho. Cada gerente fazia uma palestra para apresentar a sua área, na tentativa de convencer os primeiros da turma a escolhê-la. "Era até cruel, porque um excelente aluno podia despencar várias posições por causa de um centésimo de nota", lembra Newton Monteiro, engenheiro mecânico e de petróleo que ingressou na Petrobras em 1963, aprovado em segundo lugar no curso de formação. No final da seleção, o último colocado era geralmente excepcional, mas, mesmo assim, era discriminado por alguns chefes. O geólogo Carlos Walter Marinho Campos — figura histórica da companhia e um dos principais responsáveis pela descoberta da Bacia de Campos — não aceitava ficar com os últimos da lista.

Junto com a competição, o sistema de seleção da Petrobras acabava fomentando certa cumplicidade entre os funcionários e a criação de redes de relacionamento profissional. Todos tinham passado pelas mesmas provas, enfrentado a mesma maratona de estudos, e, no final, tinham mais ou menos o mesmo nível de conhecimento. Uma vez dentro da companhia, era comum que um colega socorresse o outro em momentos de dificuldade.

Os testes permaneciam como parte da rotina dos funcionários, e eram um meio de conseguir ascender na empresa. Todo ano os empregados eram avaliados pela chefia, e só os que tinham boas notas eram promovidos e, consequentemente, ganhavam aumento salarial. Até o final dos anos 1960 os subordinados também avaliavam a chefia. Era uma estrutura de meritocracia bastante avançada para a época, considerando que essa prática recíproca passou a ser adotada apenas recentemente, em geral pelas empresas mais avançadas do setor privado.

Não se pode negar que o fato de a empresa não demitir funcionários por baixo desempenho permitiu a permanência de profissionais acomodados. Um chefe também podia simpatizar mais com um subordinado do que com outro, e beneficiá-lo com uma nota melhor. Mas esse tipo de caso era exceção. Entre os que queriam subir na carreira, a chance de ser reconhecido por mérito era grande. No geral, os funcionários sabiam que se fossem competentes e dedicados seriam reconhecidos. "A meritocracia era coisa séria na Petrobras. Eu mesmo me beneficiei dela", diz Newton, que em poucos anos chegou ao topo da carreira de engenheiro e conseguiu realizar o sonho de estudar e trabalhar no exterior.

Newton aprendeu a se esforçar para obter mérito desde a infância. Nascido em Belém, veio para o Rio de Janeiro ainda criança com a família. O pai mal sabia escrever, e a mãe tinha apenas o primário (equivalente hoje às quatro primeiras séries do ensino fundamental). As boas notas em um teste para bolsa de estudos permitiram que ele estudasse de graça no colégio particular Cardeal Leme, na Penha, bairro de classe média baixa da zona norte do Rio, onde morava. Ele era o único aluno negro da escola. Em 1958, foi um dos vinte aprovados no curso de engenharia mecânica da então Escola Nacional de Engenharia (atual UFRJ). Paralelamente à faculdade, fez o Curso de Preparação de Oficiais da Reserva (CPOR), dado nos finais de semana e nas férias. Ao término dos cursos, ficou em primeiro lugar no CPOR e em segundo na UFRJ.

Da entrada na Petrobras, Newton lembra detalhes. Em 10 de janeiro de 1963, com o crachá de número 333, ele se apresentou para o primeiro dia do curso de geologia de petróleo, em Salvador, na Bahia, onde eram e ainda são dados os cursos da área de exploração e produção. Naquela época, a maioria dos professores ainda era estrangeira, e apenas dois da turma de Newton ensinavam em português.

Depois de um ano e meio de curso, Newton escolheu trabalhar em engenharia de reservatórios, área em que foi o primeiro colocado da classe. Ele ainda cumpriu quase seis meses de estágio antes de começar a trabalhar de fato, no final de 1964, quase dois anos depois de ingressar na companhia. Seu chefe, um engenheiro de petróleo americano chamado Albin Zak, não lia nem falava português.

Com seis anos de trabalho na empresa, Newton se inscreveu para fazer um mestrado nos Estados Unidos. O chefe concordou, mas dias depois avisou que ele teria de ir para uma universidade europeia, provavelmente na França. A área de recursos humanos temia que o funcionário sofresse algum tipo de discriminação racial nos EUA. Era 1969, e o movimento pelo reconhecimento dos direitos civis estava no auge no país — e também a oposição a ele. Apesar da recomendação, Newton insistiu e foi aprovado na Universidade Stanford, onde concluiu o mestrado em nove meses.

Em 1982, o engenheiro foi transferido para a Braspetro, subsidiária da Petrobras criada em 1972 para explorar e produzir petróleo no exterior. Durante doze anos trabalhou em países como Líbia, Gana, Angola, Catar e Benin. As andanças em busca de petróleo pela África e Oriente Médio lhe renderam experiências profissionais extraordinárias, mas também alguns dissabores, entre eles oito malárias. Em 1992, passou dias isolado em sua casa, em Luanda, capital angolana, durante combates na cidade, em um momento de recrudescimento da guerra civil. Foi em Luanda também que o engenheiro conheceu sua atual esposa, uma dentista chinesa de 51 anos, com quem vive em Teresópolis, cidade do interior do Rio de Janeiro. Aposentado da Petrobras desde 2002, Newton, aos 77 anos, continua trabalhando diariamente em sua consultoria na área de exploração e produção, em um escritório modesto no centro do Rio de Janeiro.

O sentimento de orgulho explícito nos relatos dos funcionários da Petrobras não pode ser explicado apenas do ponto de vista das conquistas individuais, da ascensão na carreira. Além do status de pertencer a uma elite profissional, trabalhar na Petrobras também significou, durante muitas décadas, cumprir missões de alta relevância. O que estava em jogo não eram as metas de uma empresa, mas as do país. Não se pode perder de vista que a Petrobras foi criada para resolver um problema estratégico: suprir o Brasil com derivados de petróleo, que haviam se tornado itens de primeira necessidade em qualquer economia do planeta, mas que, desafortunadamente, não eram produzidos aqui.

A responsabilidade e o poder embutidos nas missões diárias de boa parte dos funcionários ajudavam a inflar o sentimento de orgulho de trabalhar na estatal. A indústria de petróleo brasileira partia praticamente do zero. Foram décadas de construção da empresa até que a companhia adquirisse musculatura no refino e também na produção, o que gerava desafios sucessivos em todas as áreas da companhia. Hoje, quando se fala em Petrobras, a primeira imagem que vem à cabeça é geralmente uma plataforma de produção no meio do mar.

Mas no início da companhia, tão ou mais importante que encontrar petróleo no subsolo brasileiro era construir refinarias e, mais ainda, conseguir comprar derivados na quantidade necessária e com boas condições de pagamento.

Em 1954, o Brasil importava 98% dos derivados que consumia. Os outros 2% eram processados por pequenas refinarias privadas e pela Refinaria Landulpho Alves (RLAM), em Mataripe, na Bahia, herdada pela Petrobras do CNP. Estava claro que a urbanização e a industrialização em curso no país aumentariam exponencialmente a demanda por óleo diesel, gasolina, asfalto, lubrificantes e outros tantos produtos derivados. O primeiro grande desafio da Petrobras, portanto, foi criar um parque de refino no Brasil. Era preciso substituir a importação de produtos já refinados por petróleo cru, de modo a reduzir o impacto na balança comercial.

Em 1955, foi inaugurada a Refinaria Presidente Bernardes, em Cubatão, no litoral paulista, a primeira de grande porte do país. Seis anos depois, em 1961, a Refinaria Duque de Caxias (Reduc), na Baixada Fluminense, entrou em operação. Em 1965, o país já refinava quase a totalidade dos principais derivados consumidos.

Nas décadas de 1960 e 1970 a estatal ergueu seis refinarias do zero, contando com a Reduc. Em 1968, foram inauguradas a Refinaria Gabriel Passos (Regap), em Minas Gerais, e a Refinaria Alberto Pasqualini (Refap), no Rio Grande do Sul. Em 1972, foi a vez de a Refinaria Planalto Paulista (Replan) entrar em funcionamento em Paulínia, no interior de São Paulo. A Replan, maior refinaria construída no país até hoje, foi erguida em mil dias, prazo dado ao projeto pelo conselho de administração da companhia. Em 1977, ficou pronta a Refinaria Presidente Getúlio Vargas, em Araucária, no Paraná, e, finalmente, em 1980, a Refinaria Henrique Lage (Revap) começou a operar em São José dos Campos, no Vale do Paraíba, em São Paulo. Em 1974, a Petrobras ainda adquiriu todas as refinarias privadas já existentes. Três foram desativadas por serem consideradas antieconômicas e duas, mantidas e ampliadas: a de Capuava, em Santo André, no ABC paulista, e a de Manaus (Reman), no Amazonas.

Junto com a construção das refinarias era preciso desenvolver derivados não produzidos no país. Até 1966, por exemplo, todo querosene de aviação utilizado no Brasil era importado. "Quando terminamos os testes, as distribuidoras estrangeiras saíram falando que a Petrobras estava criando um risco, que poderíamos derrubar aviões", lembra Armando Guedes Coelho, presidente da Petrobras entre 1988 e 1989. "Levamos o produto para as fabricantes de turbinas e motores, a GE e a Pratt & Whitney, eles certificaram nosso querosene, e passamos a abastecer as companhias aéreas", diz Guedes, que participou do grupo de desenvolvimento do produto quando era engenheiro recém-contratado da companhia. Situação parecida aconteceu quando a Petrobras decidiu iniciar a produção de óleos lubrificantes, essenciais para qualquer indústria. Até 1973, o Brasil também importava 100% dos produtos dessa categoria, cujo preço é o mais elevado entre os derivados de petróleo. Naquele ano, a primeira fábrica de lubrificantes do país foi instalada na Reduc.

Os esforços de refino e de transportes apresentavam resultados rápidos. Em 1967, o Brasil já importava 92% de petróleo cru e só 8% de derivados. No entanto, a explosão do preço do petróleo, durante a década de 1970, submeteu a Petrobras a provas difíceis. Com o preço do barril nas alturas, não bastava ter refinarias. Os dois choques do petróleo, ocorridos em 1973 e 1979, chacoalharam o mundo inteiro, principalmente os grandes importadores, como o Brasil.

O primeiro choque começou em 16 de outubro de 1973, quando os árabes cortaram o fornecimento de petróleo para os Estados Unidos e países da Europa Ocidental, que haviam declarado apoio a Israel na Guerra do Yom Kippur. As tensões no Oriente Médio já vinham crescendo desde o fim dos anos 1960, quando os governos dos países árabes começaram a estatizar as petroleiras de origem europeia e americana que atuavam na região. Mas o embargo, que durou até março de 1974, foi traumático. Ocorreu em um momento de alta de consumo no mundo e quadruplicou o preço do barril (de menos de US$S 3 para quase US$ 12) em três meses.

O segundo choque aconteceu em 1979, em razão da Revolução Islâmica no Irã, que provocou a paralisação da produção de petróleo no país. O preço médio do barril dobrou em relação ao ano anterior, atingindo um novo patamar, mais de US$ 31. Os efeitos da segunda crise foram muito mais prolongados que os da primeira. O preço do barril permaneceu alto até 1985. A revolução iraniana depôs o governo de Reza Pahlavi, aliado dos Estados Unidos, substituindo-o pelo comando fundamentalista liderado pelo aiatolá Khomeini, que elegeu como inimigos os países aliados de Israel e dos EUA.

Para o Brasil, os efeitos sobre a economia foram arrasadores. Em 1979, o país produzia apenas 20% do petróleo que consumia. A Petrobras importava cerca de 800 mil barris de óleo e derivados por dia. As medidas tomadas pelo governo depois de 1973 não foram capazes de amortecer o impacto da segunda crise. O choque contribuiu para que a dívida externa brasileira crescesse acentuadamente (de US$ 15 bilhões, em 1973, para US$ 56 bilhões, em 1979, e US$ 105 bilhões, em 1985).[2] Também houve fuga de capitais para países ricos, que elevaram suas taxas de juros de forma a atrair investimentos.

A Petrobras teve de arcar com boa parte das iniciativas do governo para reduzir o impacto das importações de petróleo. A empresa ficou responsável pela viabilização do Pró-Álcool, programa de uso de álcool de cana-de-açúcar como combustível criado em 1975. Para dar segurança aos produtores do combustível e também para evitar sonegação fiscal, a estatal foi incumbida de comprar todo o álcool produzido pelos usineiros, além de distribuir o combustível pelo país — uma operação complexa e que lhe deu sucessivos prejuízos.

Em 1976, o então ministro de Minas e Energia Shigeaki Ueki, que havia dirigido a área comercial da petroleira, convenceu o general Ernesto Geisel, que presidia o país e havia presidido a Petrobras até julho de 1973, a criar a Interbrás, uma subsidiária da Petrobras especializada em comércio exterior. O objetivo da trading era abrir mercados para produtos brasileiros como forma de o país arrecadar dólares. "Era preciso vender em dólar para pagar a conta das importações de petróleo e melhorar a balança de pagamentos. Aproveitamos o profundo conhecimento de logística que existia na petroleira", diz Ueki.

A trading vinculava a venda de produtos brasileiros à compra de petróleo. Foi o período das exportações para o Iraque do automóvel Passat, fabricado pela Volkswagen; das vendas de carne para a Nigéria, e de açúcar e café para a Argélia. A Interbrás também criou marcas próprias, como a Tama, de eletrodomésticos, que exportou geladeiras e fogões para países africanos. A marca de calçados Hippopotamus teve seu direito de uso vendido por US$ 5 milhões à Bloomingdale's, rede americana de lojas de departamentos. Com o tempo, a trading também passou a exportar para países não produtores de petróleo, vendendo, por exemplo, soja para o Japão.

Esse tipo de iniciativa representava desafios grandes para a petroleira e seus funcionários. Sob o ponto de vista profissional, as equipes da Petrobras contabilizaram êxitos. O Pró-Álcool conseguiu substituir a gasolina por etanol em grande parte da frota de veículos durante a década de 1980. Em 1986, 76% do total de carros[3] produzidos no Brasil eram movidos a álcool. A Interbrás acabou se transformando na maior trading brasileira e não deu prejuízo até 1990, quando foi extinta pelo presidente Fernando Collor de Mello como parte do programa de desestatização.

A Petrobras estava completando vinte anos de idade quando a primeira crise do petróleo eclodiu. Até ali os resultados em exploração eram frustrantes. As descobertas feitas em terra, a maior parte na Bahia, haviam rareado, e a produção doméstica caía proporcionalmente em relação ao consumo (representava 41% do consumo total em 1967, e apenas 21% em 1973).

Boa parte do atraso na exploração de petróleo no Brasil pode ser creditada a discussões em torno do nacionalismo, ou melhor, à resistência a qualquer participação estrangeira no setor, o que incluiu até as recomendações técnicas feitas pelo geólogo americano Walter Link, contratado pela própria Petrobras. Em 1960, Link concluiu sua segunda grande tarefa: o diagnóstico das bacias sedimentares brasileiras, um trabalho feito por catorze geólogos durante cinco anos. O resultado das pesquisas, que ficou conhecido como "Relatório Link", passava por três pontos centrais. Primeiro: as bacias sedimentares em terra (onshore, no vocabulário petroleiro) não teriam petróleo nas quantidades necessárias para abastecer o país. Segunda: se houvesse petróleo em grandes volumes no Brasil, ele estaria no subsolo marítimo. A Petrobras, portanto, deveria partir para a exploração offshore, que demandava tecnologia que ainda não tínhamos, mas que já vinha sendo desenvolvida no Golfo do México, por exemplo. Terceiro ponto: para conseguir se abastecer rapidamente, a estatal deveria investir em exploração nos países árabes, onde a produção era barata.

Assinado em 29 de agosto de 1960, o documento foi alvo das mais ferozes críticas, sobretudo de especialistas em petróleo, militares e partidos políticos. Link foi acusado de estar a serviço de empresas multinacionais. Seu plano, sustentavam os críticos, era desestimular o investimento na exploração de petróleo no Brasil, para que as grandes petroleiras, no futuro, pudessem se apropriar dos recursos nacionais, quando conseguissem quebrar o monopólio. Execrado pelos movimentos nacionalistas, Link voltou para os Estados Unidos em 1961.

O fato é que as atividades de exploração no mar só começaram em 1967, depois de mais de seis anos de tentativas frustradas de encontrar grandes jazidas de petróleo em terra. A Braspetro, subsidiária da Petrobras destinada a explorar e produzir no exterior (começando por Colômbia, Iraque e Madagascar), foi criada apenas em 1972, com doze anos de atraso em relação às recomendações do relatório, e às vésperas do primeiro choque do petróleo. As duas iniciativas mudariam a história da empresa e transformariam a área de exploração e produção no carro-chefe da companhia.

A operação offshore era um mundo novo para os funcionários da empresa. "Deu um orgulho danado ser escolhido, porque disseram que só os melhores iriam para o mar", lembrou o geólogo Giuseppe Bacoccoli. O ex-diretor de Exploração & Produção Guilherme Estrella também estava na equipe de Bacoccoli, que perfurou o primeiro poço no mar brasileiro, no litoral do Espírito Santo, em 1968. A sonda usada foi a Vinegaroon, que pertencia à empresa de perfuração americana Zapata Drilling, do ex-presidente dos Estados Unidos George Bush (pai).

Na época, o transporte dos funcionários não era feito de helicóptero, como hoje. Era uma aventura. Eles iam de lancha até a sonda e eram içados por um guindaste, dentro de uma cesta do tipo das usadas por bombeiros em salvamento no mar. "No primeiro temporal a bordo pegamos ventos de mais de 100 quilômetros por hora. Os caixotes voavam em cima do convés. Foi um medo danado. Não sabíamos o que era aquilo, se a plataforma ia aguentar", descreveu Bacoccoli em um depoimento dado ao Projeto Memória Petrobras. "Um dia o sol saiu, e um petroleiro veio na nossa direção. Foi a primeira vez que encontramos um navio petroleiro na plataforma. Naquele tempo, eles tinham as cores verde e amarela da Petrobras. Hoje em dia são pretos. Ele deu uma volta em torno da plataforma e apitou várias vezes. Todo mundo em cima do convés, e aquele navio apitando... deu vontade de chorar", disse Bacoccoli.

O primeiro campo de petróleo no mar foi descoberto naquele mesmo ano, em 1968, na bacia Sergipe-Alagoas, e batizado de Campo de Guaricema (começou a produzir em 1973). Depois disso, houve outros achados em Sergipe, Bahia e Rio Grande do Norte, mas que não foram relevantes. Em 1974, já haviam passado seis anos de trabalho no mar sem as descobertas esperadas. Na época, o chefe da Divisão de Exploração da Petrobras era Carlos Walter Marinho Campos. Um de seus subordinados era Bacoccoli, que havia se tornado responsável pela interpretação dos dados das bacias de Campos e do Espírito Santo, o que significa que ele e sua equipe definiam os locais onde os poços deviam ser perfurados.

quice", diz Maciel Neto, que depois de deixar a estatal presidiu a Cecrisa, a Ford e a Suzano.

O programa começou com um diagnóstico de todos os obstáculos que impediam a produção em campos abaixo de 1.000 metros de lâmina d'água, resultando em 109 projetos executados ao longo de seis anos. Um deles resolveu a questão dos mergulhadores, que foram substituídos por veículos de controle remoto, capazes, por exemplo, de abrir e fechar válvulas de equipamentos instalados no fundo do mar. Quatrocentos profissionais da estatal foram recrutados para trabalhar nos projetos, desenvolvidos em parceria com oitenta empresas e universidades brasileiras e estrangeiras. O programa contou também com a ajuda de um consultor de gerenciamento de projetos que assessorava a Nasa, a agência espacial americana. "A ordem era procurar quem mais entendia de cada assunto no mundo inteiro", afirma Silveira. Nesses seis anos de Procap, a média anual de patentes depositadas pela Petrobras passou de vinte para 42.

O Procap foi concluído em 1991, mesmo ano em que Marlim começou a produzir. Em 1992, a Petrobras ganhou o prêmio mais importante da indústria de petróleo, o Offshore Technology Conference (OTC). O prêmio, entregue em Houston, nos Estados Unidos, no maior evento do setor, foi concedido em reconhecimento aos avanços tecnológicos alcançados pela estatal no sistema de produção de Marlim. A petroleira venceu o prêmio OTC mais duas vezes, em 2001 e em 2015. Este último passou praticamente despercebido em meio à pior crise já vivida pela empresa, que protagoniza o maior caso de corrupção de que se tem notícia em toda a história do país.

O prêmio ajuda a lembrar que, além das reservas de petróleo, a Petrobras possui um ativo intangível de muito valor: o arsenal de conhecimento de seus funcionários. O OTC de 2015 foi concedido ao conjunto de tecnologias desenvolvidas para a produção no pré-sal, que permitiu à companhia alcançar a extração de 500 mil barris de óleo por dia em junho de 2014. A marca foi atingida oito anos após a primeira descoberta, um recorde para a produção de petróleo em águas ultraprofundas. No Golfo do México, por exemplo, foram necessários dezenove anos para se chegar a esse nível de produção, enquanto no Mar do Norte, nove. Em maio de 2015, durante a premiação em Houston, a produção de petróleo no pré-sal havia passado dos 700 mil barris diários.

5. "Não demito amigos"

Em meados de 1989, o então presidente da Petrobras, Carlos Sant'Anna, chamou um grupo de funcionários para uma reunião que começou com o seguinte discurso: "Precisamos de uma estratégia para proteger a Petrobras". E continuou: "Não temos mais o general daqui para resolver os problemas com o general de lá". Sant'Anna referia-se à relação direta entre os militares que haviam comandado o país após o golpe de 1964 e os presidentes da estatal, muitos dos quais também foram militares. Até aquele momento, a Petrobras havia sido presidida por militares em 25 dos 35 anos de sua existência. E a maioria dos presidentes civis que comandaram a petroleira até ali era altamente identificada com a cultura militar. Entre eles, Shigeaki Ueki, Armando Guedes Coelho e Hélio Beltrão. Os dois primeiros só se referem à tomada do poder em 1964 como "revolução", nunca como "golpe".

Sant'Anna não era militar. Formado em geografia e história, teve o primeiro contato com a Petrobras quando trabalhava no Instituto Brasileiro de Geografia e Estatística (IBGE) e foi chamado para fazer uma pesquisa de mercado sobre produtos de petróleo para a recém-criada área comercial da petroleira. Ele começou a trabalhar na Petrobras como temporário, e em 1958 foi efetivado ao passar em um concurso público. Em 1964, dias após o golpe militar, foi preso quando chegava ao trabalho na sede da estatal, na Praça Pio X, 119, um prédio vizinho da igreja da Candelária, no centro do Rio de Janeiro. Nunca ficou sabendo do que era acusado. Só sabia que era o socialismo, pela União Soviética. Sua queda simbolizou o fim da Guerra Fria e também a derrocada da economia planificada.

O Brasil vivia um período de efervescência política e de grave crise econômica. O presidente José Sarney finalizava seu mandato e a transição do regime militar para o democrático, que durou de 1985 a 1989. Depois de 25 anos, os brasileiros se preparavam para votar para presidente da República. Na economia, o país beirava o caos. A inflação fechou 1989 em inacreditáveis 1.972%. Para a Petrobras, a explosão dos preços e a desvalorização cambial eram ainda mais nocivas. O governo impedia a estatal de reajustar o preço dos combustíveis, numa tentativa inútil de segurar a inflação. A empresa perdia US$ 100 milhões ao mês devido à defasagem de preço dos seus produtos. Depois de ter registrado em balanço lucros acima do bilhão de dólares (em 1986 e 1988), o resultado de 1989 limitou-se a US$ 160 milhões, muito pouco para uma gigante com mais de 80 mil funcionários na folha de pagamentos.[2] De um lado, a estatal tinha o caixa asfixiado pelo controle de preços; do outro, os empregados reivindicavam aumento salarial.

Nesse ambiente, o que era um dos cargos mais cobiçados do Brasil, a presidência da Petrobras, se transformou num desafio não tão atraente. Nos cinco anos de governo Sarney, a empresa teve quatro presidentes além de Sant'Anna, uma rotatividade inédita em sua história:

- o advogado Hélio Beltrão pediu demissão porque queria se aposentar, mas também por discordar dos cortes nos investimentos da estatal, determinados pelo governo em razão do Plano Cruzado;
- o coronel Ozires Silva, sucessor de Beltrão, saiu, entre outros motivos, porque não concordava com a política do governo de atrelar o preço do álcool ao da gasolina. Na sua avaliação, produtos com origens e custos tão distintos não poderiam ter preços referenciados um no outro. Achava que essa política geraria sérios problemas à Petrobras no futuro próximo;
- o engenheiro Armando Guedes Coelho entregou o cargo por discordar do desfecho dado a um escândalo de corrupção;
- o economista Orlando Galvão Filho foi afastado por contrariar o ministro de Minas e Energia, Vicente Fialho, e José Sarney. Fialho e Sarney determinaram que o preenchimento de qualquer cargo de gerência da Petrobras deveria ter o aval dos dois. Galvão desobedeceu e nomeou um superintendente do Departamento de Perfuração sem a anuência dos superiores.[3]

considerado suspeito de ter ligações com subversivos. A única hipótese que lhe vinha à cabeça era a amizade que tinha com alguns funcionários que frequentavam o sindicato. Ele próprio não estava envolvido com a atividade sindical. Mesmo assim, Sant'Anna ficou preso três dias na Rua da Relação, no centro do Rio, e uma semana na base naval Ilha das Flores,[1] em São Gonçalo, na região metropolitana da capital fluminense. Sua mulher conseguiu localizá-lo e libertá-lo com a ajuda de um amigo do marido, mineiro como Sant'Anna, que tinha virado assessor de Carlos Lacerda, então governador do estado da Guanabara.

A volta de Sant'Anna à Petrobras ocorreu semanas depois de sua libertação e por muita insistência de seu chefe, Emerson Serbeto de Barros, que conseguiu convencer os superiores de que o subordinado era bom funcionário e nada tinha a ver com movimentos subversivos. Depois do susto, Sant'Anna retornou à estatal e galgou cargos cada vez mais altos, até chegar à presidência da companhia, em abril de 1989. Em um depoimento dado em 2003 ao Projeto Memória Petrobras, o funcionário sem ressentimentos relembrou o episódio da prisão. "Quando assumiram, os militares achavam que a Petrobras era um ninho de comunistas. Mas a situação se acalmou com a chegada do marechal Ademar Queiroz, um homem de muito bom senso. [Queiroz foi presidente da companhia de 7 de abril de 1964 a junho de 1966.] Ele mostrou ao comando militar que não havia ninho de comunistas coisa nenhuma." No mesmo depoimento, afirmou que não sabia como, mas a Petrobras tinha dado sorte com os presidentes militares que teve.

Em 1989, quando Sant'Anna convocou a reunião para tratar do planejamento estratégico, a situação do país não era de ruptura, como em 1964, mas o cenário era altamente desafiador, não só no Brasil, mas no mundo. A União Soviética, abatida por uma crise econômica profunda, caminhava para o desmantelamento, em meio a inúmeras manifestações nos países que compunham o bloco socialista. Em 9 de novembro de 1989, alemães orientais e ocidentais começaram a derrubar o Muro de Berlim, construído após a Segunda Guerra Mundial para separar a Alemanha Ocidental capitalista da Alemanha Oriental socialista. O Muro foi o símbolo máximo da Guerra Fria, período em que o mundo se dividiu entre o capitalismo, representado pelos Estados Unidos, e

Para completar o ambiente de apreensão dentro da companhia, a campanha eleitoral já estava na rua. E, como acontece em qualquer eleição presidencial, a Petrobras se tornou tema de acalorados debates. Um dos candidatos, Fernando Collor de Mello — justamente o que se elegeria com a bandeira de caçador de marajás do serviço público — bradava ser contra monopólios. Dizia que a Petrobras era uma caixa-preta que ele se encarregaria de abrir se eleito.

Não era apenas Sant'Anna que temia um futuro pouco venturoso para a estatal. Os funcionários com mais tempo de empresa, principalmente os de cargos de gestão, já tinham percebido que a democratização aumentaria a exposição da empresa ao uso político. "Os políticos civis vieram com um apetite danado para cima da Petrobras", diz Roberto Villa, diretor da área Industrial na época. Villa também não era militar. Em 1968, quando passou no concurso da estatal, foi o último da turma a ser contratado, apesar de ter sido o terceiro colocado nos testes. A demora na contratação, soube por um professor, deveu-se à sua militância de esquerda no centro acadêmico da Escola Nacional de Química da Universidade do Brasil. Era um tempo em que os candidatos a uma vaga na estatal eram investigados, e qualquer relação com o movimento estudantil ou sindical valia ponto negativo na ficha.

O primeiro grande escândalo de corrupção envolvendo a Petrobras veio a público no final de 1988, por meio de uma reportagem da jornalista Suely Caldas, do jornal *O Estado de S. Paulo*. A matéria revelou que dirigentes de três bancos privados — Bradesco, BCN e Banco Geral do Comércio — haviam procurado Armando Guedes Coelho, então presidente, para fazer uma denúncia.[4] Eles diziam que um funcionário da BR Distribuidora estava por trás de um esquema montado para saquear a estatal em conluio com instituições financeiras que aceitassem operar a fraude.

O golpe se daria no serviço de cobrança realizado por diversos bancos contratados pela BR, e consistia em receber os pagamentos das duplicatas de inúmeros postos de combustível que compravam produtos da BR. No trâmite normal, os bancos eram remunerados com um percentual de cada cobrança realizada em nome da BR. O banco que "colaborasse" com o esquema seria privilegiado com uma fatia maior das cobranças da companhia. Para isso, a instituição financeira teria de fraudar a data de recebimento dos pagamentos, aplicar o dinheiro — sem que a BR soubesse — e dividir os ganhos da aplicação com o proponente do negócio ilícito. Em um período de inflação alta, os ganhos seriam altos. A pessoa que visitara os bancos propondo o esquema garantia ter o aval de executivos do alto escalão da subsidiária. A instituição financeira que não "colaborasse" trabalharia menos ou não trabalharia para a empresa.

Ao receber a denúncia, Guedes afastou toda a direção da BR e abriu uma investigação interna.[5] A apuração, realizada em dez dias, confirmou que bancos pouco expressivos, escolhidos sem obedecer aos critérios normalmente utilizados pela estatal, vinham recebendo depósitos milionários, em razão das cobranças feitas para a BR. A pessoa que visitava os bancos era Eid Mansur, que não trabalhava nem na BR nem na Petrobras. Entretanto, Mansur dizia ser diretamente ligado a Geraldo Magela de Oliveira e Geraldo Nóbrega, dois assistentes do presidente da BR, o general Albérico Barroso Alves, o Barrosinho, como era conhecido nas Forças Armadas.[6] O problema é que o general Barroso era amigo e compadre de José Sarney. Foi Sarney que o nomeou como diretor industrial da Petrobras e presidente da subsidiária BR (os diretores da petroleira costumavam acumular a presidência de uma das subsidiárias do grupo).

Ao final, a comissão interna que investigou o caso concluiu que Mansur fazia parte de uma quadrilha formada por Magela e Nóbrega, ambos levados para a BR havia poucos meses por Barroso. Depois que a história foi parar no jornal, o Legislativo criou uma Comissão Parlamentar de Inquérito, a CPI da BR. Em depoimento à CPI, Magela, Nóbrega e o general Barroso negaram conhecer Mansur.

No dia seguinte aos depoimentos na CPI, porém, a jornalista Suely Caldas recebeu um telefonema de um funcionário da estatal que tinha um vídeo que desmentia a versão dos três. Nas imagens captadas em uma festa da BR, o general Barroso e seus subordinados Magela e Nóbrega brindavam alegremente taças de champanhe com Mansur. Uma nova reportagem estampou a sequência de fotos que mostrava Mansur dirigindo-se a Barroso, enquanto apoiava a mão esquerda nas costas do general e apontava para Magela com a mão direita. Nóbrega, o quarto elemento da foto, observava ao fundo. A matéria demoliu o falso testemunho dos três.

Os dois assessores de Barroso foram demitidos, mas Guedes não conseguiu afastar o general presidente da BR. Ao telefonar para Sarney e pedir que ele demitisse Barroso, ouviu uma resposta desconcertante do presidente. "Eu não demito amigos", teria dito Sarney. Diante do argumento, o então presidente da Petrobras entregou o cargo. Alegou que não podia trabalhar com um diretor em quem não confiava e se transferiu para uma fábrica de catalisadores que pertencia à petroleira. Depois, aceitou o convite para dirigir a Suzano Petroquímica. O general Barroso permaneceu ainda algum tempo na diretoria da Petrobras e na presidência da br, mas foi remanejado para a presidência da Petrofértil, subsidiária de fertilizantes do grupo, onde ficou por poucos meses, logo deixando a empresa de vez.

Atualmente, Guedes não aceita falar sobre o diálogo que teve com Sarney. Mas também não desmente a história contada por dois auxiliares que eram muito próximos a ele na época. Ambos confirmam que ficaram estupefatos com a justificativa do presidente da República, confidenciada pelo chefe durante o calor dos acontecimentos. Ao comunicar a saída da empresa aos diretores e gerentes no auditório da Petrobras, Guedes foi aplaudido de pé por quase cinco minutos. Mais que uma homenagem ao presidente que deixava o cargo, as palmas dos funcionários eram um protesto contra o ataque à empresa e contra a saída de um presidente que não aceitou acobertar a corrupção. Mais tarde, descobriu-se que Guedes teve total apoio de Ernesto Geisel, ex-presidente da Petrobras e ex-presidente da República, para realizar a investigação. Geisel, que ainda contava com alto prestígio político, convenceu os militares a não proteger o general Barroso.

Outra indicação de José Sarney — esta durante a gestão de Ozires Silva como presidente da Petrobras — também causou indignação nos funcionários da empresa. O ex-deputado cearense Edilson Távora, outro amigo e compadre de Sarney, chegou à diretoria em junho de 1986. Para a perplexidade de todos, nomeou um filho como chefe de gabinete, uma atitude inédita na estatal,[7] tradicionalmente avessa ao nepotismo. Nesse caso, o chamado Grupo 1 — formado por gestores de cargo imediatamente abaixo de diretor e que sempre ascendiam à posição por critérios meritocráticos — conseguiu se articular com alguns diretores e, com o aval de Silva, esvaziar a diretoria de Távora. Sob seu comando ficaram apenas as áreas administrativas, com orçamentos menos expressivos, e a presidência da Petromisa, subsidiária de mineração da estatal.

Esse tipo de resistência empreendida por funcionários da Petrobras ocorreu em mais de uma ocasião. No caso de Távora, o objetivo foi reduzir poderes do cargo designado a um "estrangeiro" considerado despreparado pela cúpula de carreira da estatal. Em outros episódios, grupos de funcionários se armaram de dossiês com indícios e provas de operações lesivas à companhia, como ocorreria no governo Collor. Em seguida, procuraram a imprensa para denunciar as tentativas ou os ataques à estatal.

O fato é que em 1989 a Petrobras não tinha um plano estratégico no papel. Existia estratégia, claro, mas só dentro da cabeça dos mais altos executivos. E provavelmente não havia duas pessoas na companhia com um plano idêntico em metas e em caminhos para atingi-las. Era isso que Sant'Anna pretendia mudar.

Durante quatro meses, a equipe incumbida de elaborar o plano discutiu cenários econômicos e políticos, nacionais e internacionais com quarenta executivos da companhia. O grupo também tratou de questões delicadas, verdadeiros tabus dentro da estatal, como o conceito de nacionalismo, muitas vezes confundido com aversão a tudo o que é de origem estrangeira. Ao final, chegou-se à conclusão de que, nos novos tempos de competição global que se anunciavam, nacionalismo deveria significar a busca por eficiência e competitividade. Só assim empresas e países prosperariam. Essa foi uma das principais mensagens do plano.

Mais delicado ainda foi o debate sobre a natureza da Petrobras. Afinal, trabalhava-se em uma empresa ou em um órgão do governo? A resposta não foi conclusiva. Desde o nascimento, a petroleira vive o mesmo dilema. Um dos modelos a serem copiados, explicou Sant'Anna na época, era o da estatal francesa Elf, que não subsidiava combustíveis nem era obrigada a salvar empresas agonizantes, como costumava ocorrer com a Petrobras. O grupo também discutiu a saída da petroleira de vários negócios que só prejudicavam seu desempenho. A estatal tinha se transformado num gigante com seis subsidiárias e que participava de outras sessenta empresas. "Com monopólio ou sem monopólio, a Petrobras precisa ser enxuta e eficiente", disse na época Carlos Sant'Anna ao jornal *O Estado de S. Paulo*.

Esse tipo de reflexão, envolvendo um número tão grande de executivos, era inédito dentro de uma companhia extremamente hierarquizada. O consultor independente Marcos Aurélio Vianna, morto em 2014, foi uma das figuras-chave na condução do trabalho. Era dele a função de moderar os debates, interrompendo um diretor para dar a palavra a outro funcionário. Uma tarefa dessas só poderia ser cumprida por alguém de fora da companhia. Um funcionário da estatal dificilmente conseguiria fazê-lo com a isenção necessária, sem compromissos com chefes ou colegas, sem temer represálias no futuro por um questionamento mal recebido.

O trabalho, intitulado Plano Estratégico do Sistema Petrobras 1990-2000, foi finalizado em 15 de dezembro de 1989. Nesse dia, o grupo decidiu tirar uma foto para comemorar o encerramento das atividades. Na frente de um modesto hotel em Itaguaí, município do Rio de Janeiro, 42 pessoas, a maioria do alto escalão da empresa e alguns poucos consultores, posaram para o retrato como um time de futebol, parte em pé e parte agachada.

O plano estratégico foi aprovado pelo conselho da Petrobras em janeiro e divulgado por Sant'Anna a todos os gerentes em um auditório lotado. Quase dois meses depois, no domingo de 4 de fevereiro de 1990, o retrato tirado na frente do hotel foi parar na capa do caderno de economia do jornal *O Estado de S. Paulo*. O título da matéria era "Petrobras muda para os anos 1990". A reportagem deixou furioso o presidente eleito — Collor ainda não havia tomado posse, o que aconteceria em 15 de março. Em sua interpretação, o tal plano estratégico era uma forma de resistência ao seu governo.

De qualquer forma, Collor acertou em imaginar que não era o preferido do alto comando da estatal. Antes das eleições, num dos finais de semana em que executivos e consultores labutavam para finalizar o plano estratégico, alguém sugeriu uma votação fictícia para presidente. Lula — que só chegaria à presidência em 2003 — venceu.

Assim que assumiu, Collor destituiu não só o presidente e a diretoria, como também metade do Grupo 1. Sant'Anna aproveitou para se aposentar. Mais uma ironia do destino: alguns dos funcionários afastados foram parar no Ministério da Economia (que reunia Fazenda e Desenvolvimento, Indústria e Comércio Exterior) do próprio governo Collor. Entre eles, estavam os engenheiros José Paulo Silveira — que coordenou a elaboração do plano estratégico, antes de ser destituído do cargo de superintendente de Planejamento — e Antonio Maciel, subordinado de Silveira, apeado da chefia de Planejamento.

O que seria o primeiro plano estratégico da Petrobras acabou engavetado. Só em 1999, depois de exatamente uma década, já na gestão de Henri Philippe Reichstul, a companhia elaborou seus planos estratégico e de negócios e passou a revisá-los e anunciá-los para o mercado anualmente.

6. A primeira grande tentativa de assalto

Durante os dois meses que antecederam a posse de Fernando Collor de Mello, em 15 de março de 1990, o principal centro de poder do país foi o anexo 2 do Palácio do Itamaraty. O prédio de três andares — apelidado de "Bolo de Noiva" por causa de sua forma circular — tornou-se o local de trabalho do presidente eleito e seus auxiliares mais próximos, muitos dos quais se tornariam ministros, secretários de Estado e dirigentes de órgãos do governo e de empresas estatais. Na segunda semana de janeiro, as 33 salas do Bolo de Noiva começaram a ser ocupadas por grupos de trabalho que tinham a missão de detalhar os planos de governo para as diferentes áreas do Executivo — energia, saúde, transportes, educação, agricultura e assim por diante. Participar de um grupo de trabalho ou mesmo de uma única reunião no quartel-general do novo governo era sinal de prestígio. O convite era visado principalmente por empresários e lobistas, ávidos por se aproximar da administração Collor.

O embaixador Marcos Coimbra foi um dos primeiros a chegar ao Bolo de Noiva em janeiro. Cunhado de Collor, Coimbra se tornaria secretário-geral da Presidência, tendo permanecido como um dos principais conselheiros do presidente durante o mandato. Sua sala era uma das duas vizinhas à de Collor — a outra foi reservada ao vice-presidente Itamar Franco. Um personagem pouco conhecido na época, mas que se revelou uma figura-chave no Bolo de Noiva e no governo Collor, foi o jovem empresário Pedro Paulo Bergamaschi de Leoni Ramos. O início da vida profissional de PP, como ficou conhecido, é obscuro. Sabe-se que ele teve um escritório de lobby na capital federal e depois se tornou empresário.

Em 1989, para se engajar na campanha do amigo Fernando, como se refere a Collor, PP tomou uma decisão incomum e radical. Vendeu todos os negócios que comandava: uma pequena construtora em Brasília, voltada para habitação popular, uma empresa de armazéns alugados à Companhia Nacional de Abastecimento (Conab) e outra de comunicação que veiculava conteúdo e publicidade em aeroportos, além de um projeto de criação de camarões que pretendia instalar no sul da Bahia. "Como todos os meus negócios tinham grande relação com órgãos públicos, pois dependiam de licenças para operar e também de financiamento público, achei que, caso perdêssemos a campanha, poderia sofrer algum tipo de represália", afirmou.[1] Ele tinha 29 anos quando Collor se elegeu.

Nascido em Florianópolis, PP foi criado no Rio de Janeiro desde os três meses de idade. Em 1980, mudou-se para Brasília, onde o pai, engenheiro do Exército, ocupava os cargos de assessor do ministro das Comunicações e de presidente da Radiobrás. Na ocasião, PP estudava economia na Universidade Gama Filho, no Rio de Janeiro. Com a mudança, retomou o curso na Universidade de Brasília, mas não o concluiu. Sem muita paciência para os estudos convencionais e para receber ordens, queria ter independência financeira com negócios próprios. Por isso, costuma dizer, seus amigos geralmente eram mais velhos que ele e do meio empresarial. Foi um desses amigos, o empresário e político Paulo Octávio, do ramo da construção, que o apresentou a Collor, que na época era deputado federal.[2]

Após a eleição de Collor, em 17 de dezembro de 1989, PP se transformou num dos personagens mais influentes do governo, participando de decisões de todas as áreas, incluindo a econômica. Foi em sua casa, em Brasília, que Zélia Cardoso de Mello — a futura ministra da Economia[3] de Collor — se reuniu com Maílson da Nóbrega, ministro da Fazenda do governo Sarney, na antevéspera do Natal de 1989. Zélia precisava se inteirar melhor da real situação econômica do país — que era crítica — para elaborar o plano que o presidente eleito implementaria a partir de março. Pelo governo em fim de mandato estavam, além de Maílson, o secretário-geral do ministério da Fazenda, Paulo César Ximenes, e o secretário do Tesouro, Luís Antonio Gonçalves. Do lado do governo eleito, Zélia, os economistas Carlos Moraes e Pedro Barra e PP, o anfitrião do encontro.[4]

No período de transição, PP foi uma espécie de gerente dos vários grupos de trabalho reunidos no Bolo de Noiva. Dois dias antes da posse de Collor, foi nomeado para assumir a Secretaria de Assuntos Estratégicos (SAE), órgão criado pelo novo presidente. Com status de ministro, PP trabalharia no Palácio do Planalto e seria um dos poucos a despachar diariamente com Collor. Uma das primeiras tarefas da SAE foi extinguir o Serviço Nacional de Informação (SNI), usado para investigar e perseguir opositores da ditadura militar. Entre suas funções regulares na secretaria estava a de acompanhar a execução do plano de governo de cada ministério. Em suma, PP era uma das figuras mais importantes da República.

Na época da formação do governo — e também depois, com ele já formado —, o presidente Collor orientava seus ministros a consultar PP sobre os nomes que pretendiam nomear para cargos no governo, como reconheceu João Santana, ministro da Infraestrutura.[5] Na versão oficial, a ideia era verificar se o indicado tinha algo que o desabonasse e também aproveitar as pessoas que ajudaram no período de transição. Na versão da CPI criada mais tarde para investigar tráfico de influência no governo Collor, PP era o coordenador do plano de aparelhamento de órgãos do Executivo. Ele escolhia nomes com o objetivo de facilitar negociatas de empresas "amigas do governo" com a Petrobras e com fundos de pensão de empresas públicas. Mas isso só viria à tona dois anos depois.

Os primeiros sinais de corrupção que culminaram no impeachment do presidente Collor saíram de dentro da Petrobras, quando o governo ainda não havia completado oito meses. A bomba foi acionada pelo próprio presidente da estatal, Luis Octavio da Motta Veiga, um nome que, ironicamente, Collor fez questão de ter em seu governo. Motta Veiga pediu demissão em outubro de 1990 e declarou à imprensa, em entrevista coletiva, as razões de sua saída. Afirmou aos jornalistas que um amigo íntimo do presidente Collor vinha lhe propondo com insistência uma operação lesiva à Petrobras. Era o empresário alagoano Paulo César Farias, conhecido como PC. Coordenador financeiro da campanha de Collor, PC não tinha cargo no governo, mas transitava com liberdade pelos gabinetes do Executivo, em Brasília, e também pelas estatais. O negócio pleiteado era um empréstimo amplamente favorável à Vasp — hoje finada companhia aérea, que na época seria privatizada pelo governo paulista. Caso a Vasp fosse arrematada pelo empresário Wagner Canhedo, amigo de

PC, a Petrobras liberaria um empréstimo para que a empresa pudesse decolar em mãos privadas, com a providencial ajuda da estatal de petróleo.

O financiamento almejado por PC e Canhedo era de nada menos que US$ 40 milhões. A Petrobras repassaria à Vasp US$ 10 milhões em dinheiro, e os US$ 30 milhões restantes entrariam como combustível e também para abater US$ 6 milhões que a empresa já devia à BR Distribuidora. A Vasp pagaria o empréstimo em dez anos e, o mais importante, sem juros. O empréstimo era espetacular para a Vasp e péssimo para a Petrobras. Mesmo assim, Motta Veiga seguiu o manual: pediu parecer técnico da BR, subsidiária responsável pela venda de combustíveis e a quem caberia esse tipo de operação.

Do ponto de vista dos negócios, a BR até pode fazer esse tipo de financiamento como forma de conquistar a fidelidade de grandes consumidores de combustível, como são as companhias aéreas. Mas a operação tem de ocorrer em condições de mercado, o que definitivamente não era o caso. "Primeiro, [o negócio era ruim para a Petrobras] porque nem instituições de caridade emprestam US$ 40 milhões sem juros. Em 1989, os juros estavam acima dos 10% ao ano. Segundo, porque a Vasp era um mau devedor e Canhedo, um desconhecido para a empresa [a Petrobras]. Onde já se viu trocar uma dívida de US$ 6 milhões com juros por outra de US$ 40 milhões sem juros? E onde já se viu fazer isso com um devedor que não paga?", questionou Motta Veiga em entrevista à revista *Veja*, quando outras denúncias de tráfico de influência de PC Farias já haviam posto o governo na mira do impeachment.[6]

PC foi insistente. Ligou várias vezes a Motta Veiga e, não satisfeito, baixou na sede da estatal junto com Wagner Canhedo para falar do empréstimo. O presidente da petroleira explicou que naqueles termos não haveria negócio. A BR tinha dado parecer desfavorável à operação. O presidente da subsidiária, o almirante Maximiano Fonseca, ainda apresentou uma alternativa à companhia aérea: a estatal emprestaria US$ 18 milhões em combustível e adiantaria US$ 10 milhões em dinheiro à Vasp. O pagamento, porém, teria de ser feito em dois anos e com juros, claro. As condições não agradaram a PC e Canhedo.

Mas o caso não se encerrou ali. Dias depois, Motta Veiga foi procurado por Marcos Coimbra. O assunto era, mais uma vez, o empréstimo à Vasp. O telefonema de Coimbra foi a gota d'água para que Motta Veiga deixasse o governo e revelasse à imprensa a pressão sofrida do amigo e do cunhado de Collor. Diante da repercussão da entrevista, o negócio não saiu, além de chamar a atenção de jornalistas e, particularmente, de funcionários, que começaram a identificar a prática de tráfico de influência em outras áreas da empresa. Isso aconteceu em outubro de 1990.

A ironia de o primeiro escândalo do período Collor ter sido revelado por Motta Veiga reside na insistência do presidente para que o advogado participasse de seu governo. Collor e Motta Veiga se conheceram pouco antes do primeiro turno das eleições de 89. O advogado foi convidado por Zélia Cardoso de Mello para uma reunião em São Paulo, no hotel Maksoud Plaza. Ele não conhecia a futura ministra pessoalmente, mas aceitou o convite. Antes, alertou à economista que já tinha candidato para o primeiro turno, o tucano paulista Mário Covas. Zélia não se importou e reconfirmou o convite. O objetivo da reunião era estreitar relações com empresários e executivos de grandes companhias e ouvir suas demandas e sugestões.

Na ocasião, Motta Veiga presidia a subsidiária brasileira da mineradora Anglo American, com sede em Londres. Antes disso, tinha feito uma elogiada gestão na Comissão de Valores Mobiliários (CVM). Com apenas 39 anos, o advogado tinha uma formação acadêmica vistosa — especialização em administração pública pelo Instituto Internacional de Administração Pública de Paris e título de mestre pela Universidade de Oxford, da Inglaterra. Era um perfil procurado por Collor, que queria passar a imagem de um governo moderno e dinâmico.

Depois das eleições, Zélia convidou Motta Veiga para participar da elaboração do plano econômico com o qual Collor pretendia domar a inflação e reequilibrar a economia. Ele participou dos dois primeiros encontros, mas abandonou o trabalho depois, justificando que não pretendia participar do governo. Mesmo assim, Zélia o convidou para dois cargos: diretor de fiscalização do Banco Central e secretário do Tesouro. Ambos foram recusados. Os motivos eram pessoais, segundo ele. Motta Veiga não queria mudar para Brasília. Recém-separado, queria continuar morando no Rio de Janeiro. Collor não aceitou a negativa e quis conversar pessoalmente com o advogado, que foi chamado a Brasília. Depois de explicar as razões das recusas, foi surpreendido por Collor, que, num rompante, lhe ofereceu a presidência da Petrobras. A sede da estatal ficava no Rio. Para um executivo com menos de 40 anos, comandar a maior empresa do país era uma proposta praticamente irrecusável.

A nomeação de Motta Veiga demoliu os planos de várias pessoas dentro da Petrobras e do governo. Semanas antes da posse de Collor, o engenheiro Wagner Freire, que ocupava o cargo equivalente ao de diretor de Exploração & Produção (E&P), dava como certo que se tornaria presidente da companhia. Em seu lugar entraria o superintendente de produção Alfeu Valença, um petroleiro bastante respeitado na casa (primo e quase homônimo do cantor Alceu Valença). Valença chegou a confidenciar a subordinados mais próximos que estava tudo certo e que subiria junto com Freire. Alguns funcionários de E&P chegaram a comemorar as promoções iminentes. Valença era um técnico de alto nível, considerado um líder em sua área. Freire não era dos mais queridos pelos subordinados — tinha fama de arrogante —, mas era inegavelmente um profissional gabaritado da área que é o coração de toda grande petroleira.

A confiança dos dois petroleiros nas futuras promoções residia na relação que haviam estabelecido com João Muniz Alves de Oliveira, um empresário carioca que se identificava como representante informal no Rio de Janeiro do governo eleito. Alves mostrava grande conhecimento do que acontecia em Brasília na equipe de transição de Collor. Cerca de um mês antes da posse, Freire convidou Valença para um almoço com Alves no restaurante do Hotel Glória, no Rio. Valença ficara impressionado com a desenvoltura de Alves ao falar sobre a reforma administrativa, a estrutura dos novos ministérios e o plano de privatização que seria preparado pelo governo.[7]

Quando a conversa enveredou para a Petrobras, Freire perguntou a Alves quais eram suas chances de assumir a presidência da companhia. Alves respondeu que dependia de muitos fatores, mas que era possível, até pelo passado de Freire na estatal. Além do currículo profissional, Freire sempre deixou clara sua preferência por Collor durante a campanha eleitoral — diferentemente de boa parte da alta gerência e da direção da companhia, que se dividia principalmente entre Mário Covas, Leonel Brizola e Lula. Collor, por sua vez, acreditava que a companhia era povoada de petistas. Ao nomear Motta Veiga à presidência da estatal, pediu que ele o ajudasse a limpar a Petrobras "daquela raça", referindo-se a simpatizantes do PT.

A ponte de Alves com o governo eleito era seu amigo e sócio Sérgio Pereira Rocha, também empresário e carioca, e um dos frequentadores mais assíduos do Bolo de Noiva. Segundo Rocha, ele próprio visitou vinte ou trinta vezes o quartel-general da equipe de transição.[8] O convite, segundo ele, partira do embaixador Marcos Coimbra, embora ele também fosse amigo e afilhado de casamento de PP. A amizade de Rocha e PP vinha do final da década de 1970, quando estudaram na Universidade Gama Filho, no Rio. Mais tarde, os dois tiveram relações profissionais; Rocha trabalhava numa trading especializada em exportação de açúcar que era uma das principais clientes do escritório de lobby de PP em Brasília.

Na cadeia de elos de amizade, Freire e Valença conheciam Alves, que era amigo de Rocha, que era amigo de PP, que era amigo de Collor, que era amigo de PC Farias, que se relacionava com todos os anteriores. Essa foi a conclusão a que chegaram as duas CPIs criadas para investigar tráfico de influência no governo Collor — a CPI do Esquema PP (que investigou negociatas dentro da Petrobras e de fundos de pensão de estatais) e a CPI do PC (que apurou a atuação de PC Farias no governo, após as denúncias feitas por Pedro Collor, irmão do presidente, à revista *Veja*).

A escolha intempestiva de Collor para que Motta Veiga presidisse a Petrobras deixou Freire e Valença de fora da diretoria (mais tarde, Valença assumiria a presidência da estatal, em abril de 1991, por indicação de PP). A frustração foi tão grande que João Alves convidou os dois petroleiros para um jantar em sua casa, em São Conrado, na zona zul do Rio. Rocha também estava presente. "Esse jantar aconteceu porque Wagner Freire não tinha sido conduzido à presidência. Seria uma espécie de jantar de desagravo. Uma homenagem a ele, que estaria muito chateado, porque não tinha sido presidente", disse Valença.[9]

Um ano e meio depois da saída ruidosa de Motta Veiga, a Petrobras tornou-se epicentro de um novo escândalo, dessa vez envolvendo PP. Uma reportagem do jornal *O Estado de S. Paulo*, publicada no dia 22 de março de 1992, denunciou um complexo esquema de negociatas instalado na estatal após a saída de Motta Veiga e sob a coordenação de PP. Numa das frentes do esquema, empresas obscuras, de pessoas ligadas a PP, teriam o caminho facilitado para realizar negócios com a Petrobras.[10]

A matéria, assinada por Suely Caldas — uma das maiores especialistas do setor de energia na época —, identificou três empresas, todas pertencentes a Sérgio Rocha, amigo e afilhado de casamento de PP, o mesmo que foi "vinte ou trinta vezes" ao Bolo de Noiva durante a transição. As três também tinham como sócio o advogado João Muniz Alves de Oliveira,[11] o mesmo que nutria em Wagner Freire e Alfeu Valença a esperança de chegarem ao topo da companhia. As três empresas atuavam como intermediárias em negócios com a Petrobras. Duas eram tradings, especializadas em importação de petróleo cru e derivados, e a terceira intermediava vendas de equipamentos e plataformas para exploração e produção de petróleo. Todas tinham endereço no prédio de escritórios do Shopping Rio Sul, no Rio de Janeiro.

Para funcionar, o esquema contava com uma inovação: lobistas, aliados a uma figura política, passaram a cooptar funcionários da casa, os chamados "funcionários de carreira", dispostos a executar — ou, pelo menos, não atrapalhar — as operações com as empresas dos amigos do governo. Em troca, esses funcionários ascenderiam a cargos elevados na companhia ou não perderiam as posições que já ocupavam. Em alguns casos, até poderiam ter algum tipo de ganho financeiro com as operações. Todos sairiam lucrando com o esquema de corrupção, menos a estatal.

Até então, não se tinha notícia de um esquema de corrupção envolvendo funcionários de carreira em conluio com empresários e políticos. É claro que havia crimes cometidos por empregados concursados — como furtos de combustível em refinarias ou recebimento de propinas de fornecedores —, mas eram casos individuais. Até ali as transações suspeitas ligadas a pessoas do governo eram atribuídas a ocupantes de cargos de confiança, pessoas nomeadas por motivos políticos, geralmente diretores de fora da companhia e seus auxiliares.

A tática de cooptação de empregados tinha o objetivo de eliminar ou reduzir a resistência dos funcionários da petroleira, geralmente avessos à chegada de "intrusos" em posições de comando. Contar com funcionários da casa em vários níveis hierárquicos também ajudaria a evitar suspeitas durante a execução de operações lesivas à companhia. No governo Sarney, os acusados de extorquir banqueiros eram todos trazidos de fora da companhia por um diretor nomeado por seus relacionamentos políticos. A resistência formada na época pelos funcionários da estatal, incluindo seu então presidente, foi capaz de desbaratar rapidamente a quadrilha que tentava saquear a Petrobras.

Foi esclarecedor o depoimento do engenheiro João Carlos de Luca prestado à Polícia Federal,[12] que abriu inquérito para investigar o Esquema PP após as denúncias na imprensa. De Luca havia sido nomeado diretor de E&P da Petrobras por Motta Veiga em março de 1990. Em seu depoimento, o engenheiro contou que foi procurado pelo colega Alfeu Valença no dia seguinte à saída de Motta Veiga. Valença fora chefe de De Luca por vários anos e era visto como uma liderança na área de produção da companhia. Era um sábado de manhã, e Valença estava animado ao telefonar para De Luca. Ele provavelmente seria promovido a diretor com a chegada do novo presidente. De Luca, entretanto, corria um grande risco de perder a diretoria de E&P, dizia Valença. O "pessoal do governo" achava que De Luca era aliado de Motta Veiga, que se transformara em inimigo do Palácio do Planalto pela maneira como saíra da companhia. Segundo Valença, De Luca deveria conversar com um conhecido seu, uma espécie de representante do governo que ficava no Rio de Janeiro. De Luca aceitou ir ao encontro, marcado para o mesmo dia, sábado à tarde, na casa da tal pessoa. O conhecido de Valença era João Muniz Alves de Oliveira — que voltava à cena, prometendo uma promoção a Valença.

Durante o encontro, De Luca se esmerou em detalhar a experiência acumulada dentro da companhia (ao lado de Valença, De Luca fora uma das figuras-chave no desenvolvimento da produção da Bacia de Campos, a maior área produtora da companhia até hoje). Explicou que quando foi convidado para dirigir E&P por Motta Veiga, quase caiu para trás de tanta surpresa. Na época, ele ainda comemorava a promoção a superintendente de Produção, ocorrida havia apenas quatro meses. Era justamente aí que Alves queria chegar. Queria saber como De Luca havia chegado à diretoria. Que políticos ele conhecia? Quem o havia indicado para Motta Veiga?

De Luca explicou que só conheceu Motta Veiga quando ele se apresentou na empresa, já como presidente. A única coisa que tinha a mostrar era seu currículo. Talvez seus próprios chefes o tivessem indicado, pois não tinha amigos políticos. E era verdade. "Quando aceitei a presidência da Petrobras, comecei a entrevistar pessoas dentro e fora da companhia, perguntando quem eram os melhores profissionais de cada área", disse Motta Veiga.[13] "Quando o indicado era alguém com características de que eu não gostava, partia para o nome do segundo da lista."

Na busca pelo diretor de E&P, Motta Veiga pesquisou quem havia sido a pessoa mais importante para a Bacia de Campos se tornar o que se tornara — a maior região produtora de petróleo do país. Os nomes que surgiram mais vezes foram os de Wagner Freire, Alfeu Valença e João Carlos de Luca. Os dois primeiros foram descartados em razão dos comentários de que ambos haviam se aproximado do governo durante a transição para conseguir promoções na estatal. Diante disso, o novo presidente optou por De Luca.

* * *

A conversa entre Alves e De Luca[14] terminou sem conclusão naquele sábado. Na segunda-feira, porém, Valença procurou De Luca logo cedo para dar um recado: Alves queria encontrá-lo num escritório da Avenida Rio Branco, no centro do Rio. No início da conversa, Alves repetiu o discurso de que a saída de Motta Veiga deixava De Luca fraco, com uma grande probabilidade de perder o cargo. Mas ele, Alves, poderia ajudá-lo a se manter na diretoria. O problema, dizia Alves, é que uma indicação desse tipo envolvia muita responsabilidade. Ele poderia se queimar no governo se o desempenho de De Luca decepcionasse. A questão, no entanto, poderia ser solucionada se De Luca assinasse uma carta de demissão com data em branco. Assim, caso houvesse algum problema, Alves poderia tirá-lo do cargo. A carta estava pronta, nas mãos de João Alves.[15]

De Luca recusou a proposta. Sabia que se assinasse o documento ficaria refém de Alves e de não sabia mais quem. Em momento algum Alves mencionara algo ilícito ou imoral, mas tanta boa vontade não seria gratuita. A fatura chegaria mais dia, menos dia. De Luca não tinha ideia do tipo de pedido que poderiam lhe fazer, mas "tinha certeza de que seria algo contra o interesse da Petrobras". Apesar do choque, o engenheiro tentou uma resposta diplomática. Agradeceu a Alves, e disse que não se importava em perder o cargo naquele momento. Explicou que ainda era bastante jovem e não tinha a ilusão de que se manteria como diretor na empresa até se aposentar, o que ainda levaria mais de uma década. Talvez, quem sabe, teria outra oportunidade de voltar a ser diretor no futuro. Para terminar, disse que aquele tipo de acordo não se encaixava com seus princípios. Alves também buscou uma saída diplomática, e afirmou que a postura de De Luca o levava a respeitá-lo ainda mais.

De volta à sede da estatal, De Luca discutiu com o colega Valença, que insistira em apresentá-lo a Alves. Valença, por sua vez, garantiu que também considerava a proposta absurda, e jurou que não sabia das intenções de Alves. Mesmo assim, os dois colegas acabaram se afastando. Valença se tornaria presidente da estatal em abril de 1991, por indicação de PP. Após a saída de Motta Veiga, o secretário de Assuntos Estratégicos passou a nomear diretores e superintendentes a seu critério.

De acordo com o relatório da CPI do Esquema PP, o método de cooptação dos funcionários era operado assim: PP — encarregado de levantar informações estratégicas para o governo e fiel depositário da lista de todos os colaboradores do governo de transição — selecionava os currículos de funcionários da estatal que poderiam ocupar cargos que beneficiassem os negócios pleiteados pelo grupo. João Alves era o encarregado de entrevistar os funcionários fora da estatal, geralmente em um escritório do Shopping Rio Sul ou em uma sala na Avenida Rio Branco, no centro da cidade — ainda que Alves não pertencesse à área de recursos humanos da Petrobras.

Em 1992, no inquérito aberto pela Polícia Federal para investigar o Esquema PP,[16] pelo menos seis funcionários confirmaram terem sido chamados por João Alves para entrevistas fora da companhia (Valença e De Luca entre eles). É verdade que não se pode saber quanto conhecimento esses funcionários tinham, inicialmente, do tipo de pedido que lhes seria feito no futuro. Mas é certo que deveriam desconfiar das intenções de Alves e de que, em algum momento, seriam chamados a colaborar com operações que, no mínimo, não beneficiariam a companhia.

No dia da chegada do novo presidente da Petrobras — o economista Eduardo Teixeira, que vinha do então Ministério da Economia, onde era secretário-geral —, De Luca já havia comunicado a seus dois subordinados diretos que seria destituído do cargo. Para sua surpresa, à tarde, quando a nova diretoria foi anunciada pela "boca de ferro" (como era chamado o sistema de alto-falantes da companhia), ele foi confirmado como diretor de E&P, e Valença, nomeado presidente. De Luca não entendeu por que continuou no cargo. Uma pessoa que participou da montagem da diretoria (e pediu para não ser identificada) explicou recentemente: "O novo presidente queria apaziguar os ânimos entre os funcionários da Petrobras, ressabiados pelas denúncias de Motta Veiga. A orientação era escalar 'petroleiros puro-sangue', que era o caso do De Luca, que também era um ótimo profissional".

A ação do grupo de PP na superintendência Comercial — um departamento da diretoria de Abastecimento — começou com a intervenção do governo na escolha de funcionários. O diretor da área, Maurício Alvarenga, foi avisado de que um de seus subordinados seria Hamilton Albertazzi, um funcionário de carreira da estatal. "A ordem é nomeá-lo", disse o novo presidente Teixeira a Alvarenga, apontando para o quadro do presidente Collor na parede. O episódio foi descrito por Alvarenga em depoimento à CPI do PP, depois que o escândalo estourou, em março de 1992.

As investigações realizadas pela CPI e pela PF revelaram que Albertazzi também era ligado a João Alves. Em agosto de 1990, ele fora apresentado a Alves por Wagner Freire. Na ocasião, em um almoço no Clube Americano, no centro do Rio, os três falaram genericamente de negócios. No segundo encontro, Albertazzi explicou que Alves foi mais específico: queria entender como uma empresa privada poderia trabalhar com a Petrobras. Depois, Alves explicou que estava interessado em abrir uma empresa para comercializar petróleo e derivados, a Polo Petróleo.[17]

O sinal amarelo acendeu no Departamento Comercial da Petrobras quando alguns funcionários da área descobriram que Albertazzi havia orientado fornecedores de derivados — que já vendiam diretamente para a Petrobras — a fazê-lo somente por meio de tradings. Ou seja, a Petrobras passaria a comprar por meio de intermediárias, o que não era prática na companhia. As tradings indicadas por Albertazzi eram justamente a Polo Petróleo, de Alves, e a Edubra, de Sérgio Rocha. Na época, o país consumia 1,2 milhão de barris de petróleo por dia. A produção brasileira, entretanto, era de 650 mil barris diários, o que obrigava a Petrobras a importar 550 mil barris ao dia. A maior parte, cerca de 400 mil barris, era importada de países produtores, por meio de contratos de longo prazo. Faltavam cerca de 150 mil barris, que eram comprados no mercado de curto prazo, o chamado mercado spot, especialmente nas bolsas de Nova York e Londres. É esse tipo de operação que reflete a oscilação diária do preço do petróleo. A diferença de um centavo pode significar um ganho enorme de um lado e um tremendo prejuízo de outro. Na época, a Petrobras movimentava mais de US$ 1 bilhão ao ano em compras no spot. Era justamente aí que as empresas de Rocha e Alves queriam atuar.

A tentativa de implantar um esquema de desvio na área comercial esbarrou no preparo e na honestidade de funcionários que perceberam as ameaças de burla. A área comercial da Petrobras foi vista por muito tempo como a principal responsável pelo abastecimento do país — lembrando que a produção de petróleo da empresa só começou a aumentar significativamente na segunda metade dos anos 1980. Ao longo das décadas em que o Brasil importou a maior parte do petróleo que consumia, a Petrobras formou várias gerações de traders altamente qualificados. Com ou sem embargo árabe, com ou sem reserva de dólares, a área comercial tinha de cumprir sua missão: abastecer o país com o menor custo para a sociedade.

Em razão disso, o departamento comercial era formado por equipes que esquadrinhavam diariamente o mercado mundial de petróleo; estudavam todas as produtoras; sabiam o tipo de óleo de cada uma, onde cada óleo era produzido, quanto custava cada produto e o frete para que eles chegassem ao Brasil. Esse tipo de conhecimento vale ouro na hora de negociar. Para os bons profissionais do ramo, é uma desmoralização "deixar dinheiro na mesa" ou ficar com fama de "mão frouxa" — expressões que definem negociadores ruins, que pagam mais do que devem ou mais do que podem.

Quando as recomendações de compra ou venda começaram a aparecer fora dos padrões de negócio da estatal, os funcionários estranharam. Primeiro, alertaram Albertazzi, imaginando que se tratasse de um engano, talvez de falta de traquejo, já que ele havia passado um longo período fora da área comercial. Depois, desconfiados de má-fé, passaram a forçar, discretamente, que ele oficializasse as estranhas ordens por escrito.

Um dos subordinados de Albertazzi, o engenheiro Rogerio Manso, responsável pela comercialização de derivados, decidiu entregar o cargo de gerência e relatar as irregularidades ao diretor Maurício Alvarenga. A decisão de fazer a denúncia foi difícil, conta ele. "Eu não tinha tanto contato com o Alvarenga. Apesar de ele ter boa fama, eu não tinha certeza de que ele não era do grupo cooptado", disse Manso. Para sua sorte, Alvarenga não fazia parte do esquema e demitiu Albertazzi. "Ele me disse que o mundo cairia sobre a sua cabeça, mas que não toleraria aquele comportamento", afirmou Manso.[18] A decisão realmente custou o cargo do diretor um mês depois.

Quando os desvios na estatal já eram investigados pela CPI, Alvarenga foi chamado a depor em Brasília. Em seu depoimento, afirmou que apenas cinco operações chanceladas por Albertazzi haviam custado cerca de US$ 1 milhão à companhia. Diversas outras operações foram impedidas por funcionários que, mais uma vez, atuaram como guerrilheiros (como alguns deles se intitulavam). Eles se esmeraram em apresentar justificativas técnicas em pareceres oficiais, frustrando boa parte do plano de Alves, Rocha e de seus aliados cooptados dentro da estatal.

Na área de Engenharia, a corrupção veio à tona na forma de extorsão a uma construtora que ampliaria a Refinaria Landulpho Alves-Mataripe (RLAM), na região metropolitana de Salvador, Bahia. Depois de feita a licitação, o engenheiro Edio Rodenheber, responsável da estatal pelas obras na refinaria, foi procurado por um funcionário da Concic, construtora vencedora do certame. O tal funcionário contou a Rodenheber uma história preocupante. Ele havia sido procurado por uma pessoa de fora da Petrobras que lhe ofereceu "ajuda" para agilizar a assinatura do contrato de serviço. Apesar de ter ganhado a licitação, o contrato estava demorando a ser assinado, mesmo depois de ter passado por todas as áreas de aprovação.

O nome do intermediário que procurou a Concic era João Muniz Alves de Oliveira. Ele explicou ao funcionário da construtora que o contrato poderia ficar parado e até ser suspenso, caso a Petrobras decidisse encontrar algum problema com o fornecedor. Alves, entretanto, garantiria a assinatura em poucos dias, caso a construtora pagasse US$ 500 mil por seus "serviços". Um caso claro de extorsão.[19] Rodenheber contou a história ao chefe, que, por sua vez, levou o caso a seu superior, o qual, aparentemente, não fez nada. Certo dia, o funcionário da construtora procurou Rodenheber novamente para dizer que havia conseguido um desconto e até o parcelamento da "comissão" cobrada por Alves.[20] Dias depois o contrato seguiu para aprovação na reunião de diretoria. Rodenheber relatou novamente o ocorrido aos superiores, mas o assunto morreu, até reaparecer, cerca de quatro meses depois, na reportagem de Suely Caldas, de *O Estado de S. Paulo*.

A jornalista foi procurada em fevereiro de 1992 por funcionários da estatal que queriam denunciar desvios na área comercial. Suely passou mais de um mês checando informações e aumentando o arsenal revelado em 22 de março, um domingo. A jornalista fora escolhida para receber a denúncia por ter conquistado a confiança de funcionários da estatal anos antes, quando revelou o esquema de corrupção na BR Distribuidora, caso que gerou a CPI da BR, no governo Sarney. Na época do Esquema PP, os funcionários da estatal só aceitaram fazer a denúncia à jornalista numa sala alugada pelo jornal no centro do Rio. Eles temiam ser vistos com profissionais da imprensa, principalmente com ela.

O temor fazia sentido. Apesar de nem De Luca nem Edio Rodenheber terem participado do grupo que denunciou o Esquema PP a Suely — os episódios ocorridos com eles foram relatados à jornalista por colegas que sabiam o que acontecera com os dois —, ambos foram convocados a depor quando a CPI foi criada.

Depois do depoimento, De Luca passou a receber telefonemas de madrugada, em que a pessoa do outro lado da linha apenas assoprava. Durante o dia, sua mulher atendia ligações ameaçadoras. Numa delas, a pessoa disse que seu marido "andava fazendo coisas erradas". Em outra, disse que sabia onde ficava a escola dos filhos do casal e os horários em que eles entravam e saíam do colégio. Rodenheber, por sua vez, quase foi demitido junto com o funcionário corrupto do setor de engenharia que atrasou a assinatura do contrato de ampliação da refinaria baiana. Anos depois, ele descobriu quem havia contado o caso à jornalista. Era um colega com quem havia conversado sobre a história de extorsão da Concic durante uma festa. Os dois brigaram e ficaram rompidos por um período.

PP foi demitido por Collor em 30 de março de 1992, e o Senado criou uma CPI para investigar as denúncias. A CPI do PP, no entanto, foi atropelada pela CPI do PC, depois da entrevista bombástica de Pedro Collor à revista *Veja*, na qual afirmou que Paulo César Farias era testa de ferro de seu irmão. No final, a CPI do Esquema PP não gerou punições. Quatro funcionários da Petrobras foram demitidos por justa causa —alguns processaram a empresa e conseguiram ser readmitidos. PP não chegou sequer a ser denunciado pelo Ministério Público. O relator da CPI, o senador Cid Saboia (PMDB-CE), resumiu assim o desempenho da polícia na época: "A PF não quis apurar nada. A CPI investigou o que a polícia se recusou a investigar".[21]

Hoje, já em meio às investigações da Lava Jato, que o colocaram novamente no rol de suspeitos de realizar negócios escusos na estatal, PP se defende dizendo que nunca foi provado nada contra ele. Perguntado se Sérgio Rocha e João Muniz Alves de Oliveira usaram seu nome sem consentimento, ele diz que acredita que não. Anos mais tarde, a cooptação de funcionários de carreira seria adotada maciçamente pelo governo Lula, como afirmou o ex-diretor de Abastecimento Paulo Roberto Costa em sua delação premiada.

Vinte e quatro anos após o impeachment do presidente Collor, seu governo é apontado por funcionários e ex-funcionários da Petrobras como a "primeira grande tentativa de assalto" à estatal, por dois motivos: 1) foi uma ação orquestrada para saquear várias áreas da companhia; 2) foi executada por um grupo de pessoas ligado ao governo em conluio com funcionários — apesar de ser abortada pela saída prematura do presidente Collor. Ironicamente, o período Collor pode ser considerado uma espécie de "projeto-piloto" do esquema de corrupção instalado nos governos petistas de Lula e Dilma, batizado de petrolão. Para quem acompanhou a batalha feroz de Lula e Collor nas eleições de 1989 e a oposição petista a seu governo, sem a qual dificilmente Collor seria apeado do poder, é difícil acreditar em tanta semelhança no modus operandi de utilização do Estado para a realização de negociatas. A comparação dos dois escândalos revela ainda que várias personagens se repetem em ambas as histórias. Em alguns casos, inimigos se tornaram aliados; em outros, o acusador passou a acusado.

Depois de ser cassado por corrupção e perder os direitos políticos por oito anos em 1992, Collor retornou ao Legislativo como senador por Alagoas em 2007, dessa vez aliado ao PT. Em 2015, voltou a ser investigado por ter recebido depósitos do doleiro Alberto Youssef em suas contas pessoais.[22] Os recibos das operações bancárias foram apreendidos no escritório de Youssef em março de 2014, quando a Operação Lava Jato foi deflagrada.

O aprofundamento das investigações levou a Procuradoria-Geral da República a denunciar o senador em agosto de 2015 por corrupção e lavagem de dinheiro. A denúncia sustenta que Collor recebeu pelo menos R$ 26 milhões em propinas por favorecer empresas em contratos assinados com a BR Distribuidora, uma das subsidiárias da Petrobras.[23] No fatiamento da petroleira entre partidos políticos, os governos Lula e Dilma teriam "concedido" a BR a Collor, do PTB. A maior parte das propinas recebidas pelo senador teria sido paga pela empreiteira UTC. Ricardo Pessoa, dono da empresa, declarou em delação premiada que pagou R$ 20 milhões ao senador para fechar contratos com a BR.

Pedro Paulo Bergamaschi Leoni Ramos, ex-secretário de Assuntos Estratégicos de Collor, volta à cena como operador de negócios ilícitos patrocinados novamente pela influência do ex-presidente. PP operava o recebimento dos recursos do petrolão, tarefa para a qual contava com os serviços de Youssef. O doleiro afirmou em depoimento à Justiça que foi apresentado a PP anos atrás pelo ex-deputado José Janene, porque PP precisava lavar dinheiro e receber em espécie.[24]

Youssef trabalhou para PP entre 2008 e 2014, realizando várias modalidades de lavagem de dinheiro. Em alguns casos, recebeu recursos em contas de empresas de fachada; em outros, utilizou contas no exterior, e ainda retirou dinheiro vivo em locais indicados por PP. Era PP também que orientava como Youssef deveria repassar os recursos a Collor e a ele próprio, PP. O doleiro fez inúmeras entregas de dinheiro a ambos. Em uma delas, Rafael Ângulo, um funcionário do doleiro, foi escalado para entregar uma mala recheada com R$ 60 mil a um cliente que o aguardava em um apartamento no bairro da Bela Vista, em São Paulo. Sem saber o nome do destinatário, Ângulo deu de cara com o ex-presidente Collor, já de volta à política, como senador. A reação de Collor, fingindo-se de desentendido, gerou piada no escritório de Youssef, quando Ângulo descreveu o ocorrido. Os funcionários do doleiro representaram a cena várias vezes. Ângulo dizia: "Encomenda do Alberto Youssef para o senhor". Outro funcionário, que representava Collor, fingia espanto: "Que encomenda?". Ângulo respondia apenas: "O senhor sabe o que é isso", e ia embora. Apesar da "surpresa", Collor não devolveu a maleta a Ângulo.[25]

Uma das operações que geraram pagamento de propina a Collor foi realizada entre a BR Distribuidora e a DVBR, uma rede de postos de combustíveis formada pelo banco BTG Pactual em sociedade com o empresário Carlos Alberto Santiago.[26] Até 2011, os postos da DVBR eram de bandeiras pouco conhecidas, como a Aster, que geralmente ficam em desvantagem em relação aos que levam bandeira das grandes distribuidoras de petróleo, como BR ou Shell. O contrato com a subsidiária da Petrobras deu à DVBR justamente o direito de utilizar a bandeira da BR em seus postos de abastecimento.

A operação resultou em uma comissão milionária: R$ 3 milhões foram pagos no Brasil, em espécie, e US$ 2 milhões foram depositados em uma conta no exterior. Tanto o recebimento da propina quanto os repasses a Collor e a PP foram operacionalizados por Youssef.[27] No Brasil, o dinheiro foi recolhido por Ângulo, que usou um carro blindado do doleiro para retirar o dinheiro em postos de gasolina da própria DVBR. O valor pago no exterior foi depositado em uma conta em Hong Kong, operada por um parceiro de Youssef, Leonardo Meirelles, que também se tornou delator na Lava Jato.

A Operação Lava Jato revelou ainda que PP era sócio de Youssef no laboratório farmacêutico Labogen, que deveria fornecer medicamentos para o Ministério da Saúde. O ex-ministro de Collor investiu no laboratório por meio de sua empresa, a GPI Participações e Investimentos. O negócio foi abortado após a operação da Polícia Federal. PP diz que não tinha ideia do envolvimento de Youssef com tais esquemas de corrupção. "O Youssef era um empresário com negócios reais. Tinha hotéis, tinha uma agência de viagens, e nos apresentou a oportunidade da Labogen, que era muito promissora."

7. O fim de um tabu

Itamar Franco assumiu interinamente a presidência da República no dia 2 de outubro de 1992, quando Fernando Collor foi afastado para responder ao processo de impeachment no senado. O presidente da Petrobras era o economista Benedicto Moreira, o quinto a comandar a estatal nos dois anos e meio de governo Collor (os anteriores foram Luis Octavio da Motta Veiga, Eduardo Teixeira, Alfeu Valença e Ernesto Weber). Moreira chegou à estatal a convite do ministro de Minas e Energia, Vinícius Pratini de Moraes, integrante do chamado "ministério de notáveis" formado por Collor na tentativa de salvar seu governo.

Naquele ano, a companhia enfrentava o que os jornais chamavam de a mais grave crise financeira de sua história. Em 1991, a Petrobras registrara o primeiro prejuízo anual (US$ 237 milhões) em 37 anos de existência. A escalada inflacionária deteriorava a situação financeira da empresa, uma vez que o governo concedia reajustes dos preços dos combustíveis sempre abaixo da inflação (que fechou 1992 em 1.174%).[1] Na época, a Petrobras produzia 650 mil barris de petróleo por dia e tinha de importar diariamente outros 600 mil para abastecer o mercado brasileiro. Em agosto daquele ano, a estatal perdia US$ 2 milhões por dia em razão da defasagem de preço dos seus produtos. A perda de receita era contabilizada na conta-petróleo,[2] até que a União tivesse condições de compensar a estatal. Historicamente, a Petrobras ficava no prejuízo, arcando com o subsídio que deveria ser financiado pela União.

O mesmo tipo de subsídio se estendia ao álcool, desde a criação do Pró-Álcool, em 1975. A estatal era obrigada a vender etanol às distribuidoras por um preço menor do que pagava às usinas produtoras do combustível. A diferença de preços, nesse caso, era contabilizada na Conta Álcool. No período Collor, a dívida do governo federal com a Petrobras — em razão do controle de preço dos combustíveis[3] — aumentou sete vezes, passando de US$ 526 milhões para US$ 3,6 bilhões.

Só restava à petroleira cortar investimentos, o que atrasava o aumento da produção na Bacia de Campos. Ela tinha enormes reservas intocadas, que seriam fundamentais para reduzir a importação de petróleo. Guardadas as devidas proporções, a Bacia de Campos representava para a Petrobras e para o país o mesmo que o pré-sal representa hoje: uma grande oportunidade de crescimento. No entanto, era preciso investir pesado para transformar em petróleo e, depois, em derivados as reservas que jaziam debaixo do mar.

Benedicto Moreira vinha deixando claro, ainda durante o mandato de Collor, que a situação da petroleira era grave. Em meados de 1992, anunciou a redução de investimentos para US$ 1,6 bilhão, em vez dos US$ 2,9 bilhões previstos, e afirmou que no curto prazo a produção da companhia poderia cair, em vez de crescer, devido ao corte de recursos. "A possibilidade de o governo segurar preço [dos combustíveis] e mandar que a Petrobras compre matéria-prima mais cara acabou", disse Moreira na ocasião.[4]

Logo que chegou à presidência da República, Itamar se opôs aos aumentos de preços reivindicados pela estatal. Pediu, primeiro, para conhecer os custos da Petrobras antes de conceder novo reajuste. Apesar de ser um defensor do monopólio estatal do petróleo, ele argumentava que a sociedade brasileira não poderia arcar com o que classificava de ineficiência da Petrobras. Chamado a Brasília para explicar os números da petroleira a Itamar, Moreira defendeu o reajuste e afirmou que não permaneceria na companhia se não pudesse corrigir os preços.

Com um mês e meio no cargo, ainda durante o mandato interino, Itamar demitiu Moreira, que declarou na saída: "Muitos dos problemas que a Petrobras enfrenta são gerados pelo governo, que é o seu dono".[5] Disse também que o presidente interino da República não havia entendido sua conduta e passara a duvidar dos números apresentados sobre a situação financeira da estatal.

O escolhido para comandar a petroleira foi o engenheiro eletricista Joel Mendes Rennó, indicado pelo novo ministro de Minas e Energia, Paulino Cícero. Mineiro como Itamar e Cícero, Rennó tinha larga experiência nos meandros do setor público e da política. No início dos anos 1960, começou a carreira como engenheiro da Secretaria de Obras Públicas de São Paulo, chegando a chefe de gabinete do órgão em 1971, durante o governo de Roberto Abreu Sodré, no período militar.

Depois disso, assessorou diretores e presidentes de estatais, como a Companhia de Saneamento Básico do Estado (Sabesp) e a Companhia Paulista de Força e Luz (CPFL). Em 1975, foi para Brasília como assessor técnico do ministro de Minas e Energia, Shigeaki Ueki. Foi nesse período que Rennó conheceu Paulino Cícero, que na época era deputado federal pela Arena.

Rennó tornou-se um quadro de confiança de Ueki, que por sua vez era muito próximo do presidente Ernesto Geisel. Em 1978, foi nomeado presidente da Companhia Vale do Rio Doce (atual Vale), permanecendo na mineradora até 1979. A entrada de Rennó no sistema Petrobras ocorreu quando Ueki assumiu a presidência da estatal, em 1979. Primeiro, Rennó foi executivo de duas subsidiárias da companhia: vice-presidente da Braspetro (voltada a E&P no exterior) e vice-presidente da Petroquisa (braço de petroquímica da estatal).

Em 1983, Rennó chegou à diretoria da matriz da companhia como diretor de Produção (antes de 1994, Exploração, Perfuração e Produção eram diretorias separadas; depois, foram unificadas na diretoria de E&P). Sua nomeação mostra a força que Ueki tinha na época. O então ministro de Minas Energia Cesar Cals já havia nomeado um funcionário como diretor, mas Ueki não aceitou a indicação, pois seu candidato era outro, e ameaçou se demitir. O presidente da República João Figueiredo suspendeu a publicação do decreto já assinado por Cals e mandou que outro nome fosse escolhido.[6] Ueki escolheu Rennó.

Ao final de três anos, que era a duração do mandato dos diretores, Rennó não teve o seu renovado por pressão da Associação dos Engenheiros da Petrobras (Aepet), presidida por Antonio Maciel Neto. Maciel Neto entregou pessoalmente um relatório com críticas à gestão de Rennó ao então ministro de Minas e Energia, Aureliano Chaves. Segundo a Aepet, o diretor não traçava um planejamento estratégico para sua área, nem definia uma política clara de aumento de produção de petróleo. O relatório ainda acusava Rennó de contratar cerca de US$ 1 bilhão em serviços de empreiteiras que poderiam ser executados por funcionários da própria estatal, a custos menores. Por fim, a

Aepet criticou o estilo gerencial de Rennó, classificando-o como "autoritário e típico da Velha República".

Fora da estatal, Rennó trabalhou como consultor independente entre 1986 e novembro de 1992, atendendo empresas dos setores siderúrgico e de óleo e gás. Primeiro, atuou no consórcio liderado pelo banco Bozano, Simonsen, que venceu o leilão de privatização da Usiminas. Depois se dedicou a assessorar a Interoil, empresa dos irmãos Gilberto e Eduardo Prado, que eram seus amigos. Dentro da Petrobras poucas pessoas souberam que Rennó havia passado pela Interoil. Poucas também souberam que, entre os sócios da empresa, estavam vários personagens que se envolveram no Esquema PP durante o governo Collor. Entre os sócios dos irmãos Prado estava Drilmar Jacy Monteiro, também sócio de Sérgio Rocha e de João Muniz Alves de Oliveira nas empresas envolvidas no Esquema PP. A Interoil também funcionava no prédio das empresas de Rocha e de Alves. Drilmar Monteiro chegou a depor na CPI do Esquema PP.

Vinte e quatro anos depois, em maio de 2016, a Interoil reapareceu como investigada na Lava Jato. A empresa passou por busca e apreensão, e seus sócios, inclusive Monteiro e os irmãos Prado, foram levados a depor na 30ª fase da operação, batizada de "Vício". Os investigadores encontraram indícios de que a Interoil repassara propinas ao ex-ministro José Dirceu. A investigação é uma das mais recentes da Lava Jato, mas os policiais federais já devem ter encontrado outra ligação entre Drilmar Monteiro e Dirceu: o empresário doou R$ 47 mil a Zeca Dirceu, filho do ex-ministro, na campanha a deputado federal em 2010. O irmão e sócio de Drilmar, Antonio Augusto Jacy Monteiro, doou outros R$ 20 mil.

Quando assumiu a presidência da estatal, em novembro de 1992, Rennó entrou com discurso oposto ao de seu antecessor, Benedicto Moreira. Declarou-se a favor do monopólio no setor de petróleo e disse também que "a preocupação maior [naquele momento] era dar o menor aumento possível [aos combustíveis]". Estava totalmente alinhado com o presidente Itamar, defensor aguerrido do monopólio estatal. Sua primeira missão foi realizar a auditoria financeira da empresa pedida pelo presidente da República.

Em 1994, quando Fernando Henrique Cardoso foi eleito, a saída de Rennó era dada como certa dentro da companhia e do PSDB, partido do presidente.

Mas Rennó ficou. A capacidade de articulação política o manteve no cargo ao longo de todo o primeiro mandato de FHC. Contou para isso com o apoio do PFL, partido do vice-presidente Marco Maciel, liderado pelo poderoso senador Antônio Carlos Magalhães e também legenda de Paulino Cícero, que levara Rennó à presidência da estatal.

Rennó interrompeu o período de alto índice de rotatividade na presidência da Petrobras aberto com a redemocratização, permanecendo no cargo durante seis anos e quatro meses. Ele foi o presidente mais longevo da estatal até ser desbancado por José Sergio Gabrielli de Azevedo, que comandou a companhia por dois meses a mais nos governos Lula e Dilma.

Para isso, Rennó se adaptou aos novos tempos. Acabou abandonando a defesa do monopólio da Petrobras e passou a apoiar a proposta do governo de quebrar a exclusividade da estatal. Meses antes da votação do tema no Congresso, avisou que demitiria os funcionários que trabalhassem contra o governo (quando os sindicatos passaram a recrutar petroleiros para pressionar os parlamentares em Brasília). "Se for preciso, demito um, quinhentos ou mil", afirmou Rennó.[7]

Durante a greve de 1995, a mais longa da história da companhia (32 dias), Rennó também foi duro. Apoiou a proposta de ocupação pelo Exército de quatro refinarias da estatal. A retomada da produção de derivados, garantida pelos militares, ajudou a minar a greve, que já havia sido considerada ilegal pela Justiça. Descrito como "típico mineiro", "discreto" e "imperial", Rennó era temido por muitos dos subordinados. "Foi o presidente mais formal e encastelado que já vi passar pela Petrobras", afirma um ex-funcionário que trabalhou quase quarenta anos na companhia. Um ex-diretor lembra que ele costumava tratar os funcionários como "senhor" e "senhora", mantendo sempre a distância até mesmo dos executivos mais próximos.

Rennó também era cioso da hierarquia e cuidava de manter o protagonismo das relações com o governo. Logo após a eleição de Fernando Henrique, ficou furioso ao saber que Paulo Renato Souza, que trabalhava na transição de governo e que se tornaria ministro da Educação, havia ligado para um diretor da estatal sem lhe comunicar antes. O diretor em questão era João Carlos de Luca, responsável pela área de E&P (o mesmo que se recusara a aceitar o apoio de João Muniz Alves de Oliveira para se manter na diretoria durante o governo Collor; De Luca voltou à diretoria com Benedicto Moreira). Paulo

Renato queria ouvir a opinião da Petrobras a respeito do polo gás-químico do Rio de Janeiro.

O próprio De Luca, que não conhecia Paulo Renato, foi avisar Rennó a respeito do pedido e perguntar se poderia realizar a apresentação. O presidente da estatal não se opôs imediatamente, mas o tratamento dispensado ao diretor mudaria. Logo em seguida, durante uma reunião de diretoria, o presidente fez críticas incomuns a De Luca, a ponto de os demais diretores perguntarem ao colega se havia acontecido alguma coisa entre ele e Rennó.

Dias antes da apresentação que ocorreria em Brasília, De Luca teve de desmarcar o compromisso. A greve dos petroleiros — que se tornou a mais longa da categoria — havia recrudescido, e ele não poderia se ausentar da companhia. Paulo Renato ficou de marcar uma nova data, o que não aconteceu, e o assunto morreu por ali. Em julho, De Luca foi retirado da diretoria por Rennó. A perda do cargo não surpreendeu a ele nem aos demais diretores, mas o que aconteceu em seguida, sim. Todos esperavam a transferência do diretor de E&P para a vice-presidência da Petrobras America (na época, filial americana da Braspetro, voltada para a exploração e a produção de petróleo no exterior).

A mudança havia sido acertada meses antes entre De Luca e Rennó, quando o episódio do telefonema de Paulo Renato estava aparentemente superado. O acordo ocorreu em maio daquele ano, quando diretor e presidente conversavam sobre a OTC, principal feira de petróleo do mundo, que acontece anualmente em Houston, no Texas, e da qual De Luca acabava de voltar. O diretor aproveitou a conversa amistosa para fazer um pedido a Rennó: ele gostaria que seu nome fosse considerado para ocupar uma vaga que abriria na Petrobras America.

Durante a viagem aos Estados Unidos, o diretor soubera pelo próprio vice-presidente da subsidiária que ele voltaria em breve ao Brasil. De Luca tomou o cuidado de dizer a Rennó que era uma honra ser diretor na sede da companhia, e que sabia que a posição na subsidiária era hierarquicamente inferior à que ocupava, mas que gostaria muito de ter uma experiência internacional. Se Rennó tivesse de fazer alguma reformulação na diretoria, ele gostaria de ser candidato à vaga dos Estados Unidos.

Rennó concordou com a ideia. Disse que ele próprio havia morado no Japão e que a experiência havia sido ótima. Os dois chegaram a combinar até o mês mais adequado para que a expatriação combinasse com as férias escolares dos filhos de De Luca. O então diretor da Braspetro (responsável pelas subsidiárias de E&P no exterior), José Coutinho Barbosa, estava de acordo. Seria um luxo ter um diretor de E&P da sede da companhia trabalhando em uma subsidiária que era justamente voltada à exploração e à produção de petróleo.

Em julho, Rennó chamou De Luca e disse que precisaria de seu cargo. Ele seria substituído por Antônio Carlos Agostini, egresso da área de engenharia de E&P. Em seguida, Rennó perguntou: "É você que queria ir para Houston, não é?". De Luca respondeu que sim, estranhando a pergunta. Foi aí que Rennó respondeu que não haveria mudança na subsidiária americana. De Luca deixava de ser diretor de E&P e não iria para os Estados Unidos. Perplexo, De Luca perguntou se poderia saber o que havia acontecido e de quem era aquela decisão, já que os dois haviam combinado tudo. Rennó respondeu que a decisão era dele. A história se espalhou pelo alto escalão da empresa, pois várias pessoas sabiam da transferência de De Luca para os Estados Unidos. Ao saber do ocorrido, Coutinho chamou De Luca para trabalhar como seu assistente na direção da Braspetro, que também funcionava na sede do Rio. De Luca permaneceu na função até 1998, quando deixou a estatal para presidir a Repsol YPF no Brasil.

Os anos 1990, pós-impeachment, foram um período de mudanças profundas na economia do país e que provocariam transformações profundas também na Petrobras. A implementação do Plano Real, com a consequente estabilização de preços, acompanhada paralelamente das privatizações dos setores de mineração, siderurgia, telefonia e distribuição de energia, mexeram com o ambiente de negócios brasileiro.

O monopólio estatal do petróleo, que parecia um tabu intocável, começou a cair em 1995, no primeiro ano do mandato de Fernando Henrique. Mas o processo de abertura de mercado ocorreria em várias fases, até ser iniciado para valer com o primeiro leilão de concessão de blocos, aberto a empresas do mundo inteiro, em 1999, já no segundo governo FHC. Primeiro, foi preciso mudar a Constituição, que dava à Petrobras o direito de exercer o monopólio em nome da União, tendo controle sobre todas as bacias sedimentares brasileiras (áreas onde pode haver petróleo). A estatal também era a única empresa autorizada a construir refinarias, importar, exportar e transportar petróleo e derivados. Em novembro de 1995, foi promulgada a emenda que permitiu à

União contratar outras empresas — estatais ou privadas, nacionais ou estrangeiras — para realizar atividades até então exclusivas da Petrobras.

Em 1997, depois de quase dois anos de discussão, o Congresso aprovou a nova Lei do Petróleo, que estabeleceu as condições de funcionamento do setor. Pelo novo modelo, todas as bacias sedimentares passaram ao controle da União, que começaria a conceder blocos delas a qualquer petroleira interessada em explorar e produzir óleo e gás no Brasil. O objetivo era atrair investimentos para o setor e aumentar a produção. Até aquele momento, apenas 4% das bacias sedimentares do país tinham sido estudadas.

Em contrapartida, a União passaria a arrecadar recursos pelas concessões (pagos pelas operadoras nos leilões) e, obviamente, a cobrar tributos sobre o petróleo produzido nessas áreas. A lei determinou também a criação da Agência Nacional do Petróleo (ANP),[8] cuja missão seria regular todo o setor de petróleo e de combustíveis do país. Uma de suas funções seria justamente promover os leilões de concessão.

Antes do início dos leilões, porém, era preciso definir a situação da Petrobras. Afinal, a estatal teria de ser compensada pelos investimentos realizados ao longo de décadas. Em 1998, a ANP concedeu 397 blocos à companhia, em uma difícil negociação que ficou conhecida como Rodada Zero. Claro que a Petrobras queria ficar com o maior número possível de blocos, enquanto a ANP negociava com o objetivo de aumentar a competição no setor, atraindo empresas de todos os lugares e tamanhos.

Como critério de negociação, a ANP definiu que a Petrobras poderia ficar com todas as áreas onde já produzia óleo e gás, além daquelas onde havia descoberto reservas e que se comprometia a colocar em produção em até três anos. Os demais blocos foram devolvidos à União. A partir daí a Petrobras teria de competir como qualquer outra petroleira interessada em produzir no país. O conjunto de mudanças realizadas entre 1995 e 1998 representava uma revolução no setor de petróleo brasileiro e atraiu a atenção de operadoras do mundo todo. O interesse era ainda maior porque o aumento de produção da Bacia de Campos havia afastado de vez o mito de que não havia petróleo no Brasil. Entre 1992 e 1999, a produção da companhia aumentara 75%.

A estatal havia reforçado sua imagem de excelência técnica na década de 1990, principalmente nas áreas de exploração e produção, mas permanecia com praticamente o mesmo modelo de governança e gestão dos anos 1970.

Nesse aspecto, pouco ou nada havia mudado. A empresa reagia às obrigações da nova lei, mas não havia um movimento estruturado de preparação para as transformações que viriam pela frente, quando o mercado fosse aberto, de fato, e novas petroleiras passassem a competir com a Petrobras. Rennó não parecia o executivo adequado para realizar as mudanças que o momento exigia. Fora isso, sua gestão vinha sendo maculada por suspeitas de irregularidades em alguns dos maiores contratos fechados pela estatal. O caso mais rumoroso envolveu a empresa Marítima Petróleo e Engenharia, do empresário German Efromovich.

Efromovich começou a prestar serviços para a Petrobras em 1975 com uma pequena empresa de inspeção de equipamentos, a Brastest. Em 1989, passou a representar no Brasil a Stena Offshore, empresa de origem sueca que, entre outras atividades, faz a instalação e a manutenção de equipamentos marítimos, serviços realizados por mergulhadores. Até 1995, a empresa de Efromovich era avaliada pelos técnicos da Petrobras como uma das melhores fornecedoras de sua categoria. Naquele ano, Efromovich comprou a Marítima Petróleo e Engenharia e se lançou nas grandes licitações da Petrobras. Em pouco mais de dois anos, a Marítima ganhou uma série de licitações de sondas de perfuração e de plataformas de produção de petróleo. Juntos, os contratos passaram de US$ 2 bilhões, e entre eles estava o da plataforma P-36, que explodiu e afundou em março de 2001 na Bacia de Campos.

A ascensão da Marítima começou em 1996, quando a empresa ganhou dois contratos para alugar e operar sondas de perfuração.[9] A estatal definiu que os equipamentos deveriam ser construídos em dezoito meses. Todas as competidoras reclamaram, alegando que seria um prazo impossível, mas a Petrobras não mudou a cláusula, e só a Marítima se prontificou a cumprir a exigência, saindo vencedora do certame. A empresa de Efromovich nunca havia perfurado um poço, nem tinha acordo com estaleiros que pudessem construir os equipamentos. Ele resolveu as questões fechando uma parceria com a americana Pride, uma das grandes empresas de perfuração do mundo, e contratando um estaleiro no Canadá. O problema é que a Pride não participaria do gerenciamento dos projetos, e o estaleiro canadense entraria em concordata logo no início das obras dos dois primeiros equipamentos.[10]

Antes de os problemas aparecerem, porém, a Marítima ganharia outras quatro licitações, que somavam, ao todo, seis sondas, batizadas de Ametistas (nome abrasileirado do projeto dos equipamentos, Amethyst, desenvolvido em conjunto com uma empresa holandesa). A carteira de encomendas da Marítima engordou ainda mais depois que a Mitsubishi subcontratou a empresa de Efromovich para gerenciar a construção de duas embarcações, a plataforma P-40 e o navio armazenador P-38, que a japonesa fechou com a estatal.

Dentro da companhia, os funcionários começaram a desconfiar do súbito sucesso da Marítima.[11] A concorrência, por sua vez, passou a reclamar em Brasília de que a empresa estava sendo beneficiada pela direção da Petrobras. Não havia provas de irregularidades, mas era inegável que a estatal havia concentrado um número muito grande de encomendas em um só fornecedor, com o agravante de se tratar de uma empresa sem experiência comprovada e de capacidade financeira limitada. Era um risco desnecessário, principalmente porque os equipamentos encomendados eram de alta relevância para a produção futura da petroleira.

Em março de 1998, a Marítima começou a dar sinais de que atrasaria a entrega das plataformas de perfuração.[12] Só então a diretoria de E&P decidiu suspender a participação da empresa em novos leilões (Efromovich queria entrar na concorrência de uma sétima sonda). Em maio de 1999, pouco depois da saída de Rennó e de Antônio Carlos Agostini, diretor de E&P, o novo presidente, Henri Philippe Reichstul, rescindiu os contratos das duas primeiras sondas Ametistas por atraso excessivo (oito meses). Assim que o cancelamento foi anunciado, Efromovich apresentou uma carta, assinada durante a gestão Rennó, que ampliava de 180 para 540 dias a carência de atraso para a Marítima.[13]

A existência da carta acabou reforçando as suspeitas de favorecimento da Marítima. Um relatório anônimo enviado à imprensa, supostamente escrito por funcionários da estatal, afirmava que as operações com a Marítima haviam sido um jogo de cartas marcadas.[14] A fornecedora oferecia os melhores prazos ou preços porque sabia de antemão que teria a tolerância do diretor de E&P, Agostini, e do presidente, Rennó. Agostini reconheceu que sabia da existência do documento e que julgou que a medida era a mais acertada. Alegou que, sem o aditivo, a Marítima não conseguiria financiamentos e não entregaria as sondas. Rennó afirmou apenas que todos os contratos haviam sido assinados dentro da lei.

A nova direção da Petrobras não reconheceu o documento e manteve o cancelamento, que se estendeu a todas as seis sondas. Dos seis equipamentos contratados, apenas dois foram construídos. A estatal só aceitou recebê-los caso os contratos fossem assumidos apenas pela Pride, sem a Marítima.[15] No mesmo mês de maio de 1999, a Petrobras interveio no contrato da P-36, assinado com a Marítima em dezembro de 1996 no valor de US$ 356 milhões.[16] Por esse valor, a Marítima alugaria a plataforma à Petrobras por doze anos, e no final do período o equipamento passaria para a propriedade da estatal.

A P-36 começou a ser construída em 1994 como plataforma de perfuração em um estaleiro italiano, por encomenda de uma empresa britânica (MSR). O nome original da plataforma era Spirit of Columbus, e seu projeto fora concebido para operar no Mar do Norte. Ocorre que a MSR enfrentou dificuldades financeiras e passou a embarcação para seus credores. Efromovich entrou na história para oferecer a Spirit of Columbus para a Petrobras. Nunca ficou claro se foi o empresário que soube da existência do equipamento e levou o negócio à Petrobras ou se foi alguém da própria estatal que sugeriu a oportunidade a Efromovich.

O fato é que a Marítima foi contratada para alugar a plataforma para a Petrobras por doze anos. Antes disso, teria de gerenciar as obras de transformação da sonda Spirit of Columbus na P-36, que seria a maior plataforma de produção da companhia. O objetivo inicial era produzir 150 mil barris de petróleo por dia no Campo de Marlim. Pouco tempo depois de assinar o contrato, a Petrobras mudou a área onde a P-36 deveria operar. Em vez de Marlim, ela seria instalada no Campo de Roncador, recém-descoberto, também na Bacia de Campos. A mudança do local de operação provocou novas alterações no projeto, cujas obras estavam sendo executadas no mesmo estaleiro canadense das duas sondas Ametistas.

Em 1998, a Marítima passou a ter dificuldades para captar os recursos necessários à conclusão da plataforma (a Petrobras só começaria a pagar o aluguel para a Marítima quando a P-36 começasse a operar). E a situação foi agravada quando o estaleiro canadense entrou em concordata em agosto de 1998. Em maio de 1999, quando a Petrobras interveio no contrato da P-36, a plataforma estava quase pronta, mas a estatal realizou os pagamentos finais (cerca de US$ 45 milhões) diretamente aos fornecedores da Marítima. A plataforma chegou ao Brasil em novembro de 1999 e começou a operar em maio de 2000.

A devassa nos contratos do período Rennó e Agostini revelou anomalias também na plataforma P-40 e no navio P-38 (encomendados à Mitsubishi, que subcontratou a Marítima para gerenciar as obras das embarcações). O contrato da P-40 foi aprovado sem itens básicos de funcionamento, como os sistemas de geração de energia elétrica e de ancoragem — a plataforma simplesmente não teria como funcionar nem permanecer estacionada sobre a área de produção. Depois de descoberto o problema, a inclusão dos dois sistemas aumentou o preço da plataforma em US$ 40 milhões. Além disso, os dois equipamentos também foram entregues com um ano de atraso.

A situação foi considerada uma fraude pela nova gestão. O conjunto plataforma e navio armazenador acabou saindo US$ 212 milhões mais caro que o previsto nos contratos originais, que somavam US$ 540 milhões. Em agosto de 1999, a Petrobras demitiu dois funcionários por justa causa e entrou com uma ação na Corte de Justiça de Londres (foro de discussão previsto no contrato). A Marítima foi excluída das licitações da petroleira, e Efromovich entrou na Justiça contra a estatal.

Rennó saiu da presidência da Petrobras em 5 de março de 1999, após um longo processo de desgaste. Magoado, anunciou o pedido de demissão antes mesmo de o presidente Fernando Henrique ser avisado. Dias antes, o governo havia deixado vazar que o próximo presidente da estatal seria Luiz Carlos Mendonça de Barros, ex-ministro das Comunicações. Fernando Henrique teve de voltar atrás. O nome de Mendonça de Barros foi rechaçado pelos partidos da base do governo. Semanas depois, Henri Philippe Reichstul assumiu a estatal.

8. Um cavalo de pau na Petrobras

No final da década de 1990, a Petrobras continuava vivendo o eterno dilema entre ser uma empresa e um órgão do governo. Em março de 1999, o economista Henri Philippe Reichstul chegou à estatal planejando acabar com a dúvida. A Petrobras deveria se transformar em uma corporação transnacional, capaz de concorrer com as maiores petroleiras do mundo no Brasil e no exterior. A estatal teria, finalmente, de funcionar apenas como uma empresa, livre de interferências políticas, sem prejuízo de continuar sendo controlada pela União.

A mudança não era uma questão de voluntarismo, mas de necessidade. Aos 45 anos na época — nascida e criada sob o regime de monopólio —, a Petrobras estava prestes a enfrentar um regime de competição em solo brasileiro, território em que reinava sozinha até então. A missão de Reichstul era ambiciosa e urgente. Apesar de o processo de quebra do monopólio ter começado em 1995, a Petrobras continuava trabalhando com modelos de governança e de gestão antiquados, que possivelmente a levariam à derrocada no ambiente de concorrência que começaria a vigorar no setor de óleo e gás. O primeiro leilão de áreas exploratórias (os chamados blocos) estava marcado para junho de 1999. Em três meses, começaria de fato a abertura do segmento de exploração e produção de petróleo no país.

Qualquer empresa — nacional, estrangeira, privada ou estatal — que arrematasse um bloco nos leilões promovidos pela ANP poderia extrair óleo e gás, caso conseguisse encontrar os recursos. Dali para a frente, a estatal teria de competir — e pagar — pelas concessões como qualquer outra petroleira.

E o plano da ANP era fazer rodadas anuais de blocos, com o objetivo de elevar o nível de exploração do subsolo brasileiro. A Petrobras precisaria de fôlego financeiro para investir em novas concessões e no desenvolvimento da produção de novos campos eventualmente descobertos. E dinheiro era um artigo escasso na estatal.

Ao assumir a Petrobras, Reichstul encontrou o caixa negativo em US$ 50 milhões. As sucessivas crises econômicas que atingiram o Brasil ao longo das décadas de 1980 e 1990 criaram todo tipo de restrição para a estatal, a começar pelos danosos períodos de congelamento de preço dos combustíveis, instrumento utilizado por todos os governos para conter a inflação. Em 1999, a Petrobras ainda amargava pesadas limitações de crédito por causa da moratória da dívida externa decretada em 1987, no governo Sarney. As linhas de financiamento que os bancos disponibilizavam para a estatal eram de no máximo um ano. Era com esses recursos que ela sustentava seus projetos de aumento de produção de médio e longo prazos. Uma situação delicada.

Com a crise da moratória russa em 1998, o crédito secou ainda mais. As linhas de curto prazo também desapareceram. Caíram de cerca de US$ 10 bilhões para algo entre US$ 800 milhões e US$ 1 bilhão. Para piorar o cenário, o preço do barril de petróleo havia despencado em 1998 e em 1999. Uma reportagem de capa da revista inglesa *The Economist* de 6 de março de 1999 mostrava que, em termos reais, o preço do barril, a US$ 10, estava mais baixo do que antes do primeiro choque do petróleo, em 1973. A matéria considerava a possibilidade de o barril chegar a US$ 5. As perspectivas eram ruins para qualquer petroleira, principalmente para aquelas que operavam com custos mais elevados, como a Petrobras, que extraía e ainda extrai a maior parte de sua produção de águas profundas e ultraprofundas, algo bem diferente do que ocorre com o petróleo árabe, produzido em terra por cerca de US$ 5 o barril.[1]

O então presidente da República Fernando Henrique Cardoso chegou ao nome de Reichstul por recomendação de pessoas de sua confiança, entre elas Andrea Calabi, que presidia o Banco do Brasil na época. Fernando Henrique já conhecia Reichstul, que havia trabalhado como pesquisador no Centro Brasileiro de Análise e Planejamento (Cebrap),[2] mas os dois não eram próximos.

Nascido na França e criado no Brasil, Reichstul formou-se em economia na Universidade de São Paulo em 1971, e cursou doutorado na Universidade de Oxford entre 1973 a 1976, sem, entretanto, obter o título, por não defender tese. Sua formatura na USP aconteceu com um ano de atraso. Em 1970, aos 20 anos, Reichstul foi preso pela Operação Bandeirantes (organismo de repressão e tortura da ditadura militar) e passou nove meses na cadeia, acusado de pertencer à organização de esquerda Vanguarda Popular Revolucionária (VPR). Ele não era exatamente um militante, mas dava apoio a conhecidos que participavam do movimento contra a ditadura militar.[3]

O novo presidente da estatal não conhecia nada de petróleo, mas, na visão de Fernando Henrique, tinha um atributo fundamental para comandar a Petrobras naquele momento: sabia como funcionava o governo e tinha uma experiência bem-sucedida na iniciativa privada. Depois do curso em Oxford, Reichstul trabalhou dois anos como economista-chefe na Organização Internacional do Café, em Londres (substituiu o economista e fotógrafo Sebastião Salgado).

Na volta ao Brasil tornou-se professor da Faculdade de Economia, Administração e Contabilidade da USP e pesquisador da Fundação Instituto de Pesquisas Econômicas (Fipe) de São Paulo. Foi quando estava lá que surgiu o convite para trabalhar no setor público, onde permaneceria por quatro anos. Primeiro, passou três anos no governo de Franco Montoro, no estado de São Paulo, chefiando a área de saneamento de estatais paulistas, sob o comando do secretário da Fazenda João Sayad. Em 1985, no governo Sarney, assumiu a Secretaria de Controle de Empresas Estatais — na época, as empresas públicas registravam prejuízo em cima de prejuízo e afundavam ainda mais as contas do governo federal. Um ano depois, substituiu Sayad no comando da Secretaria-Geral de Planejamento.

Reichstul e Sayad faziam parte de um grupo de economistas que lecionavam na USP e trabalhavam na Fipe. Também pertenciam ao grupo os economistas Andrea Calabi e Francisco Vidal Luna. Em 1987, Reichstul e Sayad deixaram o governo federal e, junto com Luna, tornaram-se sócios no banco de investimento SRL (sigla para Sayad, Reichstul e Luna) em 1988. Anos mais tarde, o SRL foi comprado pelo grupo americano American Express e se transformou no banco Inter American Express, do qual Reichstul se desligou para presidir a Petrobras. Antes de assumir a estatal, portanto, o economista passou onze anos no banco de investimentos que ajudou a fundar, estruturando operações financeiras corporativas e reestruturando empresas.

Assim que seu nome foi anunciado como presidente da Petrobras, Reichstul foi imediatamente rotulado pela oposição e pelos sindicatos como "o banqueiro que iria privatizar a Petrobras". O relato do geólogo Jorge Camargo no livro *Cartas a um jovem petroleiro* dá uma ideia do clima entre alguns funcionários da empresa na chegada de Reichstul: "'O cara é francês? Banqueiro? Paulista? O que ele entende de petróleo? Deve ter vindo para vender a empresa'. Esses eram alguns dos comentários que circulavam pelos corredores da companhia na época", escreveu Camargo, que trabalhou por 27 anos na Petrobras e mais dez na petroleira norueguesa Statoil. Para cumprir sua missão, Reichstul teria de convencer os funcionários de que a companhia precisava mudar para se fortalecer, não para ser vendida.

Por outro lado, o novo presidente também teria de mudar radicalmente a relação da estatal com seu maior acionista, a União. Acostumada a contar com o poder de fogo da maior empresa do país — que ora ajudava a melhorar as contas do governo federal, ora se submetia ao congelamento de preço dos combustíveis —, ela teria de ser convencida a liberar a estatal de amarras que freavam seu desempenho. A subordinação da Petrobras às contas da União — a estatal entrava no cálculo do resultado primário[4] do governo — impedia a empresa de planejar seus investimentos, contratar funcionários e aumentar salários, apesar de a petroleira ter receita própria e não depender de repasses de recursos públicos. Quando ele assumiu, a Petrobras não fazia concurso público havia nove anos por causa do eterno aperto fiscal do governo. Com os salários dos funcionários extremamente defasados, temia-se que a estatal começasse a perder profissionais para as novas petroleiras.

Com base nas primeiras conversas com Fernando Henrique Cardoso e com os funcionários da companhia, Reichstul criou o conceito de "blindagem". Era preciso blindar a Petrobras contra interesses políticos que iam contra a própria estatal. O exemplo mais claro desse tipo de dano eram os recorrentes congelamentos de preços dos combustíveis, com o objetivo de conter a inflação artificialmente. Mas havia inúmeros outros: a realização ou tentativa de imposição de investimentos que não eram os melhores para o negócio, mas que visavam atender a um político ou a uma legenda partidária; a nomeação de apadrinhados para cargos de comando na estatal, atropelando a meritocracia etc. Apesar de, naquele momento, o próprio presidente da República ser patrocinador do processo de modernização da Petrobras, os governos mudam, assim como as visões e interesses dos grupos que se alternam no poder. Afora isso, um mesmo governo é formado por muitos outros atores além do presidente (sem contar que o próprio Fernando Henrique cairia na tentação de controlar o preço do gás de cozinha e também cederia à interferência de aliados na Petrobras).

Uma das primeiras ferramentas de blindagem vislumbradas por Reichstul foi a democratização do capital da estatal, com a venda de ações da companhia a investidores dentro e fora do Brasil. A lógica da iniciativa era que, com um número maior de acionistas zelando pelos interesses da estatal, ela ficaria mais protegida contra intervenções governamentais que pudessem prejudicá-la. Daí nasceu o projeto de lançar papéis da estatal (os American Depositary Receipts, ou ADRs, que significam recibos lastreados por ações) na Bolsa de Nova York. A venda de ações da empresa a trabalhadores brasileiros por meio da aplicação de até 50% do saldo do Fundo de Garantia do Tempo de Serviço (FGTS) obedeceu ao mesmo princípio. No caso da negociação de ADRs na Bolsa americana, a Petrobras teria de cumprir regras mais severas de governança e de transparência na prestação de informações exigidas pelo órgão que regula o mercado de capitais nos Estados Unidos, a Securities and Exchange Comission (SEC).

Outra medida que ajudaria a blindar a empresa seria atrair grupos privados nacionais ou estrangeiros para construir novas refinarias no Brasil e também para participar de sociedades com a estatal. Com outras empresas atuando no refino, o governo teria mais dificuldade de congelar o preço dos combustíveis. A medida também ajudaria a dividir os investimentos necessários no refino. Na época, a Petrobras precisava adequar várias de suas refinarias para processar o óleo pesado, que começava a chegar em volume cada vez maior da Bacia de Campos (as refinarias da companhia tinham sido construídas para refinar óleo mais leve — importado principalmente do Oriente Médio e da África —, não sendo adequadas para processar o óleo pesado descoberto mais tarde na Bacia de Campos).

No primeiro mês à frente da Petrobras, Reichstul trabalhou com a diretoria de seu antecessor, Joel Mendes Rennó. Fez rodadas e mais rodadas de conversas com grupos de funcionários das diversas áreas da empresa. Nas reuniões, queria ouvir não só o primeiro executivo de cada setor, mas também os da segunda e da terceira posições na linha de comando. "Ele perguntava muito, e fazia as perguntas certas. Pelo menos do ponto de vista dos que tinham conhecimento de gestão e estavam cansados de discussões exageradamente técnicas, com pouca visão de negócio", diz Rogerio Manso, ex-diretor de Abastecimento.

Em pouco mais de um mês, a nova diretoria estava formada. Dos cinco profissionais escolhidos, quatro eram funcionários da casa e um foi contratado de fora, o diretor financeiro. Nenhum foi indicado por políticos ou legendas partidárias. Todos eram reconhecidos como profissionais de destaque em suas respectivas áreas e estavam na linha de sucessão das diretorias a que foram nomeados. Reichstul não conhecia previamente nenhum de seus auxiliares diretos.

Logo que chegou à Petrobras, Reichstul percebeu que a companhia não tinha uma estratégia definida para responder às mudanças pelas quais o mercado deveria passar. Na verdade, a estatal não tinha sequer um plano estratégico formalizado e divulgado aos funcionários, e muito menos ao mercado. A primeira grande tarefa do novo comando da empresa foi elaborar um plano estratégico que cobrisse o período de dez anos, e um plano de negócios para os cinco anos seguintes. O plano estratégico deveria definir o rumo da companhia e suas grandes metas. Já o plano de negócios estabeleceria o conjunto de projetos que cada área deveria implementar e as metas de cada uma delas para os próximos cinco anos.

Antes de partir para a elaboração dos planos estratégico e de negócios, Reichstul mergulhou a companhia em um profundo processo de diagnóstico. Contratou várias consultorias globais que trabalhavam para as maiores petroleiras do mundo, encarregando-as de comparar a Petrobras com as majors nos mais diversos aspectos: número de funcionários, produção, receita, remuneração, estrutura organizacional, governança, estratégia etc. Essa etapa foi importante tanto para ele, presidente novato e que não conhecia o mundo do petróleo, quanto para os funcionários, que também desconheciam as outras petroleiras. A falta de conhecimento da concorrência foi um dos efeitos colaterais do monopólio, que fechou a companhia em si mesma por mais de quatro décadas.

Reichstul também surpreendeu os subordinados com a quebra de rituais hierárquicos arraigados na companhia. "No começo, ficamos até meio chocados. Ele começou a ligar direto para os diretores e gerentes executivos, algo que jamais acontecia. As ligações dos outros presidentes sempre eram feitas pelas secretárias", relata um ex-gerente executivo que trabalhou 33 anos na estatal. As mudanças também ficaram evidentes na arquitetura interna da sede da Petrobras. Os diretores, que ficavam espalhados por vários andares diferentes, foram todos reunidos num mesmo piso, o 23º. As paredes foram colocadas abaixo e substituídas por baias de meia altura em todos os andares. "O objetivo era integrar, fazer com que as pessoas pudessem se ver, e, por outro lado, fazer também com que ninguém pudesse ficar escondido, lendo jornal", diz um ex-funcionário da área de planejamento.

Em outubro de 1999 o Plano Estratégico do Sistema Petrobras 2000-2010 e o Plano de Negócios 2000-2005 foram aprovados pelo conselho de administração. A antiga missão da empresa — "Abastecer o país ao menor custo para a sociedade" — foi substituída por "Atuar de forma rentável nas atividades da indústria de óleo e gás, e nos negócios relacionados, nos mercados nacional e internacional, fornecendo produtos e serviços de qualidade, respeitando o meio ambiente, considerando os interesses dos seus acionistas e contribuindo para o desenvolvimento do país".

A nova missão, que incluía logo no início a palavra "rentável", significava uma mudança basilar para uma companhia onde falar em lucro podia soar como algo negativo, dependendo do interlocutor. A "visão" definida para a Petrobras de 2010 era a de uma empresa de energia (não só de petróleo), líder na América Latina e com "liberdade de atuação de uma corporação internacional". Para não deixar dúvidas sobre a última parte da "visão", vinha a seguir outro trecho que elencava as premissas do plano: "O cenário adotado para o plano estratégico da Petrobras incorpora o processo de globalização, a continuação da abertura econômica do país, a intensificação da concorrência e a adoção de uma política de 'lógica empresarial' pelo governo em relação à empresa". Sem meias palavras, o plano estratégico deixou claro que era preciso estabelecer uma nova relação entre governo e estatal.

De acordo com o documento, a ordem era perseguir o aumento de rentabilidade e de produtividade. A companhia deveria se concentrar principalmente na atividade de exploração e produção de óleo e gás em águas profundas e ultraprofundas, segmento em que tinha vantagem competitiva. Operações muito pequenas e/ou em águas rasas, por exemplo, deveriam ser vendidas. A empresa também teria de se internacionalizar. A perda relativa de mercado no Brasil, decorrente da esperada abertura de mercado, deveria ser compensada com o crescimento da operação no exterior.

A operação internacional também deveria se expandir nas áreas de distribuição e refino. A ideia era adquirir refinarias em grandes mercados e, se possível, adequá-las para processar óleo pesado, o tipo mais abundante no Brasil e que sofre grande desconto quando é exportado cru (por ser menos nobre que o óleo leve). A possibilidade de refinar petróleo pesado e vender seus derivados — em vez de vendê-lo cru e com desconto — aumentaria a rentabilidade da estatal.

Outra decisão do plano de negócios foi a de não construir novas refinarias no Brasil. A ANP já começava a pressionar pela redução da participação da Petrobras no setor de refino. O objetivo da Agência era aumentar a competição na área de abastecimento. Fora isso, o segmento de refino tem rentabilidade muito menor que o de E&P. O raciocínio, na época, era deixar que o setor privado fizesse os novos investimentos e ajudasse a blindar o segmento contra congelamentos de preços de combustíveis — afinal, é bem mais fácil para um governo controlar o preço de produtos de estatais do que em setores com várias empresas privadas.

Até 1999, ninguém dentro da Petrobras conseguia dizer com exatidão qual era o custo de produzir um barril de petróleo. A área de produção mandava o petróleo para a refinaria como se o custo de extração fosse zero. E o que se queria, dali em diante, era saber quanto custava produzir um barril em cada bacia, em cada bloco, em cada plataforma e, se possível, em cada um dos poços conectados às plataformas da petroleira. O objetivo era medir a eficiência da menor unidade de negócio de cada diretoria. A lógica de tantas mensurações era fazer com que as várias áreas da companhia passassem a se questionar. Assim, os problemas seriam colocados na mesa, e os gestores e técnicos teriam de se esforçar para encontrar a solução.

A nova maneira de trabalhar exigia uma estrutura organizacional diferente, que permitisse a responsabilização clara de cada área com a respectiva prestação de contas por parte de seus gestores. Só assim os resultados poderiam ser medidos. Uma consultoria de gestão apresentou a comparação das estruturas organizacionais de todas as majors, e a Petrobras adotou o modelo de "Unidade de Negócio" (UN) utilizado por empresas como a BP (British Petroleum). A partir daí a companhia foi dividida em quarenta unidades de negócios. A Bacia de Campos, por exemplo, tornou-se uma UN. Cabia aos seus gestores, baseados em Macaé, apresentar à diretoria de E&P, localizada na sede, a proposta de trabalho para o ano seguinte. O plano tinha de reunir todas as metas relevantes da operação, como o volume de produção que a unidade pretendia atingir, quantos poços teriam de ser perfurados para isso, que tipo de equipamentos seriam necessários, que tipo de treinamento os funcionários deveriam atender, a meta de redução de acidentes, o orçamento necessário para isso tudo etc. Esse planejamento passou a ser feito sempre nos últimos três ou quatro meses do ano, para que a proposta fosse discutida com a direção da companhia e houvesse tempo para eventuais ajustes antes de janeiro chegar.

Em pouco mais de um ano, a companhia nivelou com o mercado o salário dos cargos sub-remunerados. A remuneração de algumas posições chegou a triplicar. A estatal também criou um sistema de remuneração variável, passando a distribuir bônus por resultados. E também retomou os concursos públicos anuais a partir de 2002, depois de ficar nove anos sem contratar funcionários. Essas mudanças só puderam acontecer depois de intensas negociações com o Ministério do Planejamento, durante as quais Reichstul costumava apelar para a seguinte pergunta: "Queremos que a Petrobras afunde majestosamente, abraçada à sua história de glórias, ou queremos que esse elefante se transforme num tigre?". No fim, a companhia também conseguiu autonomia para aprovar seus investimentos, que deixaram de ser definidos por Brasília e passaram a ser estabelecidos com base no plano de negócios.

Reichstul conseguiu implementar boa parte das mudanças planejadas. O lançamento das ações (ADRs) da Petrobras em Wall Street aconteceu em agosto de 2000, e a demanda de investidores foi muito mais alta que a oferta de papéis. No primeiro dia de negociações no mercado americano, as ações se valorizaram quase 20%, fechando em US$ 28,62. Em julho de 2001, a União vendeu um segundo lote de ações na Bolsa de Nova York. Ao todo, o valor levantado nas duas operações foi de US$ 4,7 bilhões. Foi a segunda maior operação daquele ano realizada por empresas de países emergentes. Cerca de 10 mil novos investidores compraram ADRs da companhia no varejo, além de 216 fundos de investimentos que adquiriram os papéis, aumentando muito o número de acionistas da estatal brasileira. No Brasil, a venda de ações a trabalhadores que puderam pagar os papéis com o uso do FGTS também superou as expectativas — mais de 312 mil trabalhadores se tornaram acionistas da estatal, aplicando R$ 1,6 bilhão do FGTS em papéis da petroleira.

Em 2001, a Petrobras se tornou a primeira empresa brasileira a ter a nota de classificação de risco[5] acima do risco soberano, ou seja, acima do rating brasileiro. Foi classificada pela agência Moody's três níveis acima do rating soberano e apenas um abaixo da categoria grau de investimento. Para isso, foi necessário transformar a área financeira da companhia. Toda a contabilidade passou a ser demonstrada no formato americano, usado pelas maiores empresas do mundo. Antes, era muito difícil comparar a Petrobras com suas concorrentes. Ao final dos dois anos e nove meses em que permaneceu no comando da Petrobras, Reichstul havia promovido a maior reestruturação da história da estatal. "Ele deu um cavalo de pau na Petrobras", diz Jorge Camargo, ex-diretor da área Internacional da companhia de 2000 a 2003.

Apesar dos resultados notáveis, a gestão de Reichstul também foi marcada por graves crises. Para o grande público, Reichstul ficou conhecido como "o presidente dos acidentes" — por causa dos dois grandes vazamentos de óleo ocorridos em sua gestão — ou como "o presidente da P-36", em referência à plataforma que explodiu e afundou no litoral do Rio de Janeiro. Uma sucessão extraordinária de acidentes jogou a Petrobras no noticiário de desastres. Em janeiro de 2000, o rompimento de um duto do terminal Ilha D'Água[6] provocou o despejo de 1,3 milhão de litros de óleo na Baía de Guanabara, no Rio de Janeiro. A Ilha, que é conectada à Refinaria Duque de Caxias por mais de uma dezena de oleodutos submarinos, serve como um terminal de escoamento dos derivados produzidos na Reduc e também funciona como entreposto de recebimento de petróleo a ser enviado para processamento na refinaria.

Seis meses depois, em julho do mesmo ano, um vazamento na Refinaria Presidente Getúlio Vargas (Repar), localizada no Paraná, espalhou cerca de 4 milhões de litros de óleo nos rios Barigui e Iguaçu. Em março de 2001, passados apenas oito meses do vazamento no Paraná, outro desastre atingiu a companhia. Duas explosões seguidas na plataforma de número 36 (P-36), estacionada no litoral do Rio de Janeiro, na Bacia de Campos, provocaram a morte de onze funcionários da companhia. A maior plataforma de produção de petróleo do mundo na época afundou.

A P-36 custara US$ 354 milhões à Petrobras e chegara ao Brasil havia pouco mais de um ano. Sua entrada na Baía de Guanabara fora motivo de comemoração na companhia. O desastre teve efeitos imediatos. A empresa, já listada em Nova York, virou manchete internacional, e suas ações despencaram. Afinal, a P-36 produzia 80 mil barris de óleo por dia, 6% do total da produção doméstica.

Na época, proliferaram teorias para explicar tantos acidentes graves em tão pouco tempo. Houve quem responsabilizasse o novo modelo de administração da estatal, que teria estimulado a busca desmedida de lucro, descuidando da segurança da operação. No outro extremo, houve quem levantasse a hipótese de sabotagem. Por essa versão, os desastres seriam, na verdade, ações orquestradas por petroleiros que queriam derrubar o presidente. O próprio Reichstul tratou de afastar a segunda teoria. As investigações feitas por empresas independentes e especializadas nesses tipos de ocorrência não encontraram indícios de dolo. A primeira hipótese também não era plausível. Não haviam ocorrido naquele período cortes de orçamento, de pessoal ou mudanças de procedimentos que pudessem justificar tais acidentes.

Entre as várias conclusões tiradas pelos funcionários, sobressai a que aponta os anos de dificuldades financeiras que se abateram sobre a estatal a partir de meados da década de 1980, incluindo o período em que a petroleira foi obrigada a arcar com os custos pesados do programa do álcool e o período em que sofreu congelamento de preços de seus produtos. Essas dificuldades, combinadas à necessidade de aumentar investimentos para produzir mais óleo, abriram brechas para a ocorrência de acidentes, principalmente os de vazamentos. "Na hora do aperto no caixa, os primeiros custos a serem limados são os de manutenção", diz um funcionário da área de refino. "Na lógica imediatista, é melhor aumentar ou manter a produção, que gera receita. E, por esse raciocínio, corte na manutenção não afeta a produção."

O caso da P-36 mistura várias causas para o acidente, como geralmente ocorre num desastre aéreo. Mas as investigações revelaram que um erro no projeto permitiu o armazenamento de gás numa área imprópria, o que foi determinante para o acidente. A plataforma era nova e havia sido encomendada anos antes, durante a gestão de Joel Rennó.

Um erro que pode ser debitado diretamente na conta de Reichstul foi a tentativa de mudar o nome da estatal de Petrobras para PetroBrax. O novo nome chegou a ser anunciado em 26 de dezembro de 2000, mas durou apenas dois dias. Diante da forte rejeição da população, seguida da reação de políticos

— que entoaram o clássico discurso nacionalista —, o presidente Fernando Henrique Cardoso mandou que Reichstul voltasse atrás. A Petrobras continuaria sendo escrita com "s". FHC havia sido consultado sobre a mudança com antecedência, mas subestimou o assunto.[7]

A ideia de mudar a marca surgiu como uma suposta necessidade para a internacionalização da companhia. A estatal começava a aumentar sua presença no setor de distribuição na Argentina em 2000. O consultor de marketing Alexandre Machado, contratado para avaliar a marca da companhia, encontrou problemas com a palavra "Petrobras". O sufixo "bras" poderia ser considerado como uma "invasão brasileira" nos novos mercados (a América Latina e a África eram os alvos prioritários). Além disso, a marca seria demasiadamente identificada com a ineficiência estatal, o que não condizia com a nova fase não monopolista da empresa. O especialista em branding ainda considerou que "bra" poderia soar negativo por significar "sutiã" em inglês. Mas havia uma razão mais palpável para considerar a mudança da marca. Dentro da estatal, havia o receio de que os postos de gasolina com a marca brasileira fossem depredados após partidas de futebol em que a seleção verde e amarela vencesse a rival argentina.

A ideia inicial era batizar a marca internacional de Lubrax, que já era conhecida e bem aceita no país vizinho por batizar a linha de óleos lubrificantes da companhia. No Brasil, permaneceria tudo igual. Numa reunião com o consultor de marketing, porém, Reichstul se convenceu de que seria um erro trabalhar com duas marcas diferentes, uma no Brasil e outra no exterior. Surgiu a ideia de adotar a marca PetroBrax para o Brasil e para o exterior. Ela manteria quase todo o nome da estatal, e ainda adicionaria o "x", para dar a sonoridade que lembraria a marca Lubrax.

Assim que foi feito o anúncio, o novo nome foi imediatamente rejeitado. Jornais de circulação nacional fizeram enquetes com leitores, que renegaram em massa a adição da letra "x" ao nome da estatal. Parlamentares ameaçaram convocar Reichstul para se explicar no Congresso — enfim, o fiasco foi total. O líder do governo no Senado, José Roberto Arruda, classificou a medida de "imbecil".

Reichstul deixou a Petrobras em dezembro de 2001. Tendo começado o ano com a tragédia da P-36, a empresa conseguiu finalizá-lo com um aumento de 5% na produção e vendas de US$ 30,8 bilhões, o maior faturamento entre as companhias privadas e estatais do país.[8] Desde o vazamento de óleo na Bacia de Guanabara, a companhia implantava o Programa de Excelência em Gestão Ambiental e Segurança Operacional (Pegaso), que consumiu US$ 1 bilhão entre 2000 e 2003 e ficou conhecido internacionalmente como um dos mais abrangentes do mundo em termos de proteção ambiental. O plano de investimento da companhia até 2005, de US$ 32 bilhões, era o maior da história da estatal.

Seu substituto, Francisco Gros (falecido em 2010), ficou exatamente um ano na presidência da estatal, o último do segundo mandato de Fernando Henrique. Gros iniciou a carreira em um banco de investimentos de Wall Street, após se formar em economia na Universidade de Princeton. No Brasil, teve experiência no setor privado e no setor público, ocupando cargos de direção na corretora Multiplic, no Unibanco (comprado pelo Itaú em 2008), na Aracruz Celulose e na Comissão de Valores Mobiliários (CVM). Presidiu duas vezes o Banco Central e comandou a representação brasileira do Morgan Stanley e o BNDES, antes de assumir a Petrobras.

Seu trabalho seguiu na mesma direção do antecessor. Era preciso consolidar o modelo de gestão implantado por Reichstul, que visava preparar a estatal para continuar crescendo em um ambiente de competição. Gros era mais formal e mais direto que Reichstul no tratamento com os executivos. Não permanecia muito tempo numa reunião cujo assunto fosse técnico demais, por exemplo. Em algumas ocasiões foi considerado grosseiro ao se levantar e dizer que achava que estava na reunião errada, pois "não tinha nada a contribuir com a discussão".

Um funcionário afirma que se surpreendeu positivamente ao perceber que Gros assumiu uma defesa aguerrida da Petrobras. Certa ocasião, ele participava de uma reunião com alguns de seus assistentes diretos e os representantes de um dos maiores grupos empresariais do país, entre eles, o controlador do grupo. Em um dado momento, o empresário insistia que a estatal aceitasse as condições que ele propunha para uma operação. Do lado da Petrobras, os executivos já haviam apresentado os argumentos para que o negócio não saísse nos termos reivindicados pela empresa. A certa altura, o empresário afirmou que o negócio acabaria saindo porque ele "tinha muito bom trânsito com Brasília". Nesse momento, Gros demonstrou seu estilo direto: apontando o dedo para o rosto do empresário, afirmou que ele fosse procurar os contatos que tinha na capital, porque, se dependesse dele, não sairia negócio algum naquelas condições. Os funcionários da petroleira ficaram boquiabertos, mas todos à mesa trataram de fingir que nada havia acontecido. O empresário fez o mesmo e mudou de assunto. A reunião foi interrompida depois de poucos minutos. "Aquele tipo de atitude nos respaldava a brigar pelos interesses da empresa", diz o funcionário que testemunhou o ocorrido.

Durante seu curto mandato, Gros confrontou o próprio PSDB, partido do presidente Fernando Henrique, que o nomeou. Em abril de 2002, quando a campanha presidencial já estava a pleno vapor, o candidato governista José Serra criticou abertamente a Petrobras por causa dos reajustes de preços dos combustíveis. A estatal havia reajustado a gasolina pela terceira vez consecutiva no ano. Segundo Serra, a Petrobras era "monopolista demais para ter essa regalia", referindo-se ao direito de a empresa definir o preço de seus produtos.[9]

A liberação dos preços dos derivados havia sido finalmente alcançada naquele mesmo ano, 2002, depois de um enorme esforço feito pelo governo do qual o próprio Serra participara. A política de FHC visava justamente acabar com o monopólio nos vários segmentos do setor de petróleo. A liberação dos preços era condição obrigatória para atingir esse objetivo e para que a estatal sobrevivesse em um ambiente efetivo de competição. Gros sustentava que a Petrobras era autônoma para promover mudanças nos preços dos combustíveis conforme as variações do mercado internacional, uma vez que o mercado brasileiro de derivados de petróleo era aberto à competição. "Temos uma recomendação muito clara do presidente [da República] de que governo é governo e campanha é campanha", disse Gros, em resposta a Serra. "Eu cuido da parte da administração da empresa, e os candidatos devem cuidar de suas campanhas."[10]

Nos quatro anos de administração Reichstul e Gros, a Petrobras mudou de patamar. Em valores ajustados para fevereiro de 2015, o lucro líquido da companhia quadruplicou entre 1999 e 2002, chegando a sextuplicar de 1999 para 2001. No mesmo período, a receita e o valor de mercado da estatal dobraram, também em valores atualizados para fevereiro de 2015.

9. Blindada, mas nem tanto

A blindagem da Petrobras contra indicações políticas funcionou nos primeiros meses, durante a formação da diretoria e das equipes executivas. A dificuldade de emplacar apadrinhados na estatal irritou políticos como o deputado baiano Geddel Vieira Lima, líder do PMDB na Câmara, que chegou a se referir ao novo presidente da Petrobras como "Rei Tchu Tchu", uma brincadeira com o seu nome. Na ocasião, Reichstul havia conseguido barrar a nomeação de Moreira Franco, na época deputado federal pelo Rio de Janeiro, a uma diretoria da petroleira.[1] A BR Distribuidora também era considerada território livre de loteamento político. Em janeiro, a subsidiária também havia recusado a nomeação de Moreira Franco a uma vaga de diretor.

Três meses depois, porém, em meio a uma crise do governo com partidos da base aliada, Reichstul acabou cedendo à pressão do Planalto e nomeou Delcídio do Amaral Gomez para uma nova diretoria que seria criada na estatal. Inicialmente, a área foi batizada de diretoria de Participações, e sua atribuição era cuidar das futuras sociedades da petroleira em usinas termelétricas. Em seguida, foi rebatizada de diretoria de Gás e Energia. Na época, Delcídio usava o sobrenome completo — incluindo "Gomez", de seu pai, que também fora engenheiro eletricista e havia trabalhado na CESP, concessionária de energia de São Paulo. A indicação de Delcídio aconteceu depois de meses de disputa entre os senadores Jader Barbalho, do PMDB do Pará, e Antonio Carlos Magalhães, do PFL da Bahia. Ambos queriam nomear um diretor da maior empresa brasileira. Barbalho ganhou.

Delcídio ainda não era político quando assumiu o cargo na petroleira, em setembro de 1999, mas já transitava entre a classe havia anos. Seu avô materno, de quem herdou o nome, fora político no Mato Grosso. Nascido em Corumbá, no Mato Grosso do Sul, Delcídio estudou em São Paulo, no tradicional colégio São Luís, e na Escola de Engenharia Mauá. Começou como estagiário na GE do Brasil testando equipamentos de geração de eletricidade. Na empresa de engenharia Themag participou de projetos como o da hidrelétrica de Paulo Afonso, na Bahia, da estatal Companhia Hidrelétrica do São Francisco (Chesf). Também trabalhou na montagem da hidrelétrica de Tucuruí, no Pará, da Eletronorte. Lá, conheceu Jader Barbalho, que foi deputado federal e governador do estado no período em que Delcídio participou da obra.

No final dos anos 1980, Delcídio teve uma breve passagem pela iniciativa privada, como gerente de energia da Billiton Metais (na época, do grupo Shell). Em seguida, assumiu a diretoria financeira na estatal Eletrosul, durante o governo do presidente Fernando Collor de Mello. Já no governo Itamar Franco, ocupou o cargo de secretário executivo do Ministério de Minas e Energia, e, com a saída do ministro Alexis Stepanenko, acabou assumindo o ministério pelos últimos três meses do governo. Ele ainda presidiria a Eletrosul antes de chegar à diretoria da Petrobras.

Segundo Reichstul, a indicação de Delcídio chegou pela Casa Civil, comandada na época por Pedro Parente. "Aceitei porque achei que devia isso ao governo, que estava enfrentando dificuldades com o PMDB. Eu vinha conseguindo trabalhar livre de qualquer interferência política. Tinha formado minha equipe de diretores com toda a liberdade, então resolvi aceitar. Pedi o currículo dele, chamei para entrevista, gostei e contratei", disse o ex-presidente da petroleira.[2]

Um ex-diretor da estatal descreve o episódio da seguinte maneira: "O Reichstul chegou para mim e contou que teria de nomear uma pessoa indicada pelo governo, mas não queria trocar nenhum dos diretores que já estavam lá. Ele estava pensando em criar uma nova área, pequena, onde pudesse acomodar o Delcídio. No final da conversa, chegamos à conclusão de que a melhor saída seria a criação de uma diretoria de gás e energia".

A nova diretoria era de fato pequena se comparada aos outros negócios da Petrobras. Sua missão era criar mercado consumidor para um combustível sem tradição no país: o gás natural. E a Petrobras tinha pressa. A primeira etapa do

Gasoduto Bolívia-Brasil (Gasbol) tinha começado a funcionar em julho de 1999, levando 2,5 milhões de metros cúbicos de gás de Santa Cruz de la Sierra a São Paulo. Era preciso encontrar clientes para o produto, e rápido, porque o volume de gás importado aumentaria até 30 milhões de metros cúbicos, de acordo com o contrato de vinte anos firmado com a Bolívia. O compromisso com o governo boliviano era do tipo take or pay. Ou seja, obrigava a estatal a pagar por, pelo menos, 85% do combustível, mesmo que não utilizasse o gás — uma modalidade comum de contrato em negócios do setor.

Apesar de ter sido responsável pela construção do Gasbol — negociado e assinado durante os governos Collor e Itamar, e construído no período FHC —, a Petrobras estava atrasada. Não havia feito praticamente nada para desenvolver o segmento. Na verdade, a companhia não entendia do "negócio de gás natural". A maioria dos executivos da petroleira considerava o gás um problema, não um produto: ele competia diretamente com o óleo combustível, produzido em larga escala pela estatal a partir do petróleo pesado da Bacia de Campos.

Por muito tempo, e no mundo inteiro, o gás natural foi o primo pobre da família de hidrocarbonetos. Apesar de ser mais limpo — sua queima polui cerca de 25% menos que a do óleo combustível e 45% menos que a do carvão —, é mais difícil de transportar e armazenar do que produtos líquidos ou sólidos. Sua densidade energética (a quantidade de calor produzida por um volume equivalente ao dos outros dois combustíveis) também é menor. Entre os combustíveis fósseis, o primeiro a brilhar foi o carvão. Depois, o petróleo se tornou o mais nobre — e rentável — de todos. As petroleiras, portanto, dificilmente procuravam encontrar gás. Queriam mesmo era descobrir óleo.

Porém, a partir da década de 1980 o custo de construção de usinas térmicas a gás de pequeno porte caiu tremendamente, e a redução da barreira de entrada nesse setor estimulou a competição. Em meados dos anos 1990, grandes empresas de equipamentos como a americana GE e as europeias Siemens e Asea Brown Boveri haviam desenvolvido tecnologias que aumentavam sensivelmente a eficiência do gás natural como combustível para geração de energia. Essas novas usinas — as termelétricas de ciclo combinado — são capazes de gerar quase o dobro de eletricidade com a mesma quantidade de gás. Fazem isso aproveitando o ar quente que sai das turbinas durante a geração de energia para aquecer água e produzir vapor. Em seguida, esse vapor é direcionado para movimentar novamente as turbinas da usina e produzir mais energia. Os avanços tecnológicos também permitiram o aprimoramento das chamadas "usinas de cogeração". Nelas, o vapor não é utilizado para gerar mais eletricidade, mas para abastecer vários tipos de instalações industriais, inclusive refinarias e fabricantes de fertilizantes. Empresas do setor químico, em geral, são grandes consumidoras de vapor.

As térmicas a gás também foram favorecidas pelo aumento da preocupação com a preservação do meio ambiente. O alerta havia sido dado na Eco-92, conferência do clima das Nações Unidas realizada no Rio de Janeiro em 1992. Era preciso começar a reduzir as emissões de gases causadores do efeito estufa. Essa combinação de fatores levou a uma corrida pela substituição das termelétricas a carvão e a óleo combustível por usinas a gás natural, principalmente nos países mais ricos. No caso americano, houve ainda o agravante da crise energética, que atingiu a Califórnia na segunda metade da década.

No final dos anos 1990, o gás natural havia se tornado a coqueluche do setor energético. Todas as grandes petroleiras, como Exxon, Shell, BP e Total, entraram com força no negócio. Ninguém queria ficar de fora. A americana Enron, a maior comercializadora de gás do mundo, figurava entre as empresas mais admiradas e valiosas do planeta — até poucos meses antes de quebrar escandalosamente no final de 2001. O primo pobre havia adquirido a aura de combustível moderno, enquanto o petróleo começava a simbolizar o antigo, o ultrapassado.

Foi nesse contexto que a Petrobras passou a enxergar o Gasbol como uma oportunidade de negócio. O gás boliviano poderia ter mercado garantido se fosse usado na geração de energia; as térmicas funcionariam como uma âncora de mercado para o gás natural, até que o uso em outros setores fosse disseminado, incluindo a utilização como combustível de automóveis. A Petrobras já produzia energia para consumo próprio desde a década de 1950. Ao lado de cada refinaria, a estatal tem uma usina térmica. Até os anos 1970, a autossuficiência em eletricidade era crucial. O sistema elétrico nacional não era confiável. As falhas no fornecimento eram frequentes, e a petroleira não podia correr o risco de paralisar uma refinaria por causa de um blecaute. A situação mudou após a inauguração das grandes hidrelétricas nas décadas de 1960 e

1970, especialmente a de Itaipu. O sistema elétrico passou a ser bem mais seguro, e a Petrobras reduziu a necessidade de geração própria.

No início dos anos 1990, porém, os técnicos da petroleira começaram a perceber que a situação mudaria novamente. As previsões eram de que a oferta de energia não acompanharia o consumo do país até o final daquela década. Além disso, os sinais dados pelo governo eram de que o Gasbol sairia mesmo. Um grupo criado para estudar a questão propôs, em 1996, a construção de sete térmicas para abastecer seis refinarias e a planta de fertilizantes da Bahia.

A ideia era construir as termelétricas em sociedade com outras empresas, para dividir o investimento. A Petrobras compraria a energia e o vapor de que precisava, e a usina venderia o excedente de eletricidade no mercado. Esse era um tipo de negócio novo no setor elétrico brasileiro, que passava por uma profunda reforma cujo objetivo era abrir o mercado à competição das empresas privadas. A estatal publicou editais convidando possíveis sócios e iniciou várias negociações, mas a iniciativa não prosperou. As regras do mercado atacadista de energia (onde as usinas poderiam vender a eletricidade excedente) ainda não estavam totalmente definidas, o que afugentava os investidores.

Foi a crise do setor elétrico — que passou a dar sinais mais evidentes no fim dos anos 1990 — que empurrou a estatal para o negócio de geração de energia. Um blecaute ocorrido na noite de 11 de março de 1999 deixou mais de 70 milhões de pessoas no escuro por até quatro horas. Dez estados das regiões Sul, Sudeste e Centro-Oeste, além do Distrito Federal, foram atingidos pelo maior apagão já registrado no país. Um defeito em uma subestação no interior de São Paulo provocou o desligamento de várias linhas de transmissão e da hidrelétrica de Itaipu, responsável na época por 20% do fornecimento de energia do país.

Depois do episódio, o ministro de Minas e Energia Rodolpho Tourinho começou a entender — tardiamente — que o sistema elétrico brasileiro estava em situação pior do que imaginava. Ele ainda demoraria a enxergar a real gravidade do problema, e deixaria o resto do governo "vendido" até maio de 2001, um mês antes do início do racionamento — que não foi decidido nem coordenado pelo Ministério de Minas e Energia, mas pelos ministros da Casa Civil, Pedro Parente, e da Fazenda, Pedro Malan.

Político do PFL (atual Democratas) da Bahia, Tourinho era conhecido como um homem inteligente, de boa formação acadêmica — era economista formado pela USP e pós-graduado na Universidade Bradley, nos Estados Unidos —, mas também tinha fama de ser um chefe de pavio curto, que costumava gritar com os subordinados. O gênio difícil do ministro é apontado como uma das causas da demora do governo em identificar a gravidade da crise. "Todo mundo tinha medo do Tourinho. Ninguém queria dar notícia ruim a ele. Foi por isso que ele demorou tanto para saber a verdade e, consequentemente, para reagir à crise de energia", diz um técnico que atuou próximo ao ministério naquele período.

No episódio do blecaute de março, Tourinho não economizou nos gritos com dirigentes dos vários órgãos do setor elétrico. Convencido por executivos da Eletrobras de que a culpa do problema tinha sido do Operador Nacional do Sistema Elétrico (ONS), Tourinho não teve dúvidas: foi à sede do ONS e afirmou que o Ministério de Minas e Energia iria "tomar conta daquela bagunça", relataram técnicos do órgão e consultores do setor.

O ONS — uma entidade privada, sem vínculos com as estatais de energia — havia assumido a operação do sistema elétrico dez dias antes do blecaute. Era um dos novos agentes criados pela reforma do setor, que precisava de organizações independentes para reger tanto as empresas públicas quanto as privadas. Sua função é coordenar o funcionamento de todas as geradoras e transmissoras de energia do país. É o ONS que manda ligar e desligar as usinas, aumentar ou diminuir a carga.

Sua responsabilidade sobre o apagão de março era zero, mas boa parte dos técnicos da Eletrobras estava descontente com a perda de poder para a nova autoridade do setor, que assumira um papel capitaneado até então pela estatal. Havia também os ressentidos, que não tinham sido convidados a trabalhar no Operador, que pagava salários mais altos que as empresas públicas.

Na época, muitos funcionários da Eletrobras eram contra as privatizações, e, para complicar, a estatal havia perdido levas de profissionais de alto gabarito para empresas privadas — geralmente distribuidoras interessadas em entrar no ramo de geração. O acirramento das disputas pelo poder, a perda de cérebros por parte da Eletrobras e o gênio explosivo do ministro atravancaram o fluxo de informações dentro do governo. O resultado foi a vexaminosa "surpresa" alegada pelo presidente Fernando Henrique pouco antes do início do racionamento.

Em abril de 1999, um mês depois do blecaute, Tourinho convocou a Petrobras a encampar um programa de reforço de geração de energia por meio da construção de termelétricas (usinas que precisam de algum combustível para funcionar — gás natural, carvão, óleo combustível ou nuclear —, diferentemente das hidrelétricas, que usam a força da água para movimentar suas turbinas). O governo entendia que essa seria a maneira mais rápida de expandir a oferta de eletricidade no país. A meta inicial do ministério era aumentar a oferta em 1.500 megawatts em dois anos.

A ideia fazia sentido. A construção de uma usina térmica é muito mais rápida e barata do que a de uma hidrelétrica — apesar de sua operação ser mais cara, porque depende da compra constante de combustível, enquanto a hidrelétrica é abastecida pela chuva. Outra vantagem das térmicas é que elas podem ser instaladas perto do mercado consumidor, o que reduz os investimentos e o tempo necessários para a construção de linhas de transmissão.

O plano apresentado pela petroleira consistia na construção de três térmicas até o final de 2001. As usinas seriam erguidas ao lado das refinarias Landulpho Alves-Mataripe (RLAM), na Bahia; Presidente Bernardes, em Cubatão, no litoral paulista; e Reduc, em Duque de Caxias, na Baixada Fluminense. Ainda não existia a diretoria de Gás e Energia na Petrobras. Os coordenadores do plano da estatal foram os engenheiros Luiz Carlos Costamilan e João Eudes Touma.

Juntas, as três usinas gerariam 570 megawatts de energia. A maior parte seria consumida pelas próprias refinarias, e cerca de 200 megawatts seriam vendidos no mercado. Os três projetos mantinham o sentido econômico para a companhia. Seriam usinas de cogeração, ou seja, abasteceriam as refinarias com energia e com vapor. Na visão de seus executivos, a contribuição da petroleira parecia de bom tamanho. Afinal, o setor elétrico era seara de outra estatal controlada pela União, a Eletrobras.

Mas a situação só piorou, e, em fevereiro de 2000, o Ministério de Minas e Energia lançou o Programa Prioritário de Termeletricidade (PPT). O PPT previa a construção de 49 usinas a gás que deveriam gerar 15.000 megawatts de eletricidade, dez vezes mais que o plano anterior apresentado pelo próprio ministro Tourinho. As usinas deveriam ser construídas em dezoito estados, no prazo de três anos. Boa parte delas deveria começar a operar em menos de dois anos. A Petrobras garantia o fornecimento de gás por até vinte anos a todas as térmicas incluídas no programa, enquanto o BNDES financiava a construção das usinas.

A essa altura, Delcídio do Amaral já era diretor de Gás e Energia da Petrobras, e seu braço direito na área de geração térmica era o gerente executivo Nestor Cuñat Cerveró, um engenheiro químico que havia ingressado na Petrobras em 1975. Cerveró tinha uma carreira atípica para os padrões da estatal. Com apenas três anos de empresa, deixou a petroleira para trabalhar na Foster Wheeler, firma de consultoria e projetos de engenharia. Em 1981, foi para a Nuclebras, estatal responsável pelo desenvolvimento do programa nuclear brasileiro, onde permaneceu por mais três anos. A volta à Petrobras aconteceu em 1984, quando foi destacado para trabalhar na área de infraestrutura de refino (ou utilities de refino, unidades que fornecem energia, água e vapor para que as refinarias possam funcionar). O papel de Cerveró era projetar a expansão ou a reforma dessas unidades nas várias refinarias da estatal.

Cerveró é descrito por colegas e ex-chefes como um bom profissional de projeto de utilities. Outra característica que todos lhe atribuem é a ambição, percebida desde o início da carreira. "Ele queria crescer rápido, ganhar mais. Aliás, ele saiu da Petrobras no início da carreira porque as empresas privadas pagavam melhor na época", diz um ex-funcionário da estatal que foi seu superior. Outro ex-chefe de Cerveró conta que a ambição não era característica apenas dele, mas também da esposa, Patrícia Anne. "Ela chegava a ser inconveniente quando saíamos em turma. Era a típica bajuladora. Chamava os superiores do marido até de 'chefinho'. Todo mundo da turma percebia a forçação de barra, incluindo o Nestor [Cerveró]."

Em maio de 2000, foi Cerveró quem apresentou o novo plano de geração térmica à diretoria executiva da Petrobras. A empresa se tornaria sócia minoritária de 29 das 49 térmicas do PPT. Onze delas deveriam ser acopladas a refinarias e unidades de fertilizantes da companhia, com o objetivo de abastecê-las de energia. As demais se voltariam para a geração de eletricidade para o mercado. Delcídio e Cerveró pareciam estar convencidos de que a estatal ganharia muito dinheiro com a venda de energia. As térmicas transformariam o gás natural (que até ali só dera despesas para a Petrobras) em eletricidade, um produto que deveria ser muito mais rentável. Foi essa a tônica das apresentações dos dois executivos à diretoria e ao conselho de administração da Petrobras.

A urgência havia baixado a qualidade dos projetos da estatal. Para acelerar o início da operação, nenhuma das usinas teria uma alta eficiência energética, ou seja, não seriam usinas de cogeração nem de ciclo combinado, pelo menos na primeira etapa do funcionamento. A construção da parte que realiza o reaproveitamento do vapor seria feita depois, o que fatalmente reduzia a rentabilidade dos projetos. Esse era o preço da pressa.

Depois de subestimar o problema, o Ministério de Minas e Energia entrou em desespero para evitar o racionamento, e a Petrobras, a estatal mais rica da União, tornou-se uma boia de salvação. Além do otimismo dos executivos de Gás e Energia da empresa, não se pode menosprezar o fato de que três membros do conselho de administração da estatal eram ministros de Estado: Rodolpho Tourinho (Minas e Energia), Pedro Malan (Fazenda) e Pedro Parente (Casa Civil).

Em pouco mais de um ano, a diretoria de Gás e Energia fechou parcerias para construir quase três dezenas de térmicas, a maioria com sócios estrangeiros como as americanas Enron, Texaco, El Paso, Duke e NRG; a japonesa Marubeni; a portuguesa EDP; a francesa EDF; a espanhola Iberdrola; a sueco--suíça ABB; a espanhola-argentina Repsol YPF; a franco-belga Tractebel, entre outras. A área de Gás e Energia havia adquirido enorme importância dentro da estatal e do governo. Em 2001, cogitou-se até criar uma subsidiária para reunir as térmicas da companhia. Segundo Delcídio, a empresa filhote já tinha até nome, Petrobras Energia, e ele próprio seria o presidente.

Nas reuniões de diretoria, Delcídio discorria sobre as dificuldades que sua equipe vinha enfrentando para tirar as termelétricas do papel. Um dos dramas era a falta de turbinas a gás, indisponíveis no mercado mundial, pois as fabricantes de equipamentos estavam cheias de encomendas. "Tive de telefonar diretamente para o Jack Welch", disse Delcídio em entrevista na época, referindo-se ao lendário presidente da GE, de quem a Petrobras comprou um lote desses equipamentos.[3] "O Delcídio gostava de falar nomes de pessoas importantes, mostrar que era bem relacionado. A história do Jack Welch virou até galhofa entre nós, da diretoria", conta um ex-diretor da companhia.

Um dos modelos de negócios firmados pela equipe de Delcídio — e que traria prejuízos à estatal — foi o das térmicas merchants. Nesse caso, as usinas funcionam apenas em períodos de pico de consumo. Diferentemente do que ocorre no modelo tradicional, em que a geradora fecha um contrato com uma distribuidora — já com prazo e preço definidos —, as merchants ficam à disposição do ONS e são remuneradas com base no preço spot (valor negociado pelo mercado no período efetivo da geração). São usinas feitas para operar em períodos de escassez de energia, quando o preço da eletricidade explode. É assim que ganham — ou deveriam — ganhar dinheiro.

As merchants já eram bastante comuns na Europa e nos Estados Unidos, onde a fonte de energia é predominantemente térmica. No Brasil, onde quase toda a geração era hidrelétrica, representavam um negócio totalmente novo. Em 2000, a equipe de Delcídio fechara dois contratos com térmicas desse tipo. Com a americana El Paso, entrou na Macaé Merchant, atual Usina Termelétrica (UTE) Mario Lago. Com a Enron, participaria de uma térmica em Seropédica, na Baixada Fluminense, batizada de Eletrobolt (atualmente UTE Barbosa Lima Sobrinho). Uma terceira merchant, a TermoCeará, começaria a ser negociada em 2001, mas a assinatura do contrato final só ocorreria em 2002. A parceria nesse caso era com a MPX, do empresário Eike Batista, que tinha como sócia a americana MDU (Montana-Dakota Utilities).

A Petrobras entraria com o fornecimento de gás quando as merchants fossem chamadas a operar pelo ONS ("despachadas", no jargão do setor). A estatal não teria de colocar um centavo na construção das usinas, e ainda ganharia parte do lucro gerado por elas com a venda de eletricidade. Mas havia um porém: a Petrobras só teria ganhos depois que a receita das usinas cobrisse um conjunto de despesas — o pagamento dos tributos, dos custos operacionais e de manutenção, além da amortização do investimento e uma remuneração mínima sobre o capital investido.

Esse pacote de compensações foi chamado nos contratos de "contribuição de contingência", e valeria por cerca de cinco anos. Na prática, nem a Enron, nem a El Paso, nem a MPX e sua sócia MDU, nem os bancos, que financiaram as obras, corriam risco de levar prejuízo. Todo o risco ficava com a Petrobras. Ou seja, a estatal completaria o caixa das térmicas, caso elas não gerassem receita suficiente para cobrir suas despesas, incluindo a construção da usina, que permaneceria como propriedade do sócio ao final do contrato. Porém, as projeções apresentadas pela equipe de Delcídio davam essa possibilidade como praticamente descartada. O Brasil atravessaria um longo período de escassez de energia. As merchants funcionariam com frequência nos cinco ou seis anos seguintes e faturariam alto.

O problema foi que a realidade veio na forma do cenário que parecia mais remoto. A crise do setor elétrico provou-se muito mais séria do que o governo imaginava, e o racionamento foi inevitável. Durante nove meses – de junho de 2001 a fevereiro de 2002 –, indústria, comércio, residências e prédios públicos tiveram de reduzir, em média, 20% do consumo de eletricidade para que não houvesse panes no abastecimento (apesar de a crise ter ficado conhecida como "apagão", o racionamento evitou que o sistema entrasse em colapso e houvesse blecautes).

Chamada pelo governo para economizar energia, a sociedade aderiu tão fortemente ao apelo que o consumo foi reduzido além da meta dos 20%. No auge da escalada do preço da energia, o governo interveio no mercado, baixando o preço-teto do megawatt-hora para R$ 562 no Nordeste e R$ 336 no resto do país, em vez de R$ 684.[4] O tabelamento do spot impediu que as merchants lucrassem no nível máximo justamente no período de pico do preço. A contração do consumo e a entrada em funcionamento de parte das térmicas do PPT fizeram com que os reservatórios das hidrelétricas se recuperassem mais rápido que o previsto.

Como resultado, o preço da energia despencou de R$ 684, em setembro de 2001, para R$ 80, em janeiro de 2002, chegando a R$ 4 em fevereiro de 2002. Por fim, o racionamento provocou mudanças de hábitos entre os brasileiros, e o consumo de energia só voltou a ameaçar a oferta em 2009. A contração do mercado e a retomada com força total das hidrelétricas fez com que as térmicas construídas ficassem literalmente paradas (o ONS determina a entrada das usinas em operação com base nos preços ofertados por cada uma, sempre na ordem do menor para o maior). E o prejuízo da Petrobras com as térmicas merchants começou. A contribuição que a estatal deveria pagar em caráter contingencial passou a ser permanente pelo fato de as usinas não funcionarem e, portanto, não gerarem receita.

Em vez do lucro esperado, houve só prejuízo. A Petrobras pagou US$ 1 bilhão em contribuições contingenciais a seus parceiros nas três merchants. Se tivesse aguardado o fim de cada contrato, a estatal teria gasto o total de US$ 2,1 bilhões, e ficaria sem as usinas, que pertenceriam aos parceiros que investiram na construção. A estatal conseguiu estancar as perdas com a compra das três usinas em 2005 e 2006. A renegociação dos contratos foi feita durante a gestão do diretor de Gás e Energia Ildo Sauer, no primeiro mandato do governo Lula. Após negociações e litígios abertos com a El Paso, a MPX e os representantes da massa falida da Enron, as três térmicas passaram às mãos da estatal por US$ 658 milhões.[5] No final, a soma das aquisições e das contribuições pagas ainda representou US$ 340 milhões a menos do que a Petrobras gastaria só em ressarcimentos às parceiras, sem o direito de ficar com os ativos. Mas a renegociação dos contratos só aconteceria mais à frente.

De volta a 2002, os contratos das merchants viraram munição para os partidos de oposição durante a campanha eleitoral. O PT afirmava que as usinas eram verdadeiros presentes dados pela Petrobras às americanas Enron e El Paso e ao empresário Eike Batista. O contrato da TermoCeará seria o mais criticado, por ter sido assinado em março de 2002, após o final do racionamento, portanto. Nesse caso, o PT acusava o governo de ter interferido no negócio a favor de Eike Batista. Em seu livro *Tudo ou nada*, sobre Eike Batista, a jornalista Malu Gaspar detalha como se deu a negociação entre a MPX e a Petrobras.

O pontapé inicial fora dado por Eliezer Batista, ex-ministro de Minas e Energia e pai de Eike. Foi Eliezer que conseguiu para o filho uma audiência com o governador do Ceará, Tasso Jereissati. Sempre atento às questões relacionadas à infraestrutura brasileira, Eliezer acompanhava o setor elétrico com especial atenção, e enxergava os sinais da crise que se aproximava, e também as oportunidades que se abririam com ela. Por isso, fazia tempo que tentava convencer o filho a investir no ramo.

O encontro entre Eike e Jereissati ocorreu em junho de 2001, na capital cearense. O governador se empolgou com a proposta de a MPX e a americana MDU construírem uma térmica de 200 megawatts junto ao porto de Pecém, na região metropolitana de Fortaleza. Na época, Jereissati era um dos governadores mais poderosos do país, cotado inclusive para ser o candidato do PSDB à presidência.

Jereissati foi pessoalmente com Eike a Brasília encontrar o ministro da Casa Civil Pedro Parente, responsável por coordenar os esforços do governo contra o apagão. Com o aval para que a TermoCeará fosse incluída no PPT, Eike foi recebido por Delcídio na Petrobras. Três meses depois, em setembro de 2001, o empresário conseguiu um termo de compromisso assinado pela estatal que definia as condições da associação com a MPX.

A data do documento – 3 de setembro de 2001 – é a mesma da cerimônia de início das obras da usina, que contou com a participação do presidente

Fernando Henrique, de Tasso Jereissati e de Eike, acompanhado pela esposa Luma de Oliveira. A ex-modelo e coelhinha da *Playboy* roubou a cena durante o evento. Luma continuava uma beldade e acabou desviando a atenção dos convidados, que acompanhavam cada movimento de seu vestido. Depois da cerimônia, a termelétrica ficou conhecida como TermoLuma.

Quando o contrato final da TermoCeará foi levado à aprovação da diretoria executiva da estatal, o racionamento já havia acabado e transformado completamente o cenário do setor. O preço do megawatt-hora, que chegara a R$ 4, não justificava mais os temos da negociação original. Delcídio e Cerveró, que haviam iniciado as tratativas, tinham saído da companhia, assim como o presidente Reichstul. Para completar, o termo de compromisso assinado pela estatal havia vencido. Era a chance de a companhia abandonar o projeto. A MPX, por sua vez, alegou que já havia comprado equipamentos, tomado empréstimos bancários e iniciado as obras da termelétrica. Tudo com base no termo de compromisso assinado pela estatal.

Francisco Gros, então presidente da Petrobras, discutiu o assunto com o novo diretor de Gás e Energia, Antonio Luiz Silva de Menezes. Os dois chegaram à conclusão de que seria antiético aproveitar o vencimento do termo de compromisso para sair do negócio, considerando que a Petrobras acompanhava a obra regularmente e não havia dado sinais de que poderia desistir. A estatal aprovou o consórcio com a MPX em março de 2002,[6] depois de reduzir o preço da energia da TermoCeará para US$ 58,67 por megawatt-hora, em vez dos US$ 63,84 acertados anteriormente. Mesmo assim, o preço ficaria muito acima do spot nos anos seguintes, e a Petrobras teria de pagar US$ 141 milhões em contribuições contingenciais, mais do que os US$ 137 milhões pagos pela compra da usina em 2005.

A constatação de que a Petrobras estava fazendo péssimos negócios no setor elétrico aconteceu já durante o racionamento. Reichstul, então presidente da estatal, contratou um especialista em energia para fazer uma apresentação sobre a área a um grupo de executivos da companhia. Tratava-se do engenheiro eletricista Mario Veiga Pereira, dono da empresa PSR (Power System Research, nome em inglês por ter sido fundada nos Estados Unidos na década de 1980). Veiga havia trabalhado no Centro de Pesquisas de Energia Elétrica (Cepel) e no Electric Power Research Institute, responsável por gerenciar toda a pesquisa do setor elétrico americano.

A certa altura da apresentação, Veiga afirmou que os preços da energia iriam despencar em breve e permaneceriam baixos por um bom tempo, até que o país fosse atingido novamente por secas sucessivas. Nesse momento, Reichstul interrompeu a apresentação e começou a questionar o consultor. "Como assim, os preços vão despencar? As projeções que temos são de que o preço permanecerá alto pelos próximos cinco ou seis anos", exclamou o presidente da estatal.

Veiga deu sua explicação. Como a principal fonte de energia no Brasil é a hidráulica, o custo de geração costuma ser bastante baixo quando a hidrologia é favorável — ou seja, quando chove normalmente. O preço da hidreletricidade é baixo porque é a força da água que movimenta as turbinas das hidrelétricas, e a água é um recurso renovável pelo qual a usina não tem de pagar para operar. Depois que o investimento da construção é pago, o custo de gerar a energia é quase zero. A situação muda, porém, quando chove pouco por vários anos e a água dos reservatórios seca. O preço da energia vai para a estratosfera. Pelo histórico de chuvas do Brasil, o custo da energia tende a se manter muito baixo por vários anos e muito alto por curtos períodos de tempo.

Já em países abastecidos principalmente por térmicas, os preços são mais estáveis. Isso porque as termelétricas têm de arcar com o custo do combustível — seja ele gás, carvão, óleo combustível ou nuclear — indefinidamente para conseguir funcionar. O preço, portanto, não cai quase a zero. Como a geração a gás ficou mais barata que as de outras termelétricas, essas usinas se tornaram negócios lucrativos na Europa, nos Estados Unidos e na Ásia. Dificilmente ficam paradas, sem gerar receita, o que aconteceria no Brasil quando os reservatórios enchessem e as hidrelétricas voltassem a funcionar a plena carga.

Ao final da apresentação, o alerta vermelho havia acendido para Reichstul. Os contratos fechados pela Petrobras não refletiam as especificidades do setor elétrico brasileiro. Haviam sido importados de países onde a geração térmica responde pela maior parte do fornecimento. Mas a essa altura a petroleira já estava com mais de uma dezena de contratos e termos de compromisso assinados (muitos dos quais não saíram do papel). "O Reichstul saiu visivelmente abatido da apresentação", diz um executivo presente no auditório. "Ali caiu a ficha. Tínhamos entrado em uma fria."

Como uma empresa do tamanho da Petrobras foi capaz de fechar negócios tão ruins? Cerveró tentou responder à pergunta em 2006, quando ocupava a diretoria Internacional da companhia, durante o governo Lula. "Todos os cenários contratados — lembro mais uma vez que esse não era o nosso ramo — mostravam um despacho frequente das termelétricas", afirmou o executivo ao jornalista Raimundo Pereira, contratado pela diretoria de Gás e Energia para reconstruir as negociações das térmicas merchants.

Daquela apresentação em diante, a situação de Delcídio e de Cerveró ficou desconfortável dentro da companhia. Delcídio deixou a Petrobras logo em seguida, em outubro de 2001, para entrar na política. Havia acertado sua candidatura ao Senado pelo PT do Mato Grosso do Sul. A escolha da legenda surpreendeu os colegas da estatal. Todos sabiam que ele era ligado ao PMDB, e que havia sido indicado por Jader Barbalho. Mas Delcídio foi pragmático. O PMDB já tinha candidato ao Senado, Ramez Tebet, um nome tradicional na política do Mato Grosso do Sul. Quando o governador sul mato-grossense Zeca do PT sinalizou que ele teria guarida na legenda, Delcídio não teve dúvida e se filiou ao partido. Antes de se eleger, assumiu a Secretaria de Infraestrutura e Habitação do Mato Grosso do Sul.

A despedida dos colegas da estatal aconteceu na churrascaria Porcão, no Aterro do Flamengo. Delcídio passou de mesa em mesa para conversar com os diretores e gerentes que participaram do almoço. Chegou até a se emocionar, derramando algumas lágrimas, ao falar da saída da companhia. A um dos grupos, confessou que se sentia deslocado na Petrobras. "Não lembro as palavras exatas, mas ele disse que, por mais que todos fossem cordiais, havia um discreto cordão de isolamento entre ele e os demais diretores, que o enxergavam como um político. Ele achava que era hora de optar por um caminho, e havia decidido pela política", relatou um executivo que participou da despedida.

A candidatura à vaga de senador também surpreendeu os colegas. Afinal, ele nunca havia concorrido a qualquer cargo. Partir direto para o Senado era um desafio e tanto. "Cheguei a dizer que ele estava fazendo uma bobagem de sair da empresa para concorrer em uma eleição em que não tinha chances de ganhar. O nome dele ainda era um traço nas pesquisas [eleitorais]", disse outro diretor. "Nós tínhamos liberdade para falar esse tipo de coisa. Ele era um cara boa-praça. Ótimo papo para tomar um uísque. E ele respondeu, com aquele jeitão calmo, que eu estava enganado. Ele iria ganhar, sim." E ganhou.

Cerveró perdeu o cargo de gerente executivo no mesmo dia em que Antonio Luiz Silva de Menezes assumiu a diretoria de Gás e Energia. Antes, Menezes era diretor de Engenharia e Serviços (mais tarde rebatizada de diretoria de Serviços). Depois de alguns meses no ostracismo, Cerveró saiu mais uma vez da Petrobras, em abril de 2002. Foi trabalhar como assistente do presidente da Comercializadora Brasileira de Energia Emergencial (CBEE), um dos novos agentes do setor elétrico criados durante a reforma.

O revés na carreira de Cerveró duraria pouco. Em 2003, quando o PT ganhou as eleições, ele voltou à Petrobras e em cargo mais alto. Cerveró tinha um amigo senador pelo partido do governo — seu ex-chefe, Delcídio do Amaral, eleito para o Senado pelo PT do Mato Grosso do Sul, o indicou para a diretoria de Gás e Energia. Como a vaga já tinha dono — Lula havia indicado o professor universitário Ildo Sauer —, Cerveró assumiu a diretoria Internacional. Delcídio e Cerveró haviam se tornado amigos pessoais. As famílias, com filhos pequenos e adolescentes, se visitavam.

Além dos maus negócios das térmicas, a passagem de Delcídio pela Petrobras deixou uma suspeita de corrupção. Em 2000, no meio da correria das negociações e da construção das termelétricas, Delcídio pediu autorização da diretoria executiva para comprar turbinas em regime de urgência. Segundo ele, a maneira mais rápida de conseguir os equipamentos seria a negociação direta com as fabricantes, ou seja, sem licitação ou outro tipo de concorrência. O mercado mundial de turbinas a gás estava superaquecido. Se fossem esperar a assinatura de todos os contratos para fazer as encomendas, as obras não sairiam no prazo. A diretoria acatou a proposta, e a estatal encomendou turbinas à Alstom e à GE. "Em um momento de escassez como aquele, era um trunfo conseguir os equipamentos. Se tudo fosse feito honestamente, seria ótimo para a empresa", diz um ex-diretor. Hoje, já se sabe que as negociações não foram honestas.

O assunto das turbinas volta e meia reaparecia nas conversas de corredor da estatal, mas nada era provado — nem investigado, apesar de a Polícia Federal ter esbarrado no caso anos antes. Em 2006, o consultor Luiz Geraldo Tourinho Costa foi preso pela Polícia Federal de Curitiba na Operação Castores, que investigava corrupção em estatais do setor elétrico. Em seu depoimento, Tourinho Costa afirmou ter emprestado a conta bancária de uma empresa sua no Uruguai para que a filial da Alstom na Suíça fizesse depósitos para funcionários da Petrobras envolvidos na construção da TermoRio (atual Usina Termelétrica Governador Leonel Brizola).[7]

Segundo ele, um executivo da Alstom chamado José Reis (vice-presidente da área de energia entre 1999 e 2004) pediu que ele simulasse uma prestação de serviços para a Alstom suíça e assim pudesse receber valores que deveriam ser repassados a outras pessoas. Tourinho Costa fez o favor ilícito e em troca ficou com 5% dos valores movimentados. Uma operação típica de lavagem de dinheiro.

No depoimento à PF, o consultor afirmou ter recebido da multinacional US$ 550 mil em uma ocasião e € 220 mil em outra.[8] Disse ainda ter distribuído o dinheiro conforme instruções recebidas de executivos da Alstom no Brasil, sem conhecer os destinatários. O depoimento de Tourinho Costa veio a público em 2008, mas a investigação acabou arquivada.

Oito anos depois, a Lava Jato jogou luz sobre as negociações das turbinas da época do racionamento. Em acordo de delação premiada, Nestor Cerveró afirmou que ele e Delcídio receberam propina da Alstom pela compra de turbinas quando eram, respectivamente, gerente executivo e diretor de Gás e Energia, ainda no governo Fernando Henrique Cardoso.[9]

Cerveró alegou ter recebido US$ 700 mil em um banco suíço, mas afirmou não saber o valor pago a Delcídio. Disse apenas que certamente o ex-chefe ganhou muito mais que ele. Outros três gerentes abaixo de Cerveró teriam recebido US$ 500 mil da Alstom (Luís Carlos Moreira da Silva, Rafael Comino e Cezar Tavares). Em 2010, antes de cair em desgraça no Brasil, Cerveró foi pego pela Justiça suíça, e teve de fazer um acordo com o Ministério Público de lá. Acabou abrindo mão do dinheiro para não ser processado naquele país.

Ainda segundo Cerveró, Delcídio teria recebido propina também da GE pela encomenda de turbinas para equipar outras termelétricas. Nessa operação, Cerveró não teria ganhado vantagens indevidas, mas Delcídio teria recebido US$ 10 milhões pelo contrato. Durante o período em que dirigia a área Internacional da estatal, Cerveró também teria repassado ao já senador US$ 1,5 milhão da propina gerada pela compra da Refinaria de Pasadena.[10] Era 2007, e Delcídio estava em apuros para pagar dívidas da campanha ao governo de Mato Grosso do Sul, que havia perdido no ano anterior.

A amizade dos dois acabaria durante a Lava Jato, quando Cerveró partiu para o tudo ou nada, na tentativa de se livrar da cadeia. Já inimigos, Delcídio, que também se tornou delator, confessou ter recebido propina da Petrobras, mas apenas sobre a compra de Pasadena. O valor teria sido de US$ 1 milhão, em vez de US$ 1,5 milhão, como dissera Cerveró. Delcídio também negou ter recebido qualquer vantagem indevida da Alstom e da GE.[11] Nessa guerra de versões, a Polícia Federal e o Ministério Público ainda levarão tempo para esclarecer a extensão dos crimes de cada um. Mas já é possível saber que ambos tomaram parte no petrolão.

10. A partilha do poder

A crise que atingiu a Petrobras em 2014 começou a ser gestada com doze anos de antecedência, logo após a eleição de 2002, durante a partilha do poder executada pelo PT e os partidos da coligação que elegeram Lula presidente. Depois de três tentativas fracassadas de chegar à presidência da República, os principais líderes petistas convenceram-se de que era preciso ter apoio, muito apoio para chegar ao poder. Lula, presidente de honra do partido e candidato à presidência, e José Dirceu, presidente da legenda na época, só divergiam sobre o tipo de aliança a ser feita. Dirceu defendia uma aliança ampla com o PMDB, o maior partido do país. Lula preferia se aliar a partidos menores, muitos deles de aluguel. Para o candidato, o que interessava era ter o maior número possível de legendas — e, portanto, o maior número de votos na Câmara e no Senado, independentemente do espectro ideológico que a coligação pudesse adquirir.

A vontade de Lula prevaleceu, e Dirceu — formado sob a rígida disciplina e obediência hierárquica das organizações de esquerda à moda antiga — cumpriu sua missão: comandou a "transformação do PT numa máquina para eleger Lula", como definiu a jornalista Daniela Pinheiro, autora de um extenso perfil do ex-ministro na revista *piauí*.[1] "Foi ele quem disciplinou as diversas correntes do partido e anestesiou as alas à esquerda, forjando a política de coligações e a estratégia da campanha nos moldes tradicionais — com financiamento junto ao grande empresariado e a contratação de marqueteiros custosos", escreveu Daniela.

Em 1º de janeiro de 2003, o PT chegou ao poder com muito apoio. Onze partidos, incluindo inimigos históricos como Paulo Maluf, aderiram à campanha de Lula no segundo turno. Pela esquerda, PCB (Partido Comunista Brasileiro), PC do B (Partido Comunista do Brasil), PSB (Partido Socialista Brasileiro), PPS (Partido Popular Socialista), PV (Partido Verde) e PDT (Partido Democrático Trabalhista). Pela direita, PL (Partido Liberal), PGT (Partido Geral dos Trabalhadores, incorporado pelo PL em 2003), PMN (Partido da Mobilização Nacional), PSDC (Partido Social Democrata Cristão) e PTB (Partido Trabalhista Brasileiro). O apoio da direita ainda se estendeu a setores do PPB (Partido Progressista Brasileiro, atualmente PP, de Maluf e do falecido José Janene) e até o clã Sarney[2] (o ex-presidente era do PMDB, e Roseana, do PFL, partido da base aliada do PSDB).

O problema é que, na política, apoio tem um preço, e, nesse tipo de negociação, a moeda de troca costuma ser os cargos públicos. Em 2003, além de ministros, presidentes e diretores das principais estatais e órgãos públicos, havia cerca de 22 mil[3] cargos federais passíveis de nomeação em todos os estados da federação. São postos que descem até o terceiro escalão, em delegacias regionais de ministérios, como as do Trabalho e as da Agricultura, e em órgãos como Ibama, Dnit, Funai. Logo após a festa da vitória histórica de Lula, começaram as negociações, que mais tarde se transformaram em disputas e brigas fragorosas.

José Dirceu assumiu a direção do Conselho Político,[4] um grupo com representantes de cada partido da coligação criado para facilitar as negociações com os aliados e o próprio PT, que brigaria ferozmente para ficar com o maior número de posições. Na prática, Lula e Dirceu foram os responsáveis por negociar os nomes dos ministros e dos presidentes das principais estatais e dos órgãos federais. As quedas de braço foram tão disputadas que, dois meses depois, a poucos dias da posse, José Dirceu desabafou numa entrevista: "Nunca mais quero participar da montagem de um governo".[5]

A tarefa de preencher o segundo e o terceiro escalões foi designada ao então secretário de Organização do PT, Silvio Pereira, homem de confiança de Dirceu. Silvinho, como é conhecido, foi um dos fundadores do PT, em 1980, e sempre trabalhou para a máquina partidária, sendo coordenador operacional em todas as campanhas de Lula à presidência. A primeira sede do partido em Osasco, na região metropolitana de São Paulo, ficava nos fundos da lanchonete Cebolinha, que pertencia à sua família. "Ele passava o dia vendendo cachaça e quibe no balcão do bar e de olho no que acontecia no partido", lembrou o ex-deputado João Paulo Cunha, também do PT de Osasco.[6]

Formado em Ciências Sociais pela Pontifícia Universidade Católica (PUC) de São Paulo, Silvinho ascendeu na hierarquia do partido até chegar ao diretório nacional em 1997. Na época, já havia ajudado Dirceu a se eleger e reeleger presidente da legenda, em 1995 e 1997. Ele também tinha ficado famoso entre a militância por errar expressões, falando "peguei o *bode* andando", em vez de "o bonde andando", ou "não adianta tapar os olhos com a peneira", em vez de "tapar o sol com peneira". Em 1999, assumiu o cargo de secretário de Organização do PT com a missão de profissionalizar o partido, uma obsessão de Dirceu. Nesse período, Silvinho coordenou a criação de um cadastro geral de filiados, reunindo e-mails e telefones de cerca de 400 mil petistas. Também participou da elaboração do estatuto do partido, usado para enquadrar os rebeldes que se opunham às medidas propostas pelo governo, com Lula já empossado, como a reforma da Previdência. "Minha função é ser um guardião do estatuto do PT. Se os rebeldes puderem fazer o que quiserem, a comitiva fica desmoralizada e a bancada, fragilizada", disse ao jornalista Ilimar Franco, do jornal *O Globo*, em maio de 2003.[7]

Silvinho permaneceu como um fiel soldado do partido, mesmo depois de ter seu sonho de participar do governo frustrado por Lula. Logo após a vitória, o presidente eleito chamou Silvinho e Delúbio Soares, o então tesoureiro do partido, para uma reunião.[8] Queria saber quais as aspirações deles a partir dali. As respostas foram imodestas. Silvinho queria ser presidente dos Correios. Delúbio sonhava em comandar o BNDES. Lula descartou ambos os pedidos. Disse que eles deveriam continuar trabalhando para o PT, e que o partido não poderia transferir todos os seus quadros para o governo. Silvinho aceitou a decisão e, obediente, passou a repetir que o cobertor era curto para acomodar tantos pedidos de cargos. Delúbio, no entanto, ficou enfurecido, principalmente depois de ouvir de Lula que ele estava "querendo algo maior que ele".

Depois dessa reunião, Silvinho foi incumbido de organizar a distribuição de cargos de segundo e terceiro escalões do governo. Delúbio, decepcionado, não quis participar do trabalho. Durante cinco meses, Silvinho fez mais de uma centena de reuniões com petistas e aliados para discutir a distribuição de cargos federais em todos os estados. Foram mais de 130 cadernos preenchidos com anotações de pedidos e resultados de cada negociação.[9] Sob sua orientação, foi criado até um portal na internet, o Sistema Geral de Indicações (SGI), para receber currículos de profissionais indicados para preencher as vagas.[10] Um dos campos obrigatórios do formulário de inscrição era justamente o do nome do padrinho político do candidato.

Cerca de quatrocentos petistas de alto coturno (membros do diretório nacional, deputados, senadores, governadores e prefeitos) tinham acesso ao SGI para inserir o currículo de seus apadrinhados. Os partidos aliados ajudavam a abastecer o banco de candidatos enviando os currículos de indicados a Dirceu e José Genoino (eleito presidente do PT após a indicação de Dirceu à Casa Civil). Silvinho também era responsável por entrevistar os candidatos aos principais cargos ligados ao governo, entre eles — como seria revelado anos mais tarde — os de futuros diretores da Petrobras. A palavra final não era dele, claro, mas de Dirceu e, dependendo da posição, de Lula.

Silvinho contou com a ajuda do advogado Fernando Antônio Guimarães Hourneaux de Moura, simpatizante do PT desde os primeiros anos de fundação do partido. Moura sempre colaborou com as campanhas eleitorais petistas, particularmente com as de Dirceu, de quem havia se tornado amigo. Costumava organizar almoços e jantares para angariar fundos, ocasiões em que reunia pessoas de seu círculo social, entre elas empresários de pequeno e médio porte.

Em novembro de 2002, tão logo saiu o resultado das urnas, Moura, que vivia em São Paulo, mudou-se para um quarto do hotel Blue Tree, em Brasília, cedido por um amigo. Seu plano era trabalhar com Dirceu, já cotado para ser o ministro-chefe da Casa Civil. Dirceu, no entanto, disse que não teria como empregar o amigo no governo, mas lhe deu uma orientação: Moura deveria procurar uma empresa para que Dirceu o "ajudasse em nível de governo".[11] Essa era a senha para que ele se tornasse um lobista nos moldes brasileiros. Ou seja, passasse a ganhar dinheiro com a intermediação de negócios entre o setor privado e o setor público, vendendo facilidades por conhecer alguém poderoso na máquina governamental, nesse caso, um ministro de Estado.

Moura se conformou com a justificativa, principalmente depois de saber o que havia ocorrido com Silvinho e Delúbio Soares. A partir daí, "colou em Silvinho", como ele mesmo disse ao Ministério Público, e se tornou seu assistente na tarefa de organizar as nomeações para o novo governo. Sua função era ajudar a organizar o cadastro do SGI e também participar das entrevistas de "seleção". Quando os cargos eram mais importantes, no entanto, Silvinho lhe pedia para ficar do lado de fora.

Dois anos e meio depois, em julho de 2005, Silvinho revelou como havia sido o clima das negociações de cargos no governo Lula — mas guardou segredo sobre passagens indecorosas, que só foram reveladas uma década mais tarde pela Lava Jato. Segundo ele, as brigas mais encarniçadas ocorreram entre os presidentes dos partidos da base aliada, sedentos por indicar correligionários a cargos de estatais como o Banco do Brasil, a Petrobras, o Instituto de Resseguros do Brasil (IRB) e a Infraero. A declaração foi dada durante depoimento à Comissão Parlamentar Mista de Inquérito (CPMI) dos Correios, que investigou a existência de corrupção dentro da estatal depois que um diretor foi filmado recebendo R$ 3 mil de um falso empresário. O diretor corrupto fora indicado pelo deputado federal Roberto Jefferson, do PTB do Rio de Janeiro.

O caso acabou se desdobrando no escândalo do mensalão, que derrubou Dirceu com apenas dois anos e meio de governo e o levou à prisão em 2013. As investigações revelaram que Silvinho havia recebido um carro Land Rover de presente da empreiteira GDK, prestadora de serviços da Petrobras.[12] Àquela altura, em julho de 2005, a petroleira já era refém de um complexo esquema de corrupção que combinou um cartel de fornecedores com o pagamento de propina a dirigentes da companhia e a partidos políticos.

O caso de Silvinho, no entanto, foi considerado isolado na época, e as investigações não evoluíram na direção da petroleira. Silvinho, então secretário-geral do PT, acabou se desfiliando da legenda e fechou um acordo com o Ministério Público Federal, homologado pelo ministro Joaquim Barbosa, do STF, que extinguiu seu processo em troca de 750 horas de trabalho comunitário. Delúbio foi expulso do PT e condenado a oito anos e onze meses de prisão (após dez meses ele passou a cumprir pena em casa). Moura, por sua vez, foi orientado por Dirceu a se afastar de suas funções e a deixar o país.[13] Mesmo assim, ele continuaria recebendo uma "ajuda" por suas "colaborações" ao partido e ao governo.

O sinal de que a Petrobras passaria por mudanças profundas durante o governo Lula foi dado logo no início, com a escolha de um político para ser o presidente da estatal. José Eduardo Dutra, ex-senador do PT por Sergipe, acabara de ser derrotado na eleição de 2002 ao governo do estado. Dutra aceitou se candidatar mesmo sabendo que iria para o sacrifício, pois tinha menos possibilidades de se eleger governador do estado do que teria para se reeleger ao Senado. O PT, no entanto, não tinha outro nome para lançar em Sergipe e considerava fundamental estar na disputa.

Durante a cerimônia de passagem do cargo, o então presidente Francisco Gros, que assumira a estatal no início de 2002, disse, sem cerimônia, que já havia presidido várias empresas, mas que aquela era a primeira vez que entregava o cargo a um político. O PT até ensaiou a resposta em entrevistas à imprensa afirmando que a nomeação de Dutra não era simplesmente política, já que ele é geólogo de formação e havia trabalhado na subsidiária de mineração da Petrobras, a Petromisa (empresa extinta durante o governo Collor).

Dutra formou-se, de fato, em geologia pela Universidade Federal Rural do Rio de Janeiro (UFRRJ). Trabalhou como geólogo em uma empresa privada durante dois anos e se mudou para Sergipe acompanhando a mulher, também geóloga, que havia sido aprovada no concurso da Petrobras e fora transferida para o Nordeste. Desempregado, ele começou um mestrado na Universidade Federal da Bahia, mas não levou o curso adiante. Conseguiu emprego em uma prestadora de serviços que atendia a Petromisa, em Sergipe, e mais tarde foi admitido em um cargo de nível médio da própria Petromisa, que não exigia concurso público. Isso foi em 1983. Depois, Dutra participou da fundação do sindicato dos mineiros de Sergipe e seguiu a trajetória sindical paralelamente à militância no PT. Sua vivência na área de negócios, porém, era zero.

Pouco depois de assumir a presidência da Petrobras, Dutra teve seu currículo questionado publicamente pela imprensa por não atender aos requisitos mínimos estabelecidos no estatuto da empresa para a função.[14] O conselho de administração da estatal havia aprovado em 7 de novembro de 2002 — depois da eleição de Lula, portanto — uma série de exigências que os postulantes à diretoria executiva deveriam apresentar. "Foi uma tentativa de blindar a companhia, para que os cargos de comando não fossem ocupados por pessoas sem a qualificação necessária", diz um ex-diretor do período Gros.

Outros petistas foram barrados pelo mesmo motivo em outras estatais. João Vaccari Neto, então presidente do Sindicato dos Bancários de São Paulo e dirigente da CUT, não pôde assumir a presidência da Caixa Econômica Federal por não ter curso superior. Pelo mesmo motivo, Paulo Bernardo, que na época era deputado federal pelo Paraná, também não conseguiu a presidência do Banco do Brasil.

Pelas regras da Petrobras, os membros da diretoria executiva deveriam ter sólido conhecimento do mercado nacional e internacional; ser reconhecidos pelo mercado em sua área; ser capazes de atuar estrategicamente junto a entidades e públicos externos com o objetivo de fortalecer a imagem da empresa; ter experiência em cargos executivos de grandes companhias, além de dominar a língua inglesa.

De acordo com especialistas em seleção de altos executivos, o ideal seria buscar um presidente que preenchesse todos esses requisitos, considerando o tamanho e a complexidade das operações da Petrobras. A maioria dos head hunters alerta que as habilidades do executivo podem variar de peso, dependendo do perfil da empresa e do papel que ele terá nela. A falta de conhecimento do mercado de petróleo, por exemplo, poderia ser compensada caso o candidato tivesse experiência na reestruturação financeira e estratégica de outras companhias. Todos afirmam, no entanto, que era impensável escolher um presidente que não atendesse a nenhum dos requisitos. Era o caso de Dutra.

A nomeação de Dutra dividiu o mercado. Parte dos analistas de empresas de petróleo considerou a escolha um retrocesso, principalmente depois de a estatal ter elevado seu padrão de governança nos anos anteriores. "A Petrobras virou um Fórmula 1 pilotado por um motorista comum, não por um piloto de alto desempenho", diz um analista de mercado. O próprio Dutra reconheceu que era natural que o mercado ficasse inicialmente ressabiado com sua indicação. "Eu nunca havia tido um cargo executivo. Eu nunca tinha sido presidente de uma empresa, e, de repente, ser presidente da maior empresa do Brasil", disse em depoimento ao Projeto Memória Petrobras, gravado em 2003.

Outra parte dos analistas entendeu que a chegada de um político ao comando da empresa não seria tão relevante, já que o controlador da companhia é o governo federal e, portanto, por mais técnico que o presidente da estatal seja, sempre terá de se submeter ao acionista majoritário. Para esses analistas, o que mais importava era que o corpo gerencial da estatal permanecesse nas mãos de profissionais qualificados e experientes, o que também não foi cumprido integralmente.

Cinco dos seis membros da diretoria executiva foram substituídos com a chegada de Dutra. A exceção ocorreu na área de Abastecimento, na qual o diretor Rogerio Manso permaneceu por mais um ano e quatro meses. À primeira vista, o que se enxergava na escalação inicial de diretores eram quatro funcionários com longa carreira na estatal e dois com formação acadêmica respeitável, mas sem experiência no mundo dos negócios. Entretanto, um exame mais cuidadoso do histórico de cada um dos novos componentes da cúpula da estatal — somado às descobertas reveladas pela Operação Lava Jato — mostra que as principais sementes do desastre da Petrobras foram plantadas já no início do governo Lula.

Para comandar a área de Exploração & Produção (E&P), foi nomeado o geólogo Guilherme Estrella, conhecido como técnico destacado e dedicado, que havia trabalhado durante 29 anos na Petrobras e estava aposentado desde 1994. Nos quase dez anos em que permaneceu fora da estatal, Estrella dedicou-se a comercializar bromélias e a dirigir o PT de Nova Friburgo, cidade da região serrana do Rio de Janeiro para onde se mudou. O fato de estar afastado do setor por quase uma década alimentou as críticas à sua nomeação. Nove anos fora da área significaria uma era geológica em um setor que se alimenta de tecnologia o tempo todo, disseram os críticos. Este, no entanto, seria o menor dos problemas, considerando que o cargo de diretor requer mais habilidades de gestão e visão estratégica do que atualização tecnológica, facilmente suprida por subordinados.

Para nomes do mercado e executivos da própria companhia, o grande problema do novo diretor de E&P era sua ideologia, classificada como "dogmática" por dez entre dez colegas de trabalho que conviveram com ele (e concederam entrevista sob a condição de não serem identificados). Defensor do monopólio estatal, Estrella acredita que "o setor de petróleo deve ser administrado pelo Estado, para produzir energia e gerar empregos".[15] "Ele não enxerga a Petrobras como uma empresa que precisa gerar lucro para continuar investindo. Aliás, a impressão é que ele considera 'lucro' um pecado", diz um executivo da área de Planejamento da companhia. Estrella, que se autointitula nacionalista, também defende (ou, pelo menos, defendia) que a petroleira priorize empresas brasileiras em suas contratações. "Em termos estratégicos, o empresário nacional é o melhor parceiro da Petrobras, até porque fala português",[16] afirmou em entrevista em março de 2003. Esse tipo de visão muitas vezes colidia com os interesses da própria Petrobras, uma companhia que comercializa commodities, em que cada centavo de custo faz diferença para a rentabilidade, principalmente em um ambiente de economia altamente globalizada. Para Estrella, aliás, "petróleo não é uma commodity, mas um bem estratégico e nacional".[17]

Ao contrário da maior parte dos executivos — que haviam participado do período de abertura de mercado nos anos 1990 e se acostumado a elaborar e seguir planos de negócios —, Estrella voltou à companhia convencido de que as mudanças realizadas durante sua ausência tinham um só objetivo: "preparar a Petrobras para a privatização". Dizia e repetia a frase com frequência, principalmente durante as apresentações dos funcionários encarregados de explicar o modelo de governança da companhia aos novos diretores, nos primeiros meses de 2003. Nesse tipo de ocasião, Estrella também mostrava sua pouca afeição por instrumentos de gestão, como Comitês de Negócios, grupos com gerentes executivos de diversas áreas da companhia que tinham a função de discutir, por exemplo, os prós e os contras de um empreendimento antes de ele ser levado à aprovação da diretoria executiva. Outra função desses comitês era preparar os gerentes executivos para as discussões de questões estratégicas, decididas pela diretoria — afinal, eles eram possíveis candidatos às vagas futuras de direção. No relato do mesmo executivo da área de Planejamento, o diretor de E&P dizia que os comitês eram "perda de tempo".

O engenheiro Ildo Sauer, professor titular da Universidade de São Paulo, foi nomeado para comandar a área de Gás e Energia. Militante da ala intelectual do PT, Sauer é dono de um currículo acadêmico respeitado. É mestre em energia nuclear e planejamento energético pela Universidade Federal do Rio de Janeiro (UFRJ) e doutor em energia nuclear pelo reputado Massachusetts Institute of Technology (MIT), nos Estados Unidos. Parte de sua tese sobre gerenciamento de combustível nuclear foi incluída em um livro da American Nuclear Society adotado por várias faculdades de engenharia nuclear, entre elas o MIT. De volta ao Brasil em 1985, trabalhou no programa do submarino nuclear da Marinha até se transferir para o Instituto de Eletrotécnica e Energia (IEE) da USP, em 1991, a convite de David Zylbersztajn, que se tornaria o primeiro diretor-geral da Agência Nacional do Petróleo (ANP) no governo FHC. A partir daí Sauer se dedicou a estudar e ensinar disciplinas da área de energia, principalmente a de planejamento energético.

Sauer havia sido uma figura-chave durante a campanha presidencial de 2002. Junto com o físico Luiz Pinguelli Rosa, professor da UFRJ, formulou a política energética de governo apresentada por Lula na campanha presidencial.

Os dois também prepararam a base do discurso do candidato petista sobre o racionamento de energia de 2001, um dos principais motivos da derrota do PSDB na eleição de 2002. Apesar do estofo acadêmico, Sauer não tinha experiência como executivo de negócios, menos ainda em uma empresa de grande porte como a petroleira.

A exemplo de Estrella, Sauer era chamado secretamente por funcionários da companhia de "puro-sangue" petista. Segundo ele, os setores de energia, petróleo e mineração deveriam ser controlados pelo Estado por serem "setores especiais". Seus produtos, gerados pela natureza, pertencem a toda a sociedade. Além disso, esses segmentos costumam gerar lucros muito superiores aos dos demais segmentos. Por isso, o Estado seria o agente mais adequado para garantir que o excedente de riqueza criado por essas atividades fosse devolvido ao conjunto da sociedade.[18]

Sua ideologia — declaradamente comunista — vai além. Sauer costuma dizer que os verdadeiros comunistas e os verdadeiros capitalistas têm um princípio fundamental em comum: não desperdiçam nem capital nem trabalho. Ambos deveriam perseguir igualmente a eficiência dos processos produtivos. "A diferença entre eles está no que é feito com o lucro gerado pelo emprego do capital e trabalho. Enquanto os capitalistas se apropriam de todo o lucro para si, os comunistas pretendem distribuí-lo para a sociedade", explica o professor universitário.[19] Foi esse ponto — a defesa do lucro da Petrobras — que colocou Sauer em campo oposto ao governo e a vários de seus colegas de diretoria. Sauer contestou ordens e projetos que dariam prejuízo à Petrobras, e acabou demitido em 2007.

A diretoria Financeira coube ao economista José Sergio Gabrielli, um dos fundadores do PT na Bahia. O currículo acadêmico de Gabrielli também é respeitável. Ele fez mestrado e doutorado na Boston University e foi pesquisador visitante durante quase dois anos na London School of Economics, na Inglaterra. A saída de Gabrielli do país, em 1976, foi provocada pela repressão aos militantes de esquerda. Membro da Ação Popular Marxista-Leninista (APML), Gabrielli trabalhou no jornal *Tribuna da Bahia*, traduzindo e editando notas da agência de notícias Associated Press. Em 1971, foi demitido do jornal por ordem da ditadura e, em 1973, foi condenado à prisão, cumprindo seis meses de pena. Na época, estava com 24 anos. Depois de sair da prisão, cursou o mestrado na Universidade Federal da Bahia (UFBA), concluído em 1975. Com a dificuldade de encontrar trabalho por ser fichado como militante de esquerda, conseguiu uma bolsa de estudos da Fundação Rockefeller para fazer um novo mestrado, dessa vez na Boston University, concluindo-o em 1979 (o doutorado só foi concluído em 1987, e o pós-doutorado, realizado em Londres, entre 2000 e 2001).

Em 1980, já com a anistia, Gabrielli voltou ao Brasil. Foi nessa época que conheceu dois sindicalistas — Lula e Jacques Wagner (este da Bahia, e que se tornaria governador e ministro de Estado). Com eles, participou da fundação do Partido dos Trabalhadores na Bahia. Mesmo com as temporadas fora do Brasil, Gabrielli sempre foi um militante aguerrido, um homem de partido. Chegou a panfletar pelo interior do estado montado em um jegue. Antes de se tornar diretor Financeiro da Petrobras, foi professor titular da Faculdade de Ciências Econômicas da UFBA, onde chegou a pró-reitor de pós--graduação e pesquisa.

Ele também não tinha experiência alguma como executivo de negócios, e nunca havia trabalhado na área financeira de uma empresa, em qualquer cargo que fosse. No dia em que seu nome foi divulgado como diretor da estatal, as ações da companhia caíram 5,22% na Bolsa de Valores. Mas Gabrielli manteve intacta a equipe anterior, já conhecida do mercado financeiro. Em seguida, realizou uma série de palestras para se apresentar a bancos de investimentos mundo afora. A mensagem era de que não haveria grandes mudanças na companhia, e o plano de negócios deixado pela administração anterior seria respeitado. Essa postura, somada à promessa de manutenção do equilíbrio da economia — assumida pela equipe econômica do governo, liderada pela dupla Antonio Palocci, na Fazenda, e Henrique Meirelles, no Banco Central —, ajudou a diminuir a desconfiança dos investidores.

A diretoria de Serviços foi designada a Renato de Souza Duque, engenheiro que trabalhava havia 25 anos na companhia, desde 1978. Apesar de ser funcionário de carreira da estatal, sua nomeação provocou surpresa entre os colegas pela ascensão incomum. Duque pulara três posições de uma vez, saindo de uma gerência de divisão, a de Contratação de Sondas de Perfuração, no terceiro nível abaixo da diretoria. Seguindo os critérios de meritocracia adotados na empresa, não era um nome cogitado para assumir a função. Os funcionários brincavam, comparando a promoção de Duque às acrobacias realizadas pela ginasta brasileira Daiane dos Santos. "Foi um salto digno de medalha de ouro, um duplo twist carpado."

Com o tempo, espalhou-se pela companhia e pela imprensa a notícia de que a indicação de Duque partira de José Dirceu, o então todo-poderoso ministro da Casa Civil. A versão mais comentada era a de que as mulheres de Duque e de Dirceu tinham algum grau de parentesco, o que teria facilitado a ascensão de Duque. Diretores e gerentes da estatal compartilharam a história por anos, inclusive em vários depoimentos da Operação Lava Jato. Dirceu realmente avalizou o nome do novo diretor de Serviços da Petrobras; era ele que dava a palavra final sobre a maior parte dos cargos negociados por Silvinho. O ministro da Casa Civil tinha especial interesse na maior empresa do país, de cujo conselho de administração pretendia ser membro. Seu nome fora até anunciado pela imprensa como parte do colegiado, mas o plano foi frustrado pelo estatuto da companhia, que não permite a nomeação de parlamentares (e Dirceu fora eleito deputado federal por São Paulo em 2002).

A escolha de Duque para a diretoria da petroleira foi um caso clássico de tráfico de influência, segundo revelou à Justiça Fernando Moura — o amigo de Dirceu, que queria trabalhar no governo.[20] Em setembro de 2015, Moura fechou um acordo de delação premiada para reduzir a pena por crimes cometidos contra a Petrobras. Na versão contada aos procuradores do Ministério Público, ele teria apresentado o nome de Duque para Silvinho Pereira no início de 2003, a pedido de um conhecido, o empresário Licínio de Oliveira Machado, um dos sócios da Etesco, empresa de porte médio sediada em São Paulo que prestava serviços de perfuração para a Petrobras. Moura havia conhecido Licínio e seus dois irmãos e sócios (Ricardo e Sérgio) em 2002, durante um dos eventos de arrecadação de fundos para a campanha de Dirceu à Câmara.

Após a eleição, Licínio teria abordado Moura para fazer um pedido: queria que ele repassasse o currículo de Duque a Silvinho. Afinal, Moura era próximo do PT, conhecia José Dirceu e estava auxiliando Silvinho na organização do preenchimento dos cargos do governo. Por sua vez, Duque era um funcionário de carreira da Petrobras. Teria sido recomendado por um ex-diretor da companhia chamado Hélio Lins Marinho Falcão[21] (falecido em junho de 2015). Falcão dirigiu a área de Perfuração da estatal no início dos anos 1990 (quando a diretoria de E&P ainda estava dividida em três: exploração, perfuração e produção). No início dos anos 2000, já aposentado, prestava consultorias esporádicas à Etesco. Duque, que havia passado boa parte da carreira na área de perfuração de poços, era um dileto ex-subordinado de Falcão. Nos últimos tempos, trabalhava na contratação de sondas de perfuração, justamente uma das áreas em que a Etesco pretendia crescer em prestação de serviços para a Petrobras.

Moura teria se empenhado em atender o pedido, e Silvinho teria aceitado a indicação, chamando Duque para uma entrevista. O encontro teria acontecido no hotel Sofitel da Vila Mariana, em São Paulo. Moura afirma que não participou da entrevista, mas foi avisado de que Duque tinha boas chances de ocupar a vaga. Quando o nome de Duque foi confirmado, Moura teria promovido um almoço para comemorar com os irmãos da Etesco. Como agradecimento a seu empenho na indicação de Duque, a Etesco teria passado a lhe pagar US$ 10 mil por mês. Os depósitos — feitos a cada três meses, em somas de US$ 30 mil — teriam se estendido durante todo o tempo em que Moura ficou fora do país. Segundo ele, o acordo entre a Etesco, Duque e o PT teria rendido somas bem mais volumosas, das quais ele não teve parte. A cada contrato assinado com a Petrobras, a Etesco devolveria um percentual, a propina, que seria repassada ao partido e a Duque.[22]

Meses depois, em janeiro de 2016, em audiência com o juiz Sérgio Moro, Fernando Moura mudou parte da versão que havia dado aos procuradores do Ministério Público Federal. Disse que José Dirceu não havia sido responsável pela indicação de Renato Duque. Afirmou também que o ex-ministro não o havia orientado a sair do país quando estourou o escândalo do mensalão. Em seguida, ao ser confrontado pelo MPF, Moura voltou atrás novamente. Confirmou o primeiro depoimento que incriminava José Dirceu, e disse que havia mudado a versão por ter se sentido ameaçado. Segundo ele, um homem desconhecido o teria abordado na rua e perguntado sobre seus netos, episódio que ele entendeu como uma ameaça velada. No segundo depoimento ao juiz, Moura contou que foi o próprio Dirceu que lhe confirmou a nomeação de Duque: "No dia 1º de fevereiro de 2003, teve uma recepção na casa da Roseana Sarney... ela fez um jantar para o pai dela, que tinha sido indicado presidente do Senado. O José Dirceu tinha me ligado para que eu fosse ao jantar... quando eu cheguei no jantar, ele [Dirceu] estava ao lado da piscina com umas cinco pessoas... quando eu abracei o Zé, ele virou para mim e falou assim: 'Nomeei hoje o Duque'". Em maio de 2016, Fernando Moura foi condenado[23] a dezesseis anos e dois meses de prisão pelo juiz Sérgio Moro. O juiz também determinou sua volta à cadeia (ele estava em prisão domiciliar) por ele ter mentido e, portanto, quebrado o acordo de delação premiada.

A relação do ex-diretor de Serviços com o ex-ministro José Dirceu ainda não havia sido totalmente esclarecida até junho de 2016. Licínio Machado, da Etesco, negava ter indicado Renato Duque.[24] O fato é que José Dirceu e Renato Duque possuíam outros pontos de proximidade além da comunhão de interesses relacionados à estatal. Os dois nasceram em cidades vizinhas, na divisa de São Paulo com Minas Gerais, a menos de 30 quilômetros de distância uma da outra. Duque nasceu em Cruzeiro, no nordeste paulista, e Dirceu, em Passa Quatro, no sul mineiro. A família da esposa de Duque também é passaquatrense, assim como a família de Evanise Santos, esposa do ex-ministro entre 2003 e 2011. Os dois eram próximos o suficiente para que Dirceu fosse à festa de casamento de um dos filhos de Duque.[25] Outros próceres do PT também compareceram ao casamento, entre eles João Vaccari Neto, o ex-tesoureiro do partido.

Na escalação da diretoria da Petrobras, a área Internacional ficou com Nestor Cerveró. Ele havia ocupado o cargo de gerente executivo na diretoria de Gás e Energia, subordinado a Delcídio do Amaral, no governo de Fernando Henrique Cardoso. Depois de ser mandado para a geladeira pelo desempenho na área de geração termelétrica, Cerveró voltou por cima para a estatal, indicado pelo ex-chefe, que agora era senador, e pelo PT.

Por fim, Rogerio Manso permaneceu à frente da área de Abastecimento, como o único remanescente das administrações Reichstul e Gros. Formado em engenharia civil pela Universidade do Estado do Rio de Janeiro (UERJ) e pós-graduado em gestão pela Universidade de Nova York, Manso ingressou na Petrobras em 1979 e construiu a carreira na área de comercialização de petróleo e derivados. Antes de chegar à diretoria de Abastecimento, o executivo havia chefiado durante quatro anos a área de comercialização de petróleo e combustíveis da Petrobras em Nova York. Entre pares e ex-chefes, Manso é considerado um dos representantes das últimas gerações de ouro formadas na área de abastecimento da Petrobras. "Além de serem treinadas para conhecer os processos de refino, as empresas refinadoras, os armadores, as rotas de navegação e a geopolítica do petróleo, essas gerações passaram pela prova de fogo de comprar e vender combustíveis na década de 1980, sob o impacto do segundo choque do petróleo", diz Armando Guedes Coelho, ex-presidente da companhia e criador do curso dado aos profissionais de comércio exterior que entram na companhia, pelo qual Manso passou.

* * *

Nunca ficou claro por que o governo não mexeu na diretoria de Abastecimento durante quase um ano e meio. Há duas teses para explicar a sobrevida de Rogerio Manso. Uma delas teria sido o temor de uma invasão do Iraque pelos Estados Unidos, conflito que, de fato, ocorreu em março de 2003. Uma guerra na maior região produtora de petróleo do mundo poderia causar problemas de abastecimento em países importadores como o Brasil, e Manso tinha experiência em situações críticas. Na maior greve enfrentada pela Petrobras, em 1995, quando os sindicatos pararam as refinarias durante 32 dias, a companhia conseguiu abastecer o país só com os estoques e a importação de derivados. A continuidade do abastecimento foi um feito que poucas pessoas da indústria consideravam possível. Na época, Manso era o responsável pela importação de produtos da companhia. As compras internacionais chegaram a quintuplicar durante semanas, alcançando 1 milhão de barris de óleo equivalente ao dia.

No início de 2003, ao ser chamado a Brasília para discutir os possíveis impactos da guerra, Manso informou ao governo que não havia motivo para alarme. Dificilmente faltariam derivados no país. O Brasil era muito menos dependente de petróleo e derivados importados, e a Petrobras tinha equipes monitorando os principais mercados mundiais. O governo, no entanto, teria preferido não arriscar. Por mais que tivesse deixado de ser uma empresa majoritariamente de refino, como fora durante décadas, a Petrobras continuava (e continua) sendo vista como responsável por manter as bombas de combustível funcionando em todo o país. Uma falha nessa área seria interpretada como sinal de ineficiência do novo governo.

A segunda justificativa para a permanência de Manso é a de que o PT teria adiado sua substituição em razão da disputa acirrada entre os partidos aliados, que reivindicavam o direito de indicar o diretor de Abastecimento. Uma das áreas sob o guarda-chuva de Abastecimento é a de refino, que planeja e propõe a construção de novas refinarias. O PSB, de Anthony e Rosinha Garotinho (que acabava de ser eleita governadora), e o PPB, de José Janene, eram os mais ávidos pelo cargo. (O PPB seria rebatizado de Partido Progressista, PP, em abril de 2003.)

Janene, deputado federal pelo Paraná e umas principais lideranças do PPB/

PP, havia negociado o apoio ao governo com o PT, enfrentando a resistência de muitos membros de sua legenda, que não concordavam em ingressar na base aliada. Fechado o acordo, Janene pleiteava cargos de peso na estrutura estatal, já que o PP não tinha sido agraciado com nenhum ministério até então (o PSB ficara com Ciência e Tecnologia). Anthony Garotinho também queria indicar o diretor de Abastecimento. Seu objetivo era ganhar influência na estatal para que a próxima refinaria brasileira fosse construída na cidade de Campos, sua base eleitoral. Diante do impasse, o governo teria decidido protelar a mudança para não se indispor logo de início com nenhum dos aliados em disputa.

A batalha entre os dois partidos foi ganha pelo agora rebatizado de PP, que indicou Paulo Roberto Costa para o lugar de Manso em maio de 2004. Antes disso, porém, três caciques pepistas fizeram uma visita a Manso com o pretexto de apresentar Janene, que assumira a Comissão de Minas e Energia da Câmara dos Deputados. No dia agendado, Janene chegou acompanhado pelos deputados Pedro Corrêa, do PP de Pernambuco, e João Pizzolatti, do PP de Santa Catarina.

Foi Janene quem explicou a Manso o motivo do encontro. Disse que o Partido Progressista havia feito um acordo com o Palácio do Planalto e que participaria da base de sustentação do governo no Congresso. Dito isso, pediu que Manso providenciasse uma lista com o nome de todas as empresas com as quais sua diretoria fazia negócios. O diretor — que havia participado da resistência à formação de um esquema de corrupção em sua área durante o governo Collor — respondeu que não faria lista alguma. Disse, ainda, que eles transmitissem sua resposta à pessoa que os havia enviado. Em seguida, os três se despediram e deixaram a sala do diretor. O episódio repercutiu em Brasília no dia seguinte — pois os três parlamentares reclamaram a membros do governo — e reverberou na Petrobras.

Pouco depois, Manso perdeu o cargo de diretor para Costa. Na ocasião, a imprensa noticiou que o então presidente da estatal, José Eduardo Dutra, havia tentado segurar Manso por considerá-lo um profissional de alto nível, mas acabara cedendo à pressão do PP e do presidente Lula. Dutra pediu para Manso assessorá-lo na presidência, embora pouco o acionasse no dia a dia. Meses depois, Dutra sugeriu que ele assumisse a gerência executiva de comercialização de Gás e Energia, na diretoria de Ildo Sauer, onde Manso permaneceu por mais dois anos antes de deixar a companhia.

A visita dos deputados do PP a Rogerio Manso ajuda a explicar como foi executado durante anos o plano de arrecadação de propinas para abastecer o partido do governo e os de seus aliados. Mostra ainda que não há diferença entre mensalão e petrolão. Os dois escândalos são, na verdade, apenas partes de um mesmo esquema de corrupção. Começaram a ser implementados ao mesmo tempo, com os mesmos objetivos e mecanismos.

A lista de fornecedores pedida por Janene serviria para que lobistas e operadores pudessem procurar as empresas, oferecer facilidades e pedir propinas. Na verdade, os deputados poderiam obter as informações de outra maneira, sem pedir ao diretor de Abastecimento. No entanto, precisavam testá-lo, saber se ele entraria no esquema — ou se, pelo menos, não atrapalharia. Daí por diante, caberia às fornecedoras superfaturar os valores dos contratos pagos pela estatal e, depois, devolver parte do dinheiro recebido a políticos e funcionários corruptos que aceitassem dilapidar sua empregadora. Para ocultar a origem e o destino dos valores roubados, entrariam em cena especialistas em lavagem de dinheiro. Por fim, as fornecedoras — principalmente empreiteiras, no caso da Petrobras, e agências de publicidade, no caso do mensalão — eram beneficiadas com contratos vantajosos, sem ter de fazer muita força para multiplicar suas receitas e lucros.

Dois dos três deputados do PP que tentaram cooptar Rogerio Manso para o petrolão tornaram-se réus no processo do mensalão, escândalo que se tornou público em 2005. Corrêa foi condenado a sete anos e dois meses de prisão pelos crimes de corrupção passiva, lavagem de dinheiro e formação de quadrilha. Também foi condenado a pagar multa de R$ 1 milhão. Janene, que era réu pelos mesmos crimes, morreu em 2010, antes do julgamento. Mas em sua sentença o ministro Joaquim Barbosa, do Supremo Tribunal Federal e relator do julgamento, confirmou o envolvimento do deputado falecido: "O réu Pedro Corrêa (PP-PE), juntamente com o réu José Janene, determinou que o corréu João Cláudio Genú [assessor parlamentar do PP] executasse os recebimentos das vantagens indevidas pagas por Delúbio Soares e Marcos Valério". Apesar de João Pizzolatti ter sido acusado por Roberto Jefferson como o segundo homem do PP no esquema do mensalão, não foram encontradas provas contra ele, e o deputado não foi denunciado pela Procuradoria-Geral da República.

O deputado Pedro Corrêa ainda cumpria pena domiciliar em 2015 quando foi novamente preso sob a acusação de ter recebido R$ 5,3 milhões desviados da Petrobras. A acusação foi feita pelo ex-diretor Paulo Roberto Costa. Alberto Youssef também sustenta em seus depoimentos que, após a morte de Janene, os deputados Pizzolatti, Corrêa, Mário Negromonte (PP da Bahia) e Nelson Meurer (PP do Paraná) assumiram a operação do esquema de corrupção junto à diretoria de Abastecimento. Cada um recebia R$ 250 mil e R$ 500 mil por mês das propinas originadas nos contratos fechados na área de Costa. Eles também garantiam que o resto da bancada pepista no Congresso recebesse uma mesada entre R$ 1,2 milhão e R$ 1,5 milhão. Ao todo, o PP teria desviado R$ 358 milhões da Petrobras entre os anos de 2006 e 2014, de acordo com o procurador-geral da República Rodrigo Janot.[26] Em maio de 2016, a PGR havia instaurado inquéritos contra 32 parlamentares e ex-parlamentares do PP, partido com o maior número de envolvidos na Lava Jato. Pizzolatti era investigado em cinco inquéritos, Negromonte e Meurer, em dois, e Pedro Corrêa, em um.

A chegada de Paulo Roberto Costa à diretoria executiva da Petrobras completou a formação da diretoria que transformou a estatal em uma máquina de fazer dinheiro para políticos, funcionários, fornecedores, lobistas e doleiros. Costa se encarregaria de cuidar dos interesses do PP, enquanto Nestor Cerveró serviria aos interesses do PMDB e do PT e Renato Duque cuidaria dos interesses do PT.

Por enquanto, não se chegou a nenhuma conclusão quanto ao envolvimento de Dutra com o esquema de corrupção instalado na empresa. Ele faleceu em outubro de 2015, vítima de câncer, pouco antes de ser ouvido pelos procuradores do MPF que trabalham na Lava Jato. O que se sabe é que sob sua presidência já eram realizados os primeiros negócios escusos que geraram propina para o seu partido e para membros do governo. Dutra ainda retornou à estatal em duas outras oportunidades. Em 2007, assumiu a presidência da subsidiária de distribuição da petroleira, a BR Distribuidora, onde permaneceu até 2009. Em março de 2012, voltou à Petrobras pela terceira vez, agora junto com a nova presidente da companhia, Graça Foster. Dessa vez, foi nomeado para o cargo de diretor Corporativo e de Serviços, que reunia as áreas de governança e gestão, recursos humanos, segurança operacional, meio ambiente e serviços compartilhados, esta última herdada após a divisão da diretoria de Serviços, comandada por Renato Duque até 2012.

11. Os novos doutores

Em meados de 2003, Murillo Brandão, o gerente da Universidade Petrobras (unidade de ensino corporativo da estatal), foi chamado para uma reunião na Federação Única dos Petroleiros (FUP), entidade que reúne sindicatos da categoria ligados à Central Única dos Trabalhadores (CUT). A convocação chegou por carta, dando hora e local do encontro, na sede da FUP, no centro do Rio de Janeiro. Murillo, como é conhecido na companhia, perguntou ao chefe se sabia a razão do encontro e se deveria ir. Geralmente o contato das entidades era com o pessoal de remuneração e benefícios, não com a área de treinamento. Seu chefe recomendou que ele fosse, e alertou: "Os sindicatos estão mandando muito agora. É melhor entender o que eles querem".

Murillo preparou uma apresentação para mostrar como a Universidade Petrobras funcionava. Ao chegar à sede da FUP, foi encaminhado para um auditório e se surpreendeu com o número de pessoas que o esperavam. Eram cerca de trinta representantes de sindicatos de todos os lugares do país em que a Petrobras tem operação relevante. O encontro não teve um formato de reunião, foi mais parecido com um interrogatório. Os sindicalistas sentaram-se na plateia, de frente para Murillo. A apresentação durou cerca de trinta minutos, sem nenhuma interrupção. Ao final, o funcionário da Petrobras explicou que estava à disposição para esclarecer qualquer tipo de dúvida que eles tivessem.

A primeira pergunta provocou um choque em Murillo: "Como a área de treinamento da Petrobras fazia para 'passar' a ideologia dos tucanos aos funcionários?". Primeiro, o gerente pensou que não tivesse entendido direito a pergunta, ou que ela não tivesse sido bem formulada. Mas era exatamente aquilo que ele ouvira. "Como a área de treinamento da Petrobras fazia para 'passar' a ideologia dos tucanos aos funcionários?", ouviu de novo.

Ele respondeu que a Petrobras não tinha nenhum tipo de curso ou método com esse objetivo, e que a empresa sempre se orgulhara do tipo de qualificação que proporcionava a seus funcionários. Ele, pessoalmente, não achava correto que a área de treinamento da companhia se prestasse ao papel de doutrinar ideologicamente os empregados. Todos os cursos ministrados aos funcionários da estatal, incluindo os da área de administração e economia, tinham como base conteúdos ensinados nas melhores universidades do país e do mundo. Murillo ainda repetiu o conceito da Universidade, falou sobre a importância da formação continuada para a companhia, mas não era aquilo que os sindicalistas queriam ouvir.

Outras três pessoas fizeram perguntas que giraram em torno do mesmo assunto; só haviam sido elaboradas de forma diferente. Ele nunca esqueceu a maneira como uma delas se referiu a ele: "Nós percebemos que existe um pensamento dominante entre vocês, gerentes do FHC". Ao relatar o episódio, Murillo ainda fica exaltado: "Eu não acreditava que alguém pudesse pensar daquela forma no século XXI". Além de perplexo, o gerente se sentiu ofendido. Respondeu que "não era gerente do FHC coisa nenhuma. Era gerente da Petrobras". E, ao contrário do que eles imaginavam, ele próprio tinha votado para eleger o presidente Lula, e seu voto tinha o mesmo valor que o de cada um presente naquela sala.

A reunião foi uma decepção total para Murillo. "Eu fui até lá preparado para explicar o que fazíamos na companhia. Acreditava que fosse possível replicar o nosso know-how de treinamento para outras estatais e órgãos da administração direta do governo. Esse era um dos meus sonhos". Engenheiro mecânico de formação, Murillo foi o primeiro colocado da turma de 1979 no curso de inspeção de equipamentos, uma das especializações de entrada na empresa. Graças à colocação no concurso, foi o primeiro a escolher o local de trabalho, e decidiu ir para Natal, capital do Rio Grande do Norte. Pai muito jovem, ele queria cuidar da família numa cidade menor e, em sua opinião, menos violenta que o Rio de Janeiro da época.

Interessado pela área de qualidade, Murillo começou a treinar os técnicos que coordenava com base nos conceitos japoneses de qualidade total, já difundidos no Japão, mas praticamente desconhecidos no Brasil na década de 1980. A habilidade de ensinar acabou resultando na mudança de carreira de Murillo, que migrou da área operacional para a de recursos humanos. Foi uma mudança radical na companhia, que nunca tivera um engenheiro liderando uma área de RH.

A primeira experiência no novo ramo foi gerenciar o treinamento dos funcionários de produção em Natal. Mais tarde, tornou-se gerente de treinamento da mesma área para o país inteiro. O interesse em ensinar pessoas acabou se transformando em militância, que culminou na criação da Universidade Petrobras (UP), uma das maiores estruturas de ensino corporativo do país. O projeto da UP foi apresentado e aprovado em 1999, durante a gestão de Reichstul, e Murillo foi seu primeiro gerente. Em 2004, menos de um ano depois da reunião na FUP, ele foi afastado da gerência da Universidade. "Acho que eles continuaram acreditando que eu era um gerente do FHC e que propagava o ideário tucano dentro da empresa."

Além de partilhar o poder com a ampla gama de partidos que ajudaram a eleger Lula, o novo governo teria de contentar os inúmeros sindicatos com os quais o PT tinha um compromisso histórico. Era esperado que militantes petistas e sindicalistas tivessem papel de destaque no governo Lula. A maneira como se deu a ocupação na Petrobras, no entanto, foi além. Os sindicatos ganharam poder total na nomeação dos vários níveis de cargos de chefia. O ex-sindicalista Diego Hernandes tornou-se chefe de gabinete da presidência da Petrobras e ganhou o apelido de "o homem da lista". Ele era o portador da relação com os nomes dos funcionários que deveriam ter preferência para assumir cargos de chefia na estatal. Esses nomes eram recomendados por líderes sindicais ou partidários, e passados a Hernandes principalmente por Silvinho Pereira. O critério para entrar na lista era ter um conhecido poderoso em algum sindicato ou em um partido da coalizão eleita.

Hernandes ingressou na Petrobras em 1978 como técnico de construção e montagem na Refinaria de Capuava, em Mauá, cidade do ABC Paulista. Lá, entrou para o sindicato dos petroleiros, ligado à CUT. Quando a petista Marta Suplicy assumiu a prefeitura de São Paulo, em 2001, ele foi cedido pela Petrobras para trabalhar como assessor da presidência da Companhia de Engenharia de Tráfego (CET), subordinada à administração municipal. Em 2003, voltaria à Petrobras, mas para trabalhar na sede da companhia, no Rio de Janeiro, diretamente com o presidente da estatal, uma posição antes impensável para um concursado de nível médio.

Depois, em 2005, ele foi promovido a gerente executivo corporativo de Recursos Humanos, o mais alto posto da companhia na área de gestão de pessoal, com salário mensal equivalente a R$ 70 mil em valores atualizados. Depois de ocupar o cargo por mais de sete anos, Hernandes foi destituído da função em novembro de 2012 pela presidente Graça Foster. O ex-sindicalista teve a imagem desgastada por reportagens que revelaram o aumento do seu patrimônio. Ele adquirira várias propriedades rurais e terrenos urbanos no interior de São Paulo em sociedade com dois irmãos, um deles falecido em 2009. Os irmãos trabalhavam como camelôs até a ascensão de Hernandes na Petrobras. O valor de mercado dos imóveis seria de R$ 11 milhões.[1]

Os jornais também mostraram que ele era sócio de uma empresa que recebeu a doação de um terreno da prefeitura de Jales, no interior de São Paulo, administrada por um petista.[2] O terreno fora concedido para que a empresa da qual Hernandes era sócio com parentes implantasse uma fábrica de produtos odontológicos no local. As reportagens denunciavam também que a cidade de Jales era a segunda maior beneficiada com verbas da Petrobras destinadas ao Fundo da Infância e Adolescência, atrás apenas de Campinas (SP). O convênio entre a Petrobras e a prefeitura de Jales fora assinado pelo gerente de comunicação regional da estatal José Aparecido Barbosa, ex-sindicalista que chegou ao cargo de gerência também em 2003, indicado pelo Sindicato dos Petroleiros.

Em 2003 e 2004, quando ainda era chamado de "o homem da lista", Hernandes não só negociava as nomeações dos novos chefes com os diretores da estatal, como também validava com os líderes sindicais a indicação de nomes sem ligação com as entidades de representação dos trabalhadores. Caso o funcionário tivesse histórico que desagradasse aos sindicalistas, era vetado, independentemente de quem o tivesse recomendado.

Até a ministra de Minas e Energia, Dilma Rousseff, teve uma indicação barrada. Dilma havia indicado Rodolfo Landim para assumir a diretoria de Exploração & Produção da petroleira. Landim era um funcionário experiente da estatal. Havia passado pelas áreas de produção da Amazônia e de Sergipe e comandado a maior região produtora de petróleo do país, a Bacia de Campos. Sua atuação mais recente fora na diretoria de Gás e Energia, ainda no governo Fernando Henrique. Foi nesse período que teve os primeiros contatos com Dilma, quando ela era secretária de Energia, Minas e Comunicação do Rio Grande do Sul.

Landim havia se destacado em todas as posições ocupadas dentro da companhia, e também tinha uma formação acadêmica admirável. Graduado em engenharia civil na UFRJ, fez especialização em engenharia de petróleo na Universidade de Alberta, no Canadá, e um curso de gestão pela Universidade Harvard. Era o nome perfeito para a ministra, mas não para o sindicato. Landim havia desagradado os sindicalistas no período em que chefiara as operações na Amazônia e na Bacia de Campos. Era contrário aos interesses dos trabalhadores, diziam. Em razão disso, Guilherme Estrella, fundador do PT de Nova Friburgo, assumiu a diretoria de E&P, e Landim foi nomeado para a presidência da BR Distribuidora.

Outro funcionário barrado pelo sindicato dos petroleiros foi o engenheiro Rafael Schettini Frazão. Sua indicação partira de Francisco Nepomuceno Filho, que se tornou gerente executivo corporativo e braço direito de Guilherme Estrella na diretoria de E&P. Nepô, como era conhecido na empresa, era um técnico respeitado, com doutorado na Universidade do Texas e passagem pela gerência de tecnologias de exploração e produção da Petrobras na Europa. Assim que assumiu, Estrella convocou Nepomuceno para ajudá-lo a formar a equipe de gerentes de E&P.

Inicialmente, Nepomuceno convidou Frazão para a vaga de gerente executivo das regiões Norte e Nordeste. A posição era imediatamente abaixo da do diretor, e o local de trabalho seria na sede da estatal, no Rio de Janeiro. Para sua surpresa, Frazão lhe confidenciou que preferia voltar à frente de operação, mesmo que fosse em um cargo de menor importância. A gerência geral da unidade de produção do Rio Grande do Norte e Ceará, com sede em Natal, seria perfeita, apesar de hierarquicamente inferior à proposta inicial. Ele já havia morado na capital potiguar, entre 1993 e 1995, chefiando a mesma área. Além do serviço, adorava a cidade, onde ainda mantinha uma casa. Nepomuceno fez piada. Disse que era a primeira vez que via alguém rejeitar um cargo mais importante para ficar com um menos importante, e aceitou.

Estrella já estava pronto para referendar os nomes de seus novos gerentes na reunião seguinte da diretoria executiva. Antes disso, porém, teria de submetê-los ao crivo de Diego Hernandes, que mantinha cartolinas pregadas nas paredes de sua sala com os nomes de quem não poderia se tornar chefe na estatal. Frazão foi vetado justamente nessa etapa. Sua nomeação havia vazado e chegado aos ouvidos de sindicalistas do Ceará, que, imediatamente, procuraram Hernandes na sede da petroleira.

A comitiva foi liderada por Inácio Arruda, então deputado federal do PC do B e atualmente senador pelo mesmo partido. Inácio Arruda é irmão de Aloísio Arruda, funcionário da Petrobras que desde 1985 se dedicava unicamente a atividades sindicais. Aloísio foi presidente do Sindicato dos Petroleiros do Ceará de 1989 a 1993, sendo sucedido por Charles Peroba, da mesma corrente sindical. Aloísio e Peroba, portanto, eram os dirigentes do sindicato do Ceará quando Frazão chefiava a operação cearense e potiguar. Mais tarde, Peroba tornou-se assessor do deputado Inácio Arruda. Na avaliação dos sindicalistas, Frazão teria prejudicado os funcionários de Fortaleza ao transferi-los da capital cearense para Mossoró, no interior do Rio Grande do Norte. O problema tinha acontecido entre 1993 e 1994, dez anos antes, portanto.

Frazão tinha realmente enfrentado problemas com o sindicato, que, na época, não aceitava a transferência dos funcionários. A mudança, no entanto, era necessária, argumentou ele, inclusive para aumentar a segurança dos empregados. As plataformas marítimas de produção de Fortaleza estavam obsoletas e vinham registrando muitos acidentes. O remédio para o problema seria a mecanização dos equipamentos, concluíra um estudo realizado por uma consultoria contratada especialmente para avaliar a questão. Com a automação, uma parte dos funcionários de Fortaleza seria liberada para outras atividades, e a saída mais racional seria transferi-los para Mossoró, onde faltava gente qualificada. A produção no Rio Grande do Norte aumentava exponencialmente na época.

O sindicato não aceitava o programa de automação, e enviou uma carta ao então presidente da Petrobras, Joel Rennó, pedindo a cabeça de Frazão.[3] O signatário da carta era Charles Peroba, que não teve o pedido atendido por Rennó. Dez anos depois, Aloísio Arruda e Peroba foram à forra e impediram a ida de Frazão a Natal. Tanto Arruda como Peroba ocupariam altos cargos de gerência na Petrobras nos governos Lula e Dilma. Aloísio Arruda tornou-se diretor técnico comercial da Cegás, companhia cearense de distribuição de gás, nomeado como representante da Petrobras. Peroba ocupou a gerência de Relações Institucionais, subordinada à gerência executiva corporativa de Recursos Humanos, a mais alta instância de RH da estatal, sob o guarda-chuva de Diego Hernandes, entre 2005 e 2012.

Ao ter o nome do gerente barrado, Estrella ouviu as explicações de Frazão e aparentemente concordou com os argumentos do funcionário. No entanto, aceitou a negativa do sindicato. Estrella também aceitou a "eleição" de Antônio José Pinheiro Rivas como novo gerente-geral da unidade de negócios da Bahia.[4] Rivas foi nomeado para o cargo por meio de assembleias do sindicato da categoria em seu estado, contrariando os critérios de seleção utilizados numa empresa, principalmente numa organização de grande porte. Os membros do sindicato escolheram — apenas entre os funcionários sindicalizados e com militância destacada — quem deveria ocupar a mais alta função gerencial da Petrobras na Bahia, responsável por milhares de funcionários.

Sem nunca ter ocupado uma função gerencial, Rivas dedicava-se exclusivamente à direção do braço baiano da Associação dos Engenheiros da Petrobras (Aepet), estando afastado da operação da estatal havia mais de dez anos. Em um e-mail de agradecimento aos companheiros de sua unidade, com data de 7 de maio de 2003, escreveu: "O processo que começou com a indicação do meu nome talvez tenha sido o mais rico e participativo deste grande momento por que passa a Petrobras".[5] Em 2012, quando Gabrielli deixou a presidência da Petrobras e foi para o governo da Bahia como secretário de Planejamento, Rivas o acompanhou como assessor especial.

Nunca em sua história a Petrobras havia realizado tantas substituições em cargos de segundo, terceiro e quarto escalões como aconteceu a partir de 2003. Embora fossem funcionários da companhia, muitos dos gerentes nomeados por recomendação de sindicatos e legendas partidárias eram desconhecidos de suas equipes. Dedicavam-se a atividades políticas havia anos. Não tinham subido degrau a degrau, ocupando as funções mais baixas de chefia até chegarem ao cargo a que foram catapultados subitamente. Boa parte também tinha formação de nível médio, incompatível com os cargos ocupados, pelo menos considerando a prática da companhia até então. O plano de carreira da estatal foi totalmente subvertido.

Nos primeiros dias de 2003, um dos ascensoristas que controlavam o acesso ao elevador privativo do edifício-sede da companhia — destinado ao presidente e a diretores e gerentes executivos e gerentes gerais — levou uma bronca ao tentar barrar a entrada de um funcionário novo. O elevador privativo existe na companhia desde a inauguração do edifício-sede, em 1974, no Centro do Rio de Janeiro. A justificativa oficial para sua existência é evitar que os dirigentes da estatal percam tempo parando nos andares até chegar ao seu local de trabalho. É uma prática vigente em várias empresas privadas e públicas. O ascensorista tentou barrar o funcionário desconhecido, mas ouviu que "ele usaria, sim, o elevador, pois agora era chefe". Disse ainda que "as coisas na companhia tinham mudado com o novo governo". O funcionário pertencia à nova leva de ex-sindicalistas gerentes, embora na hierarquia antiga seu cargo não lhe desse direito de usar o elevador especial.

   O momento de ascensão dos líderes sindicais foi descrito por Armando Tripodi, também conhecido como Armando Bacalhau, em depoimento concedido ao Projeto Memória Petrobras em 2003. Em seu relato, Tripodi se lembrou de uma conversa que tivera com o amigo Jones Carvalho, então assessor de Jacques Wagner [ministro do Trabalho no primeiro governo Lula]. Os dois ainda tinham dificuldade de acreditar que eram tratados como "doutor Armando" e "doutor Jones". "Eu ligo lá para não sei quem, é diretor não sei da onde. Ligo para o outro amigo, é ministro. Eu acho que a gente está no poder, não está?", teria dito Jones. "É, eu acho que estamos no poder... De vez em quando, a gente se belisca", disse Tripodi, que saiu da estatal em 2016, quando ocupava o cargo de gerente executivo de Responsabilidade Social.

   Funcionário de nível médio da Petrobras, Tripodi entrou na companhia em 1978 como técnico em eletromecânica e teve toda a trajetória profissional ligada à atividade sindical. Em 2003, tornou-se assessor do presidente da Petrobras, José Eduardo Dutra. Baiano de Salvador, Tripodi fez o curso técnico de eletromecânica numa escola técnica federal e um curso de eletricidade no Senai. Após a eleição de Lula, tentou participar da equipe de transição, mas não foi selecionado no grupo inicial de quarenta petroleiros. Apesar da primeira negativa, conseguiu entrar em outro grupo de cerca de cem pessoas que se juntaram à equipe de transição montada em Brasília.

   No período de formação do governo, foi escalado para trabalhar no mesmo grupo de José Sergio Gabrielli, que se tornaria diretor financeiro e depois presidente da Petrobras. Os dois eram velhos conhecidos da militância petista na Bahia. "O Gabrielli é uma pessoa com quem tive muito contato. Outro dia estava comigo numa pendenga dessas num bairro, panfletando, perguntando se alguém tinha um carro, um trocado para a gente pagar uma Kombi [para fazer a panfletagem]", disse Tripodi, que participou da fundação do PT da Bahia junto com o ministro e ex-governador Jacques Wagner e Gabrielli.

Ainda no depoimento, Tripodi conta como a vida mudara com a eleição de Lula. Segundo ele, sua militância política e sindical fez com que ele fosse considerado a ovelha negra da família, o primo pobre, que não chegaria a lugar nenhum. No governo, percebia que algumas dessas mesmas pessoas estavam até "puxando seu saco". "Aí, eu dou umas bordoadas. Dando de troco. A vida muda. Isso eu estou sentindo hoje, do ponto de vista pessoal, essa nova fase que o Brasil está vivendo."

Um dos novos executivos que aportaram com mais status na Petrobras foi Wilson Santarosa, ex-presidente do Sindicato dos Petroleiros de Campinas. Ele assumiu a gerência executiva de comunicação institucional, cargo em que permaneceu por doze anos. Em pouco tempo, os pares de Santarosa descobriram que ele era o único gerente executivo da empresa com direito a carro e motorista pagos pela Petrobras. Santarosa também reivindicou, mas sem sucesso, que a nomenclatura de seu cargo fosse alterada para "diretor gerente", em vez de "gerente executivo". "A mensagem de igualdade que a nova direção pretendia passar aos trabalhadores parece ter ficado só no elevador executivo. De resto, eles não abriram mão de nenhum benefício que os cargos mais altos da hierarquia podem proporcionar", ironiza um funcionário que soube dos pleitos de Santarosa.

Conhecido na Petrobras como amigo do presidente Lula, Santarosa entrou na estatal como operador de refinaria, um cargo de nível médio. Ele ficou responsável por toda a verba de comunicação e publicidade institucional da estatal, que inclui patrocínios esportivos e apoios culturais — uma soma considerável, que passou de R$ 700 milhões, em 2006, para R$ 1,2 bilhão em 2014.[6] A transferência para a sede da Petrobras como executivo de comunicação provocou uma reviravolta em sua vida. Ele trocou a casa em que vivia na periferia de Americana, no interior de São Paulo, por um apartamento no Leblon, bairro nobre do Rio de Janeiro. Como gerente executivo, sua renda no mínimo decuplicou, para a casa dos R$ 70 mil. Sua mulher o acompanhou na mudança para a capital fluminense. A jornalista Geide Miguel Santarosa, que assessorava o marido no Sindicato dos Petroleiros de Campinas, conseguiu uma vaga na ouvidoria da BR Distribuidora. Santarosa foi destituído do cargo em março de 2015 pelo então presidente Aldemir Bendine.

A área de comunicação foi uma das que mais acomodaram indicações políticas. Dezenas de técnicos em química, manutenção e administração foram alocados em posições de gerência. Erasmo Granado Ferreira, por exemplo, havia sido demitido em 1993 em razão de uma greve abusiva. Readmitido em 2004, ganhou o cargo de coordenador de crises. "O emprego de tantos líderes sindicais em cargos de chefia na estatal acabou por neutralizar as possíveis reações dessas entidades ao governo", diz um ex-diretor.

12. O Clube

A partir de 2003, a Petrobras começaria a percorrer o caminho inverso ao que vinha trilhando nos anos anteriores. A estatal passaria a ser cada vez mais governo e cada vez menos empresa, ao contrário do mote adotado pelos presidentes Henri Philippe Reichstul e Francisco Gros. A estratégia de usar a estatal para criar empregos e fortalecer a indústria nacional começou a ser implementada nos primeiros meses do governo Lula. A política já havia sido anunciada durante a campanha eleitoral de 2002. Em agosto daquele ano, o primeiro programa de televisão do horário eleitoral gratuito do PT foi gravado no estaleiro BrasFels (antigo Verolme), em Angra dos Reis, no litoral fluminense.

Em entrevista a jornalistas, Lula disse que havia escolhido gravar no estaleiro para chamar a atenção para dois crimes que, segundo ele, a Petrobras estava cometendo: "O crime de levar dinheiro para fora [do país], quando estamos precisando de dinheiro aqui dentro, e o crime de gerar empregos lá fora, quando temos de criar empregos aqui".[1] Quando o programa foi ao ar, Lula apareceu falando em comício para os trabalhadores de Angra. Criticou o governo FHC e a Petrobras. Afirmou que a estatal tinha preferido contratar uma empresa estrangeira para erguer a plataforma P-50 (licitada havia pouco tempo) e faria o mesmo com as próximas duas plataformas (a P-51 e a P-52), que seriam encomendadas em breve. (Na verdade, a P-50 foi contratada em uma licitação internacional, que não excluiu empresas nacionais, mas, sim, incluiu estrangeiras.) Lula empolgou os trabalhadores presentes ao dizer que aquele mesmo estaleiro teria condições de assumir a construção das duas novas plataformas e gerar 25 mil empregos no país.

Dias antes, Lula havia participado de um encontro no Sindicato Nacional da Indústria Naval (Sinaval), no Rio de Janeiro. O petista fora o primeiro candidato a aceitar o encontro com os empresários do setor, interessados em dar sugestões aos programas de governo dos candidatos.[2] Nessas reuniões os lobbies das mais diversas áreas tentam convencer os candidatos a atender suas reivindicações, além de estabelecer contatos, de preferência diretos, com os possíveis próximos governantes e seus auxiliares.

Um dos anfitriões do encontro no Sinaval foi o empresário Augusto Ribeiro de Mendonça Neto, sócio e presidente da empresa Fels Setal — joint-venture dos grupos Pem Setal (brasileiro) e Keppel Fels (singapuriano) —, para a qual o estaleiro BrasFels/Verolme estava arrendado. No encontro com o presidenciável, Neto afirmou que a Fels Setal tinha domínio da tecnologia necessária para construir as duas novas plataformas da Petrobras.

No dia seguinte à exibição do programa eleitoral, o presidente da Petrobras, Francisco Gros, reagiu. Em entrevista ao jornal *O Globo*, afirmou ter ficado "estarrecido de ver um candidato à presidência da República emprestando seu nome, seu prestígio e seu espaço na televisão para defender interesses comerciais de um estaleiro em detrimento de outros existentes no país".[3] O presidente da Petrobras acrescentou ainda: "Se o governo amanhã achar que deve haver reserva de mercado para estaleiros nacionais, independentemente de avaliar qualidades, é uma decisão absolutamente legítima, mas que cabe ao governo, não à empresa... Cerca de 80% das nossas compras e contratações são feitas no Brasil, só que isso é muito diferente de se fechar a economia, se criar reserva de mercado e patrocinar atrasos tecnológicos".

Quando a polêmica foi criada, a licitação das plataformas P-51 e P-52 ainda estava sendo organizada, mas já estava decidido que seria uma concorrência internacional. Ou seja, permitiria a participação tanto de empresas nacionais como de estrangeiras. Ambas as plataformas eram mais sofisticadas que as utilizadas no país, e nunca um estaleiro brasileiro havia construído embarcações do tipo. Só existiam cinco delas no mundo. Diante do debate, o presidente da estatal decidiu que a licitação só seria finalizada no governo seguinte. "A decisão final será anunciada no próximo governo. O presidente, seja ele quem for, terá total liberdade de, se assim entender, cancelar as licitações e escolher o estaleiro de sua preferência, que, no caso do PT, pelo seu programa eleitoral já sabemos qual será."[4]

Após a vitória de Lula, ainda no período de transição de governo, a futura ministra de Minas e Energia, Dilma Rousseff, chamou o diretor de Engenharia da Petrobras para uma reunião. O diretor era o engenheiro Antonio Menezes, que fora escalado por Francisco Gros para representá-lo na transição. Diante de todo o desgaste com Lula durante a campanha, Gros se recusou a participar diretamente dos trabalhos. Dilma e José Sergio Gabrielli, também membro da equipe de transição na área de energia, consultaram Menezes sobre a possibilidade de a Petrobras adiar o lançamento dos editais de contratação das plataformas P-51 e P-52. A futura ministra alegou que a política de incentivo à indústria naval era uma promessa de campanha do presidente eleito. Por isso, queria que a Petrobras deixasse que o próximo governo desse início à licitação. Menezes conversou com Gros, que atendeu ao pedido de Dilma.

A pressão pela construção das plataformas no Brasil já vinha sendo feita sobre a Petrobras havia tempos. O próprio Menezes já havia sido procurado pelo deputado federal Luiz Sérgio, do PT fluminense, que o visitara na sede da estatal acompanhado pelo empresário Augusto Mendonça, do estaleiro BrasFels. Os dois eram os mais ativos na campanha pela criação de uma política de conteúdo nacional mais agressiva. Luiz Sérgio, egresso do movimento sindical, havia trabalhado como metalúrgico no estaleiro Verolme/BrasFels — e se tornaria o relator da CPI da Petrobras criada em 2014, depois da deflagração da Lava Jato.

Assim que Lula tomou posse e José Eduardo Dutra assumiu a presidência da Petrobras, a estatal alterou os editais de contratação das plataformas e definiu em 60% o percentual mínimo de conteúdo nacional dos componentes e serviços de engenharia e montagem de cada plataforma.[5] Dependendo do item, a exigência de nacionalização era de 100%. Depois de ouvir os técnicos da companhia a respeito da capacidade e dos custos dos estaleiros nacionais, Dutra hesitou em mudar os editais para o formato reivindicado por representantes da indústria naval e pelo governo do Rio de Janeiro — que lutava para que as obras ocorressem em estaleiros fluminenses. A ministra Dilma Rousseff, que também era a presidente do conselho de administração da petroleira, ordenou sumariamente que Dutra cumprisse sua ordem, e a mudança nos editais foi anunciada no final de fevereiro de 2003.

Em 31 de março de 2003, durante a cerimônia de entrega de um navio que também teve lugar no estaleiro BrasFels/Verolme, Dilma não deixou dúvidas sobre a política do novo governo em relação às estatais: "Vamos resgatar o papel de estruturadoras de desenvolvimento e da geração de empregos que as controladas federais possuem".[6] Segundo ela, a expectativa de geração de empregos estava baseada em pelo menos três medidas que o governo já havia adotado nos dois primeiros meses de 2003. Todas se referiam a obras e serviços de engenharia contratados pela Petrobras, que passariam a exigir percentuais mínimos de conteúdo local.

A primeira medida, explicou Dilma, era justamente a reedição dos editais das plataformas 51 e 52, com conteúdo local mínimo de 60%. A segunda se referia à reelaboração de duas malhas de gasodutos da Petrobras (uma ligando o Rio a Campinas, em São Paulo, e outra ligando a região Sudeste à Bahia). Juntos, os dois gasodutos custariam cerca de US$ 850 milhões, e, com a cláusula de conteúdo local, deveriam gerar 10 mil empregos. A terceira iniciativa se referia à inclusão da cláusula de exigência de conteúdo local em todos os leilões de áreas de exploração de petróleo realizados pela ANP, a partir da quinta rodada de licitações que ocorreria em 2003. Juntas, as três medidas deveriam garantir 30 mil novas vagas de emprego naquele ano. A criação de empregos passava a fazer parte das metas da Petrobras. Os planos de negócios da companhia começaram a contar com um item chamado "efeito macroeconômico", que calculava o número de empregos que deveriam ser criados com base no volume de investimentos realizados pela estatal. A empresa também passou a divulgar em seus planos de negócios quanto, do total a ser investido pela companhia, deveria "ser colocado junto a empresas nacionais".

A Fels Setal, arrendatária do estaleiro BrasFels/Verolme, ganhou, de fato, a encomenda das plataformas P-51 e P-52, em consórcio com a francesa Technip. A P-52 entrou em operação em novembro de 2007 e custou US$ 1,1 bilhão (quase US$ 200 milhões a mais que os US$ 906 previstos no contrato). A P-51 começou a funcionar em janeiro de 2009 ao preço de US$ 1 bilhão, em lugar dos US$ 800 milhões que constavam no contrato. Em 2002, a estatal previa gastar US$ 1 bilhão com as duas plataformas.

Em outubro de 2014, doze anos depois do primeiro comício de Lula no estaleiro BrasFels/Verolme, Augusto Ribeiro de Mendonça Neto, o mesmo que recepcionou Lula na sede do Sinaval em 2002, decidiu colaborar com a Justiça na Operação Lava Jato. Declarou que os contratos das plataformas, assinados em 2003 e 2004, haviam gerado pagamento de propina para o ex-diretor de Serviços da Petrobras, Renato Duque.[7] O empresário teria ouvido a informação da boca do então presidente da Keppel Fels Brasil, o singapuriano Tay Kim Hock. (Keppel Fels Brasil foi o novo nome dado à Fels Setal, quando Mendonça saiu da sociedade, vendendo sua participação à empresa de Singapura, em 2005.)

As propinas das plataformas P-51 e P-52 foram confirmadas por outro delator, Pedro José Barusco Filho, gerente executivo de engenharia da diretoria de Serviços e braço direito de Renato Duque.[8] Em depoimento à Justiça, Barusco afirmou que a propina referente à P-52 foi paga ao Partido dos Trabalhadores, a Renato Duque e a outras pessoas, embora não soubesse dar detalhes da operação, por não ter participado dessa partilha. Já no caso da P-51, o delator também ficou com parte do dinheiro, além dos valores pagos ao PT e a Duque. Barusco não soube informar o valor de propina gerado apenas pelas duas plataformas, mas explicou que a Petrobras firmou seis grandes contratos com a Keppel Fels entre 2003 e 2009, incluindo a P-51 e a P-52. Juntas, as seis encomendas renderam quase US$ 40 milhões em propinas. Metade foi para o PT e metade para a "casa", palavra usada por Barusco para designar os empregados da estatal que faziam parte do esquema. O ex-gerente ainda contou que, em 2012, quando Duque saiu da Petrobras, os dois fizeram um encontro de contas e dividiram US$ 14 milhões recebidos do representante da Keppel Fels no Brasil, o engenheiro polonês Zwi Skornicki.

Mendonça Neto decidiu fazer o acordo de colaboração premiada depois que Paulo Roberto Costa foi pego na Lava Jato e começou a delatar o funcionamento do petrolão. Após vender sua parte na Fels Setal, Mendonça Neto abriu uma nova empresa, a Setal Óleo e Gás (SOG), com a qual ganhou vários contratos com a Petrobras, principalmente na área de refino, comandada pelo diretor de Abastecimento. Em seus depoimentos, o empresário confessou ter pago pelo menos R$ 103 milhões[9] em propinas referentes a três obras (nas refinarias Repar e Replan e pela construção de um terminal de tratamento de gás natural no Espírito Santo). Os valores eram pagos para os executivos das diretorias de Abastecimento (Costa), Serviços (Duque e Barusco) e também repassados ao PP e ao PT.

O empresário revelou também que parte da propina destinada ao Partido dos Trabalhadores (R$ 4,2 milhões) foi paga por meio de doações oficiais, uma inovação na tentativa de esconder a origem dos recursos após o escândalo do mensalão. Segundo Mendonça Neto, o diretor de Serviços Renato Duque o instruiu a procurar João Vaccari Neto, ex-tesoureiro do PT, para resolver os repasses à legenda. Na sentença em que condenou os três por lavagem de dinheiro, o juiz federal Sérgio Moro classificou como "especialmente reprovável" o pagamento de propina por meio de doações eleitorais oficiais. "Talvez seja essa, mais do que o enriquecimento ilícito dos agentes públicos, o elemento mais reprovável do esquema criminoso da Petrobras, a contaminação da esfera política pela influência do crime, com prejuízos ao processo político democrático", escreveu Moro.[10] Outros empresários também confessaram ter feito doações oficiais com dinheiro desviado da Petrobras. Ricardo Pessoa, da UTC, afirmou ter repassado R$ 16,6 milhões para o PT em doações oficiais, entre 2004 e 2014.[11] "As 'contribuições' vinculadas a contratos da Petrobras começaram com a obra da P-53, em 2004", afirmou o empresário. Sempre que a UTC assinava algum contrato com a diretoria de Serviços, Vaccari, orientado por Duque, procurava Pessoa, já sabendo o valor da obra.[12]

A delação de Mendonça Neto foi especialmente importante porque começou a esclarecer como funcionava o cartel[13] das empreiteiras que dominaram os contratos de serviços de engenharia, construção e montagem da Petrobras durante pelo menos dez anos. As origens do cartel remontam à criação de um grupo de estudos, ainda na década de 1990, formado pelas principais empresas da Associação Brasileira de Engenharia Industrial (Abemi).[14] O objetivo, na época, era discutir maneiras de fortalecer o setor, que vinha combalido desde a década de 1980.

O fato é que o grupo de estudos acabou se transformando em um cartel no final dos anos 1990. Batizado de "Clube" por seus próprios integrantes, era originalmente formado pelas empresas Odebrecht, UTC, Camargo Corrêa, Techint, Andrade Gutierrez, Mendes Júnior, Promon, MPE e Setal.[15] Cada membro do grupo tinha a missão de levantar informações sobre as obras da petroleira com suas respectivas fontes dentro da estatal.

Em seu depoimento,[16] Mendonça Neto afirma: "... apesar do programa de obras da Petrobras ser anunciado pela própria estatal, a forma como os pacotes seriam divididos e quando eles seriam efetivamente licitados eram informações que dependiam de relacionamento diário com as áreas da Petrobras... A ideia das reuniões do Clube era unificar as informações e preparar uma tabela cronológica, com valores, para que as empresas pudessem, a partir daí, determinar as suas prioridades... respeitando-se sua posição no ranking, isto é, quanto cada empresa já tinha de contratos em execução com a Petrobras... o Clube, então, fazia a equalização das informações". As informações serviam para que o grupo conseguisse ter um panorama mais completo das obras da petroleira, e, então, negociar entre si quem ficaria com qual lote de cada projeto.

Segundo Mendonça Neto, em 2004 o empresário Ricardo Pessoa, presidente da UTC e da Abemi, fechou um acordo com Renato Duque. Ou seja, o representante da Petrobras, a empresa prejudicada pelo cartel, aceitou se juntar ao grupo que causava danos à sua empregadora. A partir daí os resultados do cartel "passaram a ser mais efetivos", e o número de empresas aumentou para dezesseis, explicou Mendonça Neto.[17] O Clube passou a definir a lista de empreiteiras que a Petrobras deveria convidar para cada certame. Em contrapartida, todas as empresas se comprometiam a pagar um percentual de propina sobre os contratos assinados. Pessoa atuava como uma espécie de coordenador do Clube, convocando os participantes para reuniões e organizando a fila de empresas de acordo com a carteira de obras da Petrobras. A negociação para decidir a ganhadora de cada licitação levava em conta a posição de cada uma na fila dos contratos assinados com a petroleira.

Depois de ser preso na Lava Jato, Ricardo Pessoa também assinou um acordo de colaboração premiada com a Justiça e explicou que a negociação entre as empreiteiras começava meses antes das licitações.[18] Geralmente era ele que organizava "as mesas" (como as reuniões do Clube eram chamadas por seus componentes). Nesses encontros, ele apresentava a lista das obras que seriam contratadas: "Temos quatro pacotes na Repar [Refinaria Presidente Getúlio Vargas, no Paraná] e um na RPBC [Refinaria Presidente Bernardes, em Cubatão]". Em seguida, perguntava: "Quem vai querer o pacote de Cubatão?... [Uma empresa se manifestava:] Eu vou querer Cubatão. Como é que vai ser esse aí?... [As empresas, então, calculavam o valor da obra.]... Essa obra aí é de R$ 1 bilhão, R$ 1,2 bilhão", relatou Pessoa em um dos depoimentos[19] prestados ao MPF e à Polícia Federal. Uma vez decidido quem ficaria com a obra, as demais participantes do Clube eram instruídas a "dar cobertura" à escolhida, apresentando propostas com preços mais altos. Era preciso que pelo menos duas fizessem esse papel para que o certame não fosse cancelado por falta de concorrentes.

Cabia a Pessoa entregar a Duque a relação das empresas que deveriam ser convidadas para os certames.[20] A entrada de Costa na diretoria de Abastecimento, em maio de 2004, foi decisiva para que as fraudes fossem cada vez mais efetivas e durassem anos. Isso porque a maior parte das obras contratadas com o Clube foi da área de Abastecimento. Como os diretores têm a prerrogativa de incluir ou retirar empresas das listas de convidadas, Costa também recebia os bilhetes de Pessoa para evitar a entrada de "intrusos" e garantir que a escolhida pelo Clube participasse da licitação.[21]

As obras contratadas pelas diretorias de E&P e Gás e Energia também foram fraudadas pelo cartel e geraram pagamento de propinas, porém, sem a participação de seus diretores — Guilherme Estrella (E&P), Ildo Sauer e Graça Foster (Gás e Energia). "Não tinha espaço para conversar essas coisas [com os três diretores]. Se sabiam [do esquema], conservaram isso para si", afirmou Barusco em depoimento de delação premiada.[22] Nenhum dos três apareceu nas listas dos colaboradores ou nas investigações, pelo menos até junho de 2016. Duque e Barusco, que comandavam as contratações de todas as áreas de negócios da companhia, atuavam em favor do Clube e recebiam as propinas em nome da "casa" referentes aos contratos de E&P e Gás e Energia.[23]

Com as novas participantes (OAS, Queiroz Galvão, Galvão Engenharia, Iesa, Engevix, Skanska e GDK), que ingressaram no Clube no final de 2006,[24] o cartel conseguia abarcar praticamente todos os tipos de contratações de obras de engenharia da estatal. Pelo lado dos executivos da petroleira e dos partidos que controlavam o esquema criminoso, era possível cobrar propina em praticamente todos os contratos fechados pela Petrobras. Eventualmente, o Clube apoiava a entrada de outras empreiteiras ou fabricantes de equipamentos, como aconteceu com a Carioca Engenharia, a Tomé Engenharia, a Jaraguá Equipamentos, a Alusa, a Construcap e a Fidens. As decisões, no entanto, eram sempre do "Clube VIP", expressão usada pelo empresário Augusto Ribeiro de Mendonça Neto[25] para se referir às maiores empreiteiras: Odebrecht, Camargo Corrêa, Andrade Gutierrez, UTC e OAS.

O Clube chegou a ter uma espécie de regulamento, redigido como se fosse um campeonato esportivo disputado por dezesseis equipes.[26] O item dois do manual do cartel apresentado por Mendonça Neto tinha até uma definição do "objetivo" do "Campeonato Esportivo": a obtenção de recordes e a melhoria dos prêmios. Segundo o delator, isso significava aumento de contratos, não de sobrepreço. O conluio entre o cartel e os diretores de Serviços e Abastecimento aniquilou a competição entre as empresas e a chance de a Petrobras conseguir melhores condições nas contratações. Como bem definiu o juiz Sérgio Moro, a corrupção na Petrobras tornou-se sistêmica. "As propinas passam a ser pagas como rotina e encaradas pelos participantes como a regra do jogo, algo natural e não anormal, o que reduz igualmente os custos morais do crime", afirmou Moro na sentença em que condenou três executivos da Mendes Júnior.

A definição "sistêmica" parece ainda mais adequada quando se constata que a cobrança de propinas se estendia a todo tipo de negócio realizado pela Petrobras, não apenas aos de abrangência das empresas do cartel. Da construção de uma plataforma de petróleo à aquisição de um ativo — como ocorreu com a Refinaria de Pasadena —, ou mesmo um contrato de mão de obra terceirizada, tudo gerava propina.

Os primeiros testes de funcionamento do petrolão foram feitos por Duque e o grupo político de José Dirceu, então ministro-chefe da Casa Civil (o contrato da P-52 foi assinado em 2003 e o da P-51, em 2004, tendo ambos gerado "comissões" para a diretoria de Serviços).[27] No final de 2003, Duque referendou a renovação e a ampliação de um contrato de fornecimento de mão de obra com a empresa Hope Recursos Humanos[28] (além das áreas de engenharia e de materiais, a diretoria de Duque também englobava contratos da área de serviços compartilhados como limpeza, vigilância e suporte de tecnologia da informação). A oportunidade de negócio chegou a suas mãos por indicação de Fernando Moura, o amigo de Dirceu que ajudou Silvinho Pereira na formação do primeiro governo do presidente Lula e que apresentou o currículo de Duque ao então secretário de Organização do PT.[29]

O contrato da Hope com a estatal, declarou Fernando Moura à Justiça, passou de R$ 10 milhões para R$ 40 milhões, e gerou 3% de propina. Dois terços desse valor foram destinados ao PT para cobrir despesas de campanha das eleições municipais de 2004. Moura declarou que acompanhou Silvinho pessoalmente no transporte do dinheiro aos diretórios regionais do partido no Rio de Janeiro, Vitória e Fortaleza.[30] O terço restante dos valores ficava inicialmente com o próprio Moura. Duque não fazia questão de sua parte, porque o negócio era pequeno demais, disse Moura. O diretor de Serviços ainda teria dito a Moura que ele "deveria se preocupar com negócios do tamanho da Petrobras e não com coisa miúda", contou o delator.

Pouco tempo depois, Moura apresentou a Duque outra empresa, a Personal Service, especializada em serviços de limpeza e recepção. Segundo ele, a Petrobras teria espaço para mais de uma empresa de fornecimento de mão de obra. Duque aceitou a sugestão novamente, e passou a manipular as contratações desse segmento para aumentar gradativamente os contratos tanto da Hope como da Personal. As duas empresas pagaram propinas mensais até o final de 2013 (Hope) e março de 2014 (Personal).[31] A Hope chegou a desembolsar R$ 500 mil por mês durante vários anos, enquanto a Personal pagava "um pouco menos", afirmou Milton Pascowitch, que operou os dois contratos entre 2009 a 2014,[32] até o início da Lava Jato.

Até 2005, quem operava o contrato das duas empresas era o próprio Fernando Moura, mas a eclosão do mensalão o tirou da linha de frente de negociação de propinas. A ordem era afastar o núcleo político (do qual Moura fazia parte) do contato direto com as empresas, incluindo sempre um intermediário, como Pascowitch, que já operava propinas para o grupo Engevix. Orientado por Dirceu a deixar o Brasil até que o escândalo do mensalão arrefecesse, Moura passou uma temporada em Paris, na França, e depois mudou para Miami, nos Estados Unidos, onde permaneceu até 2013.[33] Durante todos esses anos, Moura recebeu uma mesada com os recursos desviados dos contratos da Hope e da Personal — R$ 100 mil, segundo ele, e R$ 180 mil, segundo Milton Pascowitch[34] (os dois, que eram amigos havia décadas, passaram a se desentender por causa da divisão de propinas). O dinheiro era chamado de "cala boca" por Moura, pois servia para que ele não delatasse o esquema de corrupção instalado na Petrobras.[35] Com o aumento do volume das propinas da Hope e da Personal, a partilha dos recursos foi alterada, e Duque também passou a ficar com uma parte. Depois de descontada a mesada de Fernando Moura, os valores eram divididos entre o diretor de Serviços (40%), José Dirceu (30%) e Pascowitch (30%), segundo os delatores.

Ao longo do tempo, as propinas destinadas ao grupo de José Dirceu aumentaram, principalmente em função dos contratos assinados pela empreiteira

Engevix, que tinha Milton Pascowitch como um de seus lobistas na Petrobras.[36] Foi Fernando Moura que apresentou Pascowitch a Renato Duque e a José Dirceu, ainda no começo do governo Lula. Os dois, Moura e Pascowitch, eram amigos de longa data. Pascowitch tinha uma empresa de pequeno porte, a Jamp, que prestava serviços em obras de escolas e casas populares para o governo de São Paulo, em parceria com a Engevix. Quando descobriu que Moura conhecia o diretor de Serviços da Petrobras, Pascowitch teria insistido para que o amigo o apresentasse a Duque. Segundo relatou Moura ao MPF, Pascowitch lhe disse que poderia organizar "bons negócios entre a Engevix e a estatal".[37] Também prometeu que, se tivesse sucesso, pagaria uma comissão a Moura a cada contrato fechado.

Em 2005, a Engevix estava participando de uma licitação da Petrobras para a construção de uma unidade de tratamento de gás, no Espírito Santo, o projeto Cacimbas. A empresa apresentou o melhor preço, mas não saiu vencedora, considerando os demais quesitos do certame. A escolhida foi a GDK. Pouco antes da assinatura do contrato, a CPI dos Correios descobriu que Sílvio Pereira havia ganhado um Land Rover justamente da GDK. Diante do escândalo, a Petrobras desclassificou a GDK e chamou a Engevix, segunda colocada na licitação. Na ocasião, Pascowitch já havia sido apresentado a Renato Duque. Também havia oferecido novos serviços para um dos sócios da Engevix, o empresário Gerson de Mello Almada. "O Milton veio falar: 'ó, Gerson, eu acho que [você] precisa manter um relacionamento com o partido [o PT], você precisa manter um relacionamento com o cliente [a Petrobras], e eu me proponho a fazer isso'", afirmou Almada em oitiva ao juiz Sérgio Moro.[38] O empresário aceitou a proposta de Pascowitch e passou a pagar percentuais entre 0,5% e 1% do valor de cada contrato fechado com a estatal, já a partir do projeto Cacimbas. E foram muitos negócios. A Engevix participou em obras de sete refinarias e também ganhou a licitação para construir os cascos de oito navios-plataformas (FPSOs, siga em inglês para "unidade flutuante de produção, armazenamento e transferência de petróleo").[39]

A eficiência de Pascowitch como lobista contentaria tanto a Engevix quanto os executivos da diretoria de Serviços (Duque e Barusco) e o ex-ministro José Dirceu. Frustraria apenas Fernando Moura, que afirmou ter recebido apenas comissão sobre os contratos da Hope, da Personal e do projeto Cacimbas. Segundo Moura, Pascowitch "ganhou moral" com Duque, Barusco e até com Dirceu.[40] Com Duque, o lobista jogava tênis. Com Barusco, golfe. Entre 2003 e 2013, o patrimônio de Milton Pascowitch passou de menos de R$ 600 mil para R$ 28 milhões.[41]

A Dirceu, além de pacotes de dinheiro em espécie, Pascowitch diz ter comprado e reformado imóveis, incluindo alguns com os quais o ex-ministro presenteou familiares. Também diz ter pagado pela cota-parte (33%) de um avião para que Dirceu pudesse se locomover com mais facilidade e evitasse o desconforto de ser hostilizado em aeroportos (após o escândalo do mensalão, ele passou a ser xingado em locais públicos, como restaurantes e filas de embarque). O negócio com a aeronave, porém, foi desfeito, depois que a imprensa veiculou reportagens sobre o uso frequente do jatinho pelo ex-ministro.

O depoimento de Almada deixa claro que o empresário sabia que o destino do dinheiro pago a Pascowitch era comprar facilidades dentro da Petrobras. Ele, no entanto, não queria saber de detalhes. Definia Pascowitch como um "broker", um "lobista", "figura habitual nos negócios de vários setores", explicou ao juiz federal. Pagava Pascowitch justamente para que ele jogasse conforme as regras do jogo, na visão dele, estabelecidas pelos dirigentes da estatal. Queria manter as mãos limpas. Não conseguiu. Em novembro de 2014, Almada foi preso na sétima fase da Operação Lava Jato, a que prendeu a primeira leva de empreiteiros envolvidos no esquema de corrupção. Depois de cinco meses de prisão, o empresário passou a cumprir pena domiciliar. Em dezembro de 2015, foi condenado a dezenove anos de prisão por corrupção ativa, lavagem de dinheiro e associação criminosa.

A sentença refere-se apenas a um processo, o que trata do pagamento de R$ 15 milhões em propinas por obras em refinarias, relacionadas à diretoria de Abastecimento. Nesse caso, a Engevix se utilizou dos serviços de Alberto Youssef, outro "broker", como define Almada. Mas o empresário já confessou à Justiça[42] que pagou US$ 120 milhões a Milton Pascowitch para que ele intermediasse com a diretoria de Serviços a contratação dos cascos dos replicantes — como foram apelidados os oito navios-plataforma, que têm projetos idênticos. O contrato foi assinado em 2010 por US$ 3,4 bilhões.

13. "Bilhete premiado"

A partir de 2004, a economia brasileira engatou uma marcha mais rápida de crescimento. O PIB[1] se expandiu 5,7%, 3,2%, 4%, 6,1% e 5,2% até 2008. Foram cinco anos de bonança, que fizeram lembrar o milagre econômico da década de 1970. A credibilidade alcançada pelo presidente Lula e sua equipe econômica, comandada por Antonio Palocci, foi um dos elementos fundamentais para que o Brasil surfasse a onda de prosperidade formada pelos ventos soprados do exterior, principalmente da China. A economia da potência oriental havia crescido 9,5% ao ano entre 1981 e 2002, e iniciado os anos 2000 consumindo 50% do cimento, 31% do carvão e 21% do aço produzidos no mundo. Estava em curso o chamado "boom das commodities", que mandou para as alturas o preço de produtos cotados em dólar, como minério de ferro e soja, campeões da pauta de exportação brasileira.

Além da manutenção do tripé econômico — câmbio flutuante e metas de inflação e de superávit primário —, o governo Lula emitiu outros sinais importantes de que compreendia a necessidade de controlar as contas públicas. Um dos mais contundentes foi a aprovação de uma reforma da Previdência do setor público. Respaldado por Lula, Palocci seguiu firme no Ministério da Fazenda, apesar do bombardeio lançado pelos companheiros de sua própria legenda. Em 13 de dezembro de 2003, durante o encontro nacional do PT, o ministro afirmou que "o ideal seria manter o superávit fiscal em 4,25% por dez anos", algo inimaginável de se ouvir de um membro do PT.[2] No mesmo encontro do alto comissariado petista, outro sinal categórico do rumo que o partido parecia ter escolhido: a legenda expulsou quatro parlamentares que se opunham à política econômica adotada pelo governo, entre eles petistas históricos como a senadora Heloísa Helena, de Alagoas.

A leitura dos investidores nacionais e estrangeiros foi de que, se a esquerda havia chegado ao poder e mostrado que enfrentaria os momentos difíceis — como foi o ano de 2003 — sem apelar para moratórias e receitas milagrosas, o Brasil havia se tornado um país muito mais previsível. Era hora de investir para aproveitar os efeitos da consolidação da estabilidade econômica sobre o mercado consumidor de 176 milhões de brasileiros. No final de 2004, as pesquisas de expectativas do empresariado nacional mostravam que a maioria pretendia aumentar investimentos, contratações e exportações. E os resultados vieram. O investimento bruto — que mede quanto as empresas e o governo investiram em bens que aumentam sua produção — subiu de 15,3% para 19,1% em relação ao PIB entre 2003 e 2008. A inflação caiu de 14,4% para 5,9%, o desemprego encolheu de 12,3% para 7,9% e o déficit fiscal nominal foi de 5,2% para 1,5% do PIB. No plano econômico, tudo parecia dar certo.[3]

Na maior estatal do país, o primeiro plano de negócios divulgado sob a presidência de José Eduardo Dutra ressaltou que a Petrobras continuaria com "o mesmo foco e os mesmos pilares". A nova direção manteria as "práticas de governança corporativa, disciplina de capital e responsabilidade social".[4] Esse era o tipo de afirmação que tranquilizava os investidores. E boa parte do mercado entendeu que o governo pretendia estender às suas empresas controladas a mesma postura da equipe econômica, que pregava responsabilidade com os gastos. A estatal seguia os controles da Comissão de Valores Mobiliários (CVM) e, desde 2001, de sua similar americana, a Securities and Exchange Commission (SEC), por negociar ações na Bolsa de Nova York. Na teoria, tais controles garantiriam a transparência na administração.

Em 2003, logo no começo do governo Lula, a companhia bateu recorde de lucro líquido (US$ 6,5 bilhões). Boa parte do resultado positivo se deveu à manutenção dos preços dos combustíveis acima da cotação internacional do petróleo. O objetivo, naquele ano, era aumentar o lucro da estatal, mas também ajudar a União a atingir a meta de superávit primário (a empresa, como as demais estatais, compunha as contas do governo federal). A partir de 2004, o preço do petróleo entraria numa espetacular trajetória de alta. Sairia de uma média anual de US$ 28, em 2003, para US$ 97, em 2008. Foram anos de ouro para as petroleiras.

Diante de um cenário tão benéfico, a capacidade de gerar lucro da Petrobras foi potencializada. A empresa — cuja gestão e governança haviam sido radicalmente transformadas entre 1999 e 2002, inclusive para o lançamento de ações na Bolsa de Nova York, em 2001 — havia se tornado capaz de atrair capital mais barato para financiar projetos de longo prazo. A continuidade da estabilidade econômica sinalizada pelo governo Lula era o elemento que faltava para a petroleira alçar voo junto com o preço do petróleo. A resposta se deu em sucessivos recordes de lucro líquido: US$ 6,7 bilhões (2004), US$ 10 bilhões (2005) e US$ 11,9 bilhões (2006).

Em 2005, o governo e os novos dirigentes das estatais já estavam ambientados em suas posições. A boa fase da economia e os bons resultados da petroleira propiciavam a implementação de uma nova estratégia para a Petrobras: a de torná-la uma estatal cada vez mais poderosa. E poder, nesse caso, significava atuar em um número cada vez maior de segmentos, investir volumes cada vez maiores de capital e abrir o maior número possível de postos de trabalho. Essa visão levaria a Petrobras a entrar na produção de etanol e de biodiesel; ampliar a participação na indústria petroquímica e de fertilizantes; responsabilizar-se pelo abastecimento de gás natural do país; expandir a geração de energia térmica e até estrear no ramo de geração de eletricidade com pequenas centrais hidrelétricas (PCHs), atividade que passava longe de seu core business. Os planos estratégicos e de negócios divulgados a partir de 2003 mostram uma companhia que pretendia crescer e liderar todas as atividades de energia ao mesmo tempo. Para muitos especialistas, foi nesse momento que a Petrobras perdeu o foco.

O então diretor financeiro José Sergio Gabrielli, um fiel quadro do PT, foi o escolhido para implantar o projeto expansionista da Petrobras. Gabrielli assumiu em julho de 2005, quando José Eduardo Dutra, segundo a versão oficial, deixou a companhia para se candidatar ao Senado no ano seguinte. Há outras versões, no entanto, para a saída de Dutra. Uma delas é a de que o presidente Lula teria se decepcionado com a pouca "proatividade" do companheiro de partido. Dutra ouvia demais os técnicos da estatal e, às vezes, hesitava em impor as recomendações determinadas por Brasília.

Outra versão para a saída de Dutra é a de que o então deputado José Janene o teria ameaçado após o estouro do mensalão — Janene foi investigado e só não foi condenado por ter morrido antes do julgamento. O político teria dito que revelaria o esquema de corrupção que já estava instalado na Petrobras sob a presidência de Dutra. O afastamento de Dutra teria sido uma maneira de esvaziar a ameaça de Janene. Dutra, de fato, deixou a Petrobras pouco mais de um mês depois que o deputado federal Roberto Jefferson denunciou o mensalão em uma entrevista ao jornal *Folha de S.Paulo*. A matéria foi publicada em 6 de junho de 2005, e Dutra saiu em 22 de julho.

Gabrielli manteve a estrutura de aparelhamento montada por Dutra e que ele ajudara a implantar desde o início do governo. Também manteve os mesmos diretores, incluindo Renato Duque, Nestor Cerveró e Paulo Roberto Costa, os quais tinham entre suas principais atribuições o saque da companhia. Durante os quase sete anos em que Gabrielli presidiu a Petrobras, a estatal se transformou numa máquina de investir ainda mais potente do que já era. Em agosto de 2005, o presidente recém-empossado apresentou o plano de negócios para o período de 2006 a 2010. A estatal investiria US$ 56,4 bilhões, uma média de US$ 11 bilhões ao ano, 60% a mais que o plano anterior. Esse era só o começo da maior espiral de investimentos da história da companhia.

A cada ano, o plano de negócios quinquenal era atualizado com um número maior de investimentos: US$ 56,4 bilhões (2006 a 2010), US$ 87 bilhões (2007 a 2011), US$ 112 bilhões (2008 a 2012), US$ 174 bilhões (2009 a 2013), US$ 224 bilhões (2010 a 2014) e US$ 224,7 bilhões (2011 a 2015). Nem a crise financeira mundial, iniciada em 2008 nos Estados Unidos, freou o plano expansionista da Petrobras. Pelo contrário, a estatal foi convocada pelo governo a investir ainda mais para tentar manter a economia rodando. O investimento efetivamente realizado passou de US$ 10 bilhões, em 2003, para US$ 31 bilhões, em 2008, e continuou subindo até o recorde de US$ 49 bilhões, em 2013.

Todas as áreas de negócios da companhia tiveram aumento expressivo de investimento. Inicialmente, a que mais se expandiu, em termos relativos, foi a de Gás e Energia, que multiplicou duas vezes e meia o volume de recursos no plano anunciado em 2005 (de US$ 2,6 bilhões para US$ 6,5 bilhões). Era preciso correr com a construção de gasodutos para alimentar as termelétricas e evitar qualquer possibilidade de apagão.

A área de E&P, tradicionalmente a que mais consome recursos na empresa, teve um salto de 73% (US$ 28 bilhões em cinco anos). A Petrobras precisava ampliar suas fronteiras petrolíferas, pois as grandes descobertas da Bacia de Campos pareciam ter se esgotado. A companhia passou a aprofundar os estudos de áreas arrematadas nos leilões da ANP em 2000 e 2001. Os indícios eram promissores, mas as possíveis reservas estavam em profundidades nunca antes atingidas pela petroleira. A diretoria Internacional também ampliaria os investimentos em busca de novas áreas de exploração de petróleo e na expansão do refino no exterior, a exemplo da compra da Refinaria de Pasadena.

Mas foi a área de Abastecimento, já dirigida por Paulo Roberto Costa, que se tornou a peça-chave para o projeto expansionista da estatal — pelo menos antes da descoberta do pré-sal. O plano de negócios anunciado em 2005 destinou US$ 8 bilhões para a adequação do parque de refino, que precisava ser atualizado para produzir derivados menos poluentes. As novas leis ambientais exigiam que a Petrobras produzisse diesel e gasolina com menos enxofre, seguindo os padrões de países mais desenvolvidos. Além isso, era preciso adaptar algumas refinarias que ainda não haviam sido convertidas para processar o óleo pesado da Bacia de Campos.

A atualização do parque de refino da estatal já estava em curso desde as gestões anteriores. No período dos presidentes Reichstul e Gros a Petrobras investiu cerca de US$ 1 bilhão ao ano na modernização das refinarias, uma das somas mais elevadas entre as grandes petroleiras. Mas os investimentos em abastecimento iriam muito além na era dos presidentes petistas. Em dezembro de 2005, Gabrielli declarou que até 2010 a Petrobras investiria em uma nova refinaria em Pernambuco associada à estatal venezuelana PDVSA, e em outra no Rio de Janeiro destinada a refinar combustíveis e produtos para o setor petroquímico, no qual a estatal pretendia aumentar sua presença. A refinaria pernambucana foi batizada de Abreu e Lima ou Refinaria do Nordeste (Rnest). O novo projeto ainda estava em estudo, mas seria a primeira refinaria construída no país para processar óleo pesado. A fluminense recebeu o nome de Complexo Petroquímico do Rio de Janeiro (Comperj).

Os dois empreendimentos se encaixavam perfeitamente na recomendação de Brasília: fortalecer a indústria nacional e gerar empregos. Obras em refinarias consomem investimentos pesados, e mais de 80% dos contratos são fechados com empresas nacionais (índice superior ao dos empreendimentos de E&P, que enfrentavam dificuldade para alcançar 65% de componentes e serviços locais). Quando uma nova refinaria é construída, além das instalações industriais, que realizam o refino propriamente dito, é preciso construir uma pesada infraestrutura básica, como a geração de energia elétrica para alimentá-la. Muitas vezes, não há estradas de acesso ao local do empreendimento, nem rede de abastecimento de água. E ainda é preciso erguer sistemas de recebimento e estocagem de petróleo e de derivados. Isso tudo consome dinheiro e exige mão de obra, além de possibilitar um terceiro objetivo aos mal-intencionados: a geração de propinas — este último objetivo, obviamente, permaneceria oculto por anos, até ser revelado pela Lava Jato.

Logo em seguida, Costa e Gabrielli começaram a dar declarações sobre a possibilidade de construir outra refinaria, a que deram o nome de Premium. Ela também seria instalada no Nordeste, no Maranhão, e teria capacidade de processar 600 mil barris diários.[5] A aprovação ainda levaria algum tempo, mas a estatal acabaria encampando a construção não de uma, mas de duas refinarias Premium, uma no Maranhão e outra no Ceará.[6]

A exemplo do que ocorrera nas décadas de 1960 e 1970, a Petrobras seria novamente encarregada de perseguir a autossuficiência em refino no mercado brasileiro, reforçando seu papel de monopolista — de fato, embora não mais de direito. A orientação sepultava a estratégia anterior da companhia, definida em 2000, durante a administração de Reichstul. Na época, a meta da estatal era reduzir gradualmente sua participação no mercado de refino. Não se tratava de vender as refinarias já existentes, mas de não construir novas unidades partindo do zero. O crescimento da demanda deveria ser atendido por novos refinadores. A Petrobras, por sua vez, investiria para modernizar e ampliar suas refinarias já existentes, de preferência com sócios, de modo a acelerar a redução de sua participação de mercado. A companhia até entraria em novos projetos — na época já estudava erguer uma refinaria de combustíveis no Nordeste e outra de petroquímicos, no Rio de Janeiro —, mas o plano era ser minoritária.

Por que a Petrobras escolheria encolher, em vez de crescer? A questão é que não se tratava de querer, mas de ser obrigada. É preciso lembrar que desde 1995 o governo Fernando Henrique Cardoso vinha dando passos na direção da abertura de vários setores, como ocorreu com o de telecomunicações. O objetivo era acabar com o monopólio e estabelecer ambientes propícios à competição também nos vários segmentos de petróleo, inclusive no de refino.

1. O juiz federal Sérgio Moro, responsável pela Operação Lava Jato no Judiciário e estudioso da delação premiada: para ele, a corrupção na Petrobras tornou-se sistêmica.
2. Paulo Roberto Costa, ex-diretor de Abastecimento, depondo na CPI da Petrobras: sua prisão em 2014 caiu como uma bomba na petroleira.
3. O ex-deputado federal e réu do mensalão José Janene, falecido em 2010, que teria indicado Paulo Roberto Costa para a diretoria de Abastecimento da Petrobras.

4. Na primeira página de *O Estado de S. Paulo*, a foto mostra o general Barroso (à dir.) confraternizando com Geraldo Magela de Oliveira, Geraldo Nóbrega e Eid Mansur (da esq. p/ a dir.), envolvidos no primeiro grande escândalo que veio a público envolvendo a Petrobras, em 1988.

5. Luis Octavio da Motta Veiga e PC Farias na capa da revista *Veja*: o então presidente da estatal revelou que o tesoureiro da campanha de Collor pleiteava negócio lesivo à Petrobras.

6. Pedro Paulo Leoni Ramos, ex-secretário de Assuntos Estratégicos de Collor, conversa com o então presidente: escândalo envolvendo a Petrobras durante o governo Collor e, agora, acusação de operar recursos do petrolão.
7. Ricardo Pessoa, presidente da Constran-UTC, chegando à sede da PF em São Paulo: ele declarou em delação premiada que pagou R$ 20 milhões de propina a Fernando Collor.
8. O economista Henri Philippe Reichstul, cuja gestão à frente da Petrobras (1999-2002) foi marcada pela modernização da estatal e por acidentes.

9. O senador cassado Delcídio do Amaral, preso pela Lava Jato: ele não era político quando assumiu o cargo na petroleira, mas já transitava entre a classe havia anos.
10. Renato de Souza Duque, ex-diretor de Serviços da petroleira: sua nomeação provocou surpresa entre os colegas pela ascensão profissional incomum.
11. O ex-presidente da Petrobras José Sergio Gabrielli: quadro fiel do PT, ele permaneceu no cargo entre 2005 e 2012, período em que o esquema de corrupção se espraiou dentro da companhia.
12. Silvio Pereira: o secretário de Organização do PT queria ser presidente dos Correios, mas foi incumbido de organizar a distribuição de cargos de segundo e terceiro escalões do governo Lula.

13. Lula e Hugo Chávez visitam a Refinaria Abreu e Lima, em 2008: a Petrobras acabou rompendo a sociedade com a PDVSA e tocou a obra sozinha.
14. Ildo Sauer, ex-diretor de Gás e Energia da Petrobras: o "puro-sangue" petista logo se tornou um crítico do governo Lula, entrando em atrito com a então ministra Dilma Rousseff.
15. Lula com as mãos sujas de petróleo na plataforma P-34, durante a inauguração simbólica da extração do pré-sal: a descoberta seria amplamente capitalizada pelo governo.

16. Pedro Barusco Filho, ex-gerente executivo de Engenharia: em seus depoimentos, ele revelou ter recebido propinas milionárias juntamente com o ex-diretor Renato Duque; só ele, Barusco, devolveu US$ 97 milhões ao fechar acordo de colaboração com a Justiça.
17. Nestor Cerveró, que ocupou cargos de relevo na Petrobras nos governos FHC, Lula e Dilma, depondo sobre Pasadena: a compra da refinaria, na época em que ele comandava a diretoria Internacional, causou imenso prejuízo.
18. A Refinaria de Pasadena, no Texas: a Petrobras comprou a primeira metade por US$ 359 milhões, pouco mais de um ano depois de a Astra pagar US$ 42,5 milhões pela refinaria toda, informação que só veio a público em 2012, pela imprensa.

19. Graça Foster: fiel escudeira de Dilma Rousseff, ascendeu do quarto escalão à presidência da estatal durante os governos petistas.
20. Marcelo Odebrecht, preso em 2015 pela Operação Lava Jato: empreiteira era uma das líderes do cartel que dominava as obras da petroleira e criou um departamento específico para viabilizar pagamento de propina a agentes públicos.
21. Jorge Zelada, que em 2008 substituiu Nestor Cerveró no comando da diretoria Internacional: ele representou os interesses do PMDB dentro da estatal até 2012, quando pediu demissão; foi preso três anos depois pela Operação Lava Jato.

22. O ex-ministro da Casa Civil José Dirceu: enquanto cumpria pena em regime domiciliar por condenação no esquema do mensalão, ele voltou a ser preso, pela Lava Jato.
23. Eduardo Cunha, ex-presidente da Câmara dos Deputados: novas investigações colocaram toda a linha sucessória da presidência da República na mira da Lava Jato.
24. Léo Pinheiro, ex-presidente da OAS: o procurador-geral da República Rodrigo Janot afirma que tem indícios de que o então vice-presidente Temer recebeu R$ 5 milhões do empreiteiro.
25. Dilma Rousseff, então presidente da República, em 2011, durante a cerimônia de batismo da P-56: governo marcado por escândalos envolvendo a Petrobras.

22

23

24

25

Nas décadas de 1960 e 1970, a busca pela autossuficiência no refino se justificava porque o Brasil produzia apenas 20% do petróleo que consumia, e a Petrobras era, por lei, monopolista. Construir refinarias era uma maneira de importar um produto mais barato (o petróleo cru, que seria processado pelas refinarias locais), em vez de importar derivados, mais caros. No final dos anos 1990, a estatal não tinha mais o monopólio legal, o país já produzia boa parte do petróleo consumido e possuía um parque de refino relativamente bem desenvolvido. As condições para a entrada de refinadoras para competir com a Petrobras estavam quase todas dadas.

No segmento de exploração e produção a concorrência já era realidade desde 1999. Os leilões de concessão de blocos exploratórios haviam se tornado referência entre petroleiras do mundo todo. No segmento de refino, o processo de abertura foi mais demorado. Para haver competição, seria necessário remover uma barreira histórica, que impedia a entrada de novas refinadoras no mercado brasileiro: o controle de preço de combustíveis por parte do governo. Nenhuma empresa — nacional ou estrangeira, privada ou estatal — se arriscaria a colocar dinheiro em um negócio cujo produto poderia ter o preço congelado pelo governo. A Petrobras havia sido asfixiada em vários momentos, principalmente nos períodos de descontrole inflacionário, quando todos os governos apelaram ao congelamento da gasolina, do óleo diesel e do gás de cozinha.

No final do primeiro mandato do governo FHC, a ANP elaborou um plano engenhoso para acabar com o controle de preços dos derivados. Durante três anos e meio, os combustíveis foram reajustados mensalmente por uma fórmula que fazia com que os preços acompanhassem a cotação internacional do petróleo. Foi uma maneira gradual de acostumar os vários agentes do setor, inclusive o consumidor industrial, a conviver com as oscilações dos preços de mercado da nafta, do querosene de aviação, do óleo combustível e dos lubrificantes, entre outros derivados de petróleo. A liberação dos preços da gasolina e do diesel nas refinarias só ocorreu em 1º de janeiro de 2002, quando se iniciava o último ano do segundo mandato de Fernando Henrique. O presidente da estatal era Francisco Gros. Outra vantagem da competição para a Petrobras seria se livrar do peso de abastecer sozinha o país, deixando, com isso, de arcar com todos os investimentos em refino, que exige muito capital e gera pouco lucro, se comparado com as margens de E&P.

Em 2000, com o plano da ANP em pleno andamento, a Petrobras aprovou uma estratégia para se preparar para a competição. Decidiu acelerar a modernização de suas refinarias. Seria necessário prepará-las para fabricar produtos de maior qualidade, tanto para atender à legislação ambiental como para competir com as novas refinadoras, que deveriam começar a surgir. A ideia era aproveitar as obras de modernização para também ampliar a capacidade de processamento de várias unidades já existentes.

Na época, porém, a Petrobras não tinha capacidade de captar recursos (como passou a ter depois da emissão de ações na Bolsa de Nova York). "A companhia vendia o almoço para comprar o jantar", lembra um executivo da área financeira. "Captávamos dinheiro na quinta e na sexta-feira para operar na semana seguinte", diz. A saída para investir em refino seria formar sociedades com empresas privadas ou mesmo com estatais estrangeiras. Além de viabilizar as obras, a venda de fatias de participação de suas refinarias ajudaria a acelerar a entrada de novos grupos no refino. Assim, a blindagem contra o congelamento de preços seria alcançada mais rapidamente.

O plano de abertura no refino nunca se concretizou, e a Petrobras continuou sozinha no mercado. O governo conseguira, habilmente, liberar os preços dos combustíveis em janeiro de 2002, mas era tarde demais. O governo FHC entrava no último ano de seu mandato; não havia tempo para a instalação de novas refinarias e não se sabia se o próximo governo manteria a política de preços livres, como não manteve. Em 3 de janeiro de 2003, durante a cerimônia de posse de José Eduardo Dutra na presidência da Petrobras, a então ministra de Minas e Energia Dilma Rousseff foi categórica ao dizer que reajuste de preço de combustíveis era uma tarefa do governo, não da Petrobras.

A estatal, que já era a joia da coroa, tornou-se ainda mais reluzente aos olhos do governo depois de julho de 2006, quando anunciou a descoberta de Tupi, um campo de petróleo leve na Bacia de Santos, rebatizado de Lula em 2010. A descoberta era extraordinária por dois motivos: abria uma nova fronteira de exploração de óleo e gás no país; o petróleo da jazida encontrada era muito mais leve, e, portanto, mais valioso que a maior parte do que era produzido no Brasil. Quanto mais leve o óleo, mais derivados nobres — nafta, gasolina, querosene e diesel — ele é capaz de produzir com processos de refino simples. Por isso, custa mais que o petróleo pesado, do qual se extrai maior quantidade de produtos de menor valor, como o óleo combustível. Na escala API, que indica a qualidade de petróleo, quanto maior o grau, melhor a qualidade. O Brent, por exemplo, um dos padrões mundiais de óleo leve, tem grau 38. O óleo da Bacia de Campos apresenta grau API 19, em média, enquanto as jazidas do pré-sal variam de 28 a 30.

A descoberta de Tupi foi fruto da empreitada mais complexa e arriscada já realizada pela área de exploração da companhia. A reserva foi encontrada a 7.500 metros da superfície, sendo 2.200 metros de lâmina d'água e 5.300 metros de rochas. A principal dificuldade, no entanto, não foi vencer as rochas mais duras, mas atravessar uma camada de 2.000 metros de sal, de consistência maleável, propício a desmoronamentos durante a perfuração do poço e a instalação de tubos e equipamentos nele. Nenhuma empresa jamais ousara atravessar tal profundidade em um terreno desse tipo.[7]

O poço descobridor de Tupi foi o segundo perfurado no pré-sal da Bacia de Santos. O primeiro, aberto na área de Paraty, levou um ano e três meses de trabalho e custou mais de US$ 240 milhões (o custo médio de um poço na Bacia de Campos era de US$ 18 milhões). Durante a empreitada, a americana Chevron decidiu vender sua participação no consórcio formado com a Petrobras e a britânica BG. Em seu lugar entrou a portuguesa Partex. Depois de 7.600 metros de perfuração em Paraty, a companhia não encontrou petróleo. No entanto, os testes das rochas extraídas da cavidade indicaram a existência de gás condensado a 6.800 metros de profundidade.[8] Para a equipe de exploração da Petrobras, era uma boa evidência de que havia um sistema petrolífero ativo na área. O negócio era seguir adiante, e perfurar um segundo poço em outro campo, o de Tupi. Se ele desse seco, o projeto de explorar o pré-sal seria abandonado.[9]

A notícia da descoberta era ótima, mas ainda era preciso saber quanto óleo e quanto gás havia no reservatório e quanto seria possível recuperar do volume existente (as empresas nunca conseguem extrair todo o petróleo de um campo; a quantidade extraída é chamada de volume recuperável). Ainda seria necessário muito estudo — o que inclui a perfuração de outros poços — antes de delimitar o reservatório e decidir se valeria a pena colocar o campo em produção. As plataformas, os equipamentos submarinos e a operação de um sistema offshore podem custar tão caro que, dependendo do volume recuperável, a receita futura gerada pelo campo pode não cobrir o investimento. Afora isso, a petroleira teria de desenvolver várias tecnologias de produção adequadas às condições do pré-sal. Além da profundidade, o petróleo descoberto apresentava um elevado nível de corrosão, o que exige materiais especiais.

Em 8 de novembro de 2007, o consórcio formado pela Petrobras, a britânica BG e a portuguesa Petrogal-Galp divulgou que a reserva recuperável de Tupi era estimada entre 5 e 8 bilhões de barris de petróleo. Tratava-se do primeiro campo supergigante (acima de 5 bilhões de barris) do país. Na época, com o barril custando em torno de US$ 90, Tupi valia potencialmente a fortuna de US$ 450 bilhões, no mínimo.

A safra de boas notícias não parava por aí. Entre a descoberta de Tupi e o anúncio das estimativas de volumes recuperáveis, outras três jazidas de óleo leve foram encontradas no pré-sal. Uma foi localizada na Bacia de Santos, a mesma em que fica Tupi; as outras duas foram descobertas na Bacia de Campos, onde a estatal já produzia a maior parte do petróleo brasileiro no pós-sal, ou seja, em reservatórios acima da camada de sal. Animada com a descoberta em Santos, a estatal resolveu perfurar mais fundo também na Bacia de Campos, para ver se ela armazenava reservatórios de óleo e gás tanto acima como abaixo da camada de sal. E a resposta foi positiva.

As informações reveladas pelas perfurações combinadas às dos estudos sísmicos 3-D indicavam que o subsolo marinho brasileiro poderia guardar um verdadeiro mar de petróleo na região do pré-sal. A camada de sal enterrada no subsolo do litoral do país ocupa uma área de 200 quilômetros de largura por 800 quilômetros de comprimento e 2.000 metros de altura. Distante 300 quilômetros da costa, essa montanha de sal se estende do litoral sul do Espírito Santo ao litoral de Santa Catarina.

Em um mapeamento preliminar, a companhia identificou oito áreas com fortes indícios de existência de jazidas gigantes de óleo e gás. Internamente, falava-se em números que iam de 70 a 100 bilhões de barris. Era um sonho, considerando que as reservas brasileiras eram de 12,6 bilhões em 2007.[10] Se as expectativas fossem confirmadas, o Brasil subiria do 15º para o sexto lugar em reservas petrolíferas.[11] O pré-sal não seria apenas a maior descoberta já feita no país, mas também uma das maiores do mundo, e poderia acelerar o desenvolvimento econômico e social brasileiro. Tratava-se de uma fonte de riqueza totalmente nova.

Em novembro, quando o anúncio das estimativas de reserva de Tupi foi feito, o pré-sal já havia se tornado assunto de Estado e também tema político. Guilherme Estrella, diretor de E&P da estatal, havia insistido com o presidente José Sergio Gabrielli que era preciso alertar o presidente Lula. A ANP havia marcado um leilão de blocos exploratórios para 27 de novembro. E, entre as 312 áreas que a Agência iria leiloar, 41 estavam na região da camada de sal.

As demais petroleiras não tinham todas as informações de que a Petrobras dispunha, mas já sabiam da descoberta de Tupi, divulgada em julho, e também tinham comprado o prospecto com dados preliminares das áreas ofertadas pela ANP. Os geofísicos das demais companhias já deveriam estar debruçados sobre as informações e poderiam tirar conclusões relevantes dali. Havia ainda um agravante, segundo Estrella: um dos geólogos que mais tinham informações sobre o pré-sal havia acabado de sair da Petrobras para trabalhar na petroleira de Eike Batista, a OGX. Paulo Mendonça tinha sido gerente executivo de exploração da estatal, cargo imediatamente abaixo do de Estrella, e sabia não só do potencial das reservas do pré-sal como também tinha informações sobre quanto a Petrobras conseguiria ofertar pelos blocos.

Gabrielli convenceu o presidente Lula a assistir a uma apresentação sobre o pré-sal no Centro de Pesquisas e Desenvolvimento da Petrobras (Cenpes), localizado na Ilha do Fundão, na zona norte do Rio de Janeiro. A reunião aconteceu em uma sala de projeção preparada para simular imagens em três dimensões. Todos receberam óculos especiais para enxergar as imagens tridimensionais e ouviram o que as pesquisas realizadas até então mostravam. O petróleo do pré-sal poderia quintuplicar as reservas brasileiras. Cerca de 30% da área já havia sido concedida nos leilões de 2000 e 2001, nos quais a Petrobras arrematara todos os blocos em consórcio com outras petroleiras. Se realmente existisse todo o petróleo que os estudos indicavam, o Brasil poderia viver um momento único.

Ao final da apresentação, Gabrielli passou a palavra a Estrella, que repetiu ao presidente Lula todos os argumentos sobre a necessidade de suspender a nona rodada de leilões da ANP. Petista fervoroso e admirador declarado do presidente da República, Estrella falou a mesma língua de Lula. Disse que seria um crime de lesa-pátria entregar para concorrentes áreas em que o risco de achar petróleo era quase nulo. Chamou Paulo Mendonça de traidor, dizendo que ele usaria todo arsenal de conhecimentos sobre o pré-sal em favor de sua nova empregadora, a OGX. Lembrou, ainda, que o então presidente da OGX era Francisco Gros, ex-presidente da Petrobras durante o governo FHC. Gros também tinha informações sobre os mercados de óleo e gás e sobre a estatal. Por fim, Estrella afirmou que leiloar os 41 blocos do pré-sal na nona rodada equivaleria a "entregar um bilhete premiado aos concorrentes" (a expressão "bilhete premiado" seria adotada por Lula a partir dali em seus discursos sobre a riqueza do pré-sal). Após ouvir a argumentação do diretor, que costuma se autointitular nacionalista, a reação do presidente foi expressa com duas frases: "Vamos cancelar a nona rodada. Foda-se o mercado".[12]

O leilão não foi cancelado. A nona rodada aconteceu, mas sem os 41 blocos do pré-sal. O anúncio da retirada das áreas aconteceu no mesmo dia 8 de novembro, quando a Petrobras anunciou as estimativas de petróleo recuperável de Tupi. Nesse ínterim, o governo debateu as consequências do cancelamento do leilão. Lula ainda se mostrava cuidadoso com a avaliação do mercado sobre seu governo. Em setores regulados, como o de petróleo, a previsibilidade é parte importante do julgamento dos investidores. Todos os anos, desde 1999, a ANP havia realizado leilões de novas áreas de exploração de óleo e gás. A nona rodada havia sido marcada antes das conclusões sobre o pré-sal, e petroleiras do mundo todo já haviam adquirido os dossiês com informações dos 312 blocos que seriam ofertados.

O governo estava decidido a cancelar a rodada, quando o presidente Lula convocou uma reunião extraordinária do Conselho Nacional de Política Energética (CNPE). Composto por catorze membros, entre ministros de Estado, representantes da academia e outros especialistas em energia, o colegiado tem a função de elaborar as diretrizes para o desenvolvimento do setor energético. Uma de suas atribuições, aliás, é garantir a livre concorrência nos mercados de energia. A reunião aconteceu na sede da Petrobras.

Dessa vez, a ANP — reguladora do setor e promotora dos leilões — também participou da reunião. Partiu de Haroldo Lima, presidente da Agência, a proposta de retirar os blocos do pré-sal, em vez de cancelar toda a rodada. Era a solução que o governo procurava. O leilão seria mantido com a maioria dos blocos; o filé-mignon, porém, seria retirado da rodada.

A descoberta do pré-sal funcionaria como o pretexto perfeito para o governo dar meia-volta no processo de abertura do setor de óleo e gás e concentrar a exploração e a produção nas mãos da Petrobras. Em 2008, o governo criou um grupo interministerial para elaborar novas regras de exploração e produção no pré-sal, e o novo marco regulatório só foi aprovado em 2010.

Sob o argumento de que o pré-sal geraria uma rentabilidade mais elevada para as petroleiras, o governo decidiu mudar as regras de exploração de petróleo na nova província (o conjunto de campos de petróleo). O discurso adotado pelo presidente Lula e seus ministros, em particular pela ministra Dilma Rousseff, foi de que o regime de concessão, criado no período FHC, deveria ser substituído pelo de partilha, para que o povo brasileiro pudesse se apropriar de uma parte maior da riqueza do pré-sal. Em 2010, o regime de concessão foi substituído pelo de partilha nas áreas de pré-sal ainda não licitadas (cerca de 30% haviam sido leiloados em 2000 e 2001, quando vigia apenas o regime de concessão). Nos contratos de partilha, o governo passa a ser dono do petróleo produzido, diferentemente do que ocorre nos de concessão, em que o petróleo é da empresa, que paga o governo com impostos, royalties e participações especiais (uma espécie de tributação extra cobrada das petroleiras que descobrem campos que se revelam mais produtivos que a média; assim, quanto maior a produção, maior é a alíquota de participação especial do governo). No caso da partilha, a parte paga ao governo — em petróleo — passa a ser administrada por uma nova estatal, a Pré-Sal S.A. ou PPSA, criada para viabilizar a nova legislação.

O novo marco regulatório também obriga a Petrobras a entrar em todos os leilões de áreas do pré-sal com pelo menos 30% de cada bloco, caso participe dos certames em consórcio com outras operadoras. Com isso, a estatal tem de investir, pelo menos, 30% dos recursos necessários para explorar a área arrematada e para desenvolver a produção, se encontrar petróleo, claro. Entre as novas regras definidas em 2010 está a que torna a Petrobras operadora única do pré-sal. Ainda que suas sócias (de eventuais consórcios) participem das decisões de exploração e produção dos blocos, a Petrobras terá a posição mais importante, a de coordenadora dos projetos, na hora de definir as tecnologias e na operação propriamente dita das plataformas. Na prática, a estatal se torna a única compradora de equipamentos e serviços relacionados ao pré-sal.

Assim que as mudanças foram aprovadas, especialistas do setor de óleo e gás passaram a afirmar que as alterações do marco regulatório prejudicam a Petrobras, em vez de beneficiá-la. "A companhia deixa de ter a opção de escolher as áreas em que pretende apostar, já que é obrigada a investir, pelo menos, 30% em todos os projetos", afirma o economista Fábio Giambiagi, organizador do livro *Petróleo: Reforma e Contrarreforma*. A tese de que a partilha permite uma melhor apropriação da riqueza gerada pelo petróleo do pré-sal também não se sustentaria. O governo poderia simplesmente elevar a alíquota de participação especial, que é uma espécie de imposto sobre o lucro das petroleiras.

"O maior prejuízo provocado pelas mudanças, no entanto, será para o próprio país, que passou a depender de uma única empresa, a Petrobras, para desenvolver o pré-sal, já que os leilões terão de obedecer à capacidade de investimento da estatal. Ou seja, só haverá rodadas de blocos se a Petrobras tiver recursos para investir", afirma Giambiagi. Ocorre que nenhuma empresa tem caixa infinito. Quando a lei foi feita, a estatal ainda estava em situação favorável, mas hoje vive dias de penúria. Desde que o pré-sal foi descoberto houve apenas um leilão na área, o de Libra, em 2013. Apesar de ser a maior reserva conhecida do país (entre 8 bilhões e 12 bilhões de barris de petróleo), só houve lance de um único consórcio. O pouco interesse das petroleiras teve, pelo menos, uma consequência: o Estado ganhará menos do que poderia, se tivesse ocorrido uma real competição no leilão de Libra. Nesse caso, a população brasileira se apropriará de menos riqueza do que poderia.

14. Sem pisar no freio

O presidente Lula inaugurou seu segundo mandato, em janeiro de 2007, com um objetivo bastante claro: eleger seu sucessor ou sucessora na eleição seguinte, em 2010. O Programa de Aceleração do Crescimento (PAC), lançado em 22 de janeiro de 2007, seria o instrumento-chave para alcançá-lo. O Programa previa organizar e facilitar a realização de 912 obras nos mais diversos segmentos de infraestrutura, que deveriam consumir R$ 504 bilhões em quatro anos. Como consequência, o PIB passaria a crescer 5% ao ano quando os empreendimentos começassem a amadurecer. As estatais entrariam com a maior parte do capital. A Petrobras investiria R$ 171 bilhões — um terço do PAC — em 183 empreendimentos. Muitos deles já estavam sendo realizados, mas vários ainda não tinham um projeto básico iniciado.

A inclusão dos projetos da Petrobras no PAC aumentou a pressão do governo para que a estatal corresse com as obras, a fim de que várias delas pudessem ser inauguradas até 2010. O problema é que a maioria das plantas de óleo e de gás tem implantação de longo prazo: só a elaboração do projeto básico pode passar de um ano. A complexidade e a burocracia das fases de licenciamento ambiental costumam exigir ainda mais tempo, sem contar eventuais processos de desapropriação e a demora na fabricação de equipamentos feitos somente sob encomenda, entre outras complicações.

As áreas de negócios da estatal tiveram de designar grupos de funcionários para atender às perguntas e cobranças da equipe do governo responsável pela gestão do PAC. A ministra Dilma Rousseff, já na Casa Civil, convocava diretores e gerentes executivos para reuniões em Brasília para discutir o andamento das obras. Na prática, os projetos da companhia passaram a atender ao calendário político.

Em alguns casos, o presidente da República interveio pessoalmente, como ocorreu com a Refinaria Abreu e Lima, que deveria ser construída em Pernambuco em sociedade com a estatal venezuelana PDVSA. A obra, que havia sido negociada anteriormente sem sucesso pelas duas estatais, foi retomada, mas dessa vez com mudanças que causariam um prejuízo bilionário à Petrobras. A PDVSA não seria mais a sócia majoritária da refinaria; a Petrobras entraria com 50% do negócio e do investimento. O projeto previa o refino diário de 200 mil barris de óleo pesado, sendo metade da carga brasileira e a outra metade venezuelana.

A negociação fora aberta em 2003 pelos presidentes Lula e Hugo Chávez. O acordo de intenção assinado pelos dois governos previa o estudo para a associação das duas estatais em vários projetos, incluindo a refinaria. Alguns empreendimentos eram ousados, como a construção de um gasoduto para ligar a Venezuela ao Brasil, que se provou inviável nas primeiras contas feitas pelas empresas. O que interessava à Petrobras era a exploração e a produção de óleo no país vizinho. Já a Venezuela, que tinha dificuldade de colocar seu óleo extrapesado no mercado, queria ganhar espaço no mercado de distribuição brasileiro.

Em 2005, a Petrobras e a PDVSA haviam assinado um acordo para aprofundar os estudos para a construção da Abreu e Lima. Mais tarde, em janeiro de 2007, no lançamento do PAC, a Petrobras se comprometeu a começar a implantação da refinaria em 2008 e inaugurá-la em 2012. Dias depois, o diretor de Abastecimento Paulo Roberto Costa foi chamado para uma conversa com Lula. O presidente queria saber se seria possível antecipar a inauguração da refinaria para 2010.

Só que, após a descoberta do pré-sal, fazia pouco sentido para a Petrobras explorar óleo extrapesado venezuelano, tendo um mar de óleo muito mais leve para produzir no Brasil. (O petróleo venezuelano é muito mais pesado que o brasileiro. Tanto a produção como o refino exigem processos mais complexos e, portanto, mais caros.) A possibilidade de explorar jazidas na Venezuela já não tinha mais o mesmo valor que teria, por exemplo, na década de 1970, quando o país importava quase todo o petróleo que consumia. Ou mesmo no início dos anos 2000, quando a companhia queria recompor suas reservas, visto que a Bacia de Santos começaria a declinar. Agora, em 2007, era o momento de a estatal brasileira concentrar recursos na exploração do pré-sal.

Diante do novo cenário, caberia ao diretor de Abastecimento — a pessoa que mais deveria conhecer o assunto — alertar a diretoria executiva, o conselho de administração e até o presidente da República de que o empreendimento de Abreu e Lima já não era mais tão atraente para a companhia. Para Costa, no entanto, um pedido do presidente era uma ordem, e ele havia se apegado profundamente ao cargo. Em 2006, quase perdera a diretoria por causa de um grave problema de saúde (uma malária agravada por uma pneumonia, adquiridas durante uma viagem de trabalho à Índia). Após a conversa com Lula, Costa escalou a gerente executiva Venina Velosa da Fonseca para coordenar o Plano de Antecipação da Refinaria-PAR, com o objetivo de inaugurar a Abreu e Lima em 2010.

Venina havia se tornado a gerente executiva mais próxima de Costa. Geóloga de formação, ela ingressou na Petrobras na área de E&P, na Amazônia. Anos mais tarde, foi transferida para a gerência de Gás, na sede da estatal, onde trabalhou com Costa. Assim que o novo diretor de Abastecimento assumiu, em maio de 2004, trocou todos os gerentes executivos. Seu discurso era agressivo: "A música mudou, e quem não dançar conforme a música está fora", repetiu várias vezes nas primeiras reuniões com os novos subordinados, relataram funcionários que trabalhavam em Abastecimento na época. "A mensagem era clara: quem não o obedecesse não teria lugar na diretoria", diz uma ex-gerente. Inicialmente, Venina ocupou a posição de assistente do diretor. Coube a ela implantar o projeto Novo Abastecimento, como foi batizada a reestruturação da área. Foi nessa época que ela passou a ser conhecida como "a rottweiler" de Costa. Seu objetivo, dizia Venina, era padronizar processos e reorganizar a estrutura da diretoria.

Auxiliada por uma consultoria privada, Venina começou uma maratona de entrevistas com os funcionários. Houve uma fase de mal-estar, pois estes eram convocados sem o conhecimento de seus superiores, que por sua vez também eram chamados para entrevistas nas quais eram confrontados com informações passadas pelos subordinados. O objetivo de tantas entrevistas, explicava Venina, era entender o que fazia cada área da diretoria, cada funcionário, e então definir os processos que deveriam ser adotados como padrão de trabalho dali em diante. A meta era receber o Prêmio Nacional da Qualidade (PNQ), da Fundação Nacional da Qualidade.

O projeto Novo Abastecimento queria causar impacto. Em 2005, quando o programa estava prestes a ser implantado, os funcionários de Abastecimento foram surpreendidos ao chegar ao trabalho. De um dia para o outro, todas as paredes — tanto dos escritórios como das refinarias e de outras instalações da diretoria — tinham sido pintadas (na verdade, cobertas por adesivos) de uma mesma cor. Em uma semana as instalações ficavam todas verdes; na outra, mudavam para azul. O objetivo era chamar a atenção para as mudanças que seriam implementadas pelo projeto. Em 2007, a diretoria de Abastecimento alcançou o PNQ, o que não impediu que a área se transformasse em um foco de corrupção e de projetos pessimamente gerenciados.

Em 8 de março de 2007, em resposta ao pedido de Costa, Venina encaminhou à diretoria executiva da Petrobras um Documento Interno da Petrobras (DIP) com a seguinte conclusão: "Será possível a inauguração da Refinaria do Nordeste em agosto/2010, com a partida da Unidade de Destilação Atmosférica e Utilidades, e em dezembro/2010 das demais unidades". A proposta elaborada por Venina foi aprovada no mesmo dia pelo colegiado executivo da Petrobras.

A submissão de Costa aos desejos do governo tornava-o "intocável", escrevia a imprensa na época.[1] A aprovação da antecipação da refinaria desencadeou uma série de medidas, entre elas a compra de equipamentos considerados críticos e a contratação de serviços como a construção da casa de força (geradora de eletricidade) e a terraplenagem da área onde a Abreu e Lima seria construída. Mas os projetos básicos das várias unidades que comporiam a refinaria ainda não haviam sido iniciados, o que ocorreu somente depois da aprovação do Plano de Antecipação da Refinaria, ou seja, em março de 2007.

Em uma completa subversão das etapas de implantação de um empreendimento, as encomendas de equipamentos e contratações também começaram a ser feitas sem que a PDVSA tivesse se comprometido oficial e irrevogavelmente com o financiamento da obra. O projeto era tão embrionário que só em dezembro de 2007 os engenheiros da Petrobras descobriram que não seria possível refinar o óleo venezuelano, extrapesado, seguindo os mesmos processos usados para refinar o brasileiro, bem mais leve.[2]

Seria preciso, portanto, construir dois trens de refino, um para processar o óleo brasileiro e outro para o óleo venezuelano. Quase tudo teria de ser duplicado no projeto da Abreu e Lima. As utilidades (casa de força, geradora de vapor e unidade de tratamento de efluentes) também teriam de ser reforçadas para atender ao trem de refino do óleo da PDVSA. Isso porque o refino do óleo extrapesado exigiria, por exemplo, pressões e volumes de vapor muito mais elevados do que no trem de refino do óleo brasileiro.

Em 18 de março de 2008, as áreas de Abastecimento e de Serviços recomendaram que a diretoria executiva da estatal autorizasse a compra dos equipamentos críticos para a construção do segundo trem da Abreu e Lima. A estatal venezuelana ainda não havia aportado um centavo à obra — o que nunca faria. Na semana seguinte, os presidentes Lula e Chávez se encontraram em Recife, acompanhados dos presidentes das duas estatais, para celebrar a assinatura de um contrato que estabelecia "as bases para a sociedade" entre a Petrobras e a PDVSA no empreendimento (mas as condições da associação ainda teriam de ser detalhadas).

Na época, o orçamento da refinaria já havia subido para US$ 4 bilhões, ante os US$ 2,5 bilhões calculados inicialmente. Durante o encontro, ocorrido em 26 de março de 2008, Lula se dirigiu a Chávez dizendo: "Obrigado por contribuir para que a PDVSA e a Petrobras deixem de ser duas misses muito competentes e muito vaidosas e que sejam duas empresas que pensem como nós... Que não pensem apenas na sua rentabilidade, mas que pensem também no que elas podem fazer para ajudar o continente sul-americano".[3] No dia seguinte, a diretoria da estatal autorizou a aquisição dos equipamentos solicitados.

O projeto básico da Abreu e Lima só foi aprovado em 2009. Isso, depois de sofrer inúmeras mudanças de escopo, e quando o orçamento já estava em US$ 13,4 bilhões, mais de cinco vezes o original. A capacidade de refino havia subido de 200 mil barris ao dia para 230 mil, divididos em dois trens de 115 mil barris — um para o óleo da Petrobras e outro para o da PDVSA. Àquela altura, a estatal brasileira já havia desistido de inaugurar a refinaria em 2010. Embora as obras de terraplenagem estivessem praticamente concluídas e parte dos equipamentos, encomendados, o conselho de administração da companhia ainda não havia aprovado o estudo de viabilidade técnica e econômica (EVTE).

Essa foi outra aberração constatada no processo de implantação da Abreu e Lima. A função do EVTE é justamente revelar se o empreendimento será capaz de dar lucro ou não após ser construído. Pela ordem natural das coisas, o EVTE deveria ter sido avaliado antes de a obra começar, nunca depois. Pois bem, ele foi aprovado somente em janeiro de 2010, depois que a Petrobras já havia assinado contratos bilionários para a aquisição de equipamentos, construção e montagem da refinaria. A PDVSA ainda não havia aportado um único centavo à obra, nem apresentado as garantias exigidas pelos bancos que financiaram o empreendimento. A situação da Venezuela havia mudado drasticamente desde 2007; a PDVSA não tinha mais condições de arcar com o investimento.

Mesmo assim, só em 2013, seis anos após o início das obras, a Petrobras rompeu a sociedade com a PDVSA e anunciou que tocaria a refinaria sozinha. O projeto final foi novamente modificado. Os dois trens de refino, de 115 mil barris cada, foram reconfigurados para processar apenas óleo brasileiro. A tentativa de acelerar a construção de um empreendimento que não tinha sequer projeto básico causou um prejuízo de R$ 4 bilhões à Petrobras, só com mudanças de escopo e retrabalhos, alterações que provocaram acréscimos de prazo e de custos. A conclusão é da Comissão Interna de Apuração (CIA)[4] criada pela presidência da estatal, em abril de 2014 — após a prisão de Paulo Roberto Costa —, com o objetivo de investigar as várias licitações ocorridas e a execução das obras. O valor não contempla os sobrepreços praticados pelas empreiteiras envolvidas no esquema de repasse de propinas a partidos políticos e executivos da companhia.

Se tivesse sido projetada desde o início para processar apenas óleo brasileiro, a Abreu e Lima custaria a metade de uma refinaria adequada a processar também petróleo venezuelano. A avaliação é de dois especialistas em refino. Segundo eles, técnicos da companhia adiaram ao máximo a compra de equipamentos exclusivos para o trem de refino da PDVSA. No entanto, as utilidades, por exemplo, foram projetadas e instaladas considerando também as necessidades adicionais do processamento do petróleo da Venezuela. No final, a refinaria vai operar com recursos desnecessários.

O relatório final da investigação afirma, ainda, que a "Comissão não obteve evidência de justificativa técnica ou empresarial para a elaboração do PAR [Plano de Antecipação da Refinaria]". Nunca foi explicado também por que a

Petrobras levou em frente durante seis longos anos a implantação do projeto, sem que a PDVSA cumprisse com suas responsabilidades e aportasse capital nas obras. Um executivo que acompanhou as negociações afirma: "Houve uma decisão política entre dois governos, mais precisamente de Lula e Chávez. O problema é que nenhuma das duas empresas apoiava o projeto, mas ninguém tinha coragem de contrariar os presidentes de seus países. Conclusão: o problema foi sendo empurrado com a barriga".

A refinaria não foi inaugurada nem para a eleição de 2010 nem para a de 2014. Começou a funcionar apenas, e parcialmente, em dezembro de 2014. Um mês antes, a então presidente da estatal, Graça Foster, explicou ao conselho de administração que a Abreu e Lima custaria US$ 18,4 bilhões e seria a refinaria mais cara do mundo.[5] A conta apresentada por Graça mostrava que, ao final das obras, a Petrobras teria investido US$ 80 mil para construir a capacidade de processamento de um barril de petróleo por dia na refinaria pernambucana. A informação foi veiculada pelo jornal *O Globo*, que teve acesso à gravação da reunião. No áudio, Graça explica que o custo inclui as despesas com a infraestrutura construída para viabilizar o empreendimento. Durante a apresentação, acontece o seguinte diálogo:

— Tem a conta sem infraestrutura? — pergunta um conselheiro.

— Passa a ser US$ 61 mil — responde o gerente da Petrobras Wilson Ramalho.

— Ainda é a mais cara do mundo — complementa Graça.

Em seguida, a presidente da estatal afirma que o cálculo vale também para o Comperj, que estava sendo construído em Itaboraí, no Rio de Janeiro. Segundo estimativas feitas por especialistas da área de óleo e gás, o investimento máximo aceitável para uma refinaria como a Abreu e Lima seria de US$ 35 mil por capacidade de barril processado.

Em dezembro de 2015, o primeiro trem da Abreu e Lima ainda não havia sido totalmente concluído. Processava cerca de 74 mil barris ao dia, sem conseguir alcançar a capacidade total de refino, de 115 mil. Naquele mês, no site do governo que presta contas do PAC, a Refinaria Abreu e Lima aparecia como uma obra de R$ 40.142.618.000,00, de responsabilidade do Ministério de Minas e Energia, apesar de a Petrobras ser investidora integral do empreendimento. A estatal aparece como "executora".[6] Em outubro de 2015, o então presidente da companhia, Aldemir Bendine, havia afirmado que a empresa ainda investiria R$ 3 bilhões para concluir o segundo trem da refinaria, que deveria começar a operar em 2017.

Em 2007, quando a refinaria foi incluída no PAC e sua construção foi iniciada, o ambiente econômico era favorável, os testes no pré-sal traziam boas notícias e a ordem dentro da companhia era acelerar. Em agosto daquele ano, a Petrobras divulgou seu plano estratégico[7] com a visão mais ambiciosa de sua história até então: "Ser uma das cinco maiores empresas integradas de energia do mundo e a preferida pelos nossos públicos de interesse". A sugestão para que a estatal mirasse algo mais objetivo e ambicioso partiu de um dos conselheiros da estatal, o executivo Roger Agnelli, então presidente da Vale, a maior mineradora do país. O executivo deixou o conselho em seguida. Ele também tinha planos de levar a Vale para o setor de petróleo. Agnelli era um dos executivos mais festejados do país e também havia caído nas graças do presidente Lula. Mais tarde, porém, cairia em desgraça e seria demitido por Dilma Rousseff. (Agnelli faleceu em março de 2016, em um acidente aéreo.)

Os investimentos previstos para o período de 2008-2012 já haviam atingido US$ 112 bilhões, quase 30% a mais que o anunciado no ano anterior. Fora os investimentos cada vez mais pesados em E&P e em Abastecimento, a Petrobras assumia a responsabilidade de garantidora de gás natural para o país e de maior geradora de termeletricidade — de forma a reduzir o risco de apagão. Também se propunha a ser líder na exportação de etanol, lançando-se na construção de alcooldutos, necessários ao escoamento do combustível verde e amarelo, como fora batizado pelo governo. Ainda em 2007, a companhia realizou duas aquisições bilionárias que a colocaram de volta como uma das grandes do setor petroquímico. Em março, comprou a Ipiranga — em consórcio com a Braskem (da Odebrecht) e o grupo Ultra — por US$ 4 bilhões (a estatal arcou com US$ 1,3 bilhão). O valor da aquisição surpreendeu o mercado, que avaliava a Ipiranga em US$ 1,5 bilhão.[8] Na divisão dos ativos, a Petrobras ficou com 40% do braço petroquímico (enquanto a Braskem obteve 60%) e com os postos de combustíveis das regiões Norte, Nordeste e Centro-Oeste (a Ipiranga tinha a segunda maior rede de abastecimento do país, atrás apenas da estatal). Em agosto, a Petrobras foi novamente às compras e pagou R$ 4,1 bilhões pela Suzano Petroquímica (somados os R$ 2,7 bilhões pagos aos acionistas e as dívidas assumidas). O valor foi mais uma vez considerado excessivo pelo mercado. Um dia antes do anúncio da oferta da Petrobras, o valor da Suzano na Bolsa de Valores era de R$ 1,29 bilhão.[9]

A estatal crescia para cima e para os lados. Na linguagem de negócios, tornava-se cada vez mais verticalizada — com investimentos em petroquímica, por exemplo — e também horizontalizada, entrando no mercado de etanol e biodiesel. "Os riscos dessa estratégia consistem em uma menor disciplina de custos e na perda de oportunidades mais rentáveis no segmento de E&P", avaliou na época o economista Adriano Pires, diretor do Centro Brasileiro de Infra Estrutura (CBIE). Pires, que era uma das poucas vozes dissonantes sobre a estratégia da Petrobras, era considerado pelos executivos da estatal e pelo governo um porta-voz da oposição. Ele havia sido um dos superintendentes da primeira formação da ANP no governo Fernando Henrique Cardoso. Junto com David Zylbersztajn, foi um dos principais responsáveis pela abertura do setor, incluindo a estratégia de liberalização gradual dos preços de combustíveis.

Em 2008, o preço do barril continuou batendo recorde em cima de recorde. Em julho, atingiu US$ 145, resultado da crescente demanda das economias em desenvolvimento combinada à dificuldade de aumento de oferta dos países produtores. Em 2 de setembro, o presidente Lula visitou a plataforma P-34, estacionada sobre o Campo de Jubarte, no litoral do Espírito Santo,[10] para dar o início simbólico à extração do primeiro óleo do pré-sal (simbólico porque o teste já vinha ocorrendo dias antes). A área escolhida para a produção inicial apresentava condições bem menos severas que as dos campos gigantes da Bacia de Santos, onde fora descoberto Tupi. A camada de sal naquela região é muito menos espessa — tem cerca de 200 metros — do que na área de Tupi, onde atinge 2.000 metros de profundidade. Fora isso, a Petrobras já possuía uma plataforma extraindo petróleo no pós-sal de Jubarte, a P-34, que foi adaptada para se conectar ao poço perfurado no reservatório do pré-sal.

De qualquer forma, mostrar que o óleo do pré-sal era uma realidade depois de apenas dois anos e dois meses da primeira descoberta era um feito e tanto para a Petrobras. E esse feito seria amplamente capitalizado pelo governo. As comemorações foram efusivas em alto-mar: Lula carimbou as mãos sujas de petróleo nos macacões de membros da comitiva presidencial, incluindo o da ministra Dilma Rousseff. O macacão laranja de Lula também foi marcado com o óleo escuro do Campo de Jubarte. Em seguida, o presidente fez um longo discurso ressaltando a grandiosidade do pré-sal. Afirmou que o desenvolvimento da nova província consumiria mais de R$ 2 trilhões[11] em investimentos até 2017; que a Petrobras iria precisar de duzentos novos navios e 38 sondas para explorar os campos do pré-sal nos dez anos seguintes; que cada sonda custaria cerca de US$ 700 milhões, e que o plano era construí-las no Brasil para fomentar a produção nacional. "Ou nós investimos e criamos empregos aqui, ou a Petrobras economiza US$ 100 milhões e compra sondas de Singapura... Nós não vamos ser meros exportadores de óleo cru. Vamos exportar produtos com valor agregado e continuar os investimentos... É importante que a gente não dependa só do petróleo. Temos que aproveitar o petróleo para industrializar este país... A Petrobras é a mãe da industrialização deste país."

O potencial de geração de riqueza dos campos gigantes do pré-sal inebriou todo o governo, principalmente o presidente Lula, que passou a falar do assunto em todos os seus discursos, referindo-se à nova província petrolífera como "bilhete premiado", "dádiva divina" e "passaporte para o futuro". As palavras do presidente não demonstravam apenas euforia em relação às jazidas de petróleo recém-encontradas, mas revelavam também todo o peso que o governo jogaria nas costas da Petrobras.

Dias após a cerimônia do primeiro óleo do pré-sal, a quebra do banco americano Lehman Brothers detonou a maior crise financeira mundial desde 1929. O quarto maior banco de investimentos do país, assim como tantos outros mundo afora, havia apostado alto em títulos subprime (de segunda linha, ou seja, com alto risco de inadimplência). Esses papéis eram títulos criados com base em hipotecas imobiliárias de milhões e milhões de americanos que tomaram crédito e deram seus imóveis como garantia. Ocorre que a bolha imobiliária estourou, o preço dos imóveis despencou em relação ao valor das hipotecas, e os donos dos financiamentos começaram a dar calote nos bancos. A crise se espalhou como um rastilho de pólvora pelas economias do mundo todo. O crédito evaporou, e o preço do barril de petróleo afundou, passando de US$ 134 (média em agosto) para US$ 41 (média em dezembro).

Sob o impacto da crise, a Petrobras acabou não divulgando em 2008 o plano de negócios para os cinco anos seguintes (2009-2013). No mundo inteiro, empresas de todos os setores suspenderam investimentos. A situação da estatal já não era mais tão confortável como fora entre 2002 e 2006. O ano de 2007 terminara com fluxo de caixa livre negativo — ou seja, a geração de caixa não havia sido suficiente para cobrir despesas e investimentos realizados no período.

A revisão do plano de negócios foi especialmente difícil em 2008, e sua aprovação acabou sendo empurrada para o início de 2009. Em uma reunião nos primeiros dias do ano, a diretoria executiva da estatal decidiu retirar a Abreu e Lima do plano que cobriria o período de 2009 a 2013. O custo do projeto já passava dos US$ 13 bilhões, o quíntuplo do orçamento inicial, tornando-o economicamente inviável. A retirada da refinaria do plano de negócios, entretanto, não significava o cancelamento da obra. Os investimentos poderiam ser retomados quando o projeto voltasse a ser viável e o cenário econômico ficasse mais claro.

Poucos dias depois da decisão, a diretoria da estatal foi convocada para fazer uma apresentação do plano ao presidente Lula. Ela ocorreu no dia 23 de janeiro, no Palácio do Planalto, na Sala de Reunião Suprema, utilizada nas reuniões ministeriais. Durante a exposição, Gabrielli explicou que a Abreu e Lima não havia sido incluída no planejamento de 2009 a 2013 porque sua viabilidade econômica não estava garantida. Nesse momento, Costa pediu a palavra, enquanto tirava um jornalzinho do bolso do paletó. O diretor explicou que se tratava de um jornal da década de 1970, e que gostaria de ler a manchete do periódico. E leu: "Refinaria do Nordeste é cancelada por falta de recursos", ou algo muito próximo a isso, relataram duas pessoas presentes na reunião.

Em seguida, o diretor se dirigiu ao presidente Lula e lamentou que trinta anos tivessem passado sem que a refinaria fosse construída. Seu receio, completou Costa, era que outros trinta anos passassem sem que a obra fosse concretizada. Sentado à cabeceira da imensa mesa em formato de U, o presidente Lula se manifestou assim que Costa terminou de falar. Segundo ele, a Abreu e Lima deveria ser construída, sim, e Costa estava incumbido de trabalhar para reduzir o custo do projeto.

Os demais diretores foram pegos de surpresa pela atitude de Costa. Afinal, ele havia concordado em retirar o projeto do plano de negócios semanas antes. Mais tarde, depois de conversarem entre si, alguns executivos presentes na reunião chegaram à conclusão — nunca confirmada, porém — de que a convocação de Lula havia sido articulada por Costa. Ele teria concordado com a retirada da Abreu e Lima do plano de negócios apenas para não entrar em conflito com os colegas. Depois, secretamente, teria procurado Lula, que já vinha anunciando publicamente a construção não apenas da Abreu e Lima, mas de outras duas refinarias na região Nordeste.

Quase dois meses antes da reunião em Brasília, em 2 de dezembro de 2008, Lula havia afirmado que a crise não seria capaz de frear os investimentos da estatal. "Vocês todos conhecem a disponibilidade de investimento que tem a Petrobras, e eu quero dizer para vocês: não haverá diminuição nas obras da Petrobras em nem US$ 1, por conta da crise. Não haverá. A refinaria do Maranhão, a refinaria do Ceará, a refinaria de Natal, a refinaria de Pernambuco, todas elas serão mantidas. Os contratos que nós vamos fazer do pré-sal, os contratos que nós vamos ter para contratação de navios e sondas, nós vamos continuar fazendo", afirmou o presidente durante um discurso no IX Fórum dos Governadores do Nordeste.[12]

O anúncio do plano de negócios para o quinquênio 2009-2013 aconteceu no mesmo dia da apresentação feita ao presidente da República, em 23 de janeiro de 2009. O conselho de administração havia participado da mesma apresentação no Palácio e fez sua reunião lá mesmo, em seguida. Em vez de prudência, a companhia anunciou um aumento de 55% nos investimentos, que somariam US$ 174 bilhões, ante os US$ 112 bilhões previstos no plano anterior (2008 a 2012). Só em novos projetos foram acrescentados quase US$ 48 bilhões. A área de Abastecimento investiria US$ 46,9 bilhões. O plano incluía não só a Abreu e Lima, com inauguração marcada para 2011, mas também o Comperj, para começar a operar em 2012, a Refinaria Premium I, no Maranhão, em 2013, e a Premium II, no Ceará, em 2014.[13] Em seis anos, no final de 2015, quatro novas refinarias adicionariam quase 1 milhão de barris à capacidade diária de processamento de petróleo da estatal.[14]

Para investir mais de US$ 28 bilhões naquele ano (2009), a estatal seria obrigada a captar US$ 18 bilhões. O descasamento entre caixa livre e investimentos só aumentaria, assim como o endividamento da companhia. Com o mercado fechado, a estatal recorreu ao BNDES, que emprestou quase US$ 12 bilhões à petroleira. A companhia também levantou US$ 10 bilhões com instituições financeiras chinesas e outros US$ 5 bilhões com grandes bancos internacionais, excedendo a necessidade de financiamento para aquele ano.

* * *

A estatal ia na contramão de todas as empresas de commodities, que pisavam no freio dos investimentos. Mas o componente político falou mais alto. O governo queria pôr em prática sua política anticíclica, de forma a aumentar investimentos para compensar os efeitos da crise. Essa é uma parte da explicação. A outra é que vários grupos políticos importantes disputavam a construção das refinarias, e o governo Lula decidiu presentear a todos com o caixa da Petrobras. Pelo Maranhão, advogavam o ministro de Minas e Energia Edison Lobão e a família Sarney, além do governador Jackson Lago, do PDT, todos aliados do governo federal. No Ceará, os irmãos Ciro e Cid Gomes. O primeiro fora ministro de Lula e era deputado federal da base governista. Cid governava o Ceará na época. Em Pernambuco, Eduardo Campos, também ex-ministro de Lula, ocupava o governo do estado.

Em maio de 2008, o ministro Edison Lobão havia provocado rebuliço ao anunciar que o Maranhão sediaria uma refinaria Premium, voltada à exportação de gasolina de alta qualidade para o mercado americano. Segundo Lobão, a Petrobras estava estudando a construção de duas refinarias desse tipo, mas a primeira, já estava decidido, seria instalada em São Luís, capital maranhense. O anúncio causou mal-estar no governo e na Petrobras, que passaram a sofrer pressão dos governos cearense e potiguar. Menos de um mês depois, a estatal divulgou que havia se reunido com representantes do governo do Ceará para estudar a possibilidade de instalar uma refinaria com capacidade de processar 300 mil barris por dia. Isso aconteceu no dia 10 de junho. Seis dias depois, a petroleira divulgou que havia se reunido com representantes do governo maranhense para discutir estudos. O Rio Grande do Norte, onde havia produção de petróleo e uma pequena refinaria, na cidade de Guamaré, ganhou uma unidade de refino de gasolina de pequeno porte, que foi batizada de Refinaria Clara Camarão. A solução encontrada pelo governo foi distribuir uma refinaria para cada estado.

Havia pelo menos duas décadas que vários governadores nordestinos tentavam convencer a estatal e o governo federal a construir a próxima refinaria da Petrobras em seu estado. Na verdade, logo após a inauguração da Revap (São José dos Campos, no Vale do Paraíba, em São Paulo), em 1980, começaram as pressões políticas nesse sentido. Ozires Silva, que presidiu a Petrobras entre maio de 1986 e junho de 1988, chegou a se indispor com o ministro Aureliano Chaves, de Minas e Energia, que insistia que a estatal construísse uma nova unidade de refino em Pernambuco.

Na ocasião, Silva respondeu que iria consultar os técnicos da empresa, mas que, numa análise inicial — adiantou ao ministro —, não via sentido no empreendimento. "Tinha a impressão de que acabaria fazendo turismo com petróleo. Primeiro, teria de mandar o óleo do Sudeste para ser processado no Nordeste. Depois, teria de embarcar os derivados novamente para o Sudeste, onde estava o maior mercado consumidor", relembrou Ozires Silva, durante entrevista em 2014. Semanas depois, Silva respondeu a Aureliano Chaves que a companhia não poderia encampar a construção da refinaria. "Apresentei os estudos feitos pela área de abastecimento e disse que não dava. E a Petrobras tinha, e ainda deve ter, profissionais do mais alto gabarito em todas as áreas. Dava gosto de ver. Nós tínhamos discussões belíssimas sobre o negócio, sobre a empresa, sobre novas tecnologias."

No final dos anos 1990 e início dos anos 2000, o consumo de gasolina e diesel já era muito maior no Nordeste, e a companhia estudava a possibilidade de construir uma nova refinaria na região. A disputa entre governadores também atrapalhou o processo. Ocorre que, a exemplo de Ozires Silva, nenhum dos dois presidentes da estatal aceitou patrocinar refinarias para presentear políticos. Em 2008, a situação era outra. Nem Costa, nem Gabrielli contestariam um pedido ou uma ordem de Lula. E o presidente estava convencido de que o caixa da Petrobras era forte o bastante para atender a todos.

15. Um puro-sangue petista que se rebelou

O professor universitário Ildo Sauer — que se tornaria diretor da Petrobras — foi um aguerrido militante do Partido dos Trabalhadores desde que voltou dos Estados Unidos, em 1985, depois de fazer doutorado em engenharia nuclear no prestigioso Massachusetts Institute of Technology (MIT). Ironicamente, seu afastamento do PT começou no final de 2002, quando Luiz Inácio Lula da Silva foi eleito presidente da República.

Sauer, da Universidade de São Paulo (USP), e o físico Luiz Pinguelli Rosa, da Universidade Federal do Rio de Janeiro (UFRJ), coordenaram o grupo de energia do PT, que formulou a política energética apresentada por Lula durante a campanha presidencial. Os dois prepararam também a base do discurso do candidato sobre o racionamento de energia de 2001, um dos principais motivos da derrota do PSDB na eleição de 2002. Dentro do PT, eram considerados candidatos naturais aos postos de ministro de Minas e Energia e secretário executivo da pasta, respectivamente. Embora o ministro tenha um cargo de mais status, ele precisa dedicar boa parte do tempo às atividades políticas, enquanto o secretário executivo é quem geralmente elabora e cuida da execução das iniciativas do ministério. Era isso o que mais interessava a Sauer.

Pinguelli ainda tinha dúvidas se deveria deixar o Rio de Janeiro para morar em Brasília e enfrentar o desgaste físico e emocional imposto por um cargo desse tipo. Sauer — mais jovem que o companheiro, que fora seu orientador no mestrado da UFRJ — estava preparado para assumir qualquer uma das duas missões. Tinha prazer especial em ser chamado de formulador da proposta de "reconstrução do setor elétrico brasileiro", resultado das discussões do grupo de energia do PT e que virou um livro com o mesmo título, publicado em 2003 pela editora Paz e Terra.

Depois que o presidente Lula, Dirceu e Palocci decidiram a formação do governo, nem Sauer nem Pinguelli foram nomeados para o Executivo. O comando da pasta ficou com Dilma Rousseff, também integrante do grupo de energia do PT, porém menos conhecida, por ser nova no partido. Dilma era da ala pedetista que ajudou a eleger o petista Olívio Dutra ao governo gaúcho em 1998 e ocupou o posto de secretária de Minas e Energia do Rio Grande do Sul. Em 2001, quando o PDT decidiu apoiar Ciro Gomes à presidência, em vez de Lula, ela se transferiu para o PT e permaneceu no governo gaúcho.

Dilma entrou no mapa dos ministeriáveis em um encontro do grupo de energia, ao ser apresentada a Lula por Pinguelli Rosa. Lula ficou entusiasmado com a nova companheira de partido, quando Pinguelli explicou que ela era a secretária de Energia de um dos poucos estados brasileiros que haviam se livrado do racionamento de 2001 (Dilma é mineira, mas se mudara para o Rio Grande do Sul, onde construiu a carreira política).

A cúpula petista buscou então referências sobre Dilma, e descobriu sua fama de profissional dedicada e cobradora implacável de resultados; descobriu também que ela havia sido secretária da Fazenda de Porto Alegre. Era economista e tinha longa atuação na esquerda brasileira. Durante a ditadura, militara nas organizações Comando de Libertação Nacional (Colina) e depois na Vanguarda Armada Revolucionária Palmares (VAR-Palmares), que defendiam a luta armada para restaurar a democracia. Foi presa e torturada, passando quase três anos na cadeia. Na reabertura, participou da fundação do PDT, onde permaneceu até a mudança para o PT.

O mais importante, porém, era que Dilma agora tinha uma postura menos radical que Sauer e Pinguelli em relação à participação do setor privado na área de energia. Não aderiu às ações na Justiça que tentaram barrar a privatização de estatais de energia, como fizeram os dois professores. Também não apoiava a tese de revisão de contratos das empresas privatizadas. Era, portanto, mais adequada à imagem que a cúpula petista pretendia passar do governo. Durante a transição do governo Fernando Henrique para o governo Lula, Palocci se encantou com Dilma. Ele era o coordenador geral da transição, e Dilma comandava a transição da área de energia. José Dirceu, que seria o chefe da Casa Civil, e Luiz Gushiken, que dirigiria a Secretaria de Comunicação Social da Presidência da República, apoiaram a ideia, e Lula se convenceu de que o ministério deveria ficar com ela.

A escolha do partido foi encarada como uma traição por Sauer. Alguns amigos argumentaram que ele deveria ficar feliz: afinal, o salário de diretor na Petrobras era muito maior que o de ministro. Mas esse tipo de comentário só o deixava mais enfurecido. Dinheiro era o que menos parecia contar para o professor da USP. Chegar ao ministério — fosse como ministro ou secretário executivo — seria a chance de colocar em prática os planos de duas décadas de estudos, além, é claro, de um afago à vaidade de quem prefere ostentar um título de doutorado do MIT a um carro ou endereço de luxo.

Até o início de 2016, Sauer continuava dirigindo um Volkswagen Logus, fabricado em 1994, e morando no Morro do Querosene, uma área pouco valorizada no bairro do Butantã, na zona oeste da capital paulista. A casa é confortável, mas está longe de ser luxuosa, e fica perto de uma favela. Nas palavras do ex-gerente de Segurança Empresarial da petroleira, o coronel Pedro Aramis Arruda, o lugar "não é compatível com a posição de um diretor da Petrobras". Arruda fez a afirmação ao próprio Sauer em 2007. Ele foi pessoalmente à residência, depois de um assalto em que a filha, uma empregada e a esposa do diretor foram feitas reféns.

Ao final da vistoria, o coronel recomendou que o diretor procurasse um apartamento em outra região, com controle de acesso e vigilância 24 horas. Inicialmente, Sauer considerou a avaliação ofensiva, mas compreendeu que se tratava da visão de um profissional que estava ali justamente para dar seu parecer técnico. A resposta ao gerente de Segurança foi que ele não havia nascido diretor da Petrobras, "estava" diretor da Petrobras. A residência havia sido construída por ele e ficava perto da USP, onde continuaria a dar aulas depois de deixar a estatal.

No período em que comandou a diretoria de Gás e Energia da Petrobras, entre janeiro de 2003 e setembro de 2007, Sauer se transformou de "puro-sangue petista" em crítico contumaz do governo. Ele questionou, atrasou e até bloqueou projetos e operações que considerava potencialmente danosos à companhia (alguns deles posteriormente comprovados como lesivos pela

Operação Lava Jato). O diretor entrou em vários conflitos com o governo, em particular com Dilma Rousseff, inicialmente ministra de Minas e Energia e depois chefe da Casa Civil. Também bateu de frente com pares da diretoria da estatal e até com parlamentares do próprio PT, como o senador Delcídio do Amaral.

A ministra Dilma Rousseff acompanharia a diretoria de Gás e Energia da Petrobras com especial interesse, tanto à frente do ministério de Minas e Energia como no comando da Casa Civil. Ela tinha motivos para isso. Durante a campanha eleitoral, Lula havia prometido repetidas vezes que o governo do PT jamais deixaria faltar energia, como fizeram os tucanos em 2001. A principal missão de Dilma, portanto, era afastar o fantasma do racionamento a qualquer custo. E a Petrobras seria usada como uma das peças-chave para que ela cumprisse seu dever.

Os embates de Sauer com Dilma começaram cedo. Conhecida pela dureza na relação com os subordinados, ela gosta de mandar e ser obedecida. Não atendida como o esperado, costuma gritar e humilhar publicamente os subordinados. Esse tipo de comportamento colidiria frontalmente com o de Sauer, um professor orgulhoso de sua formação e carreira acadêmicas, e que não prestava a reverência que Dilma estava acostumada a receber.

Sauer, por sua vez, também tem suas peculiaridades comportamentais. Não se esforça em disfarçar a contrariedade quando discorda de alguém. É comum vê-lo torcer a boca e o nariz em sinal de reprovação a um interlocutor. "Ele tem um body language desagradável", diz um amigo da universidade. Durante anos de militância política, o professor, como é chamado ainda hoje por vários funcionários da Petrobras, também se acostumou ao debate (ou "confronto", palavra que costuma usar). É quase impossível interrompê-lo no meio de uma discussão. A cada tentativa do interlocutor, ele ergue um pouco mais a voz, e o sotaque gaúcho fica mais evidente.

Nos primeiros meses de 2003, a Petrobras queria renegociar o contrato de fornecimento de gás com a Bolívia. Na época, sobrava gás no Brasil. A importação da Bolívia estava em 11 milhões de metros cúbicos ao dia, e o contrato com os bolivianos previa que o volume de gás enviado ao Brasil subiria para 24 milhões até o início de 2004. O problema era que, após o racionamento de energia em 2001, a demanda por eletricidade permaneceu baixa, e as projeções indicavam que as térmicas a gás não consumiriam o combustível até 2008, pelo menos. Além disso, o plano do novo governo era construir novas hidrelétricas, o que manteria as térmicas com importância marginal no sistema de abastecimento.

Diante desse cenário, o contrato de importação com a Bolívia constituía uma fonte de prejuízos para a estatal brasileira, que era obrigada a pagar pelo gás contratado mesmo que não o retirasse (regra do contrato take or pay). Pelo acordo, a estatal também tinha de arcar com o transporte do gás mesmo que ele não ocorresse (ship or pay); afinal, o gasoduto fora construído, e seu investimento tinha de ser remunerado.

Em setembro de 2002, ainda sob a presidência de Francisco Gros (governo Fernando Henrique), a Petrobras havia feito uma renegociação com a Repsol YPF, reduzindo em um terço o preço do gás. A Repsol YPF produzia 51% do gás natural importado pelo Gasoduto Bolívia-Brasil (Gasbol). A Petrobras Bolívia, que era responsável por 24% da produção, também concordou com a redução. Os 25% restantes eram produzidos pela francesa Total e a britânica BG, que não aceitaram a condição e mantiveram o preço cheio.

O acordo foi firmado no Rio de Janeiro durante a Rio Oil & Gas, o maior evento do setor no país. Pela Repsol YPF, assinou João Carlos de Luca, presidente da subsidiária brasileira da empresa espanhola-argentina. Pela Petrobras, Rodolfo Landim, gerente executivo da diretoria de Gás e Energia e presidente da Gaspetro, que reúne os gasodutos da estatal. Com o acordo, 75% dos novos volumes de gás importados da Bolívia (acima dos 11 milhões de metros cúbicos diários que já estavam em vigor) teriam o novo preço.

A expectativa da Repsol YPF era de que a redução do preço fosse repassada ao consumidor e, como resultado, o mercado brasileiro crescesse. A Petrobras, porém, não repassou o desconto para as distribuidoras imediatamente. Queria reduzir as perdas que vinha acumulando com o gasoduto e com o encalhe do produto.

Quando Sauer assumiu a diretoria, em 2003, manteve o acordo feito por Landim e também não repassou o desconto ao mercado. O novo diretor queria, na verdade, uma nova rodada de renegociação, feita, dessa vez, com a estatal boliviana YPFB, responsável por comercializar o gás de todas as produtoras. Ele pretendia estender o desconto dado pela Repsol e pela Petrobras Bolívia para os 100% do volume adicional importado. Queria também adiar o aumento do volume de importação na condição take or pay, que subiria para

24 milhões de metros cúbicos ao dia. Esses eram os termos que a equipe de Gás e Energia vinha negociando com os bolivianos da YPFB.

Dilma concordava com a necessidade de revisão. A ministra, no entanto, não tinha conhecimento do acordo fechado por Landim no governo anterior. Não se sabe se ela não foi informada durante a transição de governo ou se não prestou atenção quando lhe contaram. O fato é que ela e Sauer nunca falaram sobre a negociação feita em 2002. Só falaram sobre a necessidade de renegociar com os bolivianos.

Em fevereiro de 2003, Dilma decidiu aproveitar a visita do vice-presidente mundial de Operações da Repsol YPF, o espanhol Ramón Blanco, para discutir o preço do gás produzido pela Repsol na Bolívia. Blanco viajou ao Brasil porque queria se apresentar à nova ministra de Minas e Energia, que tinha tomado posse havia um mês e meio.

Tratava-se de uma visita de praxe, que os principais executivos de petroleiras fazem quando muda o governo de um país onde suas empresas operam. A Repsol YPF tinha outros negócios com o Brasil, além do fornecimento de gás por meio de sua subsidiária boliviana. O braço argentino da companhia era sócio em 30% da Petrobras na refinaria gaúcha Refap. Também tinha participação em blocos de exploração nas bacias de Campos e Santos e operava uma rede de quase quinhentos postos de combustíveis.

No dia do encontro, um problema com o voo de Blanco evitou uma saia justa de Dilma com o executivo espanhol (que só chegou para o encontro da tarde, com o presidente Lula). Apenas João Carlos de Luca, responsável pela operação da Repsol YPF no Brasil, e alguns de seus auxiliares se reuniram com Dilma na primeira reunião do dia. De Luca havia comandado a diretoria de Exploração & Produção da Petrobras durante cinco anos, de 1990 a 1995 (com uma breve interrupção durante o governo Collor). Foi um dos funcionários que ajudaram a denunciar o esquema de aparelhamento que vinha sendo montado na companhia no governo Collor.

A certa altura da reunião, Dilma foi direta com De Luca: "Avise seus amigos espanhóis que eles vão ter de baixar o preço do gás para o Brasil". Os executivos da Repsol YPF se espantaram, e De Luca respondeu que a companhia não tinha como dar mais desconto do que já havia dado no ano anterior. Dilma ficou atônita. Disse que não sabia de desconto algum e pediu que De Luca lhe explicasse a história detalhadamente. Antes, ligou para a secretária e avisou que não queria ser interrompida por ninguém, a não ser pelo presidente Lula.

O executivo explicou os termos do acordo assinado em setembro de 2002. Disse também que estava lá justamente porque o comando mundial da Repsol YPF queria deixar claro ao governo brasileiro o esforço que a companhia estava fazendo, ao renunciar a parte de sua receita, para ajudar a ampliar o consumo de gás no país. Que esperava, inclusive, que a Petrobras repassasse o desconto aos consumidores, como forma de estimular a adesão ao combustível. Por fim, De Luca afirmou que a Repsol queria ser vista como parceira estratégica da Petrobras em outros negócios de gás, como, por exemplo, a duplicação do Gasbol, quando a demanda pelo combustível assim exigisse.

Depois do encontro com os executivos da Repsol, Dilma decidiu entrar na negociação do gás boliviano, até então comandada pela Petrobras. Estava convencida de que o diretor de Gás e Energia Ildo Sauer lhe sonegava informações, e ficou enfurecida com isso. Se Blanco tivesse comparecido à reunião na parte da manhã, ela teria passado o vexame de mostrar que não sabia do acordo fechado pela estatal.

A ministra, no entanto, não tirou satisfações com Sauer. Apenas informou que participaria da próxima reunião na Bolívia. Alegou que o assunto envolvia o governo brasileiro e, por isso, acompanharia os executivos da estatal. Ao ser consultado em 2015 sobre a história, Sauer disse que jamais pensou em esconder o acordo de Dilma. Imaginava que ela soubesse da situação desde a transição do governo. Acreditava que ela também concordasse com a necessidade de fazer uma renegociação mais sólida, diretamente com a estatal boliviana, não um acordo apenas com a Repsol, que é uma das produtoras. De fato, Sauer não participou da transição, mas Landim fora consultado várias vezes por Dilma. Ele era seu preferido para assumir a diretoria de Exploração & Produção, mas perdeu a vaga para Guilherme Estrella, indicado pelos sindicatos e pelo PT.

É até possível que, nesse episódio, Dilma e Sauer tenham se envolvido em um grande mal-entendido. Mas, como é comum nas relações corporativas e políticas, o assunto nunca foi abordado com transparência e, consequentemente, nunca foi resolvido. Pelo contrário, as desconfianças mútuas só aumentaram a partir dali, e a relação dos dois azedou de vez.

A reunião na Bolívia entre a Petrobras e a YPFB estava marcada para abril. Em vez de partirem do Rio de Janeiro em avião de carreira, Sauer e três funcionários da estatal voaram para Brasília. Lá encontraram Dilma e Graça Foster, secretária de Petróleo e Gás do ministério, para só então seguirem viagem para La Paz, em um avião alugado pela petroleira.

A presença de Dilma elevou o nível de formalidade do encontro, que a princípio seria uma reunião empresarial entre a Petrobras e a YPFB. Os ministros de Hidrocarbonetos e Energia e de Infraestrutura da Bolívia foram chamados a participar, de forma a igualar a hierarquia com a ministra brasileira. Compareceram também os embaixadores dos dois países, além do presidente da YPFB e seus auxiliares. O encontro ocorreu em uma ampla sala de estilo colonial do ministério de Hidrocarbonetos e Energia. Cada comitiva se sentou de um lado da mesa escura e muito ampla, capaz de acomodar mais de duas dezenas de convidados.

Durante suas argumentações, Dilma trocou um número ao mencionar um dos valores que estavam sendo negociados. Ao perceber o engano, um dos funcionários da Petrobras, que estava sentado atrás dela, a alertou. Dilma não entendeu que se tratava de uma correção; achou que os executivos da estatal estavam mudando deliberadamente as condições combinadas pouco antes da reunião.

Furiosa, a ministra virou-se para os subordinados de Sauer e disparou uma bronca em alto e bom som. Disse que se eles estavam pensando que enganariam os bolivianos como haviam feito com os espanhóis [da Repsol YPF], estavam muito enganados. Disse, ainda, que não tentassem bancar "os malandros espertos", porque aquele governo [do presidente Lula] não permitiria isso.

O constrangimento foi geral. Sauer, que estava em outro lugar da mesa, aproximou-se para entender o que estava acontecendo. Enquanto um dos funcionários da Petrobras explicava à ministra que eles não haviam mudado o número — e que ela, sim, havia falado um número que não fora combinado —, o outro foi retificar a informação com o boliviano que estava redigindo a ata da reunião.

Depois de entender o que havia acontecido, Dilma se acalmou, e a reunião continuou. Segundo um dos participantes, depois de todo o estresse, ela se mostrou até grata ao funcionário que a corrigiu. Os diplomatas brasileiros ficaram embaraçados, e Sauer se sentiu ultrajado. A ministra não só havia gritado com seus subordinados, como colocado a Petrobras, a dona do contrato em questão, em uma condição de inferioridade frente aos negociadores bolivianos.

Sauer não reagiu na hora. Esperou a viagem de volta ao Brasil para falar sobre o acontecido. Sentou-se ao lado dela no jatinho e disse que aquele tipo de coisa não poderia se repetir, e pediu que ela não voltasse a desrespeitar sua equipe. A conversa fluiu cordialmente, como se nada de muito grave houvesse acontecido, mas os dois nunca mais se entenderiam.

A negociação não daria em nada naquele encontro, nem nunca mais. Depois de alguns dias, Dilma convidou os bolivianos para irem a Brasília dar continuidade à negociação. Sauer foi convidado, mas ao chegar ao local da reunião constatou que seu lugar não era à mesa, junto com os ministros brasileiros e executivos da YPFB. A ele fora reservada uma cadeira fora da mesa, onde geralmente ficam os assistentes dos participantes principais.

O diretor se retirou poucos minutos depois do início da reunião, ao concluir que a ministra havia assumido a negociação pela Petrobras. Depois disso, as tratativas foram inviabilizadas por diversas mudanças no governo boliviano e acabaram morrendo. A renegociação que ocorreria para valer só aconteceu em 2007, quando Evo Morales já estava no poder, e as condições estabelecidas foram totalmente adversas à Petrobras.

A animosidade entre Sauer e Dilma passou a ser alimentada pelas informações que fluíam da diretoria de Gás e Energia diretamente para o ministério. Convencida de que Sauer conspirava contra ela, Dilma conseguia acompanhar boa parte do que acontecia em sua diretoria por intermédio de Graça Foster. Graça era funcionária de carreira da Petrobras e mantinha uma boa rede de informantes dentro da empresa, especialmente na área de Gás e Energia, onde trabalhava quando foi requisitada por Dilma para o ministério.

As duas se conheceram no período em que Dilma ainda era secretária de Energia, Minas e Comunicação do Rio Grande do Sul e Graça ocupava uma chefia no quarto escalão da petroleira. Na época, Dilma queria que a Petrobras construísse um gasoduto para alimentar a usina térmica de Uruguaiana, na fronteira com a Argentina, e a estatal resistia à construção. Graça representou a Petrobras em algumas reuniões com o governo gaúcho. O fato é que as duas se deram bem, e Graça passou a ser o braço direito de Dilma no ministério e seus olhos e ouvidos dentro da Petrobras.

Sauer, por sua vez, não fazia segredo de suas críticas à ministra. Falava abertamente que ela era uma fraude. Que não conhecia nada do setor elétrico e menos ainda do de óleo e gás. Outra crítica recorrente do diretor era que Dilma desrespeitava as estatais. "Ela não sabe o que é governança. Pensa que o governo pode fazer o que quiser com a companhia. Não sabe o que significa acionista minoritário", dizia a seus interlocutores. Esse tipo de crítica chegava rapidamente ao gabinete de Graça e, por tabela, ao de Dilma.

Embora fosse pequena em relação às demais áreas de negócio da Petrobras, a diretoria de Gás e Energia era a mais problemática da companhia quando o novo governo tomou posse. A estatal tinha mais de uma dezena de usinas térmicas — sendo várias delas em construção. Todas estavam paradas e, portanto, sem gerar receita, em razão da queda do consumo que se seguiu ao racionamento. As projeções, na época, eram de que as térmicas só voltariam a funcionar depois de 2008 ou 2010. Quando isso acontecesse, porém, a companhia teria de ter construído os gasodutos para abastecer as usinas erguidas em áreas onde não havia gás suficiente (herança da distorção política do Programa Prioritário de Termeletricidade, PPT, criado em 2000 no governo FHC). Enquanto sobrava gás boliviano em São Paulo, por exemplo, faltava no Rio de Janeiro e no Nordeste. No Rio havia duas térmicas prontas e duas em construção, mas o Gasoduto Campinas-Rio, que havia sido licitado no período FHC, não tinha licença ambiental nem financiamento resolvidos. No Nordeste também faltava gás para abastecer duas usinas prontas, duas em construção e uma projetada. Mas até as usinas voltarem a operar, a estatal ficaria com boa parte de seu gás encalhado.

Em 2003, portanto, a Petrobras tinha prejuízo como geradora de energia e como vendedora de gás natural. O país consumia apenas um terço da capacidade do Gasbol. Fora isso, no mesmo ano, a Petrobras fez uma descoberta gigante de gás na Bacia de Santos. O Campo de Mexilhão produziria entre 30 milhões e 40 milhões de metros cúbicos de gás por dia, segundo a área de Exploração & Produção, dirigida por Guilherme Estrella. Internamente, Estrella chegou a falar que a produção diária poderia atingir 100 milhões de metros cúbicos. Mesmo considerando a estimativa menor, o país ganharia em cinco anos um volume adicional de gás equivalente a toda a importação da Bolívia.

Diante desse cenário, Ildo Sauer decidiu buscar outros compradores para o gás natural da companhia. No final de 2003, lançou o Plano de Massificação do Uso de Gás Natural (pmugn). O objetivo era estimular que indústrias dos mais variados setores substituíssem o óleo combustível em suas fábricas, e que os motoristas passassem a usar gás natural veicular (gnv) no lugar de gasolina e etanol. Os moradores das grandes cidades também foram chamados a trocar o botijão e o chuveiro elétrico pelo gás encanado. Esse tipo de cliente seria abastecido por distribuidoras, que são clientes fixas da Petrobras e têm interesse em aumentar suas vendas. E, melhor ainda: as distribuidoras pagariam mais pelo gás do que as térmicas, cuja tarifa havia sido fixada pelo ppt durante a crise elétrica.

Logo no início de seu mandato, Sauer também anunciou que abriria negociações para revisar os contratos de três térmicas: a Macaé Merchant (construída pela El Paso), a Eletrobolt (pela Enron) e a TermoCeará (pela mpx), aquelas mesmas usinas que haviam sido negociadas por Nestor Cerveró e Delcídio do Amaral, na passagem deste pela Petrobras como diretor de Gás e Energia.

No primeiro semestre de 2003, Sauer apresentou uma proposta de contestação dos contratos das merchants ao conselho de administração da Petrobras. A avaliação dos conselheiros foi de que a revisão seria interpretada como uma tentativa de quebra de contrato, o que seria ruim não só para a estatal, mas também para o governo. Sauer era visto como comunista e estatizante dentro de seu próprio partido. Dilma e Lula, que haviam classificado as merchants como aberração durante a campanha eleitoral de 2002, foram contra mexer no vespeiro.

Já o senador Delcídio do Amaral convidou Sauer para uma conversa em Brasília na qual fez vários elogios ao novo diretor de Gás e Energia da estatal. Disse que Sauer estava fazendo muito do que ele sonhara fazer na companhia, referindo-se ao plano de expansão de gasodutos. A certa altura da conversa, o senador aproveitou para aconselhar o colega: ele não deveria mexer nos contratos das merchants, pois passaria uma mensagem muito ruim de insegurança aos investidores.

As tentativas de dissuasão não surtiram efeito sobre o diretor. Seu discurso era de que a revisão contratual, naquele caso, deveria ser interpretada como positiva pelo mercado. Mostraria que o comando da companhia era diligente e estava disposto a zelar pelo valor da empresa, o que só beneficiaria seus acionistas, majoritários e minoritários. A diretoria de Gás e Energia contratou pareceres econômicos e jurídicos para estudar os termos dos contratos e identificar se havia ou não um desequilíbrio desfavorável à Petrobras. Um dos pareceristas contratados foi o jurista Eros Grau, então professor titular da Faculdade de Direito da USP e árbitro da Corte Internacional de Arbitragem de Paris, um dos fóruns mais respeitados de solução de conflitos empresariais do mundo.

Antes de ser indicado à vaga de ministro do Supremo Tribunal Federal, Grau analisou os casos da Eletrobolt e da Macaé Merchant. Em seu parecer, afirmou: "A Petrobras deve buscar a proteção de seus interesses, com vistas a obter o reequilíbrio ou mesmo a rescisão dos contratos celebrados com Enron e El Paso, bem como a restituição do que foi indevidamente acrescido ao patrimônio daquelas empresas, desde o momento da ocorrência do desequilíbrio contratual. A omissão na defesa dos interesses da companhia pode gerar, inclusive, a responsabilização de seus administradores". O jurista se negou a dar parecer sobre a TermoCeará. Alegou que se sentia impedido por ter sido convidado a assumir uma vaga de ministro no Supremo Tribunal Federal.

Recomendação semelhante foi feita pelo jurista Antônio Junqueira de Azevedo, também professor titular da USP. "Tendo a 'contribuição de contingência' se tornado de ocorrência certa, o que não foi previsto pelas partes, é atualmente 'leonina'... A exigência para que a Petrobras continue a pagá-la, no atual contexto da execução dos contratos examinados, viola o princípio de boa-fé objetiva (...) e constitui abuso de direito." Ambos concordavam que os negócios haviam sido fechados em um momento de excepcionalidade, e, agora, ficava clara a onerosidade excessiva sobre a Petrobras.

Sauer juntou os pareceres jurídicos aos econômicos — estes assinados pelos economistas Luciano Coutinho e Luiz Gonzaga Belluzzo — e os enviou à diretoria executiva da companhia. O presidente Dutra ficou em dúvida e demorou a colocar o tema em pauta. O diretor procurou ainda os ministros Márcio Thomaz Bastos, da Justiça, e Antonio Palocci, da Fazenda. Bastos desaconselhou a revisão. Disse que o diretor "entraria em campo com forças muito maiores que as dele". Palocci também foi contra, alegando que as ações provocariam dano à imagem do país.

Em agosto de 2004, uma reportagem da revista *CartaCapital*, com o título "Usinas de dinheiro", detalhou o caso das merchants, incluindo trechos dos pareceres dos juristas contratados pela Petrobras. Um funcionário conta que Sauer levou a revista para a reunião de diretoria e provocou a diretoria e o presidente Dutra: "Ele perguntou qual era a marca de cigarro e de chocolate de que Dutra gostava. Depois, disse que iria fazer uma lista e deixar com os amigos. Assim, eles já saberiam o que levar nas visitas, caso eles fossem presos por prevaricação, por não terem contestado os contratos das merchants". Perguntado sobre o episódio, Sauer admite ter feito "algum comentário do tipo" para pressionar a diretoria.

Dutra desconfiou que o próprio Sauer tivesse vazado os pareceres para a imprensa, mas não tinha como provar. Àquela altura, havia pelos menos dois escritórios de advocacia, duas consultorias econômicas e vários especialistas do setor elétrico envolvidos no caso. Depois da reportagem, a presidência da estatal colocou a pauta em votação e aprovou a abertura da renegociação dos três contratos.

Em 17 de junho de 2005, o jornal O Estado de S. Paulo veiculou uma reportagem com o título "Contratos feitos por Delcídio causaram prejuízo à Petrobras". A matéria referia-se aos contratos das três merchants, que já estavam sendo renegociados. As usinas, dizia o jornal, haviam causado prejuízo de pelo menos R$ 2 bilhões à estatal. Delcídio ficou possesso, e foi à tribuna pedir que o presidente Lula demitisse o diretor de Gás e Energia da Petrobras. Segundo ele, a denúncia feita ao jornal era uma "molecagem com nome e sobrenome: chama-se Ildo Sauer".[1]

Em um discurso inflamado, Delcídio disse: "Espero que, até para o próprio bem da Petrobras, esse indivíduo saia, porque ele tem procurado desprestigiar até pessoas que construíram essa empresa. Que ele tenha a dignidade de sair ou o presidente Lula, aproveitando as mudanças que estão sendo feitas, o demita". Os senadores Tião Viana (PT-AC), Mão Santa (PMDB-PI), Heráclito Fortes (PFL-PI), Pedro Simon (PMDB-RS), José Agripino (PFL-RN), Cristovam Buarque (PT-DF), Arthur Virgílio (PSDB-AM) e Marcelo Crivella (PL-RJ) solidarizaram-se com o líder do PT. Na presidência da sessão, o senador Efraim Morais (PFL-PB) disse que todos reconheciam a retidão do caráter de Delcídio do Amaral, e que a solidariedade era um dever de cada um que ali estava. Dois meses antes, Delcídio havia assumido a presidência da CPI dos Correios, que se desdobraria na investigação do mensalão.

Ao final das três negociações, a Petrobras comprou a Eletrobolt (com 388 MW), por US$ 159 milhões, e a TermoCeará (220 MW), por US$ 137 milhões. Ambas as aquisições foram fechadas em 2005. A Macaé Merchant (928 MW) saiu por US$ 357 milhões, em maio de 2006. Caso mantivesse os contratos até o fim, a estatal pagaria mais US$ 1,1 bilhão (totalizando US$ 2,1 bilhões) em contribuições e ficaria sem os ativos. As aquisições tinham também o objetivo de anular o compromisso de fornecimento de gás às térmicas a preço defasado, definido pelo PPT na época da crise de energia do governo Fernando Henrique. Em 2005, o preço de mercado do gás já era o dobro do definido pelo PPT.

A confusão reinante no setor elétrico — devido à reforma inacabada no governo FHC, aos efeitos do racionamento e à nova reforma feita no início do governo Lula — prejudicou fortemente a área de Gás e Energia da Petrobras. A falta de planejamento continuou provocando idas e vindas de políticas ora execradas, ora ressuscitadas.

Durante a campanha e ao assumir o ministério, Dilma dizia estar convencida de que o caminho era privilegiar a hidreletricidade. A geração termelétrica (que usa algum combustível, como gás natural, carvão, nuclear, óleo combustível) teria importância marginal. "O Brasil é um país hídrico, e vamos desenvolver usinas hidrelétricas", repetia Dilma. Essa era a posição do partido. Não apenas de Dilma, mas também de Sauer, Pinguelli e dos demais formuladores da política energética do governo Lula.

Em pouco tempo, porém, a ministra mudaria de opinião. Dilma passou os dois primeiros anos do governo trabalhando na revisão da lei do setor elétrico. Nesse período, ninguém investiu no setor. Os investidores queriam conhecer as novas regras para só então decidir se entrariam em novos negócios. Em 2005, o governo se viu diante da urgência. As hidrelétricas, principalmente as da Amazônia, não sairiam tão cedo do papel. O Brasil vinha crescendo a um ritmo mais forte desde 2004, e a sobra de energia obtida com o racionamento e a construção de térmicas acabaria, provavelmente, em 2008. A partir daí, poderia faltar eletricidade — o pior dos pesadelos para o governo e especialmente para Dilma. Não restava outra saída: era preciso apelar às térmicas.

No final de 2005, Dilma tentou reeditar o PPT, jogando sobre a Petrobras o ônus de gerar energia a um preço abaixo do custo. A Agência Nacional de Energia Elétrica (Aneel) havia marcado um leilão de térmicas para dezembro. A ministra, já na Casa Civil, em substituição a José Dirceu, queria que a Petrobras ofertasse 3.000 megawatts médios de suas usinas a gás por, no máximo,

R$ 100 o megawatt-hora. O diretor Ildo Sauer rebateu, argumentando que a Petrobras não poderia atender tal condição. A estatal queria, sim, participar dos leilões, mas o preço mínimo que poderia oferecer — sem levar prejuízo — era de R$ 120 por megawatt-hora.

Havia tempos que o diretor insistia que o governo criasse regras que permitissem a remuneração das usinas térmicas. Sugeriu que elas fossem consideradas um seguro de energia, como funciona um seguro de carro. Afinal, as pessoas aceitam pagar um seguro mensalmente mesmo sem pretender utilizá-lo, para não ter de arcar com um prejuízo maior no caso de um sinistro. As térmicas teriam uma remuneração regular baseada nesse mesmo princípio, para dar segurança ao sistema. Dessa forma, teriam retorno pelos investimentos feitos e pelos custos de operação e manutenção necessários para permanecerem de prontidão. O leilão seria uma ótima oportunidade para que as usinas da estatal assinassem contratos de fornecimento de longo prazo, mas não poderia ser por um preço abaixo do custo de geração.

Em uma das discussões sobre o leilão de dezembro, Dilma se exaltou e disse que o "presida" (referindo-se a Lula) iria enquadrar a Petrobras, já que a estatal não estava colaborando com o país. Era novembro de 2005, e faltava menos de um mês para o leilão, quando Sauer e o presidente da Petrobras, José Sergio Gabrielli, foram convocados para uma reunião com o presidente Lula. Participariam também a ministra Dilma e o ministro Silas Rondeau, que assumira a pasta de Minas e Energia.

O encontro ocorreu numa sexta-feira à tarde, na Granja do Torto, residência do presidente na área rural do Distrito Federal. O embate entre Dilma e Sauer começou logo nos primeiros minutos da reunião. O diretor pediu para fazer uma apresentação com algumas páginas em PowerPoint. Dilma protestou, dizendo que não haviam combinado apresentações. Lula aceitou o pedido de Sauer e quis ver o material preparado pelos executivos da Petrobras. Ao final de meia dúzia de gráficos, a conclusão era que a estatal poderia amargar um prejuízo de US$ 700 milhões por ano caso fechasse contratos nas condições pedidas pelo governo.

Lula se irritou com a falta de consenso e disse que a Petrobras, o Ministério de Minas e Energia e a Casa Civil deveriam ter levado uma solução definitiva à reunião, em vez de gastarem tempo discutindo ali na sua frente. Depois, mandou que a estatal e os ministérios resolvessem a questão e voltassem depois para apresentá-la a ele. O secretário-geral da presidência da República, Gilberto Carvalho, comentou com um dos presentes que aquela havia sido a reunião mais dura que ele já havia acompanhado no governo.

O leilão ocorreu sem a nova apresentação a Lula. A estatal manteve a decisão de ofertar apenas preços viáveis, e conseguiu vender cerca de 1.500 megawatts médios de suas térmicas por R$ 121 o megawatt-hora. O restante da capacidade de geração da companhia, outros 1.500 megawatts, permaneceu descontratado, ou seja, sem remuneração regular.

Segundo Sauer, o governo precisa aprender a trabalhar com preços reais, que reflitam os custos da geração de eletricidade. "Afinal, o mercado existe antes do capitalismo, e é um elemento fundamental para organizar os sistemas de produção da sociedade. Não adianta obrigar as térmicas a vender energia por um preço que não cobre seus custos, porque, no final, alguém acaba pagando essa conta, e esse alguém é o conjunto da população", afirmou o ex--diretor comentando o leilão de 2005.[2]

"O Ildo [Sauer] se tornou o comunista mais capitalista que já conheci", diz um funcionário de carreira da estatal, que foi subordinado ao professor. Um ex-gerente, também subordinado a Sauer, emite opinião parecida: "O curioso é que ele era um puro-sangue petista, mas foi o diretor que mais brigou para que o governo, que ele ajudou a eleger, não desse prejuízo à empresa".

Sauer chocou muitos de seus subordinados na chegada à Petrobras ao manter a mesma irreverência com que trabalhava na universidade. Raramente usava terno e gravata, e, quando isso acontecia, chegava a combinar o traje social com tênis de corrida. Durante reuniões em sua sala, costumava colocar os pés descalços em cima da mesa. Esse tipo de comportamento era classificado por algumas pessoas como desleixo, arrogância e até falta de respeito.

Com o tempo, Sauer conseguiu a admiração de muitos funcionários, particularmente dos subordinados. "Ele era um desastre como gestor, principalmente logo que chegou. Em vez de fazer uma reunião com duas pessoas, fazia com vinte, e depois precisava repetir a conversa. Mas é um sujeito brilhante e que vestiu a camisa da Petrobras. No cômputo geral, ele contribuiu com a companhia e também aprendeu muito sobre o mundo empresarial", diz um ex-empregado da estatal que trabalhou com o diretor.

O fato é que Sauer passou por uma forte transformação durante os quase cinco anos em que deu expediente na Petrobras. Sentiu na pele, por exemplo, como é fácil congelar e terrivelmente difícil descongelar o preço de um produto administrado pelo governo. No início do programa de massificação do uso do gás natural, o diretor decidiu pelo congelamento com o objetivo de incentivar o consumo. Mais tarde, quando as metas de produção de gás natural começaram a cair por terra, teve de enfrentar uma forte resistência do governo para conseguir reajustar o preço do combustível.

Sauer também se tornou um seguidor dos estudos de viabilidade técnica e econômica (os chamados EVTEs). Certa vez, confidenciou a um subordinado: "Uma empresa como a Petrobras, rica e que tem o governo como gestor, não pode prescindir de critérios que mostrem o resultado que cada projeto entregará à companhia. Sem critério, tudo começa a ser aprovado, mesmo sem expectativa de lucro".

Em 2005, a área de Exploração & Produção da estatal começou a revisar a estimativa de produção de gás do Campo de Mexilhão, na Bacia de Santos (aquele que Guilherme Estrella chegou a acreditar que produziria até 100 milhões de metros cúbicos ao dia). A projeção caiu para 15 milhões de metros cúbicos ao dia, a metade da aposta mais conservadora feita por Estrella. Em dezembro de 2015 o campo produzia pouco mais de 8 milhões de metros cúbicos diários. A frustração das expectativas de produção gerou dois apelidos para o campo de gás: "Mexilhinho" e "Mentilhão".

A maré de notícias ruins para a área de Gás e Energia não pararia por aí. Em seguida, a diretoria de E&P avisou que a produção de gás do Nordeste também seria bem menor que a esperada. Se todas as térmicas da região precisassem funcionar ao mesmo tempo, não haveria gás natural para abastecê-las.

A essa altura, as distribuidoras de gás, principalmente a CEG, do Rio, e a Comgás, de São Paulo, haviam investido fortemente na rede de distribuição e no marketing para aumentar as vendas do combustível. Fizeram isso em resposta ao plano de massificação da própria Petrobras, elaborado em um contexto completamente diferente: 1) sobrava gás boliviano no Sudeste e no Sul do país; 2) o governo estava decidido a investir em hidrelétricas e reservar um papel marginal às térmicas; 3) a produção de gás no Brasil alcançaria grandes proporções. Naquele momento, a previsão era de que as térmicas teriam de funcionar — e muito —, enquanto o GNV já havia caído no gosto dos taxistas.

Em agosto e setembro de 2006, o Operador Nacional do Sistema Elétrico (ONS) despachou (mandou ligar) todas as termelétricas que figuravam em seu sistema como disponíveis. Foi um fiasco. A Petrobras não conseguiu abastecer várias usinas, que simplesmente não funcionaram, e o alerta acendeu na Agência Nacional de Energia Elétrica (Aneel), que regula o setor. "O default [falta] comprometia a confiabilidade do sistema", afirmou Jerson Kelman, então presidente da agência.[3]

Com o aumento do risco de racionamento, em dezembro de 2006 a Aneel determinou que o ONS acionasse todas as usinas térmicas para descobrir quais tinham capacidade real de funcionar na hora e com a carga necessárias. Dos 6.000 MW de potência termelétrica a gás que estavam teoricamente disponíveis, apenas 2.500 MW podiam ser gerados com segurança. Depois disso, a Aneel determinou que o ONS retirasse do planejamento as usinas que não estavam aptas a operar. A bagunça no setor era tão grande que o ONS considerava como disponíveis não só térmicas sem suprimento de gás, mas também 2.000 MW de energia importados da Argentina, que estavam cortados havia tempo devido à crise energética do país vizinho.

A conclusão dos testes foi que a Petrobras havia feito um overbooking de gás natural. Ou seja, havia prometido fornecimento para as térmicas e para as distribuidoras (que abastecem indústrias, postos de combustível, residências) sem ter produto suficiente para atender aos dois tipos de cliente ao mesmo tempo. E, pelas regras do setor elétrico, mesmo as termelétricas sem contratos fixos de venda de energia — como era o caso de boa parte das da Petrobras — são obrigadas a gerar quando acionadas pelo ONS.[4]

Segundo Kelman, era compreensível que a estatal buscasse outros mercados para o gás natural que as térmicas não utilizavam em períodos de demanda reprimida. A empresa, porém, deveria ter encontrado maneiras de fornecer o combustível às usinas quando o consumo retomasse fôlego e elas fossem chamadas a operar. Poderia ter negociado com determinados clientes contratos flexíveis, em que o suprimento pode ser interrompido temporariamente. Para isso, a Petrobras deveria ter alertado as indústrias, por exemplo, a manter suas instalações aptas a funcionar tanto com gás como com óleo combustível. Mas isso não havia sido feito.

Na verdade, até o início de 2005 a diretoria de Gás e Energia não contava com uma área de contratos organizada. Esse teria sido um dos erros de Sauer.

Ele não tinha vivência no mundo dos negócios, não conhecia a Petrobras e não tomou o cuidado de se cercar imediatamente de profissionais que pudessem preencher suas lacunas de conhecimento sobre o setor e sobre a companhia.

Ao chegar à estatal, em vez de fazer uma seleção estritamente técnica para escolher seus assistentes, o diretor aceitou as recomendações que constavam da lista elaborada por líderes sindicais e políticos da base aliada. Em sua lógica, era legítimo colocar em posições de chefia pessoas que compartilhavam sua ideologia ou tinham trabalhado para eleger o presidente Lula. Sauer também deu preferência a funcionários com perfil acadêmico ou voltados à área de pesquisa tecnológica. Vários auxiliares de sua primeira equipe nunca haviam ocupado cargos gerenciais, e poucos tinham experiência com gestão de negócios.

O diretor levou quase dois anos para reestruturar a área e escalar gerentes executivos com prática em negociação comercial e em gestão de obras — demora que também ocorreu por intervenção direta da ministra Dilma Rousseff, que vetou as mudanças que ele pretendia fazer na área, segundo ele afirma. A ironia foi que justamente a nova equipe — que não tinha afinidade ideológica com Sauer — é que deu a base técnica para que o diretor fortalecesse o cordão de resistência contra as interferências do governo e o esquema de corrupção que estava sendo formado em outras áreas de negócio.

Na reestruturação, Sauer nomeou como gerente executivo corporativo o engenheiro Rafael Schettini Frazão — aquele que havia sido vetado pelo sindicato cearense à gerência de produção do Rio Grande do Norte e do Ceará no início de 2003. Frazão tornou-se responsável pelo gerenciamento das obras da diretoria, entre elas as de gasodutos. Nessa posição, contestou insistentemente o modo de contratação da diretoria de Serviços, comandada por Renato Duque. Teve embates duríssimos também com o gerente executivo de Engenharia Pedro Barusco (um dos delatores-chave da Operação Lava Jato, que devolveu quase US$ 100 milhões desviados da estatal), braço direito de Duque. Por fim, Frazão foi tirado do cargo por ordem do então presidente José Sergio Gabrielli.

Na mesma reestruturação, Sauer nomeou Rogerio Manso como gerente executivo de Marketing e Comercialização de gás e energia. Manso foi o diretor de Abastecimento substituído por Paulo Roberto Costa. A escolha rendeu críticas de quase todos os pares de Sauer na diretoria. Costa, Renato Duque,

Nestor Cerveró e Guilherme Estrella argumentaram que não fazia sentido que um comunista, como ele, escolhesse um "neoliberal" como Manso. Sauer respondeu que considerava Manso um "direitoso", mas isso não o incomodava. "Na convivência de mais de um ano, que foi o período em que o Manso permaneceu como diretor de Abastecimento, percebi que ele tinha visão estratégica do setor de petróleo e entendia os meandros de negócios. Fora isso, vi que ele era um brigador pela companhia, e era isso que eu queria", diz o diretor.[5] O gerente foi fundamental nas negociações com as distribuidoras para desarmar a bomba do overbooking. Também coordenou os trabalhos para descongelar o preço do gás.

Consideradas as falhas de Sauer e de Guilherme Estrella, a razão de fundo do overbooking de gás praticado pela Petrobras está no conjunto de regras que regem o setor elétrico brasileiro. Não é difícil enxergar as contradições. Pelo marco legal do setor, o ONS deve privilegiar o funcionamento das usinas hidrelétricas e evitar o acionamento das termelétricas. Isso porque a energia hidráulica é mais barata do que a térmica, e a ordem é buscar a modicidade tarifária. As térmicas, portanto, só funcionam quando as hidrelétricas não conseguem suprir toda a demanda de eletricidade; por isso, compram gás esporadicamente da Petrobras, sem programação alguma.

No entanto, apesar de não serem clientes regulares, as termelétricas têm de ser atendidas com prioridade pela estatal. Toda vez que o ONS despacha uma térmica, a petroleira tem de lhe enviar gás antes de atender aos demais clientes. A contradição é que, em qualquer negócio, um cliente esporádico tende a pagar mais caro do que um cliente regular. No modelo elétrico brasileiro, não. As térmicas pagam menos pelo gás à Petrobras, por ordem do governo, e, mesmo assim, têm preferência no fornecimento. Enquanto isso, os setores industriais e as distribuidoras de gás natural, que compram combustível regularmente — e pagam tarifa mais alta que as geradoras de energia —, correm o risco de ter o suprimento cortado. A lógica econômica é totalmente subvertida para a criação de preços artificiais. O problema é que, mais cedo ou mais tarde, preços artificiais geram distorções e acabam prejudicando o planejamento do setor elétrico. O overbooking de gás foi um exemplo disso.

Uma das alternativas sugeridas por Sauer para dar mais previsibilidade ao mercado foi que as térmicas passassem a ser abastecidas por gás natural liquefeito (GNL), que pode ser importado de navio. Na forma líquida, o volume do gás é reduzido seiscentas vezes, o que permite que ele seja armazenado e transportado em grandes quantidades.

O GNL, no entanto, custa mais caro. Para permanecer líquido, ele tem de ser transportado em tanques criogênicos, capazes de suportar a temperatura de 162°C negativos. Quando chega ao porto de destino, o GNL tem de passar novamente para o estado gasoso, o que exige um terminal de regaseificação. Só então o combustível é injetado no gasoduto que o transportará para todo o país.

Apesar de mais caro, o GNL se popularizou no mundo justamente por dar flexibilidade ao mercado. Antes, a comercialização do combustível ficava limitada ao alcance do gasoduto que saía do campo produtor. Hoje, o gás produzido na África pode ser utilizado no Brasil. Do lado do produtor, a vantagem está em poder ter acesso a clientes no mundo todo. Do lado do usuário, o benefício está em poder fazer compras esporádicas e complementares, justamente o perfil das térmicas brasileiras.

Quando Sauer fez a proposta de construir terminais regaseificadores no Brasil para iniciar a importação de GNL, a ministra Dilma se opôs à ideia. Alegou que o diretor estava querendo dolarizar o preço do gás. Mas quando a situação apertou e ficou claro que não haveria combustível para abastecer as térmicas, a diretoria da estatal aprovou o projeto. "Nesse ponto, o lado cientista de Sauer brilhou", diz um ex-subordinado dele.

Construir um terminal convencional de regaseificação demoraria muito. Exigiria uma obra complexa de estaqueamento na Baía de Guanabara, no Rio de Janeiro, e no Porto de Pecém, no Ceará, onde os dois primeiros terminais seriam instalados. Sauer, porém, tinha ouvido falar de um navio que transportava GNL e também realizava regaseificação. Seria possível adaptar um navio desse tipo e instalá-lo no Porto de Pecém, por exemplo, para que ele trabalhasse estacionado, como um terminal de regaseificação?

Uma das equipes de Sauer foi destacada para localizar a empresa dona do tal navio, a Excelerate, uma start-up americana fundada em 2003. A Petrobras acabou afretando dois navios de outra companhia, a Golar LNG, que operavam como transportadores de GNL. As duas embarcações foram adaptadas para receber gás líquido de outros navios e realizar a regaseificação.

Os terminais estão em operação no Ceará e no Rio de Janeiro desde 2008 e 2009, respectivamente. Em 2014, um terceiro terminal foi inaugurado na Bahia. Juntos, os três têm capacidade de regaseificar 41 milhões de metros cúbicos de gás por dia. Sauer não estava mais na Petrobras quando os terminais foram inaugurados. Depois de inúmeros confrontos com o governo e dentro da estatal, foi demitido em setembro de 2007 e voltou a dar aulas na USP. Sua substituta na diretoria de Gás e Energia foi a engenheira Graça Foster, ex-secretária de Petróleo e Gás de Dilma no Ministério de Minas e Energia.

Em uma carta aberta sobre sua demissão, o ex-diretor afirmou que recebera a notícia "sem alegria e sem espanto". Afirmou também que durante os quatro anos e oito meses em que comandou a diretoria de Gás e Energia da estatal formou, junto com vários companheiros, "uma estrutura de gestão que livrou o setor de um vício que sempre ronda os dirigentes das empresas públicas: o de serem despachantes de interesses de minorias poderosas".

Em 2010, o projeto dos terminais de regaseificação foi apontado pela consultoria KPMG como destaque de infraestrutura em todo o mundo. O levantamento, realizado pela KPMG em conjunto com o Infrastructure Journal, serviço inglês sobre infraestrutura global e financiamento de projetos, relaciona as cem soluções mais interessantes de infraestrutura no mundo. Os cinco principais critérios para a escolha dos projetos foram a capacidade de ser reproduzido em outras partes do mundo, a viabilidade econômica, a complexidade, a inovação e o impacto social. Em 2013 e 2014, os terminais evitaram que o Brasil amargasse novos racionamentos de energia. O aumento do custo com a importação do GNL, porém, não pôde ser repassado para a energia. Ficou por conta da Petrobras. Em 2013, a companhia perdeu R$ 2,4 bilhões.[6]

16. Pombos sem asas

A primeira reserva de petróleo da Amazônia só foi descoberta em outubro de 1986, quase oitenta anos depois das explorações pioneiras realizadas na região, iniciadas em 1910. O Campo de Urucu foi batizado com o nome do rio que passa nas suas terras. A demora na descoberta foi compensada pela qualidade do óleo encontrado, um dos mais leves[1] e, portanto, mais nobres entre os produzidos no Brasil. Com o passar do tempo e o avanço da exploração na região, Urucu se revelou não apenas um campo, mas um conjunto de campos de petróleo, o que lhe conferiu o status de província petrolífera.

O início da produção de petróleo em Urucu, em 1988, foi precedido por uma verdadeira aventura na selva. A base operacional da companhia fica no meio da floresta, a 660 quilômetros de Manaus, e não pode ter ligações rodoviárias com cidades vizinhas, como forma de preservar o meio ambiente. A maior parte do transporte de máquinas, equipamentos e pessoas é feita por rios, que funcionam como estradas na Amazônia. Mas há situações em que é preciso transportar equipamentos pesados para locais distantes dos rios. Nesse caso, é preciso apelar para o transporte aéreo. A instalação de uma sonda exploratória — que perfura novos poços de petróleo — requer mais de trezentas viagens de helicóptero. Esse tipo de equipamento, extremamente pesado, só pode ser içado em partes. Antes disso, claro, é preciso que uma equipe tenha se embrenhado na mata virgem e aberto uma clareira para os pousos.

Os campos de Urucu já produziam óleo e gás havia dezesseis anos quando a construção do Gasoduto Urucu-Manaus foi aprovada pela diretoria da Petrobras, em julho de 2004. Finalmente a companhia iniciaria a obra capaz de dar destino comercial ao gás produzido junto com o petróleo na Amazônia (em Urucu, o gás está associado ao óleo; não é possível produzir um sem o outro). Até então, o investimento na obra não se justificava, pelo baixo preço do gás e pela falta de mercado para o produto. Quando estivesse concluído, o duto de 661 quilômetros escoaria o combustível até Manaus, a capital amazonense, para abastecer sete termelétricas que funcionavam com óleo diesel ou óleo combustível, ambos mais caros e mais poluentes do que o gás produzido no estado.

A construção do Gasoduto Urucu-Manaus era um sonho antigo do engenheiro Rafael Schettini Frazão, funcionário da Petrobras desde 1975. Ele havia comandado a operação da estatal na Amazônia em dois períodos — de 1981 a 1992 e de 1999 a 2001 — e ficara encantado com a região. Assim como os pioneiros que desbravaram o litoral brasileiro em busca de petróleo, os funcionários que trabalham ou trabalharam na operação da Petrobras na Amazônia costumam relatar suas experiências com o orgulho de quem participou de algo único. Frazão é um deles.

Quando a construção do gasoduto foi aprovada pelo conselho da Petrobras, Frazão dava expediente na área de Gás e Energia, comandada por Ildo Sauer. Era o gerente executivo responsável por comandar a execução dos grandes empreendimentos da diretoria, como o Gasoduto Urucu-Manaus. Frazão havia proposto que as obras de projetos de mais de R$ 1 bilhão, como a do gasoduto da Amazônia, fossem acompanhadas de perto por uma pequena equipe, de dedicação exclusiva, de Gás e Energia.

Pela estrutura da Petrobras na época, era a diretoria de Serviços, comandada por Renato Duque, que realizava a contratação de todas as obras para as demais áreas de negócios. A diretoria de Gás e Energia, por exemplo, era uma "cliente" da de Serviços. As duas áreas trabalhavam juntas durante a definição das características da obra, por exemplo. Mas quem operacionalizava a contratação, identificava os fornecedores, negociava preços e fiscalizava o andamento dos trabalhos era o pessoal de Serviços. As áreas de negócios, que são as que efetivamente pagam pela construção dos empreendimentos, limitavam-se ao acompanhamento burocrático das obras, autorizando ordens de pagamento.

Na opinião de Frazão, Gás e Energia deveria criar uma equipe de implantação de projeto para cada grande empreendimento. Dois ou três funcionários se inteirariam do dia a dia das obras, fariam visitas em campo, acompanhariam os problemas das empreiteiras. Seria um trabalho complementar ao da diretoria de Serviços, que estava cada vez mais sobrecarregada, devido ao aumento de investimentos da estatal. Trabalhando assim, acreditava o gerente, seria possível cumprir prazos e evitar estouros de orçamento. Pela proposta de Frazão, seriam necessárias três equipes desse tipo para implantar os três grandes projetos planejados na época, com o objetivo de expandir a malha de transporte de gás natural no país. Ildo Sauer patrocinou a ideia do gerente e a apresentou à diretoria executiva. O conflito com o diretor de Serviços começou aí.

Duque se opôs imediatamente à criação das equipes de implantação de projetos. Afirmou que seria uma duplicação de trabalho, afinal, a diretoria de Serviços era a responsável pela contratação e supervisão das obras. Sauer ainda explicou que se tratava de uma supervisão diferente. A área de Gás e Energia faria as vezes de um cliente que contrata um arquiteto para construir uma casa. O arquiteto, no caso, seria a diretoria de Serviços. Apesar de o arquiteto comandar a construção, o cliente, que será o futuro morador da casa, também supervisiona a obra. Não adiantou, e a proposta foi vetada pela diretoria executiva. Sem conseguir aprovar a estrutura que almejava, Frazão estudou as normas da empresa e descobriu que o próprio diretor poderia aprovar estruturas temporárias, como seriam as equipes de implantação de projetos. Não era necessário ter aprovação da diretoria executiva. Sauer aceitou e assim foi feito.

O engenheiro Gézio Rangel de Andrade foi escalado por Frazão para ser o responsável pela implantação do Gasoduto Urucu-Manaus. Gézio, como era conhecido na empresa, havia comandado a construção de gasodutos de longa distância e de redes de distribuição de gás em várias regiões do país. Também havia trabalhado na Amazônia. Seu primeiro posto de trabalho ao ingressar na Petrobras, em 1976, foi como engenheiro na Refinaria de Manaus (Reman), onde permaneceu por mais de quatro anos. Um dos trabalhos mais recentes de Gézio tinha sido no Rio Grande do Sul, onde foi diretor Comercial e de Operação da Sulgás, companhia de distribuição de gás natural fruto de uma sociedade do governo gaúcho com a Petrobras. Ele era o representante da petroleira na diretoria da distribuidora. Na temporada em que permaneceu no Sul, coordenou a construção da rede de distribuição no estado. Uma de suas interlocutoras era a secretária estadual de Energia, Minas e Comunicação

Dilma Rousseff. Já o presidente da Sulgás era Giles Azevedo, um dos auxiliares mais próximos de Dilma. Giles se tornaria chefe de gabinete de Dilma nos ministérios de Minas e Energia e Casa Civil. Anos mais tarde, quando Dilma já comandava o Ministério de Minas e Energia, Frazão e Sauer levaram Gézio a Brasília para fazer uma apresentação à ministra sobre o Gasoduto Urucu-Manaus. Os chefes sabiam que ela o conhecia e acharam conveniente que ele fosse à reunião. Quando Sauer disse à ministra que Gézio era o encarregado de sua área para acompanhar a obra, Dilma elogiou: "Agora eu sei que esse gasoduto sai".

Gézio viraria um dos três mosqueteiros da equipe de Gás e Energia. Sauer passou a chamar de mosqueteiros três funcionários que trabalharam na implantação dos projetos de sua diretoria. Os outros dois eram o próprio Frazão e o engenheiro Marcelo Restum, responsável pelo Gasene (Gasoduto de Integração Sudeste-Nordeste, que interligou o Rio de Janeiro à Bahia). Esses funcionários se opuseram várias vezes aos pareceres da diretoria de Serviços. Discordavam principalmente dos preços de contratação das obras e da aprovação de aditivos reivindicados pelas empreiteiras e, geralmente, aceitos sem resistência pela área comandada por Renato Duque. As contestações irritavam Renato Duque e seu subordinado direto, Pedro Barusco. Embora não soubessem, Frazão, Gézio e Restum atrapalhavam — atrasavam, pelo menos — o esquema de cobrança de propina e de cartel que já estava em funcionamento na empresa.

No início de 2005, Frazão e Gézio estavam entusiasmados com o projeto do Urucu-Manaus. A diretoria de Serviços já estava preparando a contratação do empreendimento e em breve as obras deveriam começar. Mas o que era para ser um trabalho em equipe entre as duas diretorias, virou um cabo de guerra. De um lado ficou Gás e Energia e, de outro, Serviços.

Uma das primeiras etapas da contratação de uma obra na Petrobras é a elaboração de uma estimativa de preços detalhada do empreendimento. A diretoria de Serviços (rebatizada como diretoria de Engenharia, Tecnologia e Materiais em 2012) estabelece os valores mínimo e máximo que a Petrobras deve pagar para a execução da obra. Depois, parte-se para a concorrência de fato. Em fevereiro de 2005, a diretoria de Serviços decidiu realizar a contratação do gasoduto por meio de negociação direta. Apresentou as características da obra a algumas empresas selecionadas do cadastro da Petrobras — nesse caso foram apenas quatro — e esperou que elas apresentassem suas propostas de preços.

A tentativa não deu frutos. As quatro empresas convidadas — Techint, Odebrecht, GDK e Conduto — uniram-se em consórcio e apresentaram proposta apenas para o primeiro dos três trechos em que a obra foi dividida. Essa primeira etapa seria construída paralelamente a um duto que já funcionava, desde 1999, entre Urucu e Coari, utilizado para transportar GLP (gás de cozinha). O novo duto seria enterrado na mesma faixa de 20 metros de largura por 280 quilômetros de extensão que já fora desbravada para a obra anterior. Tratava-se, portanto, de uma área conhecida, sem segredos para a empreiteira que assumisse a construção. Mesmo assim, o preço apresentado pelo consórcio (R$ 666 milhões) em abril de 2005 foi exorbitante, mais que o dobro da estimativa máxima da Petrobras (R$ 293 milhões).

Os executivos da área de Gás pediram para que a diretoria de Serviços fizesse uma nova licitação, mas dessa vez com o maior número possível de empresas integrantes do cadastro da Petrobras. Embora catorze empreiteiras tenham participado da nova disputa, a segunda tentativa também fracassou. Dessa vez, todos os três trechos da obra receberam propostas, mas os preços apresentados foram ainda mais altos do que o novo preço máximo estimado pela Petrobras para todo o empreendimento.

A essa altura, em novembro de 2005, os gerentes de Gás e Energia estavam convencidos de que as empreiteiras estavam forçando os preços para cima, por saberem da importância da obra para a Petrobras e para o governo. O gás precisava chegar às usinas térmicas para que elas gerassem eletricidade, o que era do conhecimento das construtoras e das empresas de montagem. E elas iriam se aproveitar dessa urgência para aumentar os preços. Frazão e Gézio começaram a pensar como poderiam baixar o custo do empreendimento.

Depois de procurar transportadoras de gás estrangeiras, chamaram duas empresas argentinas para apresentar seus métodos de construção ao diretor Ildo Sauer. Após as apresentações e o aval de Sauer, sugeriram à diretoria de Serviços que fosse realizada uma licitação internacional. A proposta foi rechaçada pelo diretor de Serviços Renato Duque e pelo gerente executivo Pedro Barusco, explicou um dos gerentes subordinados a Barusco. O argumento era que o Ministério de Minas e Energia estava pressionando para que a obra fosse contratada rapidamente, e uma licitação internacional atrasaria o processo. A ordem era trabalhar com as maiores empreiteiras do país, principalmente porque a Amazônia é uma região muito complicada para se fazer obras. Além disso, a linha do governo era fortalecer as empresas nacionais. Os executivos de Gás e Energia ainda argumentaram que o objetivo não era contratar empresas estrangeiras, mas convidá-las para que as empreiteiras nacionais reagissem à competição e baixassem os preços. Não adiantou.

A área de Gás e Energia apresentou outra sugestão para tentar baratear a obra: uma parceria com o Ministério da Defesa, para que o Exército realizasse parte do trabalho. A estatal já havia firmado um convênio desse tipo no início do projeto, em dezembro de 2004. O 8º Batalhão de Engenharia da Construção, sediado em Santarém, no Pará, abriu 32 clareiras para armazenar os tubos já adquiridos para a construção do próprio Gasoduto Urucu-Manaus. (O trabalho foi concluído em fevereiro de 2006 por R$ 9 milhões.) A sugestão, agora, era contratar o Exército novamente para realizar o desmatamento, a abertura das valas e o posicionamento dos tubos ao longo da obra. Seria uma maneira de reduzir os riscos da construção para as empreiteiras, que teriam de baixar seus preços. As empresas contratadas entrariam somente para executar atividades especializadas, como a solda das tubulações.

Na década de 1980, quando Frazão gerenciava a operação da Petrobras na Amazônia, o Exército já havia colaborado com a Petrobras, instalando uma usina de asfalto no centro operacional de Urucu. Na época, a empreiteira Constran, que operava a usina, exigiu um grande aumento de preço para renovar o contrato e continuar prestando o serviço. A equipe de Frazão foi pesquisar alternativas e descobriu que o Exército tinha uma tecnologia de produção de asfalto a frio, utilizada na pavimentação de áreas remotas. Deu certo. A Petrobras fez um convênio e adotou a tecnologia com grande economia em relação ao contrato com a Constran.

Dessa vez, Frazão já havia conversado com representantes do Comando Militar da Amazônia, que se mostraram interessados em participar da construção do gasoduto. Para os militares, esse tipo de contrato é uma maneira de aumentar o orçamento da corporação. O diretor Ildo Sauer também havia entrado no circuito e conversado com o general Enzo Martins Peri, comandante do Exército, ele próprio formado em engenharia de fortificações e construções.

Diante do interesse de Peri, Sauer pediu que o presidente da Petrobras, José Sergio Gabrielli, levasse a questão ao presidente da República; afinal, a parceria envolveria dois ministérios, o de Minas e Energia e o da Defesa. Sauer, Frazão e Gézio acreditavam que finalmente a obra seria contratada a um preço mais próximo do que consideravam razoável. Quando a resposta de Lula chegou, via Gabrielli, a decepção foi total. Sauer deveria "esquecer a história com o Exército". A Petrobras e, por tabela, o governo seriam acusados de promover concorrência desleal às empreiteiras, teria dito Lula a Gabrielli.

No dia da reunião em que a diretoria executiva discutiria a licitação do gasoduto, as duas áreas envolvidas, a de Gás e Energia e a de Serviços, defenderam posições diferentes, o que não costuma acontecer. Geralmente as equipes discutem antes e chegam a uma proposta conjunta, o que daquela vez não aconteceu. Ildo Sauer não pôde participar, pois estava em viagem internacional a trabalho. Frazão compareceu em seu lugar, e defendeu que a licitação fosse cancelada por preço excessivo e que fosse realizada uma nova licitação, de preferência internacional.

Duque interveio e defendeu que fosse feita uma nova tentativa de contratação com as mesmas empresas. E repetiu os mesmos argumentos: o governo estava pressionando e era preciso contratar a obra o mais rápido possível. Além disso, era preciso privilegiar as empresas nacionais. Os diretores Paulo Roberto Costa, de Abastecimento, e Nestor Cerveró, de Internacional, pediram a palavra para apoiar Duque. Os demais não se manifestaram e a proposta de Duque prevaleceu. Ficou decidido também que a equipe responsável pela licitação deveria procurar as empresas para ouvir suas sugestões de redução de riscos e, consequentemente, de preços.

Ao final da reunião, o então secretário-geral da presidência da Petrobras, Hélio Fujikawa, procurou Rafael Frazão com um pedido incomum. Pediu que ele "adequasse" o Documento Interno Petrobras (DIP), que enviara previamente à reunião do colegiado. "Adequar o DIP" queria dizer que Frazão deveria retirar as duas recomendações que fizera: a de cancelamento da licitação por preço excessivo e a de realização de uma concorrência internacional. O pedido de Fujikawa foi confirmado por Frazão.[2] Antes das reuniões de diretoria, cada uma das áreas elenca os assuntos que pretende discutir e os envia para a secretaria-geral da presidência por meio de um DIP, usado na comunicação interna da empresa. Depois de discutir e selecionar as pautas com o presidente, a secretaria-geral encaminha a pauta final aos diretores, com os DIPs anexos, para que todos tenham tempo de analisar os assuntos a serem tratados. Fujikawa, como secretário-geral da presidência, era responsável por fazer a ata da reunião e anexar os DIPs a ela. Se Frazão não mudasse o DIP de Gás e Energia, o conflito de posição com a diretoria de Serviços ficaria evidente e registrado.

Frazão respondeu a Fujikawa que não mudaria o documento. Sua proposta não fora aceita, mas ele mantinha a mesma opinião. Diante da resposta, Fujikawa arregalou os olhos e perguntou se ele iria afrontar a diretoria. Frazão respondeu que essa não era sua intenção. Pelo contrário, ele é que se sentia afrontado ao receber o pedido para mudar de opinião, apesar de sua opinião continuar a mesma.

Dias depois, Frazão recebeu um telefonema do diretor Ildo Sauer, que já estava de volta ao Brasil. O presidente Gabrielli queria se reunir com os dois no final do dia. Frazão já havia informado Sauer sobre o episódio com Fujikawa, mas seu superior não deu muita importância. Agora, com a convocação de Gabrielli, percebia que havia subestimado o problema. Seu funcionário havia conquistado a antipatia do diretor de Serviços; Duque havia ido reclamar da postura de Frazão ao presidente.

Gabrielli estava fora quando a secretária acomodou Sauer e Frazão na mesa de reuniões da sala da presidência. Assim que Gabrielli entrou, cumprimentou os dois e fez uma pergunta, ainda apertando a mão de Frazão: "Quer dizer que você anda querendo afrontar a diretoria, Frazão?". A pergunta foi feita quase em tom de brincadeira, no tom amistoso típico de Gabrielli. Mas a indagação não deixava dúvida sobre a proporção que a contenda havia tomado. Frazão repetiu que não se tratava de afronta, mas que ele discordava da maneira como as obras estavam sendo contratadas.

O presidente da estatal ouviu pacientemente os argumentos do gerente, acompanhado do diretor de Gás e Energia. Depois de toda a explanação, Gabrielli deu o veredicto. Disse que uma decisão da diretoria da Petrobras é muito forte por se tratar de um colegiado. "Nem o presidente pode mudá-la", finalizou.

Conforme Duque havia sugerido, as empreiteiras foram procuradas e o novo edital foi feito com as condições sugeridas por elas, de modo a baixar os preços. A Petrobras aceitou aumentar a parcela inicial do pagamento da obra, de 10% para 15%. Assim, os consórcios teriam mais recursos para mobilizar empregados e equipamentos. A estatal também ampliou o prazo de construção do gasoduto, de 540 para 630 dias.

Nada adiantou. Quando as propostas foram abertas em fevereiro de 2006, os preços estavam ainda mais altos. O surpreendente, no entanto, não foi o aumento de preços por parte das empreiteiras, mas os dos orçamentos feitos pela própria Petrobras. No primeiro trecho da obra, o preço máximo estimado pela diretoria de Serviços subiu 24%, ou R$ 70 milhões, em menos de um ano, tempo entre a primeira e a terceira tentativas de contratação.[3] Com a elevação do preço-teto, a proposta de um dos consórcios, formado pelas empresas OAS e Etesco, entrou na faixa permitida de contratação. As estimativas de preço da Petrobras para o segundo e o terceiro lotes tiveram acréscimo de 12% (R$ 67 milhões) e 13% (R$ 51 milhões), respectivamente, aproximando-se dos valores apresentados pelas empreiteiras.

As justificativas da diretoria de Serviços para a inflação de seus próprios orçamentos foram as mais variadas. Os riscos da obra, em razão das dificuldades de acesso e das cheias nos rios da Amazônia, foram os principais argumentos. Do outro lado, Frazão e Gézio repetiam que as dificuldades não justificavam tamanha elevação de preços. Frazão lembrou que em uma das duas temporadas em que trabalhou na Amazônia, ainda na década de 1980, gerenciou a construção de um gasoduto de 40 quilômetros, entre a área de produção de Urucu e a margem do rio Tefé. A obra foi feita pela própria Petrobras, com ajuda da unidade operacional da Bahia.

A diretoria de Gás e Energia insistiu mais uma vez que o processo de contratação fosse cancelado e a Petrobras realizasse uma licitação internacional. Já a diretoria de Serviços propôs que se passasse para a fase de negociação final de redução de preço com as empresas que haviam apresentado as melhores propostas.

Diante do impasse, Gabrielli pediu uma reunião com as duas áreas. Seria o moderador do conflito. As duas equipes, Gás e Energia e Serviços, deveriam fazer uma apresentação sobre a obra e sobre o processo de contratação. O encontro aconteceu em uma sala de reunião do 23º andar da sede, onde fica a diretoria da estatal. Nem Sauer nem Duque participaram. Gabrielli se sentou na cabeceira da mesa oval. De um lado sentaram-se Frazão e outros três funcionários de sua área, entre eles Gézio. Do outro lado, Pedro Barusco e seus subordinados.

Logo no início, Frazão e sua equipe perceberam que tinham perdido a batalha. Em vários momentos, Gabrielli fazia sinal de concordância com os argumentos da equipe de Barusco, o que não ocorria nas intervenções dos funcionários de Gás e Energia. Ao final da reunião, ficou decidido que a diretoria de Serviços deveria negociar com os consórcios que deram os menores preços para cada lote, com o objetivo de baixá-los até o nível calculado pela Petrobras. Frazão e companhia tiveram de se conformar.

Martelo batido, os contratos começaram a ser fechados. Em 1º de junho de 2006, o presidente Lula foi a Manaus acompanhado da ministra Dilma para inaugurar a construção do gasoduto. A Petrobras já havia comprado todos os tubos e fechado dois dos três contratos da obra. O consórcio formado pelas empresas OAS e Etesco ficou com o primeiro lote, no valor de R$ 342,6 milhões. A Camargo Corrêa, em parceria com a Skanska, obteve o terceiro trecho, ao preço de R$ 427,9 milhões.

Também participaram da cerimônia o presidente da estatal, José Sergio Gabrielli, e os diretores Duque e Sauer, além de Frazão. Os executivos da Petrobras voaram do Rio para Manaus na noite anterior, em um avião alugado pela Petrobras. Durante o trajeto, Sauer, bastante constrangido, comunicou a Frazão que ele seria afastado da gerência executiva que ocupava. Gabrielli havia pedido sua cabeça. Os demais diretores não gostavam da postura contestadora do funcionário, e Sauer não tinha mais como segurá-lo. Frazão assistiu à cerimônia, mas decidiu não voltar para o Rio no jatinho com os demais executivos da Petrobras. Na hora da decolagem foi até a porta do avião, desejou boa viagem a todos e disse que não voltaria com o grupo. Ficaria mais um dia em Manaus e voltaria ao Rio em avião de carreira.

De volta à estatal na segunda-feira, Frazão foi "encostado", como dizem os petroleiros sobre os funcionários que perdem a função sem ser demitidos (apesar de contratar em regime celetista, a cultura da Petrobras é de não demitir). De repente, a rotina de reuniões, viagens, orientações, cobranças, e-mails e telefonemas cessou completamente. Depois de 24 anos ocupando posições de chefia na empresa, Frazão passou a não ter absolutamente nada para fazer o dia inteiro. Em um ano e meio, seu contracheque caiu para menos da metade (a parcela do salário referente à função gerencial é cortada gradualmente até que o empregado volte ao cargo que ocupava, atrelado à profissão). Frazão, por exemplo, ganhava o salário de engenheiro quatro (o nível mais alto dentro da estatal) mais a remuneração de gerente executivo. Sem ter outra vaga para onde ir, foi perdendo remuneração até chegar a 40% do que recebia anteriormente.

Ser rebaixado de cargo dentro da Petrobras não era caso único. Um diretor pode virar gerente executivo, assim como um gerente executivo pode virar gerente-geral, e assim por diante. Os funcionários se acostumaram a essa dinâmica da companhia, impensável numa empresa privada, em razão da cultura de não demitir. Dificilmente, porém, alguém era afastado de suas funções e ficava sem ter para onde ir por muito tempo. Quando um chefe queria substituir um subordinado, geralmente se articulava com outras áreas ou incumbia o departamento de Recursos Humanos de providenciar a transferência. O afastamento para "lugar nenhum", em que o destino era vagar pelos corredores da empresa, só ocorria quando o empregado era considerado problemático ou em caso de erro grave.

No caso de Frazão era pouco provável que ele tivesse ocupado posições de chefia durante mais de vinte anos se fosse um funcionário problemático. Também não havia como alegar erro — e, menos ainda, erro grave. Apesar disso, não seria fácil encontrar uma área que o quisesse em seus quadros. Ele havia se rebelado contra Duque, um dos diretores mais poderosos da companhia, num caso que envolveu até o presidente Gabrielli.

Uma semana depois da saída de Frazão, a diretoria da Petrobras aprovou a contratação do último trecho do gasoduto, considerado o mais difícil em termos de construção. O preço pago ao consórcio formado pelas construtoras Andrade Gutierrez e Carioca Engenharia foi de R$ 667 milhões, quase R$ 30 milhões acima da segunda estimativa de preço máximo calculada pela área comandada por Barusco. Tomando por base o preço máximo da primeira estimativa, feita seis meses antes, a diferença ficou em R$ 94 milhões. No conjunto, a obra foi fechada por R$ 2,4 bilhões, 72% acima do cálculo inicial da companhia — considerando os três contratos e os materiais que a Petrobras decidiu comprar por conta própria para reduzir o investimento das empreiteiras.

Depois da conclusão da licitação e da assinatura dos contratos, teve início uma nova etapa de conflitos entre as diretorias de Gás e Energia e de Serviços. As empreiteiras começaram a reivindicar aditivos, argumentando dificuldades imprevistas na obra. Em setembro de 2007, o consórcio OAS/Etesco pediu um aditivo de R$ 75 milhões em razão de dificuldades enfrentadas na construção do primeiro trecho do gasoduto. Essa etapa da obra era justamente a mais simples, pois o duto seria instalado paralelamente ao oleoduto já existente entre Urucu e Coari, em operação desde 1999. Gézio, que era o representante da diretoria de Gás e Energia, foi contra a aprovação do aditivo. A diretoria de Serviços foi a favor, e recomendou o pagamento de R$ 49 milhões.

A essa altura, a cabeça de Ildo Sauer já havia sido pedida por Delcídio do Amaral, Dilma Rousseff e Renato Duque inúmeras vezes. No dia 21 de setembro, uma sexta-feira, Sauer foi finalmente demitido. Na mesma noite, Gézio foi afastado do cargo de gerente-geral e da supervisão da implantação do Gasoduto Urucu-Manaus. Renato Duque mandou que Sydney Granja, um dos gerentes executivos de Gás e Energia, destituísse Gézio de seu cargo antes de Graça Foster assumir a diretoria na segunda-feira. O funcionário só soube da notícia quando chegou para trabalhar na semana seguinte e abriu a caixa de e-mails. O DIP assinado por Granja informava que ele havia sido destituído da função. Não havia mais nenhuma instrução sobre o que ele faria dali em diante, em qual área trabalharia nem a quem responderia.

Granja havia sido promovido de gerente-geral a gerente executivo após a saída de Frazão. Militante do PC do B e amigo de Jandira Feghali, deputada federal do mesmo partido, Granja foi alçado à alta gerência da Petrobras por Sauer, a pedido de Armando Tripodi, assessor da presidência. Em um episódio no qual outros gerentes de Gás e Energia questionaram o preparo de Granja, Sauer deixou escapar a subordinados que não poderia "mexer" com ele. "Era indicação de cima." Apesar de ter confrontado tantas vezes o modus operandi instalado na Petrobras durante o governo Lula, Sauer também aceitou nomear funcionários por indicação política.

Depois de Graça Foster assumir a diretoria, Gézio e Frazão a procuraram. Queriam deixá-la a par dos problemas no andamento do Gasoduto Urucu--Manaus. A nova diretora mostrou-se receptiva às preocupações dos dois. Logo no início da conversa, Graça perguntou a Rafael Frazão: "O que você fez para os homens [da diretoria], que eles não querem nem ouvir falar seu nome?". Ela havia comentado que pretendia convidar Frazão para trabalhar com ela, mas seus pares do colegiado haviam reprovado o nome dele com veemência. Frazão e Gézio contaram suas histórias. Graça ouviu e pareceu concordar com ambos. Disse que ainda pretendia levar Frazão para alguma posição em sua equipe, mas nunca mais o procurou. Gézio ela convidou para ser seu assistente informal na implantação das obras de Gás e Energia. Uma das funções que ele teria, disse Graça, seria ajudá-la nas negociações de aditivos com as empreiteiras.

Ao receber o convite, Gézio ficou aliviado. Não queria ficar na geladeira, como tinha acontecido com vários amigos nos últimos tempos. Como assessor informal de Graça, Gézio foi destacado para resolver a interligação de uma térmica a um gasoduto. Depois, começou a participar do planejamento das manobras de gás que são feitas de um gasoduto para outro durante a semana. Seu papel na supervisão das obras, entretanto, ficara apenas na promessa. O aditivo reivindicado pela OAS/Etesco, por exemplo, havia sido pago.

Um dia, ele foi pedir à secretária do departamento uma passagem aérea para Manaus. A reserva já devia ter chegado a suas mãos. Em dois dias ele viajaria para uma reunião na capital amazonense na qual iria discutir o pleito de um aditivo com um dos consórcios envolvidos na construção do Gasoduto Urucu-Manaus. A resposta da secretária foi desconcertante — não havia passagem para ele, seu nome não estava na lista da reunião. Poderia ser um engano, mas não era. Gézio havia sido afastado das negociações dos aditivos, embora ninguém lhe tivesse comunicado oficialmente. Graça Foster nunca mais falou com ele. Nem pessoalmente nem por e-mail. Nem uma explicação, nem uma reclamação, nem uma despedida, nem mesmo quando ele foi desalojado de seu local de trabalho, o que aconteceu semanas depois do episódio da passagem aérea. "Um assessor da diretora simplesmente pediu para que ele mudasse de lugar", contou Rosane França, a esposa de Gézio.[4] A orientação era que ele fosse para o 28º andar do Edifício Metropolitan, localizado a alguns quarteirões da sede da companhia. Lá havia salas vazias onde ele poderia se acomodar. Gézio não aceitou. Ele chamava o local de "umbral" (sinônimo de purgatório para os espíritas). Era para lá que outros colegas da Gás e Energia tinham sido enviados e esquecidos, segundo ele confidenciou à esposa, funcionária aposentada da Petrobras.

A saída foi procurar o ex-chefe Frazão, que também estava na "geladeira", mas conseguira permanecer em uma sala da Torre Almirante, onde fica a área de Gás e Energia. Frazão acolheu o ex-subordinado e os dois passaram a dividir o espaço diariamente. Depois de alguns meses, porém, foram procurados por um funcionário da área de Organização e Gestão, a que define o layout dos escritórios da estatal. Haveria uma mudança na configuração do andar, e eles deveriam se mudar para o Edifício Metropolitan.

Frazão e Gézio não tinham mais como resistir. O novo ocupante da sala que eles deixariam era o gerente Marcelo Restum, amigo dos dois. Restum era o único mosqueteiro que havia permanecido com Graça. Até aquele momento, não havia se exposto tanto com a diretoria de Serviços quanto os colegas. Gézio acabou indo para o "umbral" junto com Frazão. O andar do Metropolitan também era apelidado de CREO, sigla de Centro de Recuperação de Executivos Ociosos. Mais tarde, esse apelido foi estendido a outros locais da empresa com alta concentração de gerentes exilados, inclusive o sétimo andar do edifício-sede da companhia, para onde foram enviados outros executivos indesejados por Graça Foster quando ela se tornou presidente da estatal.

Muitos desses funcionários decidem permanecer na empresa para esperar pela aposentadoria e não perder os benefícios oferecidos pela petroleira. Outros continuam na companhia, mas processam a empregadora, alegando que não deveriam perder a remuneração depois de mais de dez anos ocupando cargos de nível gerencial. Há também alguns que alimentam a esperança de que a situação mude e eles possam voltar a exercer papéis relevantes na empresa.

Apesar de permanecer afastado das obras de gás e energia, Gézio continuou acompanhando o andamento da construção do Gasoduto Urucu-Manaus. Em fevereiro de 2008, ficou sabendo que Pedro Barusco iria recomendar à diretoria executiva da Petrobras a aprovação de um aditivo de R$ 561 milhões. O pleito era do consórcio formado pela Andrade Gutierrez e pela Carioca, responsável pela construção do segundo trecho. O aditivo quase dobraria o valor da obra, representando 84% dos R$ 667 milhões do contrato original.

Quando soube da notícia, Gézio escreveu ao gerente executivo de Gás e Energia Alexandre Penna Rodrigues, então subordinado a Graça. A aprovação do aditivo teria de passar por Rodrigues antes de ser encaminhada à reunião da diretoria executiva. Sem poder ser explícito sobre as informações sigilosas que chegaram ao seu conhecimento, Gézio enviou um resumo com o histórico de tudo o que havia acontecido enquanto trabalhou na implantação do gasoduto. A mensagem começava assim:

Prezado Alexandre Penna,

    Como obrigação de um profissional que sempre zelou pelos seus compromissos exercidos nos cargos de gerência de implantação de projetos e empreendimentos, de pequeno, médio e grande portes; com a responsabilidade do uso dos recursos financeiros da Petrobras e, por que não dizer, da racionalidade e uso dos recursos públicos... manifesto minha preocupação quanto à continuidade do empreendimento que está sob sua gestão, principalmente quanto a pleitos de aditivos de valores que porventura cheguem para sua análise e aprovação...

    Me coloco à sua disposição para o que for preciso.

Alexandre Penna respondeu a Gézio no mesmo dia. Disse que, sobre aquele assunto, não havia muito que ele pudesse fazer àquela altura. E terminou com um vago: "Vamos conversar".

Gézio insistiu com outro e-mail em 27 de fevereiro de 2008, alertando para as consequências da explosão de preços do empreendimento:

Prezado Alexandre Penna,

    Soube que a situação do trecho A também está crítica. Com realização de apenas 60% [da obra], quando deveria estar terminando agora em março/2008. Estão reivindicando NOVO PRAZO E NOVO ADITIVO, pasme, da ordem de R$ 400 milhões. O valor do contrato original é em torno de R$ 340 milhões. O ADITIVO I, que motivou minha saída, foi próximo a R$ 50 milhões, e foi justificado para manter o término em março/2008. Naquela ocasião, afirmei que era inexequível.

    Pelos grandes números, a tarifa de transporte [do gás] vai extrapolar, e o preço final do gás para as UTEs [usinas termelétricas] de Manaus poderá custar mais caro do que o óleo combustível atualmente consumido. Nesse caso, toda economia inicialmente esperada de quase R$ 1 bilhão ao ano na CCC [Conta Consumo de Combustível, contribuição cobrada na conta de luz de consumidores do país inteiro para subsidiar a energia de parte da região Norte do país] vai ser consumida nos custos das obras.

    Continuo à sua disposição para conversarmos.

No dia seguinte, em sua resposta, Penna informou a Gézio que o DIP com a recomendação de aprovação do aditivo havia chegado. Apesar do enorme aumento da tarifa, o preço da energia gerada com o gás de Urucu ainda estava longe do óleo combustível de Manaus. "Meno male", finalizou.

Em um último e-mail, Gézio escreveu a Penna:

Alexandre,

Não se pode perder o FOCO, o "enorme aumento da tarifa" é devido ao FATO GERADOR DO EXPLOSIVO VALOR DO ADITIVO DO B1 [o segundo trecho do gasoduto, em construção pela Andrade Gutierrez e a Carioca], quase igual ao valor do contrato original assinado, que já era considerado excessivo... Os índices de desempenho desde o início das obras são pífios e, a continuar assim, NÃO CUMPRIRÃO NOVAMENTE OS NOVOS PRAZOS.

Não só o aditivo de R$ 563 milhões foi aprovado, como vários outros, elevando o preço do gasoduto de R$ 2,4 para R$ 4,5 bilhões. Só o trecho A, o de construção mais simples, teve dezenove aditivos contratuais. Alexandre Penna teria feito alguns questionamentos, mas acabou assinando o documento junto com Pedro Barusco, gerente de Engenharia da diretoria de Serviços. A colegas da área de Gás e Energia, Penna disse que não tinha o que fazer. Graça Foster o havia pressionado para que o aditivo fosse aprovado logo.

Como previra Gézio, apesar de quase dobrarem o preço da obra, as empreiteiras não cumpriram os prazos. O início da operação do gasoduto foi adiado várias vezes e sua inauguração só aconteceu em 26 de novembro de 2009, um ano e oito meses depois do previsto. Apesar do atraso da obra, a conversão das usinas térmicas da Eletrobras estava ainda mais atrasada. Nada que tirasse a disposição do presidente Lula, da ministra Dilma, já na Casa Civil, e do presidente da Petrobras, José Sergio Gabrielli, de fazer discursos em um palanque montado na Refinaria de Manaus (Reman), para a cerimônia de inauguração.

Em fevereiro de 2011, quando a implantação do gasoduto estava totalmente concluída, a Petrobras calculou que a tarifa de transporte do gás extraído de Urucu até Manaus deveria ser de R$ 16 por milhão de BTU (unidade térmica de medida de gás natural).[5] Só assim seria possível cobrir as despesas da obra durante o contrato de vinte anos assinado com a Cigás, distribuidora do Amazonas. Ou seja, com a explosão do preço da obra, a tarifa de transporte do combustível subiu 77% em relação aos R$ 9 estimados na assinatura do contrato entre as duas empresas, em 2006. Em relação à tarifa projetada originalmente (R$ 4,36), em 2004, a tarifa final quase triplicou. Em 2011, as térmicas de Manaus pagaram mais pelo gás do que pelo óleo combustível para gerar 1 megawatt-hora de energia.

Após o afastamento da função gerencial, Gézio perdeu 40% do salário e teve de mudar para o apartamento comprado na época de solteiro. As contas estavam apertadas. O filho mais velho e a filha do meio estudavam direito na Fundação Getulio Vargas. A mais nova estava no ensino médio, também em escola particular. A mulher, aposentada, fazia uma nova faculdade. O engenheiro sentiu o baque, principalmente quando descobriu que a companhia iria começar a descontar de seu salário um valor pago a mais, por um erro de Recursos Humanos. O erro ocorreu no período da redução gradual de sua remuneração, após o afastamento da gerência. Por algum motivo, a Petrobras demorou mais tempo para reduzir seu salário, e, agora, descontaria o valor pago a mais. Nessa época, Gézio decidiu processar a empresa. Alegou que, na verdade, seu salário não deveria ser reduzido. Afinal, ele ocupara funções executivas por catorze anos ininterruptos. Essa parcela da remuneração deveria ter sido incorporada ao salário, segundo se informara com advogados.

Nesse período, Gézio confidenciou à mulher que percebia que algumas pessoas passaram a evitá-lo na empresa. Provavelmente não queriam ser vistas com ele e "se queimar" com a chefia. Assim como Frazão, ele havia se tornado persona non grata pelos executivos de Serviços, principalmente por Renato Duque. Também havia sido excluído da diretoria de Gás e Energia, justamente por Graça, que lhe parecera tão receptiva logo que assumiu. Mesmo assim, Gézio continuou se inteirando, tanto quanto possível, das atividades da diretoria de Gás e Energia, à qual ainda pertencia, embora apenas formalmente. Às vezes, não aguentava e escrevia aos executivos da área, como havia feito com Alexandre Penna no caso do gasoduto. Chamava esses e-mails de "pombos sem asa".

Ele havia ficado indignado ao saber que a diretoria de Gás e Energia iria refazer um estudo sobre o melhor local para a implantação de um terceiro terminal de regaseificação no país. Gézio sabia que uma equipe já havia realizado um longo estudo sobre os melhores locais para a instalação do novo terminal. A escolha tinha sido o porto de Itajaí, em Santa Catarina. A região Sul tem uma forte demanda reprimida por gás. O Gasoduto Bolívia-Brasil chega ao Sul quase vazio, depois de deixar a maior parte do gás boliviano em São Paulo. A cidade catarinense seria uma boa opção para construir o terminal de regaseificação porque abriga um porto localizado a poucos quilômetros do trajeto do Gasbol e ideal para receber os navios que transportam GNL. Bastaria, portanto, construir um trecho de duto para conectar o terminal ao Gasbol, que seria abastecido com GNL importado.

Durante uma reunião de diretoria ocorrida no início de 2010, a área de Gás e Energia apresentou a proposta de construção do terceiro terminal de GNL. O local seria Santa Catarina, como recomendava o estudo. A certa altura da reunião, Gabrielli perguntou por que o estudo não havia considerado Salvador, na Bahia, como um dos locais para receber o empreendimento. Em vez de dar as justificativas apresentadas no trabalho feito por sua equipe, Graça Foster disse ao presidente que revisaria o estudo, incluindo a capital baiana.

Vários funcionários da diretoria ficaram revoltados com a atitude da diretora. O Gasoduto de Integração Sudeste-Nordeste (Gasene) tinha sido inaugurado havia menos de um ano, justamente para ligar o Rio de Janeiro à Bahia. A construção de um novo terminal no estado significaria sobrepor recursos, já que o Gasene supriria com folga a demanda baiana.

Ao saber da história, Gézio resolveu enviar mais "pombos sem asas". Entre fevereiro e março de 2011, o engenheiro enviou três e-mails a Graça Foster. Neles, sustentou a tese de que seria melhor ampliar o terminal de regaseificação da Baía de Guanabara, em vez de construir um do zero. Um novo terminal consumiria US$ 1 bilhão, enquanto a ampliação do já existente custaria a metade do preço e levaria um ano a menos para entrar em funcionamento. O fluminense já tinha segurança comprovada e estava localizado numa área que favorecia o envio de gás para várias regiões do país, principalmente aquelas em que o consumo era maior. Gézio anexou documentos em que comparava a construção do novo empreendimento com a ampliação do já existente.

Graça não respondeu aos e-mails de Gézio. Mas mandou que um assessor lhe desse um recado: ele deveria parar de enviar mensagens à diretora. Em janeiro de 2014 foi inaugurado o Terminal de Regaseificação da Baía de Todos os Santos, em Salvador. O investimento informado pela Petrobras foi de US$ 1 bilhão.

Gézio não viu a obra pronta. Morreu um ano e meio antes, em 17 de junho de 2012. Naquele dia, ele e a mulher decidiram caminhar de casa, no bairro de Laranjeiras, na zona sul do Rio, até Botafogo. Queriam ver como estava o movimento da Rio+20, a Conferência das Nações Unidas sobre Desenvolvimento Sustentável, que acontecia na cidade. Os dois tinham o hábito de caminhar, e Gézio corria 8 quilômetros três vezes por semana.

Na volta do passeio, o casal almoçou em um restaurante nas redondezas da casa e tirou um cochilo no fim da tarde. Pouco depois das oito da noite, Gézio acordou se sentindo mal e pediu à mulher para levá-lo ao hospital. Em meia hora ele já fazia exames cardíacos. O caso era sério: uma dissecção da aorta — algo parecido a um grande rasgo na maior artéria do corpo. A cirurgia durou dez horas e Rosane perdeu a conta de quantas bolsas de sangue viu entrar no centro cirúrgico. O médico saiu da operação derrotado. As chances de sobrevivência eram baixas, disse a Rosane e aos parentes que lhe faziam companhia. Em poucas horas ele morreu.

Quase dois anos depois, em 4 de abril de 2014, a família de Gézio passou por uma nova comoção. O *Jornal Nacional* revelou trechos de alguns "pombos sem asa" enviados por Gézio ao gerente Alexandre Penna a respeito do Gasoduto Urucu-Manaus. Naquela noite, os telefones de Rosane e dos três filhos não pararam de tocar. Parentes e amigos que assistiram ao telejornal ligavam emocionados para homenagear a memória de Gézio. A Operação Lava Jato já havia sido deflagrada.

Em novembro de 2014, o ex-gerente executivo da Petrobras Pedro Barusco fechou acordo de colaboração premiada com a Polícia Federal e o Ministério Público. Aceitou assumir os crimes que cometera contra a estatal em troca de redução de pena e apresentou documentos para provar o que disse em depoimentos. Em uma das planilhas em que controlava as obras e suas respectivas propinas, o Gasoduto Urucu-Manaus aparece três vezes, o número de lotes em que a obra foi dividida.[6] Na referência ao contrato obtido pela Andrade Gutierrez e a Carioca Engenharia, Barusco anotou o valor da contratação (R$ 666 milhões), o porcentual de propina a ser pago (1%) e a destinação do dinheiro: metade ao "partido" (PT) e metade à "casa" (Duque e ele próprio). Na coluna denominada "agente", que é o pagador da propina, segundo explicou Barusco em sua delação, consta o nome de Mário Góes, um lobista do Rio de Janeiro. Góes também se tornou delator na Lava Jato e confessou ter realizado pagamento de R$ 3,5 milhões em propinas a Barusco em nome da Andrade Gutierrez.[7] O valor refere-se a várias obras, entre elas o gasoduto da Amazônia.

Na linha da planilha referente ao contrato fechado pela Camargo Corrêa e a Skanska aparece apenas o valor da obra (R$ 427 milhões), mas as colunas com o porcentual de propina e seus destinatários estão em branco. Mais tarde, outro delator, o lobista Julio Camargo, afirmou ter efetuado pagamento de R$ 2 milhões aos dois executivos da Petrobras (Duque e Barusco) em nome da Camargo Corrêa.[8] A propina, segundo o delator, referia-se às obras da empreiteira no Gasoduto Urucu-Manaus. A parte do PT, segundo as investigações, geralmente era recebida por João Vaccari Neto, ex-tesoureiro do partido, que permanecia preso em junho de 2016, desde abril de 2015, e negando envolvimento no petrolão.

No caso do lote obtido pelo consórcio OAS e Etesco, Barusco anotou o valor do contrato (R$ 342 milhões), o porcentual de propina (1%) e o partido como destinatário integral do dinheiro. Não há indicação de quem seria o agente pagador. Em seus depoimentos, porém, Mário Góes afirmou que usou uma de suas empresas para receber R$ 7,5 milhões da OAS.[9] O dinheiro seria propina relativa ao contrato fechado para a construção de um dos trechos do gasoduto. O valor corresponde a mais que o dobro do contrato original, mas é possível que já inclua a propina dos aditivos.

17. Pasadena

"Uma oportunidade única."[1] Assim os executivos da área Internacional da Petrobras definiram a compra de uma refinaria na cidade de Pasadena, no estado americano do Texas. O assunto foi apresentado pela primeira vez à diretoria executiva da estatal em 18 de agosto de 2005. O documento assinado por Luis Carlos Moreira da Silva, então gerente executivo da área, e endossado por seu chefe e diretor da área, Nestor Cerveró, reunia mais de uma dezena de bons motivos para a aquisição, que, mais tarde, se revelaria um problema para a estatal.[2]

A compra de uma refinaria nos Estados Unidos foi incluída no planejamento estratégico da Petrobras em 2000, quando a empresa ainda era presidida por Henri Philippe Reichstul. O objetivo era aumentar a rentabilidade do petróleo extraído da Bacia de Campos, particularmente do Campo de Marlim — um óleo pesado, usado para fabricar derivados menos nobres como óleo combustível —, vendido com desconto em relação aos petróleos leves como o Brent e o WTI.[3] Em 2004, o deságio do óleo marlim (pesado) havia chegado a US$ 17 por barril em relação ao WTI, que foi negociado a US$ 38, em média, naquele ano.

Desde meados da década de 1990, a Petrobras já sabia que a extração de óleo pesado iria aumentar no país, e que parte dessa produção teria de ser exportada. As refinarias da estatal foram construídas nas décadas de 1960 e 1970 para processar óleos leves, principalmente de origem árabe, não o óleo pesado da Bacia de Campos, descoberto nos anos 1980. Para fabricar derivados como gasolina, diesel e querosene de aviação, por exemplo, a estatal tinha (e continua tendo) de importar óleo leve e misturá-lo ao nacional. Assim, ao exportar óleo pesado, mais barato, e importar óleo leve, mais caro, a companhia perde dinheiro.

A compra de uma refinaria capaz de processar óleo pesado nos Estados Unidos fazia todo o sentido. A Petrobras enviaria o óleo marlim para sua planta americana e o transformaria em derivados de maior valor agregado. Em vez de exportar óleo cru, com desconto, a empresa passaria a vender os produtos finais no maior mercado consumidor do mundo. Em 2000, a área de Novos Negócios da companhia começou a trabalhar no projeto Refino no Exterior e encomendou um estudo da consultoria americana Aegis Muse. A Aegis deveria elaborar uma análise do mercado americano de refino e identificar ativos-alvo, ou seja, as refinarias que pudessem ser de interesse da Petrobras.

O trabalho foi apresentado à diretoria executiva em 2002, quando a estatal já era presidida por Francisco Gros, sucessor de Reichstul. Entre as 25 refinarias identificadas pelos consultores, a Petrobras decidiu avaliar duas com prioridade. A primeira foi a Refinaria Corpus Christi, que leva o mesmo nome da cidade onde está localizada, no Texas. A Coastal (comprada depois pela El Paso) era a proprietária da planta, e não concordou com as condições de due diligence (auditoria para avaliar o negócio) da Petrobras — a estatal queria perfurar poços no solo do terreno para averiguar possíveis contaminações por infiltração de óleo e outros produtos químicos. A recusa da Coastal acendeu a desconfiança dos executivos brasileiros.

Havia outro fator negativo em Corpus Christi: sua capacidade de processamento, de 100 mil barris por dia, não era a ideal. Com a queda das margens de refino, muitas plantas desse porte estavam sendo fechadas em todo o mundo. A Petrobras preferia um ativo com maior escala, de modo a aumentar a chance de retorno do investimento. A opção foi derrubada nas reuniões do comitê de negócios.

Outro ativo avaliado pela estatal em 2002 foi a refinaria Saint Charles, na Louisiana. O gerente executivo responsável pela área de Novos Negócios propôs a compra, que também foi recomendada pelo gerente executivo de refino. A posição contrária partiu de Rogerio Manso, então diretor de Abastecimento. Ele argumentou que Saint Charles era pior que todas as onze[4] refinarias da Petrobras em termos operacionais e de segurança ambiental. "A experiência mostra que o papel aceita tudo, mas a prática é bem diferente", afirmou Manso.[5] "Se a Petrobras não tinha conseguido resolver todos os problemas de suas próprias refinarias, por que resolveria os de uma desconhecida, com a facilidade que apresentavam na proposta de compra?", indagou. Diante dos argumentos, Gros decidiu descartar a compra e procurar uma opção melhor. A aquisição não aconteceria sob a direção Gros. Já era 2002, ano de eleições presidenciais, e o novo presidente da República nomearia um novo presidente da Petrobras.

No ranking das 25 refinarias americanas identificadas pela Aegis Muse, Pasadena ficou em 21º e em 14º lugar (dependendo do critério), e não chegou a ser analisada pelas áreas de Novos Negócios e de Abastecimento da época. O relatório da consultoria a classificava como um ativo de baixa qualidade e que demandaria um alto volume de investimentos para que passasse a processar óleo pesado, já que sua configuração era para petróleo leve.

A necessidade de converter suas plantas para o petróleo brasileiro não era necessariamente um fator impeditivo para a aquisição. Era preciso avaliar o conjunto de prós e contras. Dependeria muito do custo da reforma (ou revamp, termo em inglês geralmente usado para definir reformas industriais). A estratégia definida em 2000 era clara: "Rentabilizar o óleo pesado por meio de seu refino no exterior e sua venda na forma de derivados de valor mais alto". Esse objetivo, porém, não deveria ser alcançado a qualquer preço. A meta era comprar uma refinaria que custasse 30% de uma nova, já considerando investimentos futuros como a solução de passivos ambientais. Mas essa segunda parte da estratégia foi totalmente desprezada pelos negociadores da diretoria Internacional, comandada por Cerveró, durante a compra de Pasadena.

Inaugurada em 1920 pela empresa americana Crown Central Petroleum, a Refinaria de Pasadena (como ficou conhecida no Brasil) chegou aos anos 2000 como uma das mais obsoletas dos Estados Unidos. Chegou a ser apelidada de "ruivinha" pelos técnicos brasileiros que a visitaram, dada a quantidade de ferrugem em suas instalações. Imersa em dificuldades financeiras, a Crown não tinha condições nem de comprar petróleo cru para continuar operando, quanto mais de investir na manutenção da refinaria. Em 2004, para conseguir funcionar, a empresa fechou uma parceria com a trading belga Astra Oil. A trading comprava óleo cru, pagava pelos serviços de refino de Pasadena e vendia os derivados lá processados. Depois de um ano de parceria, a Astra adquiriu a refinaria por US$ 42,5 milhões. O negócio foi fechado em 25 de janeiro de 2005.

Menos de um mês depois, em 23 de fevereiro de 2005, a Astra fez uma proposta de parceria à Petrobras. Juntas, as duas empresas poderiam aproveitar oportunidades, utilizando a refinaria recém-adquirida. A carta foi assinada por Alberto Feilhaber, vice-presidente da Astra e ex-funcionário da Petrobras. Feilhaber havia trabalhado na estatal por quase vinte anos, entre 1976 e 1995. A princípio, não há nada de errado no fato de um ex-funcionário oferecer um negócio para sua ex-empregadora. É até natural que ele tenha facilidade de identificar oportunidades, já que conhece a empresa por dentro e possivelmente mantém contato com colegas que continuam trabalhando nela.

O fato é que em fevereiro de 2006, um ano e um mês depois de a Astra pagar US$ 42,5 milhões pela refinaria, a Petrobras comprou metade de Pasadena por US$ 359 milhões. Ou seja, a estatal fechou o negócio considerando que a refinaria fosse avaliada em US$ 718 milhões, dezessete vezes mais que o valor pago pela Astra um ano antes. Os negociadores brasileiros sabiam da discrepância de preço, mas esconderam a informação de parte da diretoria e do conselho de administração. O valor pago pelos belgas só veio a público em 2012, numa reportagem da Agência Estado,[6] quando a Petrobras já amargava o prejuízo de um dos piores negócios feitos em sua história.

Mesmo contabilizando os US$ 112 milhões investidos pela Astra na refinaria antes da entrada da Petrobras, o negócio foi excelente para os belgas. A empresa recebeu mais que o dobro (133%) do que havia gastado com a compra e as melhorias, e ainda permaneceu com metade do ativo. Na divulgação do balanço seguinte, a direção da Transcor Astra, controladora da Astra Oil, afirmou que o negócio fora "um sucesso financeiro acima de qualquer expectativa razoável".[7]

A Petrobras, por sua vez, saiu com fama de perdulária e foi objeto de chacota dos negociadores da Astra. Um e-mail enviado em 2006 pelo executivo Terry Hammer a seus colegas da Astra dizia: "Como Alberto disse tantas vezes, a Petrobras é uma empresa que não tem nenhum problema em gastar dinheiro".[8] O Alberto a que Hammer se refere é o brasileiro Alberto Feilhaber, o ex-funcionário da estatal e então vice-presidente da Astra. Ele foi o principal negociador do lado da Astra.

A "Operação Pasadena" já seria um péssimo negócio para a Petrobras se parasse por aí, mas seu desfecho só se deu em 2012, depois que a estatal fechou um acordo extrajudicial de US$ 820 milhões para ficar com a segunda metade da refinaria e encerrar os vários processos abertos por sua sócia na Justiça americana. Contando com os US$ 685 milhões investidos para melhorar as instalações decrépitas de Pasadena, a Petrobras gastou quase US$ 2 bilhões na refinaria, que nunca foi adaptada para processar óleo marlim, objetivo original e principal da compra.

As primeiras suspeitas de irregularidade na aquisição de Pasadena surgiram em 2012, quando a Petrobras pagou a fatura da segunda parte da refinaria e a imprensa revelou a disparidade dos preços pagos pela Astra à Crown e pela Petrobras à Astra. Em seguida, o Tribunal de Contas da União (TCU) passou a investigar o caso. Mas foi só depois da eclosão da Operação Lava Jato que a Petrobras criou uma Comissão Interna de Apuração (CIA) para reconstituir o passo a passo da negociação.

O relatório da CIA, finalizado em outubro de 2014, revelou uma sequência incrível de irregularidades cometidas pelos negociadores da petroleira. O diretor Nestor Cerveró e seus subordinados mais próximos — Luis Carlos Moreira da Silva e Rafael Mauro Comino — distorceram, omitiram e mentiram a respeito de informações críticas para a avaliação do negócio. Ao final do relatório, fica claro que o objetivo da equipe era concretizar a aquisição de qualquer forma, pois ela lhes renderia propinas volumosas.[9]

Formalmente, a Petrobras pagou US$ 189 milhões por 50% da refinaria e US$ 170 milhões por 50% da Trading Company de Pasadena — uma empresa que estava sendo criada naquele momento para comercializar os produtos da refinaria, inclusive o petróleo bruto que seria comprado da Petrobras. Na apresentação da proposta de compra, Cerveró e sua equipe afirmaram que a Trading era dona dos estoques da refinaria. Hoje se sabe que a Trading era uma empresa sem qualquer ativo — seja ele tangível (como estoques, edifícios, máquinas) ou intangível (profissionais com conhecimento específico ou um contrato negociado em condições especiais que pudesse gerar receitas extraordinárias, por exemplo). A investigação da CIA descobriu que os US$ 170 milhões pagos pela tal Trading Company nada tinham a ver com os estoques de Pasadena. A quebra no preço do ativo foi apenas uma "engenharia tributária" para que a Astra pagasse menos impostos sobre o valor recebido da Petrobras.

Entre as descobertas da investigação da Petrobras estava uma contraproposta feita pela equipe de negociadores da estatal, que, apesar de ser a compradora, ofereceu um valor mais alto que o pedido pela própria vendedora do ativo, a Astra. O episódio foi revelado com a recuperação das mensagens trocadas durante a negociação. Em 3 de dezembro de 2005, o advogado Robert Allen, contratado pela empresa belga, propôs que a Petrobras pagasse US$ 339 milhões por 50% da refinaria, sendo US$ 189 milhões pela refinaria e US$ 150 milhões pela Trading Company.[10] A contraproposta da Petrobras foi feita dois dias depois pelo gerente Rafael Comino, que ofereceu US$ 354 milhões, US$ 15 milhões a mais do que a proposta da Astra. Na mensagem, Comino se referiu aos US$ 15 milhões a mais como um "bônus"[11] que seria pago pela Petrobras aos negociadores da Astra e da própria estatal.

No dia seguinte, 6 de dezembro, Feilhaber — o ex-funcionário da Petrobras que trabalhava na Astra — respondeu a Comino da seguinte forma: "... escrevo para te informar que não estou conseguindo, internamente na Astra, modificar o split de sexta-feira... Espero que vocês possam aceitar uma estrutura de 189 + 150 + eventual 20/25 (bônus). Não tenho como conseguir melhor que isso. Não pense que estou contra vocês, mas é meu dever te alertar que se insistirmos em estrutura diferente, podemos pôr o negócio em risco... ".[12] No mesmo dia, a proposta da Petrobras foi revisada para US$ 359 milhões, US$ 20 milhões a mais que o preço pedido pela Astra.

O relatório da CIA concluiu que os negociadores acertaram um bônus de US$ 20 milhões, valor acrescido ao preço inicial da Trading Company e efetivamente pago pela Petrobras, sem que a diretoria ou o conselho de administração soubessem do destino do dinheiro. A propina foi negociada por Rafael Comino e Alberto Feilhaber, com conhecimento de outros funcionários da Petrobras, a começar por Moreira, superior imediato de Comino.[13] Também tomaram conhecimento do bônus o engenheiro Aurélio Oliveira Telles, que coordenou a due diligence na refinaria, e os advogados Carlos Cesar Borromeu de Andrade e Thales Rezende de Miranda.[14]

O escritório de advocacia Thompson & Knight, com sede em Dallas, que fora contratado para assessorar a Petrobras, também tinha conhecimento da negociação do bônus, conforme mostraram os e-mails analisados pela CIA.[15] A investigação da Petrobras, no entanto, não estabeleceu uma relação que pode ser importante para o esclarecimento da compra de Pasadena. O advogado Marcelo Oliveira Mello, ex-funcionário da área jurídica da estatal, era sócio de uma banca no Brasil que trabalhava em parceria com o Thompson & Knight na época da negociação da refinaria. Até aí, tudo bem — colegas de trabalho costumam fazer consultas e indicações mútuas. Acontece que os investigadores da Lava Jato descobriram, ao longo de 2014, que Mello se tornara uma espécie de administrador de bens de Nestor Cerveró desde 2008, pelo menos. O advogado assinava como dono da subsidiária brasileira de uma offshore que Cerveró mantinha no Uruguai. Essa offshore era dona do apartamento em que o ex-diretor da Petrobras morava, em Ipanema, no Rio de Janeiro. Para ocultar a propriedade da cobertura, avaliada em R$ 7,5 milhões, Cerveró fingia ser inquilino do imóvel. Foi Mello que fez o contrato falso de locação, assinado pela esposa de Cerveró.[16]

Outro ex-funcionário da estatal, Cezar de Souza Tavares, participou da negociação de Pasadena na condição de consultor, e também tomou conhecimento do bônus.[17] Tavares era amigo de longa data de Cerveró, Moreira e Comino. Todos são egressos da área de refino da estatal, e depois trabalharam juntos na área de Gás e Energia, quando Cerveró era um dos gerentes executivos subordinados ao então diretor Delcídio do Amaral, depois eleito senador pelo PT. Foi o mesmo grupo que negociou a entrada da Petrobras em várias usinas térmicas — que renderam prejuízos bilionários à estatal — no período da crise de energia do governo Fernando Henrique Cardoso.

Mais tarde, depois de deixarem a petroleira, Moreira e Comino se juntaram a Tavares em sua empresa, a Cezar Tavares Consultores. No site da consultoria, a aquisição de Pasadena é destacada como um dos casos de sucesso. O serviço prestado pelos ex-funcionários da Petrobras é definido como "consultoria na negociação dos contratos e na área financeira".

Apesar de não revelar todos os detalhes e personagens envolvidos no negócio, o relatório da CIA deixa claro que a compra da refinaria jamais poderia ter sido realizada nas condições — e principalmente pelo preço — em que foi. Como a refinaria da Astra só processava petróleo leve, ela teria de passar por uma longa e onerosa modernização e adequação (revamp) para conseguir refinar óleo marlim. Essa era a premissa básica do negócio. O estudo inicial feito pela consultoria Muse Stancil, contratada em 2005 para assessorar a operação, previu o investimento mínimo de US$ 588 milhões para a conversão da planta.[18] O plano era que, após o revamp, Pasadena refinasse 70% de óleo pesado e 30% de leve. A Petrobras e a Astra dividiriam os investimentos.

Durante a negociação, as condições foram mudando — em detrimento da Petrobras —, mas as más notícias foram sendo escamoteadas. Cerveró, Moreira e Comino, que apresentaram o "projeto Pasadena" à diretoria executiva e ao conselho de administração, não mostraram, por exemplo, os diferentes cenários da análise realizada pela consultoria Muse Stancil, contratada para realizar a avaliação técnica e financeira do negócio.

Antes de realizar a due diligence na refinaria, o preço mais alto calculado pela Muse Stancil foi US$ 429 milhões por 100% de Pasadena, considerando o estado em que ela se encontrava na época. Essa estimativa, antes dos investimentos mínimos necessários para o revamp, foi chamada pela consultoria de cenário "As is" ("Como está", em inglês). Ocorre que, após as visitas de due diligence, a consultoria baixou o preço do ativo para US$ 258 milhões no cenário "As is". Ou seja, no estado em que se encontrava, 100% de Pasadena valiam US$ 258 milhões. Esse valor, entretanto, nunca foi incluído nos documentos enviados à diretoria executiva e ao conselho (não se pode descartar a possibilidade de que diretores e conselheiros soubessem das reais condições da refinaria, mas elas não constavam dos documentos enviados a eles). A área Internacional preferiu apresentar apenas a estimativa que já considerava o revamp. Nesse cenário, a Muse Stancil calculou o ativo, inicialmente, em US$ 877 milhões, preço que caiu para US$ 745 milhões depois das visitas de due diligence. Na primeira apresentação à diretoria executiva, em agosto de 2005, os executivos da área Internacional afirmaram que a refinaria valia US$ 745 milhões, considerando os investimentos para o revamp.

A omissão da estimativa "As is" foi uma falha grave da diretoria Internacional, segundo o relatório da CIA: "A boa prática de negociação pressupõe a aquisição de ativos por valores compatíveis às condições em que se encontram, de modo que os resultados dos investimentos e melhorias futuras possam ser auferidos pelo comprador".[19] "Na prática, é o vendedor que sai ganhando quando o comprador aceita um preço baseado em melhorias futuras."

Apesar das reduções de preço da Muse Stancil indicarem que as condições do ativo eram piores do que se imaginava inicialmente, a diretoria Internacional não atualizou o estudo de viabilidade técnica e econômica para apresentá-lo à diretoria e ao conselho de administração, outro erro gravíssimo. Na verdade, a diretoria Internacional desprezou todos os pareceres negativos colecionados ao longo da negociação, em vez de utilizá-los para baixar o preço do ativo. E foram vários alertas.

Em 30 de novembro de 2005, o escritório Thompson & Knight alertou sobre a existência de possíveis passivos ambientais na refinaria, que poderiam consumir investimentos adicionais entre US$ 245 milhões e US$ 430 milhões. Ou seja, na melhor das hipóteses, os problemas ambientais poderiam custar quase o preço da refinaria inteira antes da conversão, de acordo com a maior estimativa "As is" da Muse (US$ 258 milhões). O parecer da Thompson & Knight ressaltava que esses possíveis passivos deveriam ser levados em consideração na negociação com a Astra.

O funcionário Marco Antônio Batista da Silva, responsável pela avaliação dos aspectos de segurança, meio ambiente e saúde (chamados de SMS) da refinaria, informou Rafael Comino do parecer da Thompson & Knight. Também recomendou a realização de uma due diligence específica para averiguar as condições ambientais do ativo. Antes disso, um relatório da Deloitte & Touche, de junho de 2005, mencionou a necessidade de gastos substanciais para corrigir e adequar as questões ambientais em Pasadena. O trabalho da Deloitte afirmava que o gasto a ser realizado nos cinco anos seguintes à aquisição poderia exceder US$ 200 milhões.

A inspeção sugerida pelo funcionário não foi feita. Segundo a CIA, também não foram encontradas "evidências de que tais questões ambientais tenham sido consideradas na negociação de preços ou condições contratuais, ou que tenham sido apresentadas à alta administração da Petrobras".[20] A CIA descobriu também que durante a due diligence não havia sido feita a avaliação do processo de produção, uma etapa básica que avalia o esquema de refino, os equipamentos e a confiabilidade das plantas da refinaria. Da mesma forma, foi ignorada a recomendação da Muse, que orientava a Petrobras a realizar um teste com óleo pesado marlim em níveis superiores a 15% do total da capacidade de processamento de Pasadena. O teste deveria ser feito antes de qualquer proposta que vinculasse a estatal ao fechamento do negócio, prescreveu a Muse.

Mais grave ainda foi a omissão do aumento explosivo do custo do revamp. Os e-mails reunidos pela CIA revelaram que os negociadores sabiam, desde janeiro de 2006, que seriam necessários cerca de US$ 1 bilhão — e não mais os US$ 588 milhões estimados inicialmente — a fim de converter a refinaria para processar óleo brasileiro e operar com capacidade de 100 mil barris diários. Esse elemento seria mais do que suficiente para abortar o negócio nas condições originais. No entanto, a documentação enviada para a análise final da diretoria executiva e ao conselho, em fevereiro, ratificou o valor antigo de US$ 588 milhões.

O diretor Nestor Cerveró recomendou a compra da refinaria americana, que foi avaliada pela diretoria executiva em 2 de fevereiro de 2006. No dia seguinte, o conselho de administração aprovou a aquisição e o contrato foi assinado por Luis Moreira em março. O início da operação conjunta da refinaria e da trading pelas novas sócias foi marcado para setembro. Nesse período, entre março e setembro, as condições contratuais ainda poderiam ser alteradas, mas não foram. Em 1º de setembro de 2006, o funcionário Gustavo Tardin Barbosa, da Petrobras America, assinou o contrato final da compra de metade de Pasadena. Pelo documento, a refinaria passaria por um revamp que a habilitaria a processar 100 mil barris por dia de petróleo pesado.

No mesmo dia em que o contrato foi assinado nos Estados Unidos, a estatal divulgou no Brasil um fato relevante no qual afirmava a intenção de duplicar a capacidade da refinaria para 200 mil barris por dia. O documento divulgado ao mercado contrariava o contrato assinado na mesma data. Àquela altura, os envolvidos na negociação e o presidente Gabrielli já sabiam que, para dar lucro, a refinaria teria de aumentar a escala de produção para, pelo menos, 200 mil barris por dia. A receita de 100 mil barris diários não cobriria o capital investido na aquisição e no revamp (já estimado em US$ 1 bilhão). Para não dar prejuízo, portanto, Pasadena teria de passar também por obras de ampliação, o que elevaria o custo total do revamp para algo entre US$ 1,9 bilhão e US$ 2,2 bilhões. O problema é que faltou combinar com os belgas.

E Gabrielli não só não teria combinado, como teria orientado os funcionários da estatal a esconder da sócia Astra a intenção de duplicar Pasadena. A revelação foi feita por Agosthilde Mônaco de Carvalho, que se tornou colaborador da Operação Lava Jato em novembro de 2015. Mônaco foi assistente de Cerveró entre 2003 e 2008. Foi ele que identificou a possibilidade de negócio com a Astra, depois que o diretor lhe deu a tarefa de encontrar uma refinaria para compra nos Estados Unidos. Aos procuradores, Mônaco afirmou que todos os envolvidos na negociação, liderada por Moreira, sabiam que a Astra não teria condições financeiras de dividir com a Petrobras o volume de investimentos que a duplicação exigiria. Porém, "para não espantar" os belgas do negócio e manter no contrato a cláusula de compartilhamento dos investimentos em partes iguais pelos sócios, Gabrielli teria orientado Moreira a não informar a Astra da duplicação. Essa informação teria sido passada a Mônaco por Moreira.[21]

O interesse de Gabrielli na compra de uma refinaria obsoleta seria justamente o revamp, teria explicado Cerveró a Mônaco. O diretor Internacional teria feito a confissão ao assistente, quando este lhe explicava que o ativo estava em péssimas condições, por ter passado anos sem manutenção apropriada. As plantas apresentavam problemas de segurança operacional e a mão de obra estava desmotivada. Por isso, inclusive, a Astra havia comprado Pasadena na bacia das almas, teria dito o próprio Feilhaber a Mônaco. Em vez de descartar o negócio, Cerveró teria aberto um sorriso e dito que a Petrobras também poderia comprar Pasadena na bacia das almas. "Com Pasadena, mataremos dois coelhos com uma única cajadada: refinar óleo marlim nos Estados Unidos e o presidente Gabrielli honrar seus compromissos políticos", teria dito Cerveró ao assistente.[22] Os compromissos políticos de Gabrielli, pelas explicações de Cerveró, seriam resolvidos com a escolha da Odebrecht como executora do revamp da refinaria nos Estados Unidos.

No final de setembro, a menos de um mês da assinatura do contrato definitivo, a diretoria executiva da Petrobras aprovou a expansão de Pasadena já com a estimativa de despesas de US$ 2 bilhões. A Astra não gostou nada da decisão. O custo para dobrar a produção da refinaria acabava com a rentabilidade planejada pelos belgas, que não estavam dispostos a arcar com metade do investimento. As divergências entre os sócios não acabariam mais. Com elas, começaram a aparecer as cláusulas prejudiciais à estatal, que haviam sido embutidas no acordo de acionistas, sem conhecimento de parte da diretoria e do conselho de administração da estatal (ou de parte dos conselheiros).

A primeira a surgir foi a "cláusula marlim", que garantia à Astra uma rentabilidade anual mínima de 6,9%, após o pagamento de taxas e impostos. Ou seja, em qualquer condição a Astra teria um lucro mínimo garantido de 6,9%, e isso durante quinze anos.[23] A preocupação dos belgas em se proteger era justificada. Eles arcariam com metade do investimento para que a refinaria passasse a processar óleo pesado de sua sócia. Depois do revamp, Pasadena compraria 70% do petróleo bruto da Petrobras. Se, em algum momento, a estatal brasileira começasse a aumentar o preço do óleo, a despeito da queda da margem da refinaria, a Astra sairia prejudicada. Cabe lembrar que a Astra é principalmente uma trading. Não é uma petroleira como a Petrobras, cujo negócio mais importante é a produção de óleo e gás, atividade muito mais rentável que o refino. Os belgas não queriam correr o risco de arcar com metade do investimento da conversão e, depois, ter margens achatadas por sua principal fornecedora.

Diante da questão, os negociadores dos dois lados acertaram que, após o revamp, a Astra teria a tal garantia de rentabilidade. Já não é comum que um sócio garanta lucro a outro durante quinze anos, independentemente das condições de mercado. Mais difícil ainda é que o comprador ofereça esse tipo de vantagem sem renegociar o preço do ativo que está comprando. Afinal, a garantia concedida à Astra era uma vantagem contratual que correspondia a um valor econômico, que os negociadores da Petrobras deveriam ter abatido do preço da refinaria. Isso também não ocorreu. Mas o mais grave de tudo foi que a equipe que negociou Pasadena omitiu a "cláusula marlim" das apresentações feitas e dos documentos enviados à diretoria executiva e ao conselho de administração.

Quando os belgas se sentiram pressionados a investir mais dinheiro do que pretendiam, resolveram usar as armas a seu favor. A "cláusula marlim" foi a primeira a ser invocada. Em outubro, a Astra mandou que o escritório Thompson & Knight, que havia trabalhado na operação de venda, consultasse a Petrobras sobre sua interpretação da "cláusula marlim". A estatal entendia que a garantia de rentabilidade se aplicaria também para a refinaria duplicada?

A Petrobras respondeu que não, e registrou em ata de reunião da Pasadena Refining System Inc (PRSI) que a rentabilidade seria garantida apenas para os 70% da carga de óleo pesado que supririam a capacidade original da refinaria. No mesmo documento, a estatal elevou o tom, e registrou que a opção de duplicação da refinaria poderia ser decidida como major decision[24] (situação de impasse na administração conjunta que deve ser decidida pelos comitês superiores, formados por representantes da estatal e da Astra).

Uma semana depois, a Astra se manifestou por carta à direção da PRSI. Afirmou que entendia que a "cláusula marlim" valeria para todos os cenários de capacidade de Pasadena — ou seja, queria ter a garantia de rentabilidade para toda carga processada de óleo marlim. A empresa belga ainda informou que, se decidisse não participar do revamp, aplicaria o exercício da put option, cláusula que obrigava a Petrobras a comprar os 50% remanescentes da refinaria em caso de divergência com a sócia.

A put option é um instrumento bastante utilizado em operações em que os sócios passam a ter participação idêntica num negócio. A cláusula possibilita a saída de uma das partes quando existe uma situação de impasse. A existência da put option foi mencionada no resumo executivo apresentado à diretoria e ao conselho como uma proteção à estatal, que compraria a parte remanescente da refinaria se a Astra não quisesse fazer os investimentos planejados. O obstáculo era o preço de venda do restante da refinaria que foi definido no contrato. A put option estabelecia que a segunda metade de Pasadena custaria 70% do valor total em que o ativo foi avaliado na primeira compra, não 50%. A estatal teria de pagar um prêmio para a Astra vender sua parte.

A cláusula put option constava do acordo de acionistas, que nunca foi enviado à diretoria executiva e ao conselho de administração.[25] Apesar de aparecer no resumo executivo apresentado às duas instâncias de aprovação da estatal, o prêmio a ser pago na segunda parte da aquisição nunca foi mencionado pelos negociadores da área Internacional.

O incêndio que ocorreu na refinaria em 19 de novembro de 2006 ajudou a piorar a situação entre as sócias. Em razão dele, a Petrobras propôs investimentos em segurança operacional e ambiental calculados em US$ 200 milhões, que também não agradaram à Astra. As discussões a respeito da necessidade de investimentos prosseguiram sem solução, e, em março de 2007, as duas empresas passaram a negociar a dissolução da sociedade. A partir daí a Transcor Astra lançaria mão de todas as benesses contratuais que conseguira na negociação.

Em abril de 2007, Nestor Cerveró e Paulo Roberto Costa (representante da Petrobras no board da PRSI) finalmente acionaram a diretoria Financeira da Petrobras para calcular o valor da "cláusula marlim". O estudo, apresentado em agosto, calculou que a garantia dada pela Petrobras à Astra valia US$ 318 milhões, no cenário de revamp para 100 mil barris, e US$ 654 milhões, se considerado o revamp para 200 mil. Só essa cláusula poderia custar quase o preço da refinaria inteira, com base na avaliação acatada pela Petrobras na primeira parte da aquisição. Embora a garantia de rentabilidade só tivesse validade após o revamp, a Astra entendia que essa vantagem valia dinheiro, e, por isso, faria parte do preço de venda de sua participação. Ou seja, a Petrobras teria de recomprar as garantias dadas à Astra.

Em setembro de 2007, o grupo belga avaliou a refinaria entre US$ 700 e US$ 900 milhões, sem contar o valor da "cláusula marlim". A reconstituição feita pela CIA mostra que o presidente José Sergio Gabrielli e os diretores Nestor Cerveró e Paulo Roberto Costa foram os únicos executivos envolvidos na negociação da compra da segunda metade da refinaria.[26] No mesmo mês, os três participaram de uma reunião com Gilles Samyn, presidente do conselho de administração do grupo Transcor Astra, controlador da Astra Oil. O encontro aconteceu em Copenhague, na Dinamarca, durante uma cúpula empresarial brasileira e dinamarquesa que contou com a presença de uma comitiva do governo, inclusive o presidente Lula. Na ocasião, Samyn ofereceu a recompra da participação da Petrobras em Pasadena, desde que a "cláusula marlim" fosse considerada no preço. Gabrielli respondeu que não tinha interesse em vender e se comprometeu a fazer uma proposta para ficar com a parte da Astra. Gabrielli ainda endureceu o discurso, dizendo que, se não houvesse acordo, o caminho seria partir para a arbitragem.

Em 30 de setembro de 2007, com um ano apenas de operação conjunta em Pasadena, a Petrobras ofereceu US$ 550 milhões, mais o valor dos estoques, pela refinaria e pela trading. Naquela ocasião, a oferta foi feita pelo presidente da Petrobras America, Alberto Guimarães, e endereçada ao presidente da Astra, Mike Winget. O rebaixamento de hierarquia na negociação não foi bem recebido pelos belgas. A resposta foi dada por Gilles Samyn, que a endereçou a Gabrielli. Na contraproposta, o presidente do conselho de administração da Transcor Astra reafirmava a intenção de recomprar a participação da Petrobras. Caso a estatal não aceitasse, ele estaria disposto a vender sua metade por US$ 1 bilhão. A partir daí as negociações seguiram entre Cerveró e Samyn e se estenderam até dezembro de 2007. Quando Cerveró chegou a US$ 650 milhões, Samyn fez uma contraproposta de US$ 750 milhões, mais a quitação da segunda parcela da compra da Trading Company (negociada em dois pagamentos de US$ 85 milhões).

Cerveró tentou fechar o negócio por US$ 700 milhões, mas não conseguiu; Samyn pediu US$ 785 milhões. Em 30 de novembro de 2007, Cerveró concordou com os US$ 785 milhões pedidos. Em 3 de dezembro, o presidente da Transcor aceitou a oferta. No dia seguinte ao aceite de Samyn, Cerveró lhe escreveu dizendo que estava enfrentando dificuldades para fechar o acordo, e recomendou que as negociações recomeçassem entre os presidentes da Petrobras America, Alberto Guimarães, e da Astra Oil, Mike Winget. Samyn ignorou a mensagem e respondeu reiterando os US$ 785 milhões como oferta final. Cerveró deu o "aceite" na mesma data, 5 de dezembro de 2007. A investigação da CIA concluiu que Gabrielli e Costa acompanharam todos os passos da negociação conduzida por Cerveró.[27]

Longe de estar resolvida, a situação só se complicaria. Nove dias depois de Cerveró aceitar a proposta da Transcor, a Petrobras decidiu criar um grupo de trabalho para avaliar as condições de compra dos 50% restantes da refinaria e da trading. O trabalho levou dois meses para ficar pronto. A Muse Stancil foi chamada novamente para avaliar o negócio. Dessa vez, as estimativas iam de US$ 582 milhões (na condição "Como está" ou "As is") até US$ 3,5 bilhões, neste último caso considerando a duplicação, cujo revamp já havia pulado para US$ 2,5 bilhões.

A CIA constatou que a diretoria Internacional omitiu mais uma vez as estimativas de preço do ativo em seu estado real. A avaliação para a condição "As is", de US$ 582 milhões, simplesmente não apareceu na apresentação nem na papelada entregue à diretoria. Pior: a área Internacional fraudou um dos cenários feitos pela Muse.[28] Apresentou como estimativa "As is" o preço de quase US$ 1,3 bilhão, que já contemplava a construção de uma planta de produção de diesel de baixo enxofre, prevista para entrar em funcionamento em 2010.[29] Definitivamente não se tratava de uma avaliação do estado real da refinaria, mas de uma avaliação com base numa condição futura, que contava com receitas pós-investimentos.

Já haviam se passado três meses quando a diretoria executiva da Petrobras finalmente aprovou a oferta de Cerveró (US$ 785 milhões) a Samyn. A decisão dos diretores — diante das novas informações, que incluíam o impacto das cláusulas marlim e put option — foi de que só restava comprar a participação da Astra e lidar com o fato de que fizeram um péssimo negócio. Dificilmente a Petrobras conseguiria reverter na Justiça os termos do contrato assinado. Faltava apenas a aprovação do conselho, mas, aí, a situação voltou à estaca zero.

A reação de Dilma Rousseff, então ministra da Casa Civil e presidente do conselho da estatal, teria sido a pior possível ao saber da solução aprovada pela diretoria. Enfurecida, ela teria se dirigido a Gabrielli e perguntado: "Como a gente [conselho de administração] aprova uma aquisição de US$ 360 milhões, e agora a diretoria vem dizer que precisa pagar mais US$ 800 milhões para comprar o resto da refinaria e investir US$ 2 bilhões para ela dar lucro?", reproduziu um ex-diretor e confirmou um ex-gerente executivo que participaram da reunião. Os conselheiros não se manifestariam mais sobre o assunto, teria dito Dilma. A diretoria que resolvesse o problema (como o aval dado à aquisição dos primeiros 50% já estabelecia as condições de compra da participação remanescente, não era necessário ter nova aprovação do conselho).

Ao final da reunião, depois que os diretores deixaram a sala, os conselheiros destituíram Cerveró do cargo. Dilma teria ficado ainda mais irritada porque Cerveró quase havia fechado a compra de outra refinaria, esta em Aruba, no Caribe. O ativo pertencia à gigante americana de refino Valero, e tinha capacidade de processar 275 mil barris por dia. O negócio estava praticamente fechado. A Petrobras havia aceitado pagar cerca de US$ 2,8 bilhões à Valero. Dilma mandou congelar a negociação, depois que soube que a refinaria havia sofrido um incêndio em janeiro daquele ano. Cerveró perdeu o cargo de diretor Internacional, mas foi acomodado na diretoria financeira da BR Distribuidora. Isso aconteceu em março de 2008.

Ao saber do adiamento da decisão por parte do conselho, foi a Astra que endureceu. A empresa comunicou à Petrobras America que não participaria mais da gestão da refinaria nem da trading, pois não tinha mais responsabilidade sobre os atos das duas empresas. No entendimento do grupo belga, a carta de intenção assinada em dezembro pelo diretor Nestor Cerveró era um contrato de compra e venda definitivo e vinculante. Nesse ponto, a Astra se apegou à ausência de um parágrafo que informava que as propostas não eram definitivas e não criavam obrigações entre as partes. O trecho constava nas comunicações trocadas no início da negociação, mas havia sido suprimido nas últimas correspondências enviadas por Cerveró.[30]

Os executivos da Astra não compareceram mais às reuniões e interromperam os aportes financeiros na refinaria e na trading. A Petrobras, por sua vez, entrou com um processo de arbitragem em junho de 2008 para resolver a questão. Quase um ano depois, os árbitros definiram que a Petrobras deveria pagar US$ 295 milhões pela segunda metade da refinaria e US$ 170 milhões pela parcela remanescente da trading, além de ressarcir a Astra em US$ 156 milhões referentes a um empréstimo contraído para a refinaria. No total, contando juros e despesas com o processo de arbitragem, a estatal gastaria US$ 639 milhões para ficar com 100% de Pasadena.

A Petrobras aceitou o laudo e se comprometeu a cumpri-lo, desde que os belgas retirassem todas as pendências jurídicas paralelas que haviam aberto contra a estatal. A Astra não aceitou e pediu indenização de mais US$ 321 milhões. O impasse se arrastou até 2012, com ações na Justiça americana abertas por ambos os lados. A situação só foi resolvida em junho de 2012, por meio de um acordo extrajudicial. A Petrobras aceitou pagar US$ 820 milhões para encerrar o caso.[31] No total, a estatal gastou quase US$ 1,2 bilhão para ficar com a refinaria (US$ 360 milhões pela primeira metade, mais US$ 820,5 milhões pela segunda parte, juros, despesas com a arbitragem e o ressarcimento de um empréstimo feito pela Astra para a refinaria).

O imbróglio de Pasadena havia sido resolvido com a Astra, mas, no Brasil, a confusão estava apenas começando. O valor desembolsado para comprar a segunda metade da refinaria despertou o interesse da imprensa e dos órgãos de fiscalização. O Tribunal de Contas da União concluiu que a estatal teve US$ 792 milhões de prejuízo com a aquisição e responsabilizou onze ex-executivos da empresa, entre ex-diretores e o ex-presidente José Sergio Gabrielli.[32] Os membros do conselho, inclusive Dilma Rousseff, não foram responsabilizados, apesar de o colegiado ser a única instância com poder de aprovar aquisições pela estatal. A decisão do TCU causou revolta entre os executivos que tiveram bens bloqueados e que alegam não ter responsabilidade nas fraudes cometidas na operação. "Eu fui traído tanto quanto os conselheiros que não sabiam dos crimes praticados por Cerveró, Paulo Roberto [Costa] e companhia", diz um ex-diretor que pede para não ser identificado. "O que parece é que houve um arranjo para livrar os membros do conselho porque eles são mais poderosos e, principalmente, porque entre eles estava a presidente da República, que, segundo Cerveró, sabia de tudo sobre a compra da refinaria", afirma outro ex-executivo da companhia, também com bens bloqueados pela Justiça.

As revelações mais importantes sobre o caso Pasadena surgiram com a Lava Jato. O ex-diretor de Abastecimento, Paulo Roberto Costa, admitiu à

Justiça ter recebido US$ 1,5 milhão em propina para não atrapalhar a negociação.[33] Embora não fosse o responsável direto pela aquisição, Costa tinha o dever de dar o parecer mais qualificado entre os diretores, pois era o titular da área de Abastecimento, que comanda todas as refinarias da estatal. Durante a fase de negociação, porém, ele teria recebido a visita do lobista Fernando Soares, o Fernando Baiano, um amigo de Cerveró que intermediava o pagamento de propinas geradas por contratos da diretoria Internacional. Nas relações do petrolão, Baiano estava para Cerveró quase como Alberto Youssef estava para Paulo Roberto Costa. No encontro com Costa, o lobista teria oferecido US$ 1,5 milhão para que ele não atrapalhasse o negócio. Costa aceitou o suborno e "não atrapalhou".[34]

Fernando Baiano, que se tornou colaborador da Justiça em setembro de 2015, admitiu que operou o pagamento de propinas de Pasadena. Ele teria sido procurado por Luis Moreira e Nestor Cerveró para realizar o recebimento e a distribuição dos US$ 15 milhões por meio de suas empresas,[35] ou seja, lavar o dinheiro desviado. O processo de lavagem teria de ser bem feito para que a Astra não tivesse problemas com as autoridades americanas. Alberto Feilhaber, que aprovou a propina na Astra, exigiu que o dinheiro fosse pago a uma empresa brasileira. Essa empresa teria de entregar relatórios detalhados de prestação de serviços, como se tivesse realmente intermediado a compra do ativo. Toda documentação era necessária para que a Astra pudesse apresentar em uma eventual fiscalização do governo americano.[36] Segundo Baiano, US$ 6 milhões foram distribuídos a quatro funcionários da diretoria Internacional (Cerveró, Moreira, Comino e Agosthilde Mônaco) e ao consultor e ex-funcionário da estatal Cezar Tavares. Feilhaber teria recebido US$ 5 milhões, Paulo Roberto Costa US$ 2 milhões, o mesmo montante que Baiano teria ganhado para lavar os recursos. O lobista afirmou ainda que o então senador Delcídio do Amaral também recebera parte da propina — US$ 1 milhão ou US$ 1,5 milhão, não tinha certeza. O dinheiro teria sido pago em espécie, em 2006, a mando de Cerveró, a um amigo de Delcídio.[37] Depois de negar veementemente a acusação, Delcídio confessou ter recebido US$ 1 milhão da operação para quitar dívidas da campanha eleitoral de 2006, em que concorreu a governador de Mato Grosso do Sul.

Em dezembro de 2015, Nestor Cerveró também fechou acordo de delação premiada com o Ministério Público Federal e assumiu ter participado do esquema de corrupção contra a Petrobras, que incluiu Pasadena. Na versão dele, o volume de propina e os personagens batem com os delatados por Fernando Baiano, mas a partilha do dinheiro teria sido um pouco diferente.[38] Ele, Cerveró, teria ficado com US$ 2,5 milhões. Seus subordinados, os gerentes Moreira, Comino e o consultor Cezar Tavares, teriam dividido US$ 5,5 milhões. Cerveró afirma não ter certeza se seu assistente, Agosthilde Mônaco, também entrou na partilha (Mônaco já havia confirmado que recebera US$ 1,8 milhão da parte destinada aos funcionários da Petrobras e outros US$ 640 mil de Feilhaber, por ter sido o primeiro a identificar o negócio). O ex-diretor Internacional ainda acrescentou o engenheiro Aurélio Telles, que participou das inspeções de due diligence da refinaria, como um dos agraciados com US$ 600 mil. Por fim, Cerveró afirmou que a então ministra Dilma Rousseff sabia de toda a negociação sobre Pasadena. Não ficou claro em seus depoimentos, pelo menos nos que vieram a público, se ele quis dizer que Dilma sabia apenas das cláusulas, que ela alegou terem sido omitidas nos pareceres "falhos", ou se sabia também do pagamento de propinas. Do lado da Astra, Alberto Feilhaber teria recebido US$ 3,5 milhões para dividir com outros empregados da empresa belga. Fernando Baiano ficara com US$ 2 milhões, pelo serviço de operação da propina, e Paulo Roberto Costa, com US$ 1,5 milhão, para não atrapalhar o negócio. Cerveró também contou aos procuradores que repassou US$ 1,5 milhão do que havia recebido a Delcídio do Amaral. Ele próprio, portanto, teria ficado com apenas US$ 1 milhão. O pagamento ao senador teria sido realizado por Fernando Baiano.

Em sua delação premiada, Cerveró também deu explicações sobre a segunda fonte de propinas geradas por Pasadena: as obras de conversão e duplicação da refinaria, o revamp. A Odebrecht teria sido a escolhida para tocar o projeto. As apurações internas realizadas pela Petrobras revelaram que Renato Duque, de fato, já tratava do revamp de Pasadena com a Odebrecht pouco tempo depois da compra da refinaria. O relatório da CIA mostra um e-mail, de maio de 2006, enviado por Duque a Cerveró, em que fica clara a combinação com a empreiteira.[39] Na mensagem, Duque repassa a Cerveró uma correspondência recebida de Rogério Araújo, da Odebrecht:

> Caro Duque, fizemos aquela rodada, dando um panorama do Projeto, as dificuldades de operar nos EUA, nossa experiência de dezesseis anos naquele país, razões

de estarmos contatando eles e até mencionamos um percentual aprox. de 15% para participação de cada empresa: AG [Andrade Gutierrez] meio que blefou... dizendo que achavam que seriam a terceira Empresa (no lugar de Ultratec...), ficaram de pensar no assunto; CCCC [Camargo Corrêa] reagiu dizendo que nem sabia onde era este local..., ficaram de avaliar junto sua área Internacional; QG [Queiroz Galvão] foi curta e grossa, declinando, já que o Ildefonso [Colares, então presidente da empresa] é casado com uma americana e conhece muito bem as dificuldades para qualquer empresa operar naquele país. Gostaria de lhe encontrar para dar mais detalhes e combinar próximos passos.

O acordo entre a estatal e a empreiteira, segundo contou Cerveró, foi discutido em 2006, no restaurante Julieta Serpa, na Praia do Flamengo, no Rio Janeiro. Do lado da Petrobras, participaram Paulo Roberto Costa e Renato Duque, além de Cerveró, cuja diretoria era responsável pelos ativos da estatal no exterior. Representando a Odebrecht estavam os executivos Márcio Faria e Rogério Araújo (todos os cinco foram presos na Lava Jato). As perspectivas de propina do revamp eram grandes, dado o valor elevado das obras, explicou Cerveró aos procuradores, embora não tenha revelado o montante. A empreiteira UTC também entraria no pacote do revamp. O empresário Ricardo Pessoa queria participar do projeto, e a inclusão de sua empresa teria servido para acomodar uma reivindicação do senador Delcídio do Amaral. Delcídio, relatou Cerveró, vinha pressionando a ele e a Renato Duque por recursos para sua campanha ao governo do Mato Grosso do Sul. Os dois diretores da estatal teriam colocado como condição à entrada da UTC o pagamento de R$ 4 milhões a Delcídio. Os quatro — Cerveró, Duque, Pessoa e Delcídio — teriam fechado o "acerto" na sala do diretor Internacional, na sede da Petrobras. Segundo Cerveró, o repasse ao senador deve ter sido feito, pois Duque teria lhe contado que Delcídio havia parado de pressioná-lo. Diferentemente do que relatou Mônaco aos procuradores, Cerveró não menciona os "compromissos políticos" de Gabrielli, nem o interesse do presidente da Petrobras em que a Odebrecht fosse escolhida para executar o revamp.

A proposta de contratação da Odebrecht para realizar as obras foi apresentada à diretoria em novembro de 2006. O gerente executivo de engenharia, Pedro Barusco Filho, da diretoria de Serviços, recomendou a contratação da empresa, justificando que, com isso, a área de engenharia pretendia "estabelecer vínculo com uma empresa que será responsável pela condução das fases II, III e IV de modo a minimizar as interfaces entre as diversas fases do projeto, buscando assim tornar o processo mais ágil, com consequente redução de prazos".

O litígio entre as sócias Petrobras e Astra, a mudança na economia americana (com a crise iniciada em 2008) e a descoberta de petróleo leve no pré-sal mudaram os planos da Petrobras para a Refinaria de Pasadena. A ordem era investir o máximo possível no Brasil. O revamp foi cancelado e a Odebrecht não ganhou o negócio de US$ 2 bilhões. Em 2010, porém, a diretoria Internacional, já dirigida por Jorge Luiz Zelada, fechou um contrato de US$ 826 milhões com a empreiteira. Ela deveria executar toda a adequação das áreas de segurança, meio ambiente e saúde (SMS) das instalações da Petrobras no exterior, inclusive na Refinaria de Pasadena. O contrato, do tipo guarda-chuva, apresentava um valor global que cobria serviços em dez países, mas cada subsidiária tinha de pedir a aprovação da diretoria quando quisesse executar o serviço. A aprovação do contrato tomou quase um ano de discussão. Pelo menos três executivos, entre gerentes e diretores, apontaram aspectos negativos no formato da contratação. A principal consideração foi a de que o ideal seria buscar empresas locais, que conhecessem a legislação ambiental e trabalhista de cada país.

No caso da refinaria americana, o serviço custou US$ 170 milhões. A contratação foi aprovada, mas com um voto contrário, registrado em ata — coisa rara de acontecer nas reuniões do colegiado. Quando o projeto foi proposto, o diretor financeiro Almir Barbassa disse que não concordava em fazer uma despesa que não aumentaria a produtividade de uma refinaria que até então só tinha dado prejuízo. Entre 2006 e 2009, Pasadena registrou US$ 616 milhões de perda. Os prejuízos anuais continuaram até 2013, chegando a US$ 1,7 bilhão em oito anos.

A posição de Barbassa irritou o diretor de Serviços Renato Duque, que perguntou ao presidente da estatal: "O que é isso, Gabrielli? A diretoria executiva agora tem voto contra?". Gabrielli respondeu que sim. Que em uma votação podia haver votos favoráveis e contrários. Barbassa reforçou sua posição: disse que votaria a favor da contratação, mas somente se houvesse garantia de que o tal contrato iria tornar a refinaria lucrativa. Não havia. Apesar do voto contrário do diretor financeiro, o contrato com a Odebrecht foi aprovado, executado e pago. Em 2012, quando Graça Foster, então presidente da estatal, tentava reforçar o caixa da companhia, Pasadena foi colocada à venda. A única oferta recebida foi de US$ 180 milhões,[40] um décimo do valor gasto pela estatal na aquisição e melhoria das instalações. Não custa lembrar que, entre 2006 e 2014, a Petrobras investiu US$ 685 milhões para que a refinaria se enquadrasse às condições aceitáveis de operação americanas e começasse a trabalhar com capacidade máxima, de 100 mil barris diários. Isso aconteceu em 2014.

Até junho de 2016, os investigadores da Polícia Federal e do Ministério Público ainda não estavam convencidos de que o esquema de corrupção na compra de Pasadena estivesse totalmente desvendado. A participação do ex--presidente José Sergio Gabrielli, por exemplo, ainda teria de ser esclarecida, principalmente em razão da discrepância das delações de Cerveró e Mônaco. A aposta de investigadores da Lava Jato e também de executivos da estatal é de que o valor desviado com o negócio foi maior que o revelado até agora pelos delatores. "Se eles aumentaram tanto o preço do ativo, como hoje sabemos que aumentaram, não iriam pedir apenas US$ 15 milhões em troca", afirma um funcionário graduado da estatal que teve acesso ao relatório da CIA.

18. Um naufrágio no horizonte

Em junho de 2010 a Petrobras ganhou o título informal de maior investidora do mundo ao anunciar seu novo plano de negócios. Nenhuma das empresas listadas na Bolsa de Nova York tinha um plano tão ambicioso quanto o da estatal brasileira: investir US$ 224 bilhões[1] em cinco anos, de 2010 a 2014 (a americana ExxonMobil, maior petroleira do mundo, anunciou que investiria entre US$ 128 bilhões e US$ 148 bilhões[2] no mesmo período). A maior parte dos recursos da Petrobras seria destinada à área de E&P. A ordem era acelerar a extração de petróleo do pré-sal, com a meta de dobrar a produção em dez anos. Em 2020, portanto, a estatal produziria 5,4 milhões de barris de óleo equivalente[3] por dia.[4]

A meta prometida pelo diretor de E&P Guilherme Estrella equivalia a construir uma nova Petrobras em uma única década, em vez dos 57 anos que a estatal levara para chegar até ali. A companhia teria de colocar em operação uma infinidade de equipamentos e instalações marítimas, entre eles 250 barcos de apoio, 43 novas plataformas de produção e 28 sondas com capacidade de perfurar 5.000 metros de rochas do subsolo oceânico, abaixo de 3.000 metros de lâmina d'água. A título de comparação, em 2010 a Petrobras operava 254 embarcações de apoio, 41 plataformas flutuantes e apenas três sondas como as que seriam encomendadas.[5]

O novo plano de negócios da estatal expressava sobretudo a preocupação do governo brasileiro em reanimar a economia. Em 2009, o PIB havia encolhido 0,3% em consequência da crise financeira internacional desencadeada no final de 2008. As metas internacionais da companhia foram reduzidas para reforçar a operação doméstica. E o documento divulgado pela estatal era categórico ao afirmar que 95% dos US$ 224 bilhões deveriam ser aplicados no país. Era o auge da política do "tudo o que puder ser feito no Brasil será feito no Brasil", como dizia um dos slogans criados pelo publicitário Duda Mendonça e repetido pelo presidente Lula. (Depois de cair em desgraça no mensalão, o publicitário foi substituído por seu ex-sócio João Santana, que participara da concepção estratégica da campanha eleitoral de Lula em 2002, antes de sair da sociedade com Duda.) Àquela altura, os estaleiros brasileiros já vinham construindo vários tipos de embarcação, inclusive plataformas de produção. Nenhum, porém, havia feito sondas de perfuração, e menos ainda com a complexidade requerida para operar no pré-sal.

A licitação das sondas já havia se tornado um assunto de Estado dois anos antes. Na época, a área de E&P divulgou que precisaria de quarenta embarcações desse tipo para explorar a área do pré-sal (só a parte que já estava sob concessão da estatal). As primeiras deveriam começar a operar em 2012, e até 2017 todas já deveriam estar em alto-mar abrindo poços no pré-sal. Cada equipamento custaria cerca de US$ 700 milhões. O volume de encomendas feito por uma mesma empresa era inédito, e provocaria um impacto na indústria mundial de construção offshore. Ao saber da informação, o presidente Lula deu ordem para que as embarcações fossem fabricadas no Brasil. Se as plataformas de produção estavam sendo fabricadas em estaleiros nacionais, por que as de perfuração não poderiam ser? A questão, no entanto, não seria fácil de resolver.

Os grandes grupos empresariais brasileiros, donos das maiores empreiteiras do país, entraram em polvorosa com a reserva de mercado sinalizada pelo governo. Mas havia um porém: não queriam construir as sondas no Brasil, mas, sim, operá-las (a Petrobras iria afretar os equipamentos junto com o serviço de operação, realizado por empresas especializadas em perfurar poços de petróleo). O contrato de uma única sonda renderia à operadora algo entre US$ 400 mil e US$ 500 mil por dia (pelos preços da época) durante dez ou quinze anos, que eram os prazos dos contratos estudados pela Petrobras.

O grupo Odebrecht, por exemplo, que operava sondas desde 1979, criou a Odebrecht Óleo e Gás (OOG) em 2006, justamente para aproveitar as oportunidades do pré-sal. A empresa era uma das mais interessadas no serviço. O plano original da OOG, porém, era encomendar as sondas no exterior, de estaleiros com experiência nesse tipo de construção, e depois operá-las para a Petrobras. Na avaliação das empresas do setor — que inclui também Queiroz Galvão e Etesco, por exemplo —, construir um navio desses no Brasil, do zero, seria um risco muito alto a assumir, principalmente no prazo estipulado pela Petrobras. A indústria naval exige investimentos bilionários e de longo prazo, e projetos de navios-sonda são quase tão complexos quanto os de aviões.

A diretoria de Serviços da Petrobras, comandada por Renato Duque e responsável pela contratação das sondas, concordava com o argumento das empresas. Duque foi apoiado por Estrella e pelo presidente José Sergio Gabrielli. Estrella começava a temer que atrasos na construção dos equipamentos atrapalhassem demais as metas de produção da companhia, o que de fato aconteceria. Essas metas, definidas por ele, vinham se tornando cada vez mais ambiciosas, acompanhando o ufanismo do diretor, que passara a ser chamado de "pai do pré-sal" pelo presidente Lula. "Tenho de estabelecer metas dignas da Petrobras, a empresa que descobriu uma das maiores províncias petrolíferas [o pré-sal] da história", costumava dizer Estrella, relatam executivos da companhia.

Ocorre que cada barril a mais prometido por E&P conta para a projeção de receita da estatal, que, por sua vez, influi diretamente no volume de investimento a ser realizado pela empresa. Juntas, as duas informações — receita e investimento — são usadas como bússola pelos investidores na hora de comprar ou vender ações da petroleira. Um erro nas estimativas de produção tem consequências graves tanto para a companhia quanto para quem investe no mercado de ações. A responsabilidade de Estrella, portanto, vinha aumentando junto com as metas de produção. Ele começava, inclusive, a ser questionado por outros diretores, como Graça Foster (Gás e Energia) e Almir Barbassa (Financeiro). Ambos vinham pedindo que as estimativas de produção fossem mais realistas. Graça já estava escaldada com a frustração das metas de produção de gás prometidas por Estrella e descumpridas de longe ainda no período de seu antecessor, Ildo Sauer. Barbassa, que já tinha de conviver com o controle de preço dos combustíveis, tentava convencer o diretor de E&P a ser mais conservador para que a projeção de receita da petroleira fosse mais confiável.

A proposta inicial da diretoria de Serviços foi contratar o primeiro lote (de doze sondas) de estaleiros no exterior. Na tentativa de não desagradar o governo, a licitação garantiria que a maioria dos equipamentos seria operada por empresas nacionais. Ao saber das encomendas estrangeiras, Lula ficou contrariado. Foi aí que a ministra Dilma Rousseff, chefe da Casa Civil e presidente do conselho de administração da estatal, entrou em campo para tentar atender ao presidente.

Era maio de 2008, quando a ministra convocou empresários, executivos e representantes de empresas do setor de óleo e gás para uma reunião em Brasília. O encontro foi convocado numa sexta-feira à tarde em caráter de urgência, para ocorrer na segunda-feira seguinte, dia 19, no Palácio do Planalto. O número de convocados passou de duas dezenas e teve de ser transferido para o auditório do Palácio. O ministro de Minas e Energia, Edison Lobão, também participou, mas foi Dilma quem comandou a reunião.[6] A ministra fez perguntas diretamente aos presentes, entre eles os empresários Ricardo Pessoa, da UTC, Gerson Almada, da Engevix, e Paulo Godoy, da Alusa (mais tarde, todos investigados pela Lava Jato). Duque e um de seus subordinados diretos, Pedro Barusco, gerente executivo de Engenharia, fizeram uma apresentação explicando as necessidades da companhia. Ambos sustentaram que não seria possível contratar o primeiro lote de sondas no Brasil, dada a falta de estaleiros capazes de entregar os equipamentos até 2012.[7]

Após a apresentação dos executivos da Petrobras, a ministra começou a inquirir os convidados. Queria saber se era verdade mesmo que a indústria brasileira não tinha condições de construir as sondas. Entre as empresas, houve um racha. De um lado, as associações dos fabricantes de máquinas e equipamentos (Abimaq e Abinee) disseram que conseguiriam fornecer a maior parte das necessidades da estatal. De outro, representantes de empresas de construção naval e de engenharia industrial (Sinaval e Abemi) asseguraram que os estaleiros e as empreiteiras estavam abarrotados de serviço e, portanto, não teriam como aceitar novos projetos antes de 2012.[8]

A divisão entre os empresários deu munição a Dilma, que chegou a desautorizar o ministro Lobão na frente da plateia reunida no auditório do Palácio. Ele dizia que a Petrobras não tinha como interromper a concorrência internacional dos primeiros navios-sonda, quando Dilma o teria interrompido bruscamente e dito: "Pode, sim! E essa é uma orientação do presidente Lula", segundo um participante da reunião.[9] Outro momento de constrangimento aconteceu quando um executivo da Queiroz Galvão cochichava com um colega e Dilma mandou que ele ficasse quieto.[10]

A reunião terminou quase às dez horas da noite, e as entidades empresariais foram incumbidas de responder, em uma semana, se as empresas que representavam teriam ou não condições de construir o primeiro lote de doze sondas. As respostas deveriam ser encaminhadas por carta à Casa Civil. Um dos participantes do evento relatou que foi procurado por Gabrielli e Duque depois da reunião em Brasília. Os dois queriam saber o que ele responderia à ministra. Depois, pressionaram para que ele dissesse que a indústria local não teria como assumir a construção das sondas no Brasil. O empresário, que pediu para não ser identificado, não conseguiu descobrir exatamente qual era a discordância entre Dilma e o presidente e o diretor da companhia, mas claramente estavam trabalhando com objetivos distintos.

Um conjunto de e-mails apreendido pela PF na sede da Odebrecht durante a Operação Lava Jato mostra que os executivos do grupo acompanhavam atentamente as discussões dentro da estatal. Em 10 de maio de 2008, Rogério Araújo, então diretor da Odebrecht Plantas Industriais, enviou a seguinte mensagem a Miguel Gradin, presidente da Odebrecht Óleo e Gás (OOG), que repassou o e-mail a Marcelo Odebrecht, presidente do grupo:

> A reunião DE de quinta-feira acabou às três horas da madrugada, depois de muita discussão (fabricação no Brasil que é a atual política do Lula e vem sendo aplicada para as Unidades de Produção) ficou acordada a contratação de 18 sondas no exterior (os dois navios OOG ok) [Em seguida, o número de sondas caiu de 18 para 12]. Mas Pb/Gabrielli e diretoria concluíram ser importante fazer uma apresentação para o Lula. Após acordarem com Lula, aí sim a decisão será formalizada e divulgada.

Em 14 de maio, mais uma mensagem de Rogério Araújo a Miguel Gradin, com cópia para Marcelo Odebrecht:

> MG, apenas para alinhamento de informações, a Petrobras vai criar um Programa de Construção de Sondas no Brasil, sem prejuízo da contratação em curso... ["a contratação em curso" refere-se ao lote que seria encomendado no exterior, conforme pleiteava a Odebrecht].

No dia seguinte, 15 de maio, mais um e-mail de Araújo, dessa vez endereçado a Marcelo Odebrecht e Miguel Gradin, com cópia para Márcio Faria. Nele o executivo explicava que a Petrobras pretendia contratar as 28 sondas restantes por meio de uma empresa criada especificamente para adquiri-las e alugá-las às operadoras que prestariam serviço à companhia (mais tarde, em 2011, essa empresa se tornaria a Sete Brasil):

> O plano da Pb [Petrobras] passa pela constituição de uma SPE [Sociedade de propósito específico] que faria o funding [financiamento], contrataria os EPCs [empresas de engenharia, construção e montagem] e faria os contratos de aluguel...
>
> A Pb está considerando os seguintes sites [localidades para instalação dos estaleiros]: 1 ou 2 no RJ [Rio de Janeiro], 1 PE [Pernambuco], 1 RS [Rio Grande do Sul] e 1 BA [Bahia].
>
> Para a Petrobras lançar este plano, considera imperativa a participação da Odebrecht, com um site, além da QG [Queiroz Galvão], CCCC [Camargo Corrêa], Jurong/Mac Laren, KFels [Keppel Fels]. A ideia da Pb é de fazer negociação direta com estes Grupos de pacotes com 6/7 para cada Grupo, sendo 6 sondas novas brasileiras para entrega até 2014 e o restante após este prazo. Por decisão da diretoria da Pb, a primeira empresa q foi consultada foi a Odebrecht e dei sinal verde, caso contrário este plano não iria pra frente e criaria problemas na contratação das nossas 2 sondas no exterior além de ficarmos numa posição desconfortável perante a Petrobras!...

O desfecho da questão mostra que os executivos da Odebrecht estavam bem informados. Em 29 de maio de 2008, o conselho de administração da estatal decidiu que as doze primeiras sondas seriam encomendadas no exterior por falta de estaleiros disponíveis no Brasil.[11] Onze delas, porém, seriam operadas por empresas brasileiras (Odebrecht, Schahin, Etesco, Petroserv e Queiroz Galvão; a norueguesa Sevan Marine ficou com um contrato).[12] A Petrobras também se comprometeu com o governo que as 28 sondas restantes seriam construídas localmente. Para isso, seria necessário erguer novos estaleiros. A própria Odebrecht entraria no ramo de construção naval com o Estaleiro Enseada Paraguaçu, na Bahia, em sociedade com as empreiteiras OAS e UTC — mas não antes de o governo oferecer uma série de facilidades e garantias.

A ideia de criar uma empresa de aluguel de sondas, que seria batizada de Sete Brasil, surgiu durante as discussões sobre a encomenda dos equipamentos, ainda em 2008. Na época, Duque propôs que a Petrobras assumisse a construção dos equipamentos no Brasil, já que nenhuma empresa privada estava disposta a fazê-lo. O diretor financeiro Almir Barbassa rechaçou a alternativa, argumentando que o endividamento da companhia já havia aumentado demais para dar conta dos investimentos. Assumir a construção de quarenta sondas, que custariam perto de US$ 30 bilhões, arrebentaria o balanço da empresa. A Petrobras não poderia contrair esse tipo de dívida nem para doze, e menos ainda para quarenta sondas, sob o risco de perder o grau de investimento (selo de bom pagador que as agências de classificação de risco dão a empresas e países). Afora isso, argumentou o diretor financeiro, a prática das grandes petroleiras é fazer licitações internacionais e contratar empresas especializadas em perfuração, não se tornar proprietária dos equipamentos.

Foi nesse contexto que Almir Barbassa sugeriu a criação de uma empresa privada de aluguel de sondas. Ela seria a proprietária dos equipamentos construídos no Brasil — cumprindo, portanto, a exigência de conteúdo nacional imposta pelo governo — e prestaria serviços à estatal durante pelo menos dez anos. Parecia natural que investidores nacionais e estrangeiros se interessassem pelo negócio. Afinal, a nova empresa já nasceria com um contrato bilionário, de longo prazo e com uma cliente que era a maior empresa do país. Para demonstrar compromisso com o negócio e dar mais conforto aos investidores, a Petrobras poderia até entrar de sócia com uma participação pequena, de 10%, no máximo. Pelo plano original, a afretadora ganharia outros clientes no futuro e poderia até se internacionalizar.

Logo após a contratação do primeiro lote com os doze equipamentos, a diretoria Financeira contratou o banco Santander para elaborar o projeto da afretadora de sondas. O funcionário João Carlos Ferraz foi escolhido para coordenar o trabalho junto ao banco. Ferraz trabalhava na área financeira, mas havia passado boa parte da carreira em E&P. Tinha experiência em obras de plataformas. Chegou a morar uma temporada na China, inspecionando a construção de navios para a estatal. Além da visão das finanças, ele contribuiria com o conhecimento da área de exploração e dos negócios do ramo de petróleo. O Santander faria a modelagem da empresa e buscaria sócios investidores para capitalizá-la.

A crise econômica, que eclodiu em setembro de 2008, atrasou o projeto, e a Sete Brasil só foi constituída formalmente em meados de 2011. Os possíveis investidores hesitaram em entrar no empreendimento pelos mesmos motivos que as operadoras de sondas não queriam construir os equipamentos no país — ir do zero ao cem em um projeto complexo de engenharia era considerado arriscado. No final, o governo mandou e os maiores fundos de pensão de estatais (Petros, de funcionários da Petrobras; Previ, do Banco do Brasil; Funcef, da Caixa Econômica Federal) obedeceram, entrando como sócios. O mesmo aconteceu com o fundo de pensão dos funcionários da mineradora Vale, empresa na qual a União participa do bloco de controle. Por fim, se juntaram também os bancos Bradesco, Santander e BTG Pactual, além da própria Petrobras, que ficou com 10% de participação. O BNDES não entrou como sócio, mas se comprometeu a financiar até US$ 12,5 bilhões das encomendas da Sete no país (garantindo o financiamento do conteúdo local dos equipamentos). Na prática, o governo oferecia financiamentos generosos tanto para a construção dos navios quanto para a construção dos estaleiros.

Na tentativa de reduzir os riscos apontados pelos acionistas da Sete, principalmente pelos bancos privados, o Tesouro aportou US$ 4,5 bilhões no Fundo de Garantia para a Construção Naval. O dinheiro seria usado para cobrir eventuais perdas de receita da afretadora, caso os equipamentos atrasassem por problemas nas obras e não pudessem começar a prestar o serviço para a Petrobras na data marcada.

A Petrobras era, na verdade, a menos protegida em todo o arranjo do projeto "sondas brasileiras", criado sob o discurso do desenvolvimento da indústria nacional e da geração de empregos. Uma das poucas condições que visavam proteger a estatal foi uma regra sugerida pela diretoria Financeira logo que surgiu a ideia da criação da empresa: a Sete só poderia contratar sondas de estaleiros que tivessem entre os sócios uma empresa internacional com projetos de sondas já testados. A condição visava reduzir o risco de construção, devido à inexperiência da indústria local com esse tipo de embarcação. (Mais tarde, iria se descobrir que os executivos da afretadora pouco zelaram para que essa condição fosse cumprida. Eles tinham outros interesses a garantir.)

Na teoria, se tudo desse perfeitamente certo, a Sete Brasil resolveria um problema para a Petrobras — que tinha de cumprir a política de conteúdo local definida pelo governo —, evitando o aumento do endividamento da estatal.

De quebra, ajudaria a indústria naval brasileira a absorver tecnologias mais sofisticadas de construção, já que os estaleiros nacionais teriam de se associar a estrangeiros. Na vida real, a locadora de sondas tornou-se mais uma fonte de problemas para a Petrobras e de polpudas propinas para o PT e alguns funcionários da estatal e da própria Sete.[13]

Enquanto ainda era gestada, a Sete foi contaminada pelo esquema de corrupção já instalado na companhia. O contágio ocorreu através da diretoria de Serviços, comandada por Duque e seu braço direito, Barusco, que já chefiavam a cobrança de propina[14] em outras obras da petroleira. Em 2010, como o processo de abertura e capitalização da Sete ainda levaria tempo, a Petrobras deu início à licitação de parte das sondas. Quando a afretadora estivesse funcionando, a estatal repassaria os contratos já fechados a ela. A diretoria de Serviços, como era de praxe, foi a responsável pelo certame que contratou as primeiras sete das 28 sondas (daí surgiu o nome Sete Brasil). A licitação foi fechada em fevereiro de 2011, por US$ 4,6 bilhões, com o Estaleiro Atlântico Sul (EAS), localizado em Pernambuco e de propriedade da Camargo Corrêa, da Queiroz Galvão e da coreana Samsung. O EAS havia sido criado em 2005 e estava em construção.[15]

Barusco, com a anuência de seu chefe, Renato Duque,[16] replicou o mesmo esquema de cobrança de propinas para a contratação das sondas, afirmou o próprio em seu acordo de delação premiada com o MPF. Ele e o então tesoureiro do PT, João Vaccari Neto, negociaram diretamente o repasse dos valores ilícitos com Ildefonso Colares, que na época presidia a Queiroz Galvão e era o representante do EAS. Pelo acordo, o estaleiro se comprometeu a pagar 1% de "comissão" sobre o valor do contrato.[17] Tempos depois, o percentual foi reduzido para 0,9%. Mesmo assim, só o contrato com o EAS renderia mais de R$ 41 milhões em propinas. O PT ficaria com dois terços do valor, enquanto os executivos da Petrobras e da Sete dividiriam o terço restante.

Em maio de 2011, quando a Sete Brasil foi oficialmente criada, João Carlos Ferraz foi nomeado como seu presidente e Pedro Barusco, como diretor de Operações. Ferraz, que participara da criação da Sete, deixou a petroleira para assumir o comando da nova empresa. Barusco decidira se aposentar da estatal e aceitar a vaga. Ambas as nomeações foram feitas pelo então presidente da Petrobras José Sergio Gabrielli (apesar de minoritária na sociedade, a estatal ficou com o direito de escolher o presidente e o diretor de Operações da empresa).

A essa altura, Ferraz também já fazia parte do esquema de corrupção operado por Duque, Barusco e Vaccari Neto. Dentro da Sete, "Ferraz e Barusco atuavam como 'longa manus' [extensão] da organização criminosa de que faziam parte", afirmou o procurador federal Deltan Dallagnol.[18] Ferraz, que também se tornou colaborador da Justiça, confessou que sabia dos "acertos" com os estaleiros antes de assumir a presidência da afretadora. Também assumiu ter recebido parte dos recursos ilícitos e ter participado de cinco reuniões com Vaccari Neto. Em uma delas, teriam estado presentes também Duque e Barusco. Nesse encontro, os quatro teriam discutido as pretensões de valores a serem recebidos e os termos em que o Partido dos Trabalhadores garantiria sua manutenção na presidência da Sete.

Em maio de 2011, a Sete assumiu a contratação das 21 sondas que faltavam. Com as facilidades oferecidas pelo governo, outras grandes empreiteiras já haviam se lançado no ramo da construção naval para ficar com parte das encomendas. A Odebrecht fundou o Enseada Paraguaçu, na Bahia,[19] junto com a OAS e a UTC. A Engevix começou a construir o Estaleiro Rio Grande 2, no Rio Grande do Sul. O grupo singapuriano Sembcorp Marine anunciou a instalação do Estaleiro Jurong Aracruz, no Espírito Santo.

Ao final das negociações, além das sondas encomendadas ao EAS, a Sete Brasil contratou outras seis do Enseada Paraguaçu, seis do Jurong Aracruz, seis do BrasFels (o antigo Verolme) e três do Estaleiro Rio Grande 2. Dos cinco estaleiros contratados, apenas o BrasFels já existia e operava plenamente. O EAS estava em obras e os outros três ainda iniciariam a construção.

O fato é que os cinco estaleiros ganharam a encomenda das 28 sondas, que somou US$ 22 bilhões, "a maior compra da história mundial da indústria", costumava frisar Barusco. Segundo o delator, todos os estaleiros teriam aceitado pagar propina nos mesmos moldes do EAS.[20] O valor do suborno alcançaria quase US$ 200 milhões. Pelo acordo, os repasses seriam feitos conforme os estaleiros fossem recebendo da Sete. Não deu tempo de receber tudo, pois a Lava Jato atrapalhou o esquema. No entanto, muitos milhões de dólares e reais circularam em contas secretas no exterior e em mochilas, acessório frequentemente usado por Vaccari e que lhe servia para carregar dinheiro em espécie.

Em seus depoimentos, Barusco explicou que foi difícil chegar a uma maneira de receber e distribuir as propinas, tantos eram os estaleiros envolvidos e os destinatários dos valores. Por fim, ficou decidido que os estaleiros EAS, Enseada, Rio Grande 2 e BrasFels repassariam as propinas destinadas ao PT. Seria Vaccari Neto que administraria os valores. Já os funcionários da Petrobras, chamados pelo grupo de "casa 1", e da Sete Brasil ("casa 2")[21] receberiam dos estaleiros Jurong e também do BrasFels. Duque e Roberto Gonçalves, substituto de Barusco na Petrobras, formavam a "casa 1". Barusco e Ferraz formavam a "casa 2", mais tarde ampliada por Eduardo Musa, também ex-funcionário da Petrobras. No início de 2012, Musa foi convidado por Ferraz para dirigir a área de Participações da Sete. No final do mesmo ano, quando Barusco saiu da Sete, Musa acumulou a diretoria de Operações.

Mesmo fora da Sete, Barusco continuou a receber e a controlar o faturamento dos estaleiros e o fluxo de propinas destinado a ambas as "casas". Ele também fazia contratos fictícios entre empresas offshore para que os membros das duas "casas" pudessem receber os valores ilícitos em contas no exterior. Em suas planilhas de controle de propina o ex-gerente da Petrobras usava siglas para se referir aos destinatários do dinheiro. Duque, por exemplo, era "MW", que significava *My way*, música eternizada por Frank Sinatra. O diretor de Serviços costumava cantar e tocar violão quando estava entre pessoas próximas, e *My way* era um de seus hits preferidos. Barusco se autodenominava "SAB", iniciais de Sabrina, nome de uma ex-namorada. Já o codinome de Ferraz era "MARS", abreviatura de marechal em inglês (*marshall*), e o de Musa, "MZB" (muzamba).

Em seus depoimentos, o delator apontou repasses feitos pelos operadores dos estaleiros Jurong e BrasFels no ano de 2013. Um conjunto de planilhas anexado em sua delação indicava que Duque, por exemplo, teria recebido pelo menos US$ 4,4 milhões só do Estaleiro Jurong. Ferraz teria ficado com US$ 1,7 milhão e Musa, com quase US$ 1,5 milhão. Esses valores, porém, eram incompletos, pois os registros só iam até 2013. Barusco também confessou ter passado a perna nos demais colegas. Ele recebia 0,1% dos contratos do Jurong e do BrasFels sem que os outros do grupo soubessem. Segundo explicou à Justiça, o ex-gerente achava injusta a partilha definida por Vaccari Neto, que destinava dois terços da propina ao partido. Assim, conseguiu acertar o pagamento "por fora" com os operadores Guilherme Esteves de Jesus (Jurong) e Zwi Skornicki (BrasFels). Em uma tabela relativa aos pagamentos do Jurong, o ex-gerente aparece como tendo recebido US$ 1,9 milhão. Já na tabela "cheia", que incluía a propina extra, seu quinhão sobe para US$ 2,7 milhões.

Depois da delação de Barusco, Ferraz e Musa também decidiram colaborar com a Justiça. Aos procuradores do MPF no Paraná,[22] Ferraz admitiu ter recebido quase US$ 2 milhões no esquema da Sete Brasil. Ele devolveu a propina mantida em uma conta secreta no exterior e se comprometeu a pagar R$ 3 milhões de multa. Musa confessou que já havia aceitado vantagens indevidas no tempo em que trabalhou na diretoria Internacional da estatal, com Nestor Cerveró e Jorge Zelada, além da propina recebida na Sete. Devolveu US$ 3,2 milhões que estavam no exterior e pagou multa de R$ 4,5 milhões.

Em seus depoimentos à Justiça, Barusco sustentou que o PT chegou a receber um adiantamento de US$ 4,5 milhões de propinas do estaleiro BrasFels.[23] Ele soube do ocorrido por Duque e Zwi, que lhe disseram o valor exato do adiantamento: US$ 4,523 milhões. Vaccari Neto foi identificado em algumas planilhas de Barusco como "Moch", porque sempre andava com uma mochila nas costas. Embora não acompanhasse o fluxo de propinas destinadas ao PT, o ex-gerente estimou que o partido do governo tenha recebido mais de US$ 200 milhões sobre os contratos da Petrobras no período de 2003 a 2014.

Barusco foi um dos primeiros colaboradores da Lava Jato. Ele decidiu procurar a Justiça quando percebeu que seu nome viria à tona mais cedo ou mais tarde com o avanço das investigações. A pedido de Duque, Barusco teria tomado a linha de frente na maioria das negociações de propina. O chefe preferia não se expor demasiadamente. "Ele tinha receio de ser descoberto", disse Barusco em depoimento.[24] O gerente também recebia os recursos ilícitos em nome do diretor, tendo se tornado uma espécie de contador de propinas de seu chefe. Inicialmente, Duque pedia para receber sua parte em dinheiro vivo, o que Barusco atendia com pacotes quinzenais de R$ 50 mil, em média, entregues geralmente dentro da própria Petrobras. Demorou até que o ex-diretor começasse a receber por conta própria, no exterior. Mesmo assim, era Barusco quem indicava as contas em que os operadores deveriam fazer os depósitos em favor do chefe.

Duque era desorganizado com o controle da propina, segundo Barusco.

Chegou a perder US$ 6 milhões para um golpista.[25] O episódio aconteceu depois que Barusco sugeriu que Duque passasse a receber em uma conta própria, no exterior, porque ele, Barusco, já estava incomodado em receber propinas para o chefe. Foi aí que os dois viajaram a Paris para se encontrar com um agente do banco suíço Lombard Odier, um brasileiro chamado Roberto. Em vez de abrir contas no nome deles, o agente orientou que eles utilizassem um instrumento conhecido como "conta de passagem", que dificulta o rastreamento do dono do dinheiro.

Diretor e gerente receberam cerca de US$ 6 milhões em depósitos nas duas contas de passagem (não fica claro no depoimento quanto cada um depositou). Barusco, porém, não gostou dos serviços do tal agente, e sugeriu que Duque ficasse com os valores das duas contas — Barusco reporia sua parte conforme entrassem novas propinas destinadas ao chefe. Tempos depois, Duque o procurou para dizer que o agente do banco suíço havia desaparecido com todo o dinheiro. Também pediu que Barusco dividisse o "prejuízo" com ele. O subordinado aceitou.[26]

O depoimento de Barusco foi um dos mais bombásticos da Operação Lava Jato. O ex-funcionário da estatal e da Sete Brasil devolveu US$ 97 milhões em propinas recebidas desde 1997 ou 1998 (não se lembrava exatamente), quando ainda trabalhava na área de afretamento de plataformas. Sua entrada no mundo do crime aconteceu em parceria com Júlio Faerman, representante no Brasil da empresa holandesa SBM Offshore, especializada em aluguel de plataformas de produção de petróleo.

Eles haviam se tornado amigos em 1996, quando trabalharam no projeto da primeira plataforma que a estatal alugou da SBM. Dois anos depois, Barusco aceitou receber US$ 5 mil por mês durante os sete anos de contrato de uma plataforma alugada da SBM pela estatal.[27] Depois disso, as propinas foram se avolumando a cada novo afretamento fechado com a empresa holandesa, e passaram a variar entre US$ 25 mil e US$ 50 mil por mês. Só da SBM, Barusco afirmou ter recebido US$ 22 milhões entre 1998 (ou 1997) e 2010.

A trajetória de corrupção empreendida por Barusco atravessou governos. A diferença, explicou em seus depoimentos, é que inicialmente ele agia sozinho. "Era uma questão pessoal, individual minha", disse o ex-gerente em depoimento à CPI da Petrobras aberta na Câmara em 2014. As negociações eram feitas entre ele e Júlio Faerman, sem o conhecimento de outros funcionários da companhia. Depois de 2003, afirmou o ex-gerente, a cobrança de propina se tornou sistemática, estendendo-se a todos os grandes contratos da estatal e envolvendo diretores e partidos políticos.

Entre 2003 e 2013, Barusco afirma ter recebido para ele e também em nome de Duque vantagens indevidas referentes a cerca de noventa contratos fechados pela estatal.[28] Na planilha que apresentou ao MPF constam 88 contratos de todo tipo de obra e serviço, sem contar as sondas da Sete Brasil. Foi nesse período que o gerente arrecadou a maior parte dos US$ 97 milhões devolvidos à Justiça em troca da redução de pena obtida com o acordo de delação premiada. Em suas contas, Barusco estimou ter acumulado US$ 98,3 milhões,[29] incluindo aí ganhos com aplicações financeiras. Cerca de US$ 1 milhão ele teria gastado com tratamentos médicos no exterior. Embora alegue que não saiba o montante total recebido por Duque, Barusco explicou que seu chefe ficava com uma parte maior na divisão do butim. Geralmente, o diretor embolsava 60%, enquanto ele recebia os 40% restantes dos valores ilícitos, isto é, da parte destinada à "casa". Quando o pagamento era feito por meio de operadores, Duque ficava com 40%, Barusco com 30% e o operador com o restante.[30]

Tanto Duque quanto Barusco continuaram recebendo dinheiro de fornecedores mesmo após deixarem a estatal, em 2012 e 2011, respectivamente. Isso porque as empresas pagavam as "comissões" conforme realizavam os serviços e recebiam da Petrobras, em contratos que, muitas vezes, duravam anos. No segundo semestre de 2013, os dois fizeram um encontro de contas dos valores a receber. Na época, Duque tinha US$ 12 milhões de crédito com a Keppel Fels (dona do BrasFels) e outros R$ 50 milhões da Camargo Corrêa.[31] Barusco afirmou que o chefe certamente recebeu o montante da Keppel Fels. Sobre a Camargo Corrêa, Barusco disse não saber se o pagamento foi feito.

A Sete Brasil começou a ruir com a delação de Barusco. O BNDES suspendeu o financiamento de US$ 12,5 bilhões prometido à empresa. Ferraz, Barusco e os demais diretores da Sete já haviam saído da empresa. Barusco saiu antes, alegando problemas de saúde. Ferraz foi demitido em maio de 2014, após a deflagração da Lava Jato. O banqueiro André Esteves, do BTG Pactual, que representava investidores chineses na Sete, teria pedido a cabeça de Ferraz tempos antes. Esteves estaria insatisfeito com os bônus pedidos por Ferraz, e recebidos, apesar de os projetos estarem atrasados, afirmou uma fonte da alta gestão da petroleira, que pediu para não ser identificada. O banqueiro também teria descoberto que Ferraz mantinha "relações" que o desagradavam, embora não tenha dito nomes aos interlocutores a quem reclamou do presidente da Sete. Antes disso, dois diretores da Petrobras, José Formigli (E&P) e Almir Barbassa (Financeiro), também haviam reclamado de Ferraz à então presidente Graça Foster. O presidente da Sete não estaria atendendo à petroleira como o esperado. Chegava a ignorar os pleitos dos executivos da estatal. Mesmo com a insatisfação do BTG Pactual, um dos principais sócios da Sete, Ferraz teria conseguido resistir ainda algum tempo, justamente por causa de suas "relações poderosas". Só foi demitido após o início da Lava Jato.

Quando os depoimentos de Barusco vieram a público, no final de 2014, todos os bancos fecharam as portas para a afretadora. A essa altura, os estaleiros já estavam trabalhando na construção dos equipamentos, e a Sete havia contraído R$ 14 bilhões em empréstimos de curto prazo, pois contava com o aporte do BNDES. Sem dinheiro, em novembro de 2014 a Sete parou de pagar os estaleiros, que por sua vez interromperam a construção das sondas. O Estaleiro Rio Grande 2, da Engevix, quebrou antes mesmo da interrupção dos pagamentos. As dificuldades financeiras se agravaram depois que seu vice-presidente, Gerson Almada, foi preso na Operação Lava Jato. As investigações também levaram à prisão dos sócios dos grupos Odebrecht, OAS e UTC, donos do Estaleiro Enseada Paraguaçu, que parou tanto as obras do estaleiro quanto as das sondas. O mesmo ocorreu com executivos da Camargo Corrêa e Queiroz Galvão, donos do Estaleiro Atlântico Sul (EAS). Os estaleiros BrasFels e Jurong, controlados por grupos estrangeiros, também participaram do esquema de corrupção, mas por intermédio de operadores, não tendo baixas diretas em suas equipes de executivos. Tanto o BrasFels quanto o Jurong continuaram a construir as sondas, mesmo sem pagamento, até outubro de 2015, quando também decidiram parar.

Em agosto de 2016, duas vistosas sondas, batizadas como Arpoador e Urca, permaneciam ancoradas nos estaleiros Jurong, no Espírito Santo, e BrasFels, no Rio de Janeiro. Ambas estavam praticamente prontas quando suas obras foram interrompidas. Outras treze embarcações, também paralisadas, estavam em diferentes estágios de construção. Quatro haviam passado de 50%. Mas a Petrobras não precisava mais de 28 sondas para explorar o pré-sal. A estatal precisava, sim, cortar todo tipo de investimento e vender bilhões em ativos para se livrar de parte da terceira maior dívida líquida entre as empresas listadas na Bolsa de Nova York.[32]

No início de 2016, a petroleira, e única cliente da Sete, propôs reduzir de 28 para dez o contrato de operação de sondas. Também queria baixar o valor diário de operação dos equipamentos de US$ 500 mil para cerca de US$ 300 mil. Com esses números, a Sete não pararia em pé, e nenhum acionista aceitaria colocar mais dinheiro no negócio (juntos, haviam aportado R$ 8,3 bilhões). Os acionistas já se conformavam com as perdas, enquanto os credores tentavam uma saída de redução de perdas — juntos, tinham R$ 18 bilhões a receber. Em junho de 2016, a Sete entrou em recuperação judicial. O destino da empresa que surgiu para ser uma das maiores afretadoras de sondas offshore do mundo parecia não ser outro senão o naufrágio.

19. Uma empresa asfixiada

A ascensão de Graça Foster à presidência da Petrobras, em 13 de fevereiro de 2012, foi a concretização do grande sonho de sua vida. A executiva chegou a dizer que, em sua lista de prioridades, a estatal vinha antes mesmo que sua família.[1] Mãe de dois filhos adultos — Flávia, médica do Corpo de Bombeiros, e Colin, jornalista —, a engenheira química é casada com o empresário inglês Colin Vaughan Foster desde 1994.

Maria das Graças Pena Silva — nome completo antes de adotar apenas Graça Foster — veio "de baixo", como costuma dizer. Nascida em Caratinga, no interior de Minas Gerais, mudou com a família para o Rio de Janeiro aos 2 anos de idade. Até os 12 viveu no sopé do Morro do Adeus,[2] na época um bairro de classe média baixa da zona norte, que hoje faz parte do Complexo do Alemão (um aglomerado de favelas que produziu cenas cinematográficas em 2010, quando dezenas de bandidos fugiram pelo alto de um morro enquanto o Exército e a Marinha ocupavam a região com tanques blindados).

Quando a família se mudou para a Ilha do Governador, também na zona norte da capital fluminense, a garota passou a vender latinhas de alumínio e garrafas de vidro recolhidas pela vizinhança. Com o dinheiro, comprava canetas, lápis de cor e presentinhos para a mãe — a única pessoa que rivalizava em importância com a Petrobras, afirmava a engenheira.[3] O orçamento apertado dos pais — ele era vendedor e a mãe cuidava da casa e costurava para a vizinhança — não permitia esse tipo de gasto.

Graça passou no concurso da Petrobras em 1978, aos 24 anos, assim que se formou na faculdade de engenharia química da Universidade Federal Fluminense (UFF). Na época, já era mãe de Flávia. Sua carreira se desenvolveu de forma mediana. Durante mais de vinte anos, trabalhou como engenheira de perfuração no Centro de Pesquisas da Petrobras (Cenpes). Era uma função técnica, na qual estudava a "lama de perfuração", jargão do setor para designar uma mistura de fluidos que corre dentro da broca durante a abertura de um poço. Esse foi o tema de seu mestrado, realizado na UFRJ.

Em 1999, foi transferida para a área de Gás e Energia, onde assumiu o cargo de coordenadora na Transportadora Brasileira do Gasoduto Bolívia-Brasil, subsidiária responsável pelo Gasoduto Bolívia-Brasil (Gasbol), que estava começando a funcionar. Ocupava o quarto escalão no organograma da companhia, na base do nível gerencial da petroleira. Foi nessa época que Graça conheceu Dilma Rousseff, então secretária de Energia, Minas e Comunicação do estado do Rio Grande do Sul.

A engenheira foi enviada várias vezes às reuniões da distribuidora de gás Sulgás, estatal do governo gaúcho em sociedade com a Petrobras. Dilma, como secretária de Energia, representava o governo do estado. A pauta principal era o Gasbol, que entra no Brasil pelo Mato Grosso do Sul e termina no Rio Grande do Sul. Dilma também reivindicava que a Petrobras construísse um novo trecho de gasoduto para viabilizar a importação de gás da Argentina. Seu objetivo era abastecer a termelétrica de Uruguaiana, localizada no oeste gaúcho, quase na fronteira com a Argentina.

Dilma vivia às turras com a Petrobras. Reclamava que a estatal era arrogante. Certa vez, entrou espumando de raiva em uma reunião com auxiliares do governo estadual. Disse que havia pedido uma audiência com o presidente da petroleira, e, como resposta, haviam mandado um funcionário de terceiro escalão para atendê-la. Foi justamente uma funcionária de baixo escalão da Petrobras que se tornaria seu braço direito no Ministério de Minas e Energia.

No início de 2003, Dilma nomeou Graça como secretária de Petróleo e Gás, e a partir daí a carreira de Graça decolou. Em setembro de 2005, pouco depois de a ministra se transferir do MME para a Casa Civil, a engenheira voltou para a estatal. De coordenadora, cargo que ocupava antes de ir para o governo, Graça pulou para uma posição três níveis hierárquicos acima, a de gerente executiva de Petroquímica e Fertilizantes, abaixo do então diretor de Abastecimento, Paulo Roberto Costa. Como gerente executiva, também acumulou a presidência da Petroquisa, subsidiária que controla as participações da estatal em empresas petroquímicas.

Em 2006, foi promovida novamente, tornando-se presidente da BR, subsidiária de distribuição da petroleira, dona da maior rede de postos de combustíveis do país. Passado pouco mais de um ano, em setembro de 2007, Graça alcançou a cúpula da estatal, agora como diretora de Gás e Energia. Com isso, Dilma conseguia se livrar de Ildo Sauer, desafeto e principal contestador dentro da Petrobras.

A ministra havia se identificado com o estilo de trabalho de Graça, descrita por subordinados e colegas como trabalhadora incansável e obstinada por alcançar objetivos. "Ela chegava cedo, saía tarde, levava trabalho para casa e voltava no dia seguinte, cedinho, com perguntas até sobre notas de rodapé", diz um ex-subordinado.

A nova diretora de Gás e Energia da Petrobras também é chamada de "extremamente centralizadora". "Tenta entender de tudo e desconfia de todos", dizem os funcionários que trabalharam com ela, sem exceção. "Presenciei uma situação muito constrangedora. Ela ligou para um gerente para confirmar informações passadas por outro. Acontece que o gerente sobre o qual ela perguntava estava ao lado dela, ouvindo a ligação, feita em viva voz. Em um determinando momento, ela mandou o gerente do outro lado da linha 'atropelar' o que estava ao lado dela. Ela estava claramente incitando o funcionário ao telefone a falar mal do outro, que estava ao seu lado, ouvindo tudo", relatou um executivo da Petrobras que pediu para não ser identificado.

Diversas pessoas que trabalharam com Graça também atestam seu temperamento difícil. "Ela não diz apenas que o trabalho está péssimo. Diz que o camarada é incompetente, burro, idiota, cretino, e faz isso tudo gritando, na frente de outras pessoas", conta uma ex-funcionária da companhia que trabalhou diretamente com a executiva. Uma das histórias que ficaram famosas na companhia aconteceu quando Graça ainda era presidente da BR Distribuidora. Durante uma reunião, uma advogada bastante jovem fazia uma apresentação quando Graça a interrompeu rispidamente e disse que não era nada daquilo que havia solicitado. A funcionária ainda tentou lembrá-la do pedido original, mas a executiva mandou que a exposição fosse interrompida. Mais tarde, chamou a advogada para dizer como queria a próxima apresentação, marcada para acontecer em poucos dias.

A funcionária, que já havia presenciado situações parecidas com outros colegas, decidiu gravar as orientações da chefe no celular. Na reunião seguinte, a moça apresentava o trabalho refeito quando foi novamente interrompida por Graça. Mais uma vez a chefe afirmou que não era nada daquilo que havia pedido. Foi quando a funcionária respondeu que seguira exatamente o roteiro solicitado por Graça, pois havia, inclusive, tomado o cuidado de gravar as instruções da diretora — e ligou o gravador do telefone.

Ao ouvir a gravação, Graça ficou furiosa, pegou o aparelho da advogada e o atirou na parede. O equipamento se espatifou e a reunião foi interrompida. Os demais participantes ficaram atônitos, mas ninguém falou nada. No dia seguinte, um assistente da presidente da BR entregou um novo celular à advogada, junto com um pedido de desculpas. É possível que o episódio não tenha acontecido exatamente como o descrito. A advogada não foi localizada e Graça Foster não aceitou dar entrevista, mas a história foi contada por catorze funcionários da Petrobras e da BR com pequenas variações (alguns dizem que a advogada usou um gravador, outros dizem que foi um celular). No mínimo, trata-se de uma lenda a que muitos funcionários recorrem para descrever o gênio da primeira presidente da estatal.

As explosões da executiva eram frequentes, e nem seus funcionários preferidos escapavam. O engenheiro Mario Jorge da Silva acabara de entrar para a estatal quando recebeu convite para ser um dos assistentes de Graça na secretaria de Petróleo e Gás no ministério. Depois disso, a carreira de Silva cresceu junto com a da executiva, sempre recebendo promoções e participando do grupo que a assessorava. Mesmo sendo um de seus colaboradores prediletos, o engenheiro foi visto chorando mais de uma vez, após repreensões da chefe. Outros dos preferidos da executiva era o engenheiro Marcelo Murta. Também recém-contratado na estatal, trabalhou com Graça no ministério, voltou com ela para a companhia e foi alçado à gerência executiva em prazo recorde para o padrão da empresa. Os dois, Silva e Murta, eram chamados internamente de "Menudos da Graça". Não tinham hora para entrar nem sair do trabalho e, o mais importante, não contestavam a chefe. "É claro que eles podem ser competentes. Mas é natural que profissionais mais jovens tenham menos referências e também menos condições de discordar da chefia", afirma um executivo da petroleira.

O aspecto financeiro também tornava os funcionários de ascensão rápida mais tolerantes com os desaforos da chefe. Um engenheiro em começo de carreira pode ter a remuneração mais que dobrada, e até triplicada, dependendo da gerência a que for promovido. Porém, se for destituído do cargo, volta a receber o salário-base. Diante da intolerância da chefe a qualquer crítica, só os que não temiam perder o cargo corriam o risco de se manifestar.

As afinidades entre Dilma e Graça acabaram se transformando em amizade. Graça entrou para o pequeno rol de pessoas de confiança da ministra da Casa Civil. De seu lado, Graça não escondia a admiração por Dilma. Chegou a declarar "Ministra, eu te amo", durante o discurso de agradecimento do prêmio[4] de executiva do ano, concedido pelo Instituto Brasileiro de Executivos de Finanças (Ibef), em 2008. Dilma foi prestigiá-la na entrega da premiação, ocorrida no Jockey Club do Rio de Janeiro.

Graça permaneceu quatro anos e cinco meses como diretora antes de chegar à presidência da maior estatal do país. Dilma bem que tentou nomeá-la antes, em janeiro de 2011, quando assumiu a presidência da República, mas não conseguiu. Se a engenheira era sua "mulher de confiança", José Sergio Gabrielli era um dos "homens de confiança" de Lula, e Dilma não afrontaria seu padrinho político.

O presidente da Petrobras desfrutava de uma antiga amizade com Lula, desde o início dos anos 1980, época de fundação do PT. Por vezes, quando estava a trabalho em Brasília, Gabrielli se hospedava no Palácio da Alvorada. Ele e o presidente conversavam até tarde e bebericavam cachaças especiais que Lula recebia aos montes de presente. Esse era um tipo de convivência do qual Dilma se ressentia. "Ela claramente disputava a atenção do presidente e se sentia em desvantagem em relação a membros antigos do partido que eram amigos dele", diz um ex-colaborador do governo.

As desavenças entre Dilma e Gabrielli tornaram-se constantes quando ele assumiu a presidência da Petrobras. Ela, como ministra e presidente do conselho de administração da petroleira durante oito anos do governo Lula, comportava-se como chefe de Gabrielli, convocando funcionários da estatal para reuniões em Brasília sem o conhecimento dele, o que o deixava descontente. Gabrielli, apesar de bastante disposto a ouvir seus interlocutores e geralmente tratá-los educadamente, também é considerado "bastante vaidoso" pelos funcionários da estatal e costumava rebater a ministra, o que a enfurecia.

Pouco antes de lançar o Programa de Aceleração do Crescimento (PAC), Dilma tentou ampliar seu poder sobre a Petrobras. A ministra convocou todos os diretores da companhia para uma reunião no Palácio do Planalto que contaria com a participação do presidente Lula. O objetivo era discutir a participação da estatal no PAC — lembrando que todos os projetos da empresa foram incluídos no programa, embora não recebessem um único centavo do governo federal.

Durante a apresentação, Dilma explicou que um grupo da Casa Civil faria o acompanhamento de todas as obras do PAC, inclusive as da petroleira. Quando ela mostrou como pretendia monitorar os projetos da estatal, Gabrielli reagiu. "Se for para funcionar assim, é melhor você virar presidente da Petrobras, porque eu não fico na empresa com esse nível de interferência", ele disse, conforme o relato de um dos presentes. O nível de detalhamento das informações era tão alto que exigiria um exército de funcionários só para atender Brasília.

O mal-estar foi contornado por Lula, que colocou panos quentes na discussão. Os demais participantes fingiram que nada havia acontecido e o assunto morreu. Governo e Petrobras chegaram a um meio-termo para realizar o monitoramento das obras. A companhia destacou um ou dois funcionários de cada área para atender o grupo ligado à ministra. Dentro da estatal, esses funcionários foram apelidados de PACman (homem do PAC e alusão a um antigo jogo de videogame) e PACwoman (mulher do PAC).

A disputa entre a ministra e o presidente da Petrobras ficou mais evidente a partir de 2006, depois que os dois principais nomes cotados à sucessão de Lula caíram em desgraça — José Dirceu, em 2005, e Antonio Palocci, em 2006.[5] Gabrielli passou a acalentar o sonho de ser candidato à presidência da República. Ele era um dos quadros históricos do PT e comandava a maior empresa do país, cujas obras e postos de trabalho se espalhavam por praticamente todo o território nacional. Por que teria de ceder lugar a Dilma, uma novata na legenda?

As chances de Gabrielli cresceram em 2009, quando Dilma foi diagnosticada com câncer. Mas a recuperação da ministra e a imagem de "gerentona e mãe do PAC" eliminaram as chances do presidente da estatal. Após a eleição de Dilma, ele durou apenas um ano e dois meses na Petrobras. Esse foi o período necessário para que a nova presidente da República convencesse Lula de que Gabrielli havia transformado a petroleira em uma bagunça e que ele não se subordinava a ela.

Feito isso, o partido costurou a saída do presidente da estatal, em fevereiro de 2012, para a secretaria de Planejamento da Bahia, estado governado pelo petista Jacques Wagner. Gabrielli foi o presidente mais longevo da Petrobras, permanecendo seis anos e meio no comando da empresa. Seu plano de se candidatar ao governo da Bahia em 2014 foi sepultado pela Operação Lava Jato.

O cargo de presidente da maior empresa do país e uma das maiores e mais promissoras petroleiras do mundo deu poder e prestígio inéditos a Graça Foster. Em 2013, ela foi eleita pela revista americana *Fortune* a executiva mais poderosa do mundo fora dos Estados Unidos. No ano seguinte, pouco antes do estouro da Lava Jato, figurou como quarta no ranking, dessa vez incluídas as americanas. No entanto, a posição com que tanto sonhou acabou se transformando num pesadelo.

Em 2012, quando Graça assumiu, a Petrobras já apresentava diversos problemas. Alguns deles ela própria havia ajudado a criar, como a lei de conteúdo local, elaborada no período em que foi secretária de Petróleo e Gás no Ministério de Minas e Energia. A obrigação de comprar a maioria dos equipamentos e serviços no Brasil começava a provocar efeitos negativos na Petrobras.

O acúmulo de projetos, multiplicados pela descoberta do pré-sal, pressionava a cadeia de fornecedores, que ainda não estavam preparados para absorver tantas encomendas. Em 2012, a empresa tinha 980 projetos em implantação, e quase todos atrasados. "Em vez de dar publicidade e esse número, a Petrobras deveria esconder essa informação. Nenhuma empresa no mundo tem capacidade de administrar direito tantos projetos ao mesmo tempo", afirma um consultor da área de óleo e gás. Na área de Exploração & Produção, o atraso na entrega de plataformas afetava diretamente o caixa da empresa. Se a plataforma não começa a trabalhar, a produção de petróleo não aumenta e a receita não entra (podendo até cair, já que a vazão dos reservatórios vai diminuindo com o tempo).

As metas de produção da companhia nunca eram atingidas. Em primeiro lugar, considerando as metas definidas no próprio ano. Depois, as projeções feitas com cinco anos de antecedência ficavam ainda mais distantes da realidade. Em 2007, o diretor Guilherme Estrella, de E&P, estabeleceu que a companhia deveria produzir 3,493 milhões de barris de óleo equivalente por dia em 2011. Quando o ano acabou, a produção havia sido de 2,621 milhões de barris ao dia, ou seja, 872 mil barris a menos. Se a estatal tivesse alcançado a meta, registraria um faturamento adicional de mais de US$ 32,5 bilhões só naquele ano.[6] Mesmo que tivesse produzido apenas metade da diferença, teria faturado US$ 16 bilhões a mais, uma quantia nada desprezível.

Apesar de ser responsável pelas metas de produção, o geólogo Estrella não se abalava com o resultado financeiro da estatal. "A palavra 'lucro' tinha claramente um significado negativo para ele", diz um ex-executivo da companhia. Mas Estrella tinha dois álibis poderosos a seu favor: chamado de "pai do pré-sal" por Lula, também era petista fervoroso e defensor da política de conteúdo local, defendendo com eloquência o fortalecimento da indústria nacional. Logo após sua posse, em 2003, afirmou que "o empresário nacional é o melhor parceiro para a Petrobras, até porque fala português".[7]

Um dos casos mais críticos de atraso foi o da P-55, plataforma projetada para extrair 180 mil barris de petróleo por dia. A unidade de produção começou a ser construída em 2008 e deveria entrar em operação na Bacia de Campos até o final de 2011. Mas ela só começou a funcionar no último dia de 2013. Os dois anos de atraso da P-55 fizeram com que a Petrobras deixasse de faturar US$ 8,2 bilhões[8] nos anos de 2012 e 2013.

Para entender os motivos do atraso é preciso saber que uma plataforma marítima é uma espécie de fábrica flutuante. No caso da P-55, é uma fábrica de 54 metros de altura, o equivalente a um prédio de mais de dezoito andares, que fica conectada ao fundo do mar por um conjunto de tubulações (por onde sobem óleo, gás e água). O casco é o que permite que a fábrica flutue, e a parte que fica sobre o convés, o chamado topside, é um conjunto de módulos que trata o petróleo (separa o óleo do gás e da água, comprime o gás, trata a água, entre outras funções). Além dessas plantas de processamento de petróleo, a P-55 possui outros módulos, como o de geração de energia e o de acomodação dos funcionários. Cada um desses módulos é construído por um fornecedor especializado.

Os problemas da P-55 começaram com a estratégia de licitação, a cargo da diretoria de Serviços, então comandada por Renato Duque, em parceria com a diretoria de E&P, de Estrella. A obra foi dividida em um número maior de contratos que o usual, com a justificativa de ganhar tempo e reduzir custos. A estratégia, no entanto, revelou-se errada. "Houve uma fragmentação excessiva, que dificultou o gerenciamento do projeto. Além disso, algumas empresas não estavam preparadas para assumir as tarefas que assumiram, mas acabaram sendo contratadas porque não havia outra opção nacional", explicou um especialista em construção naval da petroleira.

O Estaleiro Atlântico Sul (EAS), que construiu a parte inferior do casco da P-55, deveria ser um dos frutos mais vistosos da política de aumento de conteúdo local do governo Lula. Foi criado em 2005, depois de ganhar uma licitação para construir dez petroleiros (número que subiu para 22, em seguida) da Transpetro. O Programa de Modernização e Expansão da Frota (Promef), lançado pelo governo federal no final de 2004, foi um dos esteios da estratégia de reativação da indústria naval brasileira do governo Lula.

Na teoria, tudo parecia perfeito. O crescimento da Petrobras geraria as encomendas, as grandes empresas de engenharia construiriam os estaleiros com financiamento barato do BNDES, que também liberaria os financiamentos para a construção das embarcações (com recursos do Fundo da Marinha Mercante, irrigado com taxas cobradas das empresas de navegação).

Instalado em Ipojuca, na região metropolitana de Recife, o EAS tinha uma carteira de obras invejável. Além dos petroleiros, ganhou a licitação para construir o casco da P-55 e as sete primeiras sondas da Sete Brasil. Seus principais donos, no entanto, os grupos Camargo Corrêa e Queiroz Galvão, detinham pouco conhecimento sobre construção naval. A tecnologia de construção deveria ser absorvida da Samsung, uma das maiores construtoras navais do planeta, que também entrou na sociedade.

Acontece que justamente a Samsung ficou com apenas 10% de participação no estaleiro. "Os sócios brasileiros não queriam que os estrangeiros tivessem uma participação maior. Queriam mandar", afirma um ex-diretor da Petrobras. Os coreanos aceitaram a condição, afinal, a Petrobras era a maior contratante de toda a indústria mundial de petróleo.

Com o tempo, porém, a sociedade começou a azedar. As sugestões dadas pelos coreanos, com o intuito de melhorar o processo produtivo, não eram acatadas. "A Samsung percebeu que não tinha entrado em uma verdadeira parceria. Em vez de buscar a eficiência, a Queiroz Galvão e a Camargo Corrêa queriam obter resultado por meio de estratégias comerciais nem sempre lícitas, como descobrimos depois com a Lava Jato", diz um executivo do setor naval.

O executivo refere-se ao esquema de divisão de obras em cartel e pagamento de propina para ganhar licitações, dos quais faziam parte a Camargo Corrêa e a Queiroz Galvão.

O fato é que o resultado foi desastroso. A construção do primeiro navio do EAS, o petroleiro *João Cândido*, consumiu 8 milhões de horas/homem, enquanto estaleiros de primeira linha levam 350 mil horas. A embarcação deveria ser entregue em março de 2010, mas só foi ao mar em maio de 2012. Apesar de ainda não estar apto a navegar no prazo original, a suposta conclusão do navio foi festejada com a presença do presidente Lula e de sua ministra e candidata Dilma Rousseff, em maio de 2010. Dilma disputaria as eleições presidenciais daquele ano. Depois da cerimônia pro forma, o petroleiro voltou ao estaleiro, de onde só saiu depois de dois anos de reparos. Dentro da estatal, o navio recebeu apelidos desabonadores como "navio Suflair, o único com o casco aerado",[9] por causa dos defeitos de solda, em referência ao chocolate aerado.

Graça, que já era presidente da estatal, entrou pessoalmente nas negociações com a Samsung, tentando impedir que a empresa saísse. Seria um desastre se justamente a detentora da tecnologia de construção abandonasse a sociedade. Mas não houve acordo. Os coreanos desembarcaram do EAS em 2012. Em 2013, o braço de construção naval do grupo japonês Ishikawagima, a IHI (Ishikawagima Heavy Industries), entrou com 33% de participação no EAS. Em março de 2016, porém, a IHI também deixou a sociedade. Alegou não concordar com novos aumentos de capital, uma boa justificativa para se livrar dos sócios envolvidos com a Lava Jato.

A nova presidente da Petrobras experimentava os efeitos da política de conteúdo local elaborada, em grande parte, por ela mesma, quando dera expediente no ministério de Minas e Energia. Com o discurso de desenvolver a indústria nacional da cadeia de óleo e gás, Graça coordenou a definição de um conjunto de regras que obriga as petroleiras a contratar, em média, 67% dos equipamentos, materiais e serviços produzidos e prestados de empresas instaladas no Brasil. (As regras passaram a valer para as empresas ganhadoras dos blocos concedidos em leilões a partir de 2005. A Petrobras, no entanto, foi pressionada pelo governo a cumprir as novas metas de nacionalização para todas as áreas, mesmo as licitadas antes daquele ano.)

A política anunciada em 2005 nasceu com problemas de diferentes naturezas. Entre as falhas, estava a definição de percentuais mínimos de conteúdo local para centenas de itens — entre equipamentos e serviços —, sem que a indústria estivesse pronta para atender à demanda das operadoras de petróleo. Para definir os percentuais mínimos de cada item, o governo perguntou às próprias fornecedoras se elas conseguiriam fabricar os equipamentos e prestar os serviços elencados em uma tabela. As fornecedoras, interessadas em aumentar seus negócios, responderam que eram capazes de atender a praticamente tudo. O ministério acreditou, ou fingiu acreditar.

A questão é que ninguém naquela época sabia o tamanho da demanda futura, e o pré-sal ainda não havia sido descoberto. Além disso, o governo também não havia decidido como seria a medição do índice de conteúdo local de cada um dos itens da tal tabela. Só em 2007, dois anos depois do anúncio da lei, a Agência Nacional do Petróleo (ANP) divulgou uma cartilha explicando o modo de aferição. As empresas fornecedoras teriam de contratar certificadoras capazes de medir o índice de nacionalização de seus serviços e equipamentos. Na fase de fiscalização de uma plataforma, por exemplo, as petroleiras teriam de apresentar os certificados recolhidos de todas as fornecedoras. Por fim, se não alcançassem o percentual ofertado no ato do leilão, a petroleira seria multada.

Para criar a tabela que as operadoras deveriam preencher no leilão, Graça pediu que uma equipe da Petrobras elaborasse o projeto de uma plataforma-modelo. O alto nível de controle e de rigidez da política de conteúdo local foi alvo, na época, de críticas de executivos de todas as operadoras de petróleo do país, inclusive de dentro da Petrobras, embora ninguém ousasse se posicionar publicamente dentro da estatal. "Esse sistema de cartilhas e tabelas reflete a natureza centralizadora da Dilma e da Graça. Não condiz com o funcionamento do setor", afirma um ex-diretor de E&P da estatal. "Elas acreditavam que conseguiriam prever tudo, controlar tudo, mas isso é impossível nessa atividade."

Mesmo os maiores defensores do desenvolvimento da indústria nacional de óleo e gás apontam falhas na política atual. O professor de economia da UFRJ Adilson Oliveira é um deles. Em 2009, o Instituto de Economia da Energia da UFRJ, onde ele trabalhava, foi contratado pelo governo para estudar a capacidade da indústria brasileira. Na época, Oliveira afirmou: "O pré-sal é uma oportunidade histórica para o Brasil. Pode elevar o patamar do país nas frentes econômica, tecnológica e social, pois é uma riqueza nova, com a qual não contávamos antes", disse.

Para alcançar esses benefícios, porém, o professor alertou que era preciso entender e respeitar a dinâmica do setor. "As petroleiras trabalham em uma atividade de risco. A necessidade de prever com cinco, seis anos de antecedência o tipo de equipamento que será usado e quanto de conteúdo local elas vão conseguir comprar é um risco a mais, e desnecessário", diz Oliveira. Segundo o professor, em vez de tentar controlar e penalizar as petroleiras, o governo deveria estimulá-las a comprar produtos nacionais, acenando com descontos em impostos, por exemplo.

Entre os representantes das operadoras de petróleo, a política de conteúdo local pode se tornar um tiro no pé. "A intenção nos parecia boa, inicialmente, mas o formato saiu péssimo. Uma verdadeira roda quadrada", afirma Antônio Guimarães, diretor do Instituto Brasileiro de Petróleo e Gás (IBP). "Ninguém é contra desenvolver a cadeia nacional de fornecedores. É muito mais fácil ter o prestador de serviço no Brasil do que importar equipamento e depender de manutenção escassa. Mas isso só funciona se o fornecedor tiver preço, prazo e qualidade comparáveis com os do resto do mundo", diz Guimarães.

Em 2007, o economista Adriano Pires, diretor do Centro Brasileiro de Infra Estrutura (CBIE) e ex-diretor da ANP, analisou a questão: "Temos uma chance de ouro de aumentar o desenvolvimento tecnológico da indústria de óleo e gás brasileira. Mas o governo está exagerando na dose, e pode transformar um remédio em veneno. Uma indústria não cresce e não se qualifica de uma hora para a outra", afirmou Pires, que foi diretor da ANP.[10] Em 2010, Pires insistia: "A correria pode levar prejuízo às petroleiras, que são as que sustentam a cadeia de fornecedores. Nesse caso, a maior prejudicada será justamente a Petrobras, que é a maior contratante do país".[11] Em 2012, em nova entrevista, o consultor reforçou: "Um processo acelerado demais pode gerar problemas sérios de qualidade e de prazos, como já estamos assistindo. Isso pode acabar jogando a própria indústria nacional no descrédito".[12] Na época, esse tipo de prognóstico parecia demasiadamente apocalíptico. Não era.

A única demissão imediata feita por Graça Foster quando assumiu a empresa foi a de Guilherme Estrella, diretor de E&P. Graça atribuía a ele as metas de produção irrealistas que a empresa prometia e não cumpria, ano após ano. Apesar de ser um puro-sangue petista e da reputação de "pai do pré-sal", Estrella não tinha padrinhos políticos do mesmo quilate dos de Renato Duque, Paulo Roberto Costa e Jorge Luiz Zelada (Nestor Cerveró estava na BR Distribuidora desde 2008). "A Graça pretendia se livrar de todos, mas teve de esperar", confidenciou mais tarde um dos diretores escolhidos por ela.

Para o lugar de Estrella, ela nomeou José Miranda Formigli, que ocupava a gerência executiva responsável pelo desenvolvimento da produção no pré-sal. Em 2012, o pré-sal produzia cerca de 180 mil barris de óleo equivalente por dia, e começava a deixar de ser uma aposta. Para a diretoria de Gás e Energia, em substituição a ela própria, Graça nomeou José Alcides Santoro Martins, que também já ocupava uma gerência executiva na área em que assumiu.

A terceira mudança realizada por Graça logo que chegou foi a criação da diretoria Corporativa e de Serviços Compartilhados, designada a José Eduardo Dutra, que havia presidido a estatal no início do governo Lula. A nova diretoria cuidaria de recursos humanos, meio ambiente, governança e todos os serviços relacionados à área administrativa, como limpeza, vigilância, mão de obra temporária e tecnologia da informação. Dutra, portanto, tornou-se responsável pela contratação desses serviços, antes realizados pela diretoria de Duque, que, por sua vez, teve a diretoria rebatizada para Engenharia, Materiais e Tecnologia. Na prática, Duque continuou comandando todas as licitações de obras de grande porte da companhia, mas não gostou nada da divisão.

Não foi surpresa quando ele pediu demissão da estatal dois meses depois de Graça assumir a companhia. A relação dos dois não era das melhores quando eram colegas de diretoria. A obsessão de Graça era com prazos das obras, e ela costumava reclamar dos atrasos com Duque. Quando comandava Gás e Energia, Graça conseguiu impor um monitoramento paralelo dos projetos de sua área, apesar de o acompanhamento das obras ser responsabilidade da diretoria de Serviços. Ela visitava pessoalmente os canteiros de obras. Percorria de helicóptero os gasodutos em construção, de ponta a ponta, parando no meio do caminho para fazer reuniões com os representantes das empreiteiras. Com frequência, as viagens ocupavam os finais de semana.

Em 2010, ano de eleição presidencial, o nível de cobrança de Graça foi elevado à potência máxima. "Ela já costumava bater pesado, mas naquele ano extrapolou. Chegou a berrar que tinha gente fazendo corpo mole para sabotar as obras e prejudicar a eleição da Dilma", contou uma ex-subordinada da executiva. Na época, Graça corria contra o tempo para concluir os projetos de sua área, entre eles o Gasoduto Caraguatatuba-Taubaté. A construção envolveu a escavação de um túnel de 5 quilômetros na Serra do Mar, de modo a diminuir o impacto ambiental na região (o túnel evitava a retirada da vegetação na superfície). Um "tatuzão" — máquina tuneladora — foi importado da Itália por R$ 51 milhões especialmente para a obra.

Como a máquina não anda para trás, teria de ser desmontada no final do trabalho. Mas o prazo estava estourado e a desmontagem levaria três meses. Graça decidiu abandonar o tatuzão debaixo da terra, ou melhor, da rocha. O atraso na operação do gasoduto custaria mais que os R$ 51 milhões pagos pela máquina. A explicação foi dada pela Petrobras em 2012, quando ela se tornou presidente da estatal e o "enterro do tatuzão" foi noticiado pelo jornal *Folha de S.Paulo*.[13]

Ironicamente, o tipo de acompanhamento de projetos adotado por Graça era semelhante ao proposto pelo ex-gerente executivo Rafael Frazão, subordinado a Ildo Sauer. A diferença é que a equipe de Sauer também questionava os processos e preços das licitações, além dos pagamentos de aditivos às empreiteiras. Esses questionamentos provocavam a ira de Duque, que acusava a equipe de Sauer de atrasar a implantação dos projetos. Com Graça, a situação foi diferente. Ela assumiu Gás e Energia com muito mais poder que seu antecessor. Tinha o apoio de Dilma.

Certa ocasião, durante uma reunião da diretoria executiva, Graça propôs a divisão da área de Engenharia (uma das gerências executivas da diretoria de Serviços). Na época, o responsável pela Engenharia era Pedro Barusco, braço direito de Duque. O número de projetos da empresa havia crescido demais para ficar concentrado numa única pessoa, ela teria argumentado. Sua sugestão era que a diretoria de Serviços criasse uma gerência de Engenharia para obras de Gás e Energia, outra para as de E&P e uma terceira para as de Abastecimento. Assim que Graça terminou de falar, Duque retrucou: "Enquanto eu estiver na direção de Serviços, não haverá divisão alguma". A réplica de Graça foi dada com ironia, segundo os presentes: "Puxa vida, quanto poder!".

Assim que Duque saiu, Graça realizou a divisão na área de Engenharia, como havia sugerido antes. No mesmo dia da saída de Duque, Paulo Roberto Costa foi demitido. A comunicação da demissão foi feita pelo ministro de Minas e Energia, Edison Lobão, em Brasília. A providência, entretanto, fora tomada a pedido de Graça e apoiada por Dilma. Na época, a presidente da estatal justificou a demissão de Costa a duas pessoas, pelo menos, com as seguintes palavras: "Ele vendeu a alma ao diabo".

Em julho, foi a vez de Jorge Luiz Zelada, diretor internacional, pedir para sair. Graça não nomeou outro executivo para o seu lugar, e acumulou a diretoria Internacional. No lugar de Duque, entrou Richard Olm, que havia sido chefe da engenheira no passado. Ele nem chegou a assumir por problemas de saúde, e foi substituído por José Antônio de Figueiredo.

O único que permaneceu no cargo foi o diretor financeiro Almir Barbassa. Graça comentou com alguns interlocutores que ela havia testemunhado "a luta dele para proteger a empresa". Segundo as fontes, ela se referia ao fato de Barbassa se opor à aprovação de operações que aumentavam o risco de crédito da Petrobras e, principalmente, às reivindicações de aumento de preço dos combustíveis.

Em 2012, a presidente da República Dilma Rousseff desfrutava de ampla aprovação popular (77%).[14] Era mais bem avaliada até que o ex-presidente Lula, na comparação do mesmo período de mandato. A boa fase da presidente Dilma também dava credibilidade à sua indicada, Graça Foster, que foi recebida com crédito pelo mercado financeiro. Apesar de filiada ao PT e de ser amiga da presidente da República, Graça não era considerada política, mas uma técnica que havia passado pelo governo e, só então, ganhado apoio político — situação diferente da dos dois presidentes que a antecederam. Os novos diretores escolhidos por ela também eram técnicos, aparentemente sem vinculação político-partidária.

O primeiro plano de negócios sob seu comando, divulgado em junho de 2012, agradou ao mercado. Nas primeiras páginas do documento, a empresa assumia os principais problemas que a afligiam. A frase "Historicamente, a Petrobras não cumpre suas metas de produção" abria a apresentação, ocupando a página inteira na diagonal.[15] Na lâmina seguinte, uma tabela mostrava as metas de produção prometidas e não atingidas de 2003 a 2011.

Mais uma página virada, e outra frase na diagonal dizia "Historicamente, os projetos da Petrobras atrasam". Em seguida, um quadro com duas colunas mostrava os estouros de prazo e orçamento da Refinaria Abreu e Lima. Na primeira coluna, cinco datas diferentes indicavam os adiamentos da inauguração da refinaria, que havia passado de novembro de 2011 para novembro de 2014. Ao lado, a evolução dos investimentos da obra, que também haviam aumentado quase dez vezes, de US$ 2,3 bilhões para US$ 20 bilhões.[16]

A mensagem transmitida no primeiro plano de negócios de Graça foi de que a companhia passaria a perseguir metas menos ousadas e mais realistas. De cara, ela cortou a projeção de produção doméstica para 2020 em 800 mil barris de óleo equivalente por dia. Também pôs em avaliação 147 projetos — dos 980 que estavam em alguma fase em andamento. Pela primeira vez, desde 2003, o volume de investimento da companhia não aumentou em relação ao plano anterior (US$ 224 bilhões). Na realidade, diminuiu (embora tenha anunciado US$ 236 bilhões de investimento total, o volume destinado a projetos efetivamente em implantação foi de US$ 208 bilhões; o restante referia-se a empreendimentos suspensos).

Entre os projetos paralisados estavam as duas refinarias Premium, do Ceará e do Maranhão, e a segunda fase do Complexo Petroquímico do Rio de Janeiro (Comperj), que já havia se transformado numa refinaria de combustíveis. A essa altura, nenhum dos três passava pelos testes de rentabilidade da companhia. Em outras palavras, estavam fadados a dar prejuízo. É verdade que as fábricas de fertilizantes propostas e aprovadas por ela — uma no Mato Grosso do Sul e outra em Minas Gerais — também não passariam pelo crivo de rentabilidade. As duas obras prosseguiram (só foram paralisadas mais tarde).

Graça anunciou também um programa de aumento de eficiência da Bacia de Campos (a mais importante do país, e cuja produtividade vinha despencando). A nova presidente parecia ter os pés no chão e mandato para reorganizar a petroleira, após uma fase de expansão rápida e desordenada. Embora todas essas iniciativas fossem importantes, eram insuficientes para que a Petrobras recobrasse o fôlego financeiro. Apesar de ter realizado em outubro de 2010 a maior capitalização mundial em bolsa de valores já feita por uma empresa, a estatal estava sendo asfixiada novamente pelo controle de preço dos combustíveis por parte do governo. E a missão mais importante de Graça era reverter essa situação.

Desde o início do governo Lula, Dilma Rousseff, então ministra de Minas e Energia, deixou claro que o preço dos combustíveis seria controlado por Brasília. Acabava a efêmera liberdade conquistada pela Petrobras de definir o preço de seus produtos (os preços foram liberados em 2002, depois de três anos e meio de transição, com reajustes mensais seguindo uma fórmula criada pela ANP).

Entre janeiro de 2003 e outubro de 2008, a estatal acumulou R$ 33 bilhões em perdas de caixa, devido à defasagem dos preços da gasolina e do diesel praticados no mercado doméstico em relação aos do mercado internacional.[17] A então ministra Dilma Rousseff chegou a declarar em reuniões com os executivos da estatal que "não havia lei divina que dissesse que a Petrobras tinha de vender combustível no Brasil pelo preço do mercado internacional". A crise financeira de 2008 ajudou a companhia a reequilibrar as perdas de caixa dos anos anteriores, mas só por um certo tempo. Isso porque a Petrobras manteve o preço dos combustíveis no mesmo patamar, apesar de a cotação do barril ter despencado após o estouro da crise. Com isso, a companhia conseguiu reduzir as perdas de R$ 33 bilhões para R$ 6,7 bilhões, em 2010, isto é, enquanto a cotação do petróleo permaneceu em baixa.

Enquanto isso, o governo tentava reanimar a economia — que havia afundado em 2009 —, abrindo as comportas do Tesouro, promovendo cortes de impostos e estimulando a concessão de crédito ao consumo. As medidas deram resultado, e o país cresceu bastante em 2010; porém, junto com o crescimento veio a inflação, e o motivo para o governo segurar o preço dos combustíveis.

Entre os setores mais incentivados pelo governo federal estava o automotivo. A venda de veículos explodiu com o corte de tributos e os financiamentos a perder de vista. Junto com a venda de carros e caminhões, cresceu o consumo de combustíveis, em especial de gasolina, pois o motorista já não tinha mais vantagem em abastecer com etanol.

Resultado: além de importar óleo cru, a Petrobras também passou a importar gasolina. A partir de janeiro de 2011, o preço dos combustíveis no mercado doméstico voltou a ficar defasado em relação ao mercado internacional, e a estatal passou a pagar mais caro pelos produtos importados do que podia vender no país. Entre janeiro de 2011 e meados de 2014, ela viveu uma situação inusitada: quanto mais combustível vendia, mas prejuízo tinha.

Os mirrados reajustes liberados pelo governo nesse período não passaram nem perto de levar a companhia ao equilíbrio. A defasagem dos preços entre 2011 a 2014 consumiu cerca de US$ 45 bilhões da companhia. Nunca a empresa havia sofrido um desfalque semelhante. Não que o controle de preços de combustíveis fosse novidade. A Petrobras sempre foi usada pelos governos para subsidiar combustíveis ao consumidor final — desde o período militar, quando houve os choques do petróleo, até os períodos de descontrole inflacionário nos anos 1980 e 1990. A diferença é que antes a sangria do caixa da estatal era contabilizada na chamada conta-petróleo, criada em 1966. Governo e Petrobras registravam as diferenças, e, por mais que a compensação à companhia fosse precária, a contabilidade existia.

A conta-petróleo só foi extinta no governo Fernando Henrique Cardoso, quando a Petrobras foi liberada para decidir seus preços. No final de 2001, houve um encontro de contas entre União e a estatal, e a petroleira foi ressarcida em R$ 8 bilhões pelas perdas provocadas por defasagens decretadas por vários governos. O montante foi pago em títulos públicos, que cobriram uma dívida da petroleira com o fundo de pensão de seus funcionários, o Petros. "Estamos nos livrando dos últimos esqueletos escondidos no armário", afirmou o economista João Nogueira Batista, então diretor financeiro da companhia.[18] O acordo foi assinado no escritório do Ministério da Fazenda, no Rio de Janeiro. Entre os participantes estavam o então gerente executivo Almir Barbassa, que foi visto dando um pulo no hall do elevador, comemorando o resultado da negociação.

Nos mandatos de Lula e Dilma, o controle dos preços dos combustíveis foi retomado, mas sem qualquer instrumento para ressarcir a empresa. O governo parecia acreditar que o caixa da Petrobras era infinito. Em 2011, durante as discussões para a aprovação do novo plano de negócios, o ministro da Fazenda Guido Mantega, então presidente do conselho de administração da estatal, pressionou a diretoria para que os investimentos subissem de US$ 224 bilhões para US$ 250 bilhões no período de 2011 a 2015. A direção teve trabalho para convencer o ministro, mas barrou o aumento.

A sangria do caixa da empresa ocorria num momento em que os investimentos aumentavam (US$ 43 bilhões em 2011, US$ 42,9 bilhões em 2012 e US$ 48 bilhões em 2013). O resultado só poderia ser a escalada da dívida (que dobrou entre 2012 e 2014). Os US$ 45 bilhões perdidos pela estatal a partir de 2011 equivalem a uma capitalização e meia da que foi feita pela Petrobras em 2010 — o montante que efetivamente entrou no caixa da empresa foi de US$ 27,4 bilhões.

A capitalização da Petrobras foi a maior operação do tipo realizada em todas as bolsas de valores do mundo, e arrecadou quase US$ 70 bilhões (US$ 69,9 bilhões, precisamente).[19] Desse total, US$ 42,5 bilhões foram para o Tesouro como pagamento de reservas de 5 bilhões de barris de petróleo comprados da União. A compra dessas reservas foi a maneira encontrada para que o governo pudesse participar do aumento de capital sem colocar dinheiro e sem ser diluído (ou seja, sem ter sua participação reduzida pela entrada de novos acionistas). Logo após a operação, em 30 de setembro, a Petrobras era a terceira maior companhia listada na Bolsa de Nova York, abaixo apenas da ExxonMobil e da Apple (havia perdido uma posição em relação ao auge de valorização, em maio de 2008).

Em 2013, quando a situação financeira da companhia já se mostrava insustentável, seus diretores passaram a pressionar os conselheiros, particularmente Guido Mantega. Reivindicavam a adoção de um sistema regular e, portanto, previsível de reajuste de preço dos seus produtos. Mantega, com o apoio dos demais conselheiros que faziam parte do governo — Luciano Coutinho (BNDES), Miriam Belchior (Planejamento) e Edison Lobão (Minas e Energia) —, disse que estudaria a questão. Na reunião seguinte, o ministro pediu mais estudos sobre o assunto. Na outra, argumentou que o preço do barril deveria cair. A Petrobras deveria esperar um pouco mais. Na seguinte, disse que o câmbio deveria retroceder. E assim a decisão foi sendo adiada. Certa ocasião, o ministro afirmou aos diretores: "Vocês podem ficar tranquilos. Se a Petrobras precisar, o governo vai socorrê-la".

Em outubro de 2013, Graça apresentou uma fórmula de reajuste elaborada pela diretoria de Abastecimento. O conselho não aprovou a adoção. A partir daí a presidente da estatal passou a simular a aplicação da fórmula e a registrar as perdas da companhia nas atas de reunião do conselho. O registro era uma maneira de pressionar o conselho e de se proteger contra futuras acusações de falta de diligência na condução da empresa. A diretoria sabia que no ano seguinte, de eleições, seria mais difícil conseguir qualquer aumento. Em 1º de dezembro de 2013, o banco suíço Credit Suisse divulgou um relatório sobre a Petrobras com o título "See you in 2015" ("Até 2015", em português). A mensagem passada pelos analistas André Sobreira e Vinícius Canheu era que a estatal não teria boas notícias em 2014. Provavelmente seria um ano perdido, apesar de ainda nem ter começado.

Com o subtítulo "Black Friday" (sexta-feira negra, em inglês, e também o dia do ano em que as lojas dão grandes descontos após o feriado de Ação de Graças nos Estados Unidos), o primeiro parágrafo do documento referia-se ao aumento de 4% para a gasolina e 8% para o diesel, anunciado pela empresa na sexta-feira, 29 de novembro. O reajuste era tímido demais para as necessidades de caixa da companhia. Na visão dos analistas, era hora de vender as ações da petroleira. A falta de transparência da metodologia de reajuste de preços minava a confiança na governança da empresa e revelava um corpo executivo sem o poder necessário para tomar decisões técnicas, dizia o relatório.

No segundo parágrafo, os analistas alertavam — "Beware 2014" (cuidado com 2014) — e afirmavam: "2014 agora parece um ano incrivelmente delicado para a Petrobras". A avaliação era que a companhia deveria enfrentar grandes dificuldades em um ano que combinaria eleição presidencial, perspectivas de alta da inflação e de desvalorização do real. As dificuldades se confirmaram (o governo só liberou um aumento de 3% para a gasolina e 5% para o diesel em novembro, após o segundo turno das eleições; a inflação beirou 6,5% e o dólar se valorizou ante o real pelo quarto ano consecutivo). Mas o ano de 2014 seria incrivelmente delicado para a Petrobras por outros motivos.

Epílogo
A tempestade perfeita

A Petrobras chegou em 2014 como um caso singular da indústria mundial de petróleo. Enquanto as grandes operadoras contabilizavam quatro anos de aumento de receitas — graças ao preço do barril, cotado na casa dos US$ 100[1] desde 2010 —, a estatal brasileira amargava o pior balanço de sua trajetória.[2] Havia registrado o primeiro trimestre (o terceiro de 2013) no vermelho em treze anos. Sua dívida havia quase triplicado (de US$ 36 bilhões para US$ 94 bilhões) desde o final de 2010, mesmo depois de realizar a maior capitalização da história. Sua produção e capacidade de refino continuavam praticamente as mesmas, apesar do investimento de quase US$ 200 bilhões nos quatro anos anteriores. O valor de mercado da companhia havia retrocedido ao nível de 2005, anterior, portanto, à descoberta do pré-sal.

Paralelamente à situação financeira, nos últimos tempos a estatal vinha sendo questionada com mais frequência pela imprensa e por órgãos de fiscalização. No início de 2014, a companhia acumulava suspeitas e denúncias de irregularidades em diferentes operações. Um dos assuntos mais abordados era a compra da Refinaria de Pasadena, nos Estados Unidos, que vinha sendo investigada desde 2012 pelo Ministério Público, que atua junto ao Tribunal de Contas da União (TCU). A operação despertou o interesse dos procuradores após uma reportagem do jornal O Estado de S. Paulo.[3] A matéria, publicada em julho de 2012, revelava a discrepância de valores entre a compra de 100% da refinaria pelo grupo belga Astra, em 2005, por US$ 42,5 milhões, e a revenda, no ano seguinte, de metade do ativo à Petrobras por US$ 360 milhões.

Em junho de 2012, a estatal havia acabado de concluir a compra dos 50% restantes da refinaria, depois de um longo litígio com os sócios. Contabilizando as duas fases da aquisição, a Petrobras havia desembolsado US$ 1,2 bilhão para ficar com Pasadena. Àquela altura, já com dificuldades financeiras, a presidente Graça Foster tentava vender ativos para levantar caixa para a empresa. Ao oferecer a refinaria no mercado, a única proposta recebida não passava de US$ 180 milhões, ou seja, um prejuízo potencial de US$ 1 bilhão. Foi nesse momento que a reportagem revelou o mau negócio e gerou a investigação dos procuradores do MP, além de uma série de matérias que, pouco a pouco, foram aprofundando o caso.

Um contrato fechado com a Odebrecht em 2010, no valor de US$ 825 milhões, também se tornou alvo de suspeitas em novembro de 2013, e novamente por meio de uma reportagem do jornal *O Estado de S. Paulo*.[4] A empreiteira havia sido contratada para realizar serviços nas áreas de segurança e meio ambiente de unidades operacionais da estatal em dez países. A matéria revelou que uma auditoria interna da Petrobras tinha encontrado diversas irregularidades no contrato. Entre os problemas estavam o pagamento de R$ 7,2 milhões pelo aluguel de três máquinas de fotocópias na Argentina e a contratação de pedreiros por R$ 22 mil nos Estados Unidos. Com o resultado da auditoria, Graça Foster levou a questão ao conselho de administração e reduziu o contrato para US$ 481 milhões, quase a metade do original.

Assim como no caso de Pasadena, a contratação fora feita pela diretoria Internacional. A diferença é que na aquisição da primeira parte da refinaria o diretor era Nestor Cerveró, enquanto na contratação da Odebrecht a diretoria já era comandada por Jorge Luiz Zelada. Depois de Zelada ser demitido, em setembro de 2012, Graça passou a acumular a direção da área com a presidência da companhia. Mais uma vez a reportagem provocou a abertura de uma investigação do MP e atiçou outros veículos de comunicação a mergulharem na história.

Em agosto de 2013, os bastidores do contrato da Odebrecht foram esmiuçados numa reportagem da revista *Época*.[5] A matéria foi baseada em uma entrevista gravada secretamente com um dos protagonistas do esquema de corrupção que grassava na diretoria Internacional. O engenheiro João Augusto Rezende Henriques trabalhou na Petrobras e na BR Distribuidora até o fim da década de 1990. Durante a conversa com um repórter da revista, ele contou que passou a ter apoio político do PSDB em meados dos anos 1990, quando a estatal era presidida por Joel Rennó. Em pouco tempo angariou também o suporte do PMDB, por intermédio de Michel Temer. Henriques saiu da companhia em 1999, aposentado, no mesmo ano em que Rennó foi substituído por Henri Philippe Reichstul. Fora da Petrobras, começou a intermediar negócios com sua ex-empregadora e virou operador do PMDB. Ou seja, passou a destinar a membros do partido propinas de contratos com a estatal.[6]

Sem saber que estava sendo gravado, Henriques contou que sua atuação se estendeu aos governos petistas. Boa parte dos negócios da área Internacional passava por suas mãos. Ele cobrava um percentual sobre os contratos fechados e repassava entre 60% e 70% do valor ao PMDB. Em 2008, quase voltou à Petrobras como diretor Internacional. Ocuparia a vaga de Cerveró, quando este foi transferido para a BR Distribuidora. Entretanto, uma condenação antiga no TCU o impediu de concretizar o sonho de se tornar diretor da petroleira. Diante do revés, ele próprio indicou o amigo Jorge Luiz Zelada para o posto que seria seu. Apesar da frustração, continuaria a trabalhar em parceria com Zelada e permaneceria como um dos lobistas com maior acesso dentro da companhia.[7]

O contrato de serviços de segurança e meio ambiente da Odebrecht, por exemplo, teria sido negociado por ele com aval do senador Romero Jucá, do PMDB. Na época (2009), Jucá era líder do governo no Senado e relator de uma CPI que investigava irregularidades em obras da Refinaria Abreu e Lima e na construção de plataformas. Segundo Henriques, o senador o chamou a Brasília para dizer que havia fechado um acordo com Sergio Gabrielli, então presidente da Petrobras. Gabrielli teria garantido que a estatal assinaria o contrato com a Odebrecht e, em troca, o PMDB enterraria a CPI no Senado. Henriques, portanto, teria recebido sinal verde para fazer a intermediação do negócio entre a Odebrecht e a área Internacional da petroleira.

Jucá, segundo Henriques, teria cumprido o acordo, esvaziando a CPI, que não deu em nada. Gabrielli, no entanto, teria demorado para aprovar o contrato. Diante da dificuldade, o lobista teria proposto que a Odebrecht também pagasse propina ao PT.[8] Em seguida, teria ido atrás do tesoureiro João Vaccari Neto para dizer que a empreiteira estava disposta a ajudar o partido do governo. O contrato foi fechado às vésperas do segundo turno de 2010.

Da propina paga pela empreiteira, o PMDB teria ficado com cerca de US$ 10 milhões. Já o PT teria recebido o equivalente a US$ 8 milhões. Mais tarde, as investigações e as delações premiadas da Lava Jato confirmariam o modus operandi relatado por Henriques. Ele próprio seria preso em setembro de 2015, durante a 19ª fase da Operação Lava Jato, a Nessun Dorma ("Que ninguém durma"), referência à mais famosa ária da ópera *Turandot*, de Giacomo Puccini.

Em 6 de fevereiro de 2014, a revista de economia holandesa *Quote* publicou uma reportagem sobre um esquema de corrupção capitaneado pela empresa SBM Offshore, também holandesa e uma das maiores afretadoras de plataformas de petróleo do mundo. A matéria revelou que a SBM vinha sendo investigada pelo Ministério Público da Holanda por suspeita de ter pagado US$ 250 milhões em propina a autoridades de governos e funcionários de estatais de vários países em troca da obtenção de contratos. Segundo a revista, executivos da Petrobras seriam os principais destinatários do dinheiro sujo, tendo recebido US$ 139 milhões.[9]

O responsável pelo pagamento das propinas seria o empresário Júlio Faerman, representante da SBM no Brasil. A empresa destinava a Faerman 3% do valor de cada contrato fechado com a estatal. Ele ficava com 1% e repassava 2% às contas indicadas pelos executivos. Esquema semelhante havia ocorrido também na Itália, em Angola, no Iraque, na Guiné Equatorial, na Malásia e no Cazaquistão.

A investigação da Justiça holandesa fora aberta com base na denúncia de um ex-funcionário da SBM, o advogado inglês Jonathan Taylor, que trabalhou na empresa de 2003 a junho de 2012. No início de 2012, Taylor iniciou uma investigação interna para apurar uma suspeita de corrupção. Ele era membro do conselho legal da empresa holandesa. A investigação se estendeu até junho, quando o advogado pediu demissão. Em outubro de 2013, ele publicou um relatório sobre o esquema de corrupção patrocinado por sua ex-empregadora na página da própria SBM na Wikipédia. O conteúdo foi tirado do ar, mas a *Quote* fez a reportagem. Segundo o advogado, a SBM queria abafar o caso após a investigação constatar os graves desvios. Já a SBM acusou Taylor de chantagem e tentativa de extorsão.

A reportagem repercutiu no Brasil uma semana depois, em 13 de fevereiro, quando o jornal *Valor Econômico* publicou uma matéria sobre o assunto. O caso ganhou importância, e a Polícia Federal do Rio de Janeiro decidiu abrir uma investigação para apurar a denúncia, no que foi seguida pela Controladoria

Geral da União (CGU). No final de fevereiro, a Câmara dos Deputados criou uma comissão externa de investigação para averiguar o caso na Holanda.

Ao ler as reportagens sobre a SBM, um ex-funcionário da estatal se lembrou de um episódio envolvendo Júlio Faerman. O engenheiro trabalhava em uma equipe que havia desenvolvido uma das primeiras plataformas alugadas da SBM. O equipamento havia entrado em operação em 2003. Certa noite ele chegou em casa e tomou um susto ao abrir um pacote enviado por Faerman. Dentro do embrulho havia um relógio da marca Breitling, que custava US$ 3.500. No dia seguinte, ele chamou todos os colegas da equipe e perguntou quem havia ganhado presente de fim de ano da SBM. "Porque eu ganhei", disse, mostrando o relógio.

O mesmo tinha acontecido com toda a equipe, e junto com a chefia da área os funcionários decidiram devolver os relógios com uma nota de agradecimento. No texto, sugeriram que Faerman doasse os presentes ao Fome Zero, programa lançado naquele ano pelo governo federal. Nem todos os funcionários da Petrobras teriam o mesmo comportamento. O engenheiro Pedro Barusco revelou ter aceitado os "agrados" de Faerman em 1998, mais precisamente US$ 5 mil por mês durante os sete anos de contrato de um navio alugado pela estatal, afirmou o próprio na sua delação. Depois, os contratos se avolumaram e as propinas variaram de US$ 25 mil a US$ 50 mil por mês até 2010, o que lhe rendeu US$ 22 milhões só da SBM.[10]

Outra fonte de questionamentos à estatal era a construção da Refinaria Abreu e Lima, reprovada em fiscalizações do TCU desde as obras de terraplenagem. No final de 2009, o Tribunal recomendou que a Petrobras suspendesse os pagamentos de 2010 às empresas que executavam a construção. Os fiscais do TCU haviam identificado "indícios de irregularidades graves", como sobrepreços e deficiências nos projetos básicos. Também constataram que os editais de licitação restringiam a competição entre as empresas. Naquele ano, além da refinaria, o órgão recomendou a suspensão de recursos para a construção do Complexo Petroquímico do Rio de Janeiro (Comperj), para a modernização da Refinaria Presidente Getúlio Vargas, no Paraná, e para a implantação de um terminal em Barra do Riacho, no Espírito Santo.

A Petrobras e o governo reagiram ao TCU e, em janeiro de 2010, o presidente

Lula vetou a lei orçamentária, liberando os recursos para as quatro obras da petroleira, um total de R$ 13 bilhões para 2010 (apesar de não utilizar recursos da União, a Petrobras tem seus investimentos e despesas aprovados pelo Congresso na lei orçamentária e fiscalizados pelo TCU). Na época, o Planalto ameaçou enviar ao Congresso um projeto de lei para limitar os poderes do Tribunal de Contas. Lula chegou a declarar que o órgão "quase governa o país". O presidente justificou a intervenção alegando que a paralisação das obras provocaria a perda de 25 mil empregos e um prejuízo mensal de R$ 268 milhões, em razão da desmobilização e da degradação das obras já realizadas.[11] Só para a Abreu e Lima foram liberados R$ 6 bilhões em 2010.

Em 2011 e 2012, o Tribunal aconselhou novamente a suspensão de pagamentos para as empreiteiras que construíam a refinaria, mas a sugestão não foi acatada pelo Congresso. Em 2013, no relatório referente à lei orçamentária de 2014, o TCU classificou a obra com a sigla "IG-R", que significa "indícios de irregularidades graves com retenção parcial de valores". Ou seja, a Petrobras não deveria realizar parte dos pagamentos em 2014.[12] Mas o Congresso liberou novamente os recursos. Em 2012, o TCU também havia recomendado a paralisação da construção do Comperj, igualmente liberada.

A frequência de reportagens que mostravam problemas de gestão e indícios de corrupção na Petrobras só aumentava nos últimos tempos. Mas nada se compara com o que aconteceu depois de 18 de março de 2014. Naquele dia, os jornais veicularam que o ex-diretor de Abastecimento da Petrobras, o engenheiro Paulo Roberto Costa, havia sido alvo de uma operação da Polícia Federal. No dia anterior, um grupo de policiais havia revistado a casa e o escritório da Costa Global, empresa que o ex-diretor abrira após a saída da estatal, em 2012. Costa não foi preso, mas foi levado para depor na sede da PF no Rio de Janeiro, graças a um mandado de condução coercitiva. Os investigadores queriam saber por que ele havia ganhado um automóvel Land Rover de presente do doleiro Alberto Youssef, um dos presos da operação batizada de Lava Jato.

Deflagrada em 17 de março e conduzida pela PF de Curitiba, no Paraná, ela investigava um grupo de doleiros suspeito de lavar US$ 10 bilhões obtidos por meio de atividades criminosas, inclusive tráfico de drogas. O delegado Márcio

Adriano Anselmo, que coordenava a investigação, concluiu que o presente recebido por Costa poderia ser uma forma de lavar dinheiro. Na delegacia, Costa negou qualquer irregularidade. Afirmou que havia ganhado o carro como pagamento de serviços de consultoria prestados a Youssef, que era um empresário. Explicou também que o dinheiro vivo (US$ 181 mil, R$ 762 mil e € 10 mil) encontrado em sua casa durante a busca e apreensão seria utilizado em viagens e no pagamento de funcionários.

No dia seguinte, 19 de março, a Petrobras voltou às manchetes de jornal — dessa vez, por causa da Refinaria de Pasadena. O jornal *O Estado de S. Paulo* publicou que a presidente Dilma havia aprovado a compra da refinaria.[13] Dilma presidia o conselho de administração da estatal quando a operação foi realizada, e, portanto, era esperado que ela tivesse dado aval ao negócio. Porém, era a primeira vez que a imprensa tinha acesso a documentos sigilosos da Petrobras que mostravam que a aquisição fora aprovada também pela ministra que havia se tornado presidente da República. A resposta de Dilma ao jornal provocou mais impacto do que a confirmação de que ela aprovara a compra. Em nota, Dilma afirmou que votou a favor da aquisição da refinaria porque recebeu informações incompletas de um "parecer técnico e juridicamente falho".

A justificativa da presidente levou o problema da Petrobras para dentro do Palácio do Planalto. Parlamentares da oposição passaram a questionar por que Cerveró não havia sido demitido, mesmo depois de cometer tamanha falha, como acusara a presidente. Cerveró também se tornou motivo de rusgas entre políticos do governo. Os senadores Renan Calheiros, do PMDB, e Delcídio do Amaral, do PT, passaram a negar a paternidade da indicação do ex-diretor responsável pela operação.

Renan, presidente do Senado, afirmou a jornalistas que Cerveró havia sido indicado por Delcídio, que reagiu: "Eu fui consultado pelo governo por conhecer os quadros da Petrobras, mas foi o Renan quem bancou o nome do Nestor. O Nestor é uma indicação do Renan". A réplica de Renan foi irônica: "O Delcídio deve estar muito preocupado. Não se trata de saber se o Delcídio indicou o Cerveró ou não. O Delcídio tem que ficar despreocupado, porque, certamente, ele não o indicou para o Cerveró roubar a Petrobras. Ele deve ficar tranquilo...".[14] No dia seguinte, 20 de março, a Polícia Federal batia mais uma vez na porta de Paulo Roberto Costa. Dessa vez, para levá-lo preso por ocultação e destruição de provas. Costa havia aproveitado uma falha da polícia para enganar a equipe que fazia a busca e apreensão em sua casa no dia 17.

Ele percebeu quando os policiais pediram ajuda à equipe que deveria vistoriar o escritório da Costa Global (eles precisavam de mais agentes para contar o dinheiro encontrado na casa de Costa, pois não tinham máquina de contar cédulas).[15] O segundo grupo de policiais ainda aguardava o início do horário comercial para entrar no escritório de Costa. O ex-diretor conseguiu avisar a uma das filhas para retirar documentos de seu local de trabalho. Com as duas equipes na casa de Costa, as filhas foram ao escritório do pai e, acompanhadas dos maridos, levaram tudo o que poderia incriminá-lo.[16] Os policiais descobriram a burla e o juiz Sérgio Moro decretou a prisão do ex-diretor.

Costa ficou preso por dois meses, mas foi solto por ordem do ministro Teori Zavascki, do Supremo Tribunal Federal, em 19 de maio. O ex-diretor continuava negando qualquer irregularidade. Chegou a depor na CPI da Petrobras do Senado, em 10 de junho, ocasião em que se declarou injustiçado. Segundo ele, as informações veiculadas eram "inventadas". "Um dia a história vai se explicar e [revelar] quem inventou essa história fantasiosa... Para mim foi muito ruim, porque 35 anos de Petrobras não se joga na lata do lixo como fizeram. Tenho família e nome a zelar", afirmou aos senadores.[17]

No dia seguinte, 11 de junho, Costa foi preso novamente. A Polícia Federal descobriu que ele havia escondido contas no exterior que somavam US$ 23 milhões. O ex-diretor manteve-se calado por mais dois meses, até que a sexta fase da Operação Lava Jato fechou o cerco ao redor de sua família. Em 22 de agosto de 2014, a PF realizou busca e apreensão nas residências e locais de trabalho de suas filhas e genros.

No mesmo dia, Paulo Roberto Costa fechou acordo de colaboração premiada com os procuradores da força-tarefa criada pelo Ministério Público Federal para prosseguir com a investigação. No início de setembro, os jornais começaram a revelar trechos dos depoimentos de sua delação. Costa contou como funcionava o cartel de empreiteiras que se revezavam nas obras da companhia. Também delatou 32 políticos que se beneficiavam do esquema.[18] Admitiu ainda que havia envolvido a família no esquema de corrupção, principalmente os genros, que o ajudavam a receber propina. As filhas, genros e a esposa do ex-diretor também fizeram acordo de colaboração premiada.

Em oitenta depoimentos (que depois aumentaram para 102), as informações passadas pelo ex-diretor apontavam para um gigantesco e sistemático esquema de corrupção implantado no coração da Petrobras. A partir daí a Lava Jato tomou um novo rumo. Seu foco passou a ser a petroleira estatal brasileira, que até pouco tempo era a maior e mais lucrativa empresa do país. Depois de Costa, Alberto Youssef também resolveu falar. A notícia de que ambos haviam aceitado colaborar com a Justiça provocou novas delações de empresários, operadores e outros funcionários da petroleira. A cada confissão, novas frentes de corrupção se abriam e mais nomes poderosos da política e do empresariado eram envolvidos.

Em novembro de 2014, a sétima fase da operação, chamada de Juízo Final, mandou para a cadeia alguns dos maiores empreiteiros do país: Ricardo Pessoa, dono da UTC, apontado como o chefe do cartel; José Adelmário Pinheiro, conhecido como Léo Pinheiro, presidente da OAS; Valdir Lima Carreiro, diretor-presidente da Iesa; Dalton dos Santos Avancini, diretor-presidente da Camargo Corrêa, além do vice, Eduardo Hermelino Leite e do presidente do conselho, João Auler; Gerson Almada, vice-presidente e sócio da Engevix; Erton Medeiros Fonseca, presidente da Galvão Engenharia; Sérgio Cunha Mendes, vice-presidente da Mendes Júnior; Ildefonso Colares Filho, da Queiroz Galvão, e Othon Zanoide, da subsidiária Vital Engenharia.

Nessa fase também foi preso outro ex-diretor da Petrobras, Renato Duque, que comandou a diretoria de Serviços da Petrobras entre 2003 e 2012. Duque controlava praticamente todas as licitações da companhia, com exceção da diretoria Internacional. O lobista Fernando Soares, conhecido como Fernando Baiano, apontado como o operador do PMDB no esquema, também foi para a cadeia. Sua atuação se dava principalmente nas operações da diretoria Internacional, comandadas por Nestor Cerveró, entre 2003 e 2008, e por Jorge Zelada, entre 2008 e 2012.

Além de Costa e Youssef, dois novos delatores foram decisivos para a deflagração da fase Juízo Final. O primeiro foi o ex-gerente de Engenharia Pedro Barusco, braço direito de Renato Duque entre 2003 e 2011. O segundo foi o empresário José Augusto Ribeiro de Mendonça Neto, sócio da Toyo Setal — o mesmo que era sócio da BrasFels, que alugava o estaleiro de Angra dos Reis onde Lula fez um comício em 2002 prometendo que as novas plataformas da Petrobras seriam construídas no Brasil.

Nunca na história do Brasil tantos empresários foram presos por crime de colarinho branco. Quando a delação premiada de Pedro Barusco veio a público, o país se chocou ao saber que o ex-gerente devolveria US$ 97 milhões guardados em contas no exterior, acumulados durante quinze anos de corrupção na estatal.

Dentro da Petrobras, a situação se deteriorou, e muito, após a divulgação pela Justiça da delação de Paulo Roberto Costa em 8 de outubro de 2014. Estava claro que as fraudes cometidas por Costa não eram um caso isolado de corrupção corporativa. A PricewaterhouseCoopers (PwC) comunicou à empresa que não chancelaria o balanço do terceiro trimestre antes de a estatal quantificar as consequências da corrupção sobre seus ativos. A partir daí boa parte do trabalho da diretoria se concentrou em fechar o balanço do terceiro trimestre, previsto para ser divulgado até 14 de novembro. A estatal contratou duas empresas independentes para fazer a reavaliação de seus ativos, a brasileira Trench, Rossi e Watanabe Advogados e a americana Gibson, Dunn & Crutcher. "Foi a maior angústia, um inferno. Como se chega à conta do superfaturamento de uma obra, quando o mercado está cartelizado? Não tínhamos padrão para contabilizar a roubalheira", diz um executivo da companhia envolvido na auditoria.

A estatal não conseguiu fechar o balanço auditado em novembro, dezembro ou janeiro. Pela primeira vez em 61 anos a petroleira não divulgava seu balanço com o aval de uma auditoria independente — um péssimo sinal para uma empresa com ações negociadas em bolsa de valores no Brasil, nos Estados Unidos, em Madri e em Buenos Aires. Além de multas, a companhia corria o risco de que seus credores passassem a exigir pagamento adiantado de seus recebíveis.

As empresas de auditoria contratadas pela estatal compararam o custo de construção de um empreendimento — como uma refinaria, por exemplo — com o preço de um empreendimento similar. Depois de reavaliar 52 ativos (construídos ou comprados a partir de 2004), o estudo chegou à conclusão de que o conjunto estava superavaliado em R$ 61,4 bilhões (31 ativos estariam superavaliados em R$ 88,6 bilhões e 21 ativos estariam subavaliados em R$ 27,2 bilhões).[19] Não era possível, no entanto, separar a parte do sobrepreço das obras (inclusive o pagamento de propinas) de outras razões da desvalorização, como as perdas com depreciação. O cálculo também desconsiderava as sinergias entre os ativos, porque foi feito sob a ótica de empresas que queriam comprar cada ativo separadamente — e a sinergia entre os ativos geraria um valor que só poderia ser aproveitado pela Petrobras.

Ao saber do resultado, a presidente Dilma chamou Graça Foster a Brasília. Ela foi acompanhada de Barbassa, diretor financeiro, e de um contador da companhia. A reunião aconteceu em 25 de janeiro, um domingo à noite, no Palácio da Alvorada. A presidente da República estava preocupada com a divulgação do número, que poderia ser interpretado como sendo resultado exclusivo de corrupção. Tanto Graça quanto Barbassa alegaram que não poderiam omitir o resultado da auditoria, mesmo que o valor não fosse oficialmente incluído no balanço. A apresentação do balanço ao conselho de administração estava marcada para dali a dois dias, e era preciso ter uma posição para apresentar aos conselheiros.

Às dez da manhã do dia 27 de janeiro todos os diretores e seus assistentes estavam a postos no escritório da Petrobras, em São Paulo, para apresentar os resultados do terceiro trimestre de 2014 aos conselheiros. Desde que Guido Mantega se tornara presidente do conselho da estatal, todas as reuniões do colegiado ocorreram na capital paulista ou em Brasília. Mantega nunca compareceu à sede da companhia, no Rio de Janeiro, para reuniões do conselho. A situação era comentada pelos diretores como sendo absurda, já que todos os conselheiros e a diretoria — inclusive vários assistentes dos diretores — tinham de se deslocar por uma questão de comodidade do ministro.

A apresentação começou perto do meio-dia por causa do atraso de Mantega e se estendeu até depois das dez da noite. Foram doze horas de tensão. A diretoria, comandada por Graça, apresentou a metodologia utilizada para calcular o valor auferido com a reavaliação dos ativos — a metodologia havia sido sugerida pela PwC e aprovada pelo conselho no início de dezembro. Quando Graça apresentou a conta, ouviu uma série de argumentos dos conselheiros representantes do governo para que a diretoria não divulgasse o cálculo dos R$ 88 bilhões, que mostrava os ativos superavaliados. Barbassa afirmou que a estatal poderia ser acusada de fraude contábil se não desse publicidade ao levantamento.[20] A companhia estaria sonegando uma informação relevante, que poderia vazar, inclusive porque o trabalho havia sido feito por duas empresas independentes.

Entre os conselheiros, a ministra do Planejamento, Miriam Belchior, foi a mais incisiva contra a divulgação.[21] Em um determinado momento, ela reclamou que havia sido surpreendida pelas informações apresentadas pela auditoria, e que a diretoria não havia revelado esses dados na reunião anterior. "Assusta a gente a informação não ter vindo para a mesa. Aí você se lembra de Pasadena", disse a então ministra do Planejamento. Assim que ela concluiu a frase, os diretores Almir Barbassa e José Formigli (Exploração & Produção) se entreolharam e balançaram a cabeça em sinal de reprovação. Ao mesmo tempo, Graça reagiu: "Não nos confunda com Pasadena. Não nos ofenda", protestou a presidente da estatal. "Se há dúvida, demita a diretoria", completou. Barbassa e Formigli também protestaram, dizendo que a comparação os ofendia. Todos começaram a falar ao mesmo tempo e a reunião se transformou em balbúrdia por alguns minutos. Os diretores também instaram o conselho a demiti-los. Reclamaram que estavam trabalhando duramente para corrigir erros de outras pessoas e afirmaram que se sentiam tão ou mais traídos que os conselheiros, inclusive porque haviam sido enganados por pessoas com quem trabalharam anos, lado a lado. Em seguida, a ministra Miriam e Graça saíram da sala e houve um intervalo para o café.

Quando todos aguardavam o reinício da reunião, a ministra chamou os diretores um a um em uma sala ao lado daquela em que ocorria a reunião. Pediu desculpas a todos. Já passava das dez da noite quando a reunião terminou, com a decisão de o balanço ser divulgado sem a baixa dos ativos. A empresa divulgaria extraoficialmente os estudos realizados e o valor de R$ 88 bilhões, mas afirmaria que ainda não tinha condições de quantificar com segurança os efeitos da corrupção sobre seus ativos. Graça e os quatro diretores já haviam pedido demissão coletiva duas vezes antes da reunião do conselho, mas a presidente Dilma não aceitara, pedindo que ficassem pelo menos até o fechamento do balanço. Depois do que aconteceu na reunião, a diretoria voltou a pedir demissão, oficializada em 4 de fevereiro de 2015. O único a permanecer na estatal foi José Eduardo Dutra, diretor de Serviços Compartilhados, que estava afastado para tratar de um câncer (ele faleceu em outubro daquele ano).

O escolhido por Dilma Rousseff para assumir o lugar de Graça foi Aldemir Bendine, que presidia o Banco do Brasil desde 2009. O anúncio de seu nome, em 6 de fevereiro, derrubou as ações da Petrobras em 7%.[22] Bendine era considerado um tecnocrata permeável a interferências do governo. Foi o escolhido por Lula para reduzir os juros e aumentar o volume de crédito no mercado, uma das políticas do governo para estimular a economia durante a crise financeira internacional.

A primeira missão de Bendine foi fechar o balanço de 2014 auditado, e já com as devidas baixas decorrentes da corrupção revelada pela Lava Jato. Ele cumpriu a missão em 22 de abril de 2015, quando a Petrobras divulgou prejuízo de R$ 21,6 bilhões.[23] O primeiro balanço anual no vermelho desde 1991 foi resultado direto de R$ 44,6 bilhões contabilizados como perdas por desvalorização de ativos (impairment) e outros R$ 6,2 bilhões de perdas com propinas pagas sobre seus contratos. A companhia também registrou R$ 2,8 bilhões de perdas com as obras das refinarias Premium, do Maranhão e do Ceará, que foram abandonadas, além de R$ 4,5 bilhões de um calote que ela levou da Eletrobras. (Em dificuldades financeiras, a estatal do setor elétrico não pagou o gás natural e o óleo combustível fornecidos pela Petrobras às suas usinas térmicas.)

As investigações da Lava Jato continuaram durante todo o ano de 2015 e levaram para a cadeia Nestor Cerveró (em janeiro), Renato Duque (março, pela segunda vez) e Jorge Luiz Zelada (julho), o quarto ex-diretor da Petrobras a ser preso. Outros dois ex-gerentes da estatal foram detidos: Celso Araripe (setembro de 2015), por receber propina de empresas que construíram o edifício administrativo da petroleira no Espírito Santo, e Roberto Gonçalves (novembro de 2015), sucessor de Pedro Barusco na diretoria de Serviços.

Em junho de 2015, a fase Erga Omnes ("vale para todos", em latim) pôs atrás das grades o empresário Marcelo Odebrecht, dono de um dos maiores grupos empresariais brasileiros. Também foi preso Otávio Azevedo, presidente do grupo Andrade Gutierrez, que tem a segunda maior empreiteira e participa do bloco de controle da Oi, operadora de telecomunicações. Entre as empresas envolvidas no escândalo de corrupção da Petrobras, a Odebrecht era a que utilizava o esquema mais sofisticado de pagamento de propina. Movimentava contas no exterior, pertencentes a diferentes empresas offshore, que, por fim, transferiam recursos para outras contas offshore de executivos da estatal.

A polícia também descobriria que a Odebrecht havia realizado pagamentos ao marqueteiro João Santana, responsável pelas três últimas campanhas presidenciais do PT (a segunda de Lula e as duas de Dilma Rousseff). Santana seria preso em fevereiro de 2016, na Operação Acarajé, junto com sua esposa e sócia, Mônica Moura. Depois de colaborarem com a Justiça, os dois foram soltos no início de agosto. O casal assumiu ter recebido dinheiro no exterior de Zwi Skornicki, ex-representante da Keppel Fels, que mantém contratos com a Petrobras e a Sete Brasil. Os valores seriam caixa dois de campanhas do PT, inclusive a que elegeu Dilma Rousseff em 2010. Uma secretária da Odebrecht, presa na mesma fase da Operação, revelaria que o grupo mantinha um departamento financeiro paralelo exclusivo para efetuar pagamentos de propina a políticos e funcionários de estatais e órgãos do governo.

Entre os políticos, os deputados André Vargas (na época do PT-PR), Luiz Argolo (Solidariedade-BA) e Pedro Corrêa (ex-PP-PE) foram os primeiros a ir para a cadeia, em abril de 2015. Em julho, alguns dos mais altos cargos da República foram alvo da operação Politeia ("república", em latim), conduzida pela Procuradoria-Geral da República (PGR), que trata de investigados com foro privilegiado. A Polícia Federal fez busca e apreensão em endereços dos senadores Fernando Collor (PTB-AL), Ciro Nogueira (PP-PI) e Fernando Bezerra Coelho (PSB-PE); do atual deputado Eduardo da Fonte (PP-PE); e dos ex-deputados João Pizzolatti (PP-SC) e Mário Negromonte (PP-BA). Todos são investigados por suspeita de se beneficiar das fraudes na Petrobras.

Nessa fase foram apreendidas obras de arte, R$ 4 milhões em espécie, joias e oito carros de luxo. Três deles saíram da residência de Collor — a Casa da Dinda, em Brasília, célebre desde o período em que o político alagoano foi presidente da República: um Lamborghini (avaliado em R$ 3,5 milhões), uma Ferrari vermelha (R$ 1,5 milhão) e um Porsche (R$ 700 mil).

Em agosto, o ex-ministro José Dirceu voltou para a cadeia enquanto cumpria pena em regime domiciliar por condenação no esquema do mensalão. Sua prisão ocorreu na 17ª fase da Operação, apelidada de Pixuleco, termo usado pelo tesoureiro Vaccari Neto (preso em abril) para se referir a propina. Dois operadores do petrolão, Julio Camargo e Milton Pascowitch, afirmam ter pagado propinas a Dirceu por meio da JD, empresa de consultoria em que o ex-ministro passou a atuar depois de deixar o governo Lula.

O avanço das investigações da força-tarefa, em Curitiba, abasteceu a PGR, em Brasília, com informações sobre o possível envolvimento de quase quatro dezenas de políticos com os desvios na Petrobras. Mais grave ainda, em dezembro de 2015, a Operação Catilinárias, conduzida pela PGR, colocou toda a linha sucessória da presidência da República na mira da Lava Jato: o vice-presidente Michel Temer (PMDB-SP), o presidente da Câmara dos Deputados, Eduardo Cunha (PMDB-RJ), e o presidente do Senado, Renan Calheiros (PMDB-AL). Os três, nessa ordem, se sucederiam na chefia do governo caso houvesse o afastamento da presidente, seguido da queda em série de seus sucessores. (E Dilma seria, de fato, afastada em 12 de maio de 2016, por até 180 dias, para que o Senado julgasse seu processo de impeachment. Uma semana antes, Eduardo Cunha também seria afastado da presidência da Câmara por ordem do Supremo.)

Nos pedidos de busca e apreensão da Catilinárias, o procurador-geral da República, Rodrigo Janot, afirmou ter indícios de que o vice-presidente Michel Temer recebera R$ 5 milhões de um dos sócios da OAS, Léo Pinheiro. O vice-presidente é mencionado em uma troca de mensagens de celular entre Eduardo Cunha e Pinheiro. "Cunha cobrou Léo Pinheiro por ter pago, de uma vez, para Michel a quantia de R$ 5 milhões, tendo adiado os compromissos com a 'turma'", afirmou Janot, conforme a reprodução feita pelo ministro do Supremo Teori Zavascki, que autorizou a operação.[24] Na sequência das mensagens, Pinheiro pediu para Cunha ter "cuidado com a análise, pois poderia mostrar a quantidade de pagamentos dos amigos". A PGR ainda não tinha claro se o valor pago a Temer era propina ou não, mas as mensagens puseram o vice-presidente no radar dos procuradores.

Entre os membros da linha sucessória presidencial, Eduardo Cunha é, de longe, o mais implicado na Lava Jato. Seus endereços residenciais e comerciais foram vasculhados pela Polícia Federal em dezembro de 2015, durante a Operação Catilinárias. Meses antes, o deputado havia sido acusado pelo lobista Julio Camargo — que representava a Samsung Heavy Industries em negócios com a Petrobras — de ter recebido propina sobre a contratação de duas sondas de perfuração construídas em um estaleiro da Samsung na Coreia. Os equipamentos foram encomendados pela diretoria Internacional para explorar petróleo na África e no Golfo do México. Segundo Camargo, como a diretoria Internacional era um feudo do PMDB, ele procurou o operador que distribuía propinas ao partido, Fernando Baiano, que tinha trânsito livre com Cerveró, o diretor da área na época. Fernando teria estabelecido a conexão de Camargo com Cerveró, mas pediria US$ 40 milhões em troca.[25] O valor seria dividido entre o operador, Cerveró, outros executivos da Petrobras e também o PMDB. Camargo só teria de transferir o dinheiro para Baiano, que cuidaria de todos os repasses. Para os procuradores do Ministério Público Federal, Fernando Baiano representava, na verdade, os interesses de Eduardo Cunha.[26]

Um problema com a Samsung levou Camargo a suspender o pagamento das propinas a Baiano. Foi quando o deputado Eduardo Cunha teria entrado pessoalmente na história para forçar o pagamento, segundo a PGR. Ele teria utilizado indevidamente seu cargo parlamentar para constranger Camargo e as empresas que ele representava (a Samsung, a construtora da sonda, e a Mitsui, que entrou de sócia com a Petrobras na encomenda do equipamento). Fez isso apresentando dois requerimentos à Comissão de Fiscalização Financeira e Controle da Câmara, pedindo para que a Mitsui prestasse esclarecimentos sobre possíveis irregularidades em contratos firmados com a estatal. Segundo a Procuradoria, os requerimentos foram, na verdade, uma chantagem para que os pagamentos da propina fossem realizados.[27] Os pedidos de esclarecimento foram apresentados pela então deputada Solange Almeida (PMDB-RJ), aliada de Cunha. Durante a investigação, porém, a Polícia Federal constatou que os requerimentos apresentados por Solange foram feitos em um computador do gabinete de Cunha.

Em 2011, Cunha teria cobrado Camargo pessoalmente em uma reunião ocorrida no Rio de Janeiro. Depois do encontro, Camargo acabou realizando o pagamento com recursos próprios. A maior parte da propina teria sido depositada em contas no exterior indicadas por Fernando Baiano. O restante fora pago em espécie e por meio de transferências a uma igreja frequentada por Cunha, "sob a falsa alegação de que se tratavam de doações religiosas".[28] Depois de negar a versão de Julio Camargo por vários meses, Baiano afirmou ter repassado R$ 4 milhões em dinheiro a Cunha.[29] Segundo o lobista, porém, o deputado não participou das negociações desde o começo. Baiano só teria procurado o parlamentar para tentar receber de Julio Camargo. Se a pressão de Cunha surtisse efeito, sustenta o delator, ele doaria 20% do valor recebido à campanha do deputado.

Em setembro de 2015, o Ministério Público da Suíça informou aos procuradores brasileiros a descoberta de recursos do deputado naquele país (o que provocou a abertura de um processo de cassação do mandato de Cunha, que havia afirmado na CPI da Petrobras não possuir recursos fora do país). Em março de 2016, o deputado se tornou réu no âmbito da Lava Jato, entrando para a história como o primeiro presidente da casa a responder a uma ação penal. Em maio, Cunha foi afastado do mandato parlamentar e, consequentemente, da presidência da Câmara. O STF acatou o pedido do procurador-geral da República, que argumentou que o deputado usava o cargo para atrapalhar as investigações da Lava Jato. Entre outras manobras, Cunha estaria por trás da convocação da advogada Beatriz Catta Preta para depor na CPI da Petrobras na Câmara. A convocação teria o objetivo de constranger a advogada, que trabalhou em diversos acordos de colaboração premiada, inclusive o de Julio Camargo, que delatou pagamento de propinas a Cunha.

Ao determinar o afastamento de Cunha da presidência da Câmara, o ministro Teori Zavascki afirmou: "... não há a menor dúvida de que o investigado não possui condições pessoais mínimas para exercer, neste momento, na sua plenitude, as responsabilidades do cargo de presidente da Câmara dos Deputados, pois ele não se qualifica para o encargo de substituição da Presidência da República, já que figura na condição de réu no inquérito 3.983, em curso neste Supremo Tribunal Federal". Cunha ainda resistiria por dois meses afastado, mas renunciaria à presidência da Câmara em julho de 2016, na tentativa de salvar seu mandato parlamentar.

O presidente do Senado, Renan Calheiros, terceiro na linha sucessória da presidência da República, foi implicado por Fernando Baiano e Nestor Cerveró. Ambos afirmaram que Calheiros teria dividido US$ 6 milhões com Jader Barbalho.[30] A propina seria proveniente da encomenda da sonda Petrobras 10.000, construída na Coreia também pela Samsung. O presidente do Senado ainda foi acusado por Paulo Roberto Costa. O ex-diretor afirmou que Calheiros lhe deu apoio para permanecer na diretoria de Abastecimento. Em troca, recebia parte da propina gerada pelos contratos de sua diretoria. Disse, porém, que o senador nunca tratava diretamente com as empreiteiras. Em seu lugar, enviava o deputado federal Aníbal Gomes.[31] O presidente do Senado também foi acusado de receber propina da Transpetro, presidida entre 2003 e 2015 por Sérgio Machado, indicado por Calheiros. Os endereços de Machado também foram alvo de buscas e apreensão da Operação Catilinárias, assim como os do deputado Aníbal Gomes e da sede do PMDB de Alagoas, reduto de Calheiros.

* * *

Em março de 2016, o ex-presidente Luiz Inácio Lula da Silva foi abordado pela primeira vez pela Lava Jato. Seus endereços foram vasculhados e o ex-presidente foi levado a depor na base aérea do Aeroporto de Congonhas, em cumprimento de um mandado de condução coercitiva. Lula entrou na mira das investigações depois da descoberta de que a empreiteira OAS reformara luxuosamente uma cobertura tríplex que a PF e o MPF suspeitam pertencer ao ex-presidente da República. O imóvel, localizado no Guarujá, litoral de São Paulo, fica em um edifício que começou a ser construído pela Bancoop, Cooperativa Habitacional dos Bancários de São Paulo, presidida por Vaccari Neto, ex-tesoureiro do PT, entre 2004 e 2010, ano em que a Cooperativa quebrou. Um ano antes, em 2009, a OAS assumiu a conclusão de quatro empreendimentos que, assim como vários outros da Cooperativa, estavam com as obras paralisadas por falta de recursos.

No caso do condomínio do Guarujá, entregue em 2014, a empreiteira deu especial atenção a uma das coberturas, a que seria repassada à família Lula, segundo os investigadores. Além da reforma, que incluiu um elevador dentro do apartamento de três andares, a OAS pagou a mobília da cozinha e de uma suíte, que custou R$ 380 mil.[32] Dona Marisa Letícia, ex-primeira-dama, compareceu ao local diversas vezes, inclusive na cerimônia de entrega da obra, quando foi recepcionada pelo então presidente da OAS, o empresário Léo Pinheiro. O presidente Lula também esteve presente nessa ocasião. Depois que o caso se tornou público, a família nunca mais apareceu no prédio. (O caso Bancoop começou a ser investigado pelo Ministério Público de São Paulo em 2007. Vaccari tornou-se réu por corrupção, estelionato e lavagem de dinheiro, acusado de desviar R$ 70 milhões da Cooperativa, que prejudicou, pelo menos, 8 mil cooperados.)

Fora o apartamento no Guarujá, as investigações apontaram para um sítio usado pela família Lula em Atibaia, no interior de São Paulo. A propriedade foi comprada por Fernando Bittar, filho de um velho amigo de Lula, Jacó Bittar, ex-petroleiro, sindicalista, fundador do PT e ex-prefeito de Campinas. O sítio teria sido comprado a mando de Jacó Bittar, para que Lula e a família tivessem um local de descanso depois que ele deixasse a presidência da República. O filho de Bittar e seu sócio adquiriram o imóvel, que, em seguida, foi ampliado e reformado.[33] As obras teriam sido realizadas inicialmente por José Carlos

Bumlai, a pedido de dona Marisa e de Fernando Bittar. A primeira-dama teria feito o pedido durante uma visita dos três à propriedade, em 2010. Em depoimento à PF, em agosto de 2016, o pecuarista afirmou que chegou a contratar um engenheiro para cuidar da obra. Dias depois, no entanto, foi avisado que o trabalho não estava caminhando a contento e que uma "construtora de verdade" assumiria a reforma. Depois disso, o serviço foi assumido pelas empreiteiras Odebrecht e OAS.

Os policiais e procuradores da República acreditam que o sítio era, na verdade, destinado apenas à família do ex-presidente. A propriedade teria sido comprada pelos Bittar apenas para ocultar o patrimônio de Lula. As reformas, tanto do apartamento quanto do sítio, podem ser vantagens indevidas decorrentes de contratos obtidos pelas empreiteiras na Petrobras. Ou seja, lavagem de dinheiro disfarçada de presentes. Durante a busca e apreensão no sítio, os policias federais encontraram apenas pertences da família Lula. Inclusive os dois pedalinhos estacionados no lago da propriedade levam os nomes dos netos do ex-presidente. Os materiais de construção foram pagos pela Odebrecht, e o engenheiro responsável pela obra era funcionário da empreiteira. Já a mobília da cozinha foi paga pela OAS, como aconteceu no apartamento do Guarujá.

A força-tarefa da Lava Jato ainda investiga se os R$ 21 milhões pagos à LILS Palestras, empresa de palestras do ex-presidente, entre 2011 e 2014, são referentes a palestras efetivamente realizadas pelo ex-presidente. Há dúvida se parte dos valores não passa de propina decorrente de contratos da Petrobras. Empresas envolvidas no cartel da Petrobras desembolsaram quase R$ 10 milhões por palestras à LILS. A investigação também se estende às doações feitas no mesmo período ao Instituto Lula, que recebeu R$ 35 milhões de grupos empresariais, sendo R$ 20 milhões oriundos de empreiteiras envolvidas no escândalo da Petrobras.[34]

Em 2015, a Lava Jato já havia revelado todo o modus operandi e as principais operações do esquema de corrupção instalado na Petrobras desde 2003. Segundo os investigadores da PF e do MPF, é possível, e até provável, que algumas das fraudes permaneçam ocultas. Todos, porém, comemoravam o fato de a estatal ter passado por um processo de profunda depuração em consequência das investigações. Em 25 de novembro de 2015, no entanto, a prisão do senador Delcídio do Amaral revelou que nem toda a sujeira que veio à tona durante as investigações da Lava Jato é garantia de que a Petrobras seja blindada contra novos esquemas de corrupção. Delcídio — que era líder do partido do governo no Senado — foi preso pela PF sob a acusação de tentar atrapalhar as investigações, comprando o silêncio de Nestor Cerveró.

As provas contra o parlamentar eram irrefutáveis. Ele havia sido gravado por Bernardo Cerveró, filho de Nestor, que permanecia preso desde janeiro de 2015. Na gravação, o senador oferecia ajuda para a família do ex-diretor e discutia um plano de fuga, caso ele conseguisse sair da prisão para responder à Justiça em liberdade.[35] Uma semana antes da gravação, Bernardo afirmou aos procuradores ter recebido uma oferta de R$ 50 mil mensais do senador.

Delcídio havia sido chefe de Cerveró entre 1999 e 2001, quando ocupou a diretoria de Gás e Energia da estatal, pouco antes de se tornar político. Bernardo decidiu gravar o encontro com o parlamentar para que seu pai tivesse novos elementos para fechar um acordo de delação premiada com o Ministério Público. Ele também desconfiava que Delcídio havia cooptado o advogado de seu pai, Edson Ribeiro, para que ele dissuadisse Cerveró de colaborar com a Justiça. O ex-diretor vinha resistindo a fazer delação por orientação de Ribeiro. Com o passar do tempo, outros acusados fecharam acordos com a Justiça e Cerveró não tinha mais novidades a oferecer ao Ministério Público.

A gravação feita por Bernardo Cerveró foi explosiva. Na conversa, Delcídio deixa claro que estava lá para ajudar a família de Cerveró e que, para isso, contaria com recursos do banqueiro André Esteves, sócio do BTG Pactual. Esteves arcaria com a ajuda financeira, desde que o ex-diretor não falasse à Justiça a respeito de uma operação realizada entre a BR Distribuidora e a Aster Petróleo, rede de postos de combustíveis da qual o BTG Pactual era sócio. O senador descreve a Bernardo como teria sido a conversa com Esteves:

DELCÍDIO DO AMARAL: Bom, aí eu cheguei lá, sentei com o André, falei: 'Ó André, eu tô com o pessoal... Já falei com o Edson, vou conversar com o Bernardo. É, eu acho que é importante agora a gente encaminhar definitivamente aquilo que nós conversamos. É, você mesmo me procurou, né?'. Até pra [inaudível] que ele me procurou. Ele tava preocupado, né, especialmente com relação àquela operação (...) dos postos... Ele disse: 'Não, Delcídio. Não tem problema nenhum. Ó, eu tô interessado. Eu preciso resolver isso, ó. O meu banco é enorme. Se eu tiver problema com o meu banco eu tô fudido... Ó, eu quero ajudar, quero atender o advogado, quero atender a família. Ajudo. Sou companheiro'.[36]

Em 2011, a Aster fechou contrato com a BR Distribuidora para usar a marca BR nos cerca de 120 postos de abastecimento de sua propriedade. A operação resultou no pagamento de propina ao senador Fernando Collor de Mello e seu operador, Pedro Paulo Leoni Ramos, o PP, que fora ministro de seu governo e permanece como fiel escudeiro até os dias de hoje.[37] Os delatores Alberto Youssef e Rafael Ângulo Lopez (que transportava dinheiro para o doleiro) haviam afirmado que as propinas destinadas ao senador somavam R$ 3 milhões, pagos no Brasil, e US$ 2 milhões, depositados em uma conta no exterior.[38] Collor teria recebido carta branca dos presidentes Lula e Dilma para nomear diretores da BR. Youssef e Ângulo haviam delatado Collor, PP e a Aster Petróleo, mas não tinham como comprometer diretamente André Esteves. Já Cerveró, que fora diretor financeiro da BR entre 2008 e 2014, poderia jogar o banqueiro na rota do furacão Lava Jato. E era isso que Esteves queria evitar por meio da intervenção de Delcídio. Não deu certo. André Esteves foi preso no mesmo dia que Delcídio, seu assessor parlamentar Diogo Ferreira (que também estava na reunião gravada) e o advogado Edson Ribeiro.

Durante a gravação de 1h34, Delcídio comprometeu a si mesmo e várias outras pessoas. Disse que era hora de centrar fogo no Supremo Tribunal Federal para conseguir libertar Cerveró com um habeas corpus que aguardava julgamento naquele tribunal. Falou que já havia conversado com os ministros do STF. Tudo para, supostamente, ajudar o amigo encarcerado. Também afirmou que o vice-presidente Michel Temer havia conversado com o ministro Gilmar Mendes sobre a Lava Jato. Temer, segundo o senador, estaria muito preocupado com a situação de Jorge Zelada, também preso em Curitiba.

> DELCÍDIO DO AMARAL: Eu acho que nós temos que centrar fogo no STF agora, eu conversei com o Teori [Zavascki], conversei com o [Dias] Toffoli, pedi para o Toffoli conversar com o Gilmar [Mendes], o Michel [Temer] conversou com o Gilmar também, porque o Michel tá muito preocupado com o [Jorge] Zelada, e eu vou conversar com o Gilmar também.

Em outro trecho da conversa, Delcídio diz que, uma vez livre, o ex-diretor deveria fugir do país. "Agora, a hora que ele sair, tem que ir embora mesmo", sugere o senador. Bernardo Cerveró diz ao petista que estava pensando em uma rota de fuga pela Venezuela, e que o "melhor jeito" seria fugir de barco. Delcídio discorda e sugere que a melhor saída seria pelo Paraguai.

DELCÍDIO DO AMARAL: Tem que pegar um Falcon 50 [modelo de avião], alguma coisa assim. Aí vai direto, vai embora. Desce na Espanha. [...] Falcon 50, o cara sai daqui e vai direto até lá.

Em determinado momento, o advogado de Cerveró resume para Delcídio o acordo que havia supostamente fechado com seu cliente:

EDSON RIBEIRO: Só pra colocar. O que que eu combinei com o Nestor é que ele negaria tudo com relação a você [Delcídio] e tudo com relação ao [...]. Tudo. Não é isso? Tá acertado isso. Então não vai ter. Não tendo delação, ficaria acertado isso. Não tendo delação, tá? E se houvesse delação, ele também excluiria.

É possível que muitas das afirmações do senador Delcídio Amaral não passassem de meros engodos para tentar mostrar seu empenho em ajudar a família Cerveró e conseguir comprar o silêncio do ex-diretor da Petrobras e da BR Distribuidora. Mas um trecho da conversa, quase no fim do encontro, é revelador das intenções do político e do advogado em relação à Petrobras.

EDSON: Aqueles dois nomes... É possível ou não é possível?
DELCÍDIO: É possível!
EDSON: Então tá. Pelo seguinte... É que me perguntaram... Se eu vou definir... Porque senão a gente tenta... Palocci ou alguma coisa...
DELCÍDIO: Não! É possível! E... e... vai ser agora.
EDSON: Então tá.
DELCÍDIO: Agora que nós vamos, porque ele não conseguiu fazer um movimento.
EDSON: Não!
EDSON: Se conseguíssemos fazer a gerência de TI, já era... O ideal era fazer uma diretoria só de TI. Porque vai de tudo.
DELCÍDIO: É, mas não dá.

EDSON: Esse era o ideal.

DELCÍDIO: É! Mas não tem jeito. Tem que fazer a gerência de TI. Porque a gerência de TI... ela não é atividade fim. É atividade meio. E ninguém enche o saco.

EDSON: Não, mas podia fazer uma gerência de TI, tirando tudo que é TI...

DIOGO (ASSESSOR DE DELCÍDIO): ... das outras gerências. Juntaria todas.

EDSON: Porque tem TI na Engenharia, TI... Porra! Faz só TI. Seria o ideal. É 1 bilhão de orçamento. Então, você faz tudo.

DELCÍDIO: É, mas na verdade é o seguinte. Hoje, na engenharia, tem uma TI que atende a companhia. Quem que é o cara que tá na TI, lá? Sabe, eu não conheço...

EDSON: Álvaro.

DELCÍDIO: Álvaro?

EDSON: E o meu candidato é o Edson Feitosa dos Santos.

DELCÍDIO: Esse... o candidato você já passou pra gente.

EDSON: Esse Álvaro é o gerente de TI.

DELCÍDIO: Mas ele já está há muito tempo?

EDSON: Não sei.

DELCÍDIO: Eu vou ver direitinho isso. Porque TI não está na linha de frente e ó!

EDSON: Não!

DELCÍDIO: É o que você falou. Tem o orçamento de 1 bilhão.

Durante o diálogo, fica claro que o advogado Edson Ribeiro pretendia indicar um funcionário de carreira da estatal para o cargo de gerente executivo de Tecnologia da Informação. Delcídio, por sua vez, se mostrou empenhado em realizar o pedido. O parlamentar revela, ainda, a estratégia de ocupar uma área menos visada na empresa, porque assim "ninguém enche o saco". Ambos revelam também que o orçamento a ser assumido pelo gerente era um fator relevante para a indicação.

Procurado, o funcionário Edson Feitosa dos Santos afirmou que nunca viu ou conversou com o advogado que mencionou seu nome na gravação. Feitosa trabalha na área de TI de Gás e Energia. Perguntado por que uma pessoa que não o conhece o indicaria para um cargo de alta gerência, ele disse não saber. Explicou que depois de tomar conhecimento da gravação começou a pesquisar como Ribeiro teria chegado a seu nome. Descobriu que um ex-chefe, que gostava muito do trabalho dele, conhecia uma pessoa que se relacionava com o advogado Edson Ribeiro. Uma possibilidade, diz Feitosa, é que esse ex-chefe tenha mencionado seu nome ao tal conhecido — a quem Feitosa também não conhece — e que este o tenha indicado a Ribeiro. A versão é possível, porém improvável. Mais improvável ainda porque o ex-chefe de Feitosa, o ex-diretor Richard Olm, faleceu em 2012. Perguntado por que Ribeiro o indicaria sem avisá-lo, principalmente por ter demonstrado no diálogo com Delcídio que estava interessado no orçamento da área TI, Feitosa disse não ter a mínima ideia. E garantiu que jamais se prestaria a desviar recursos da Petrobras. Por fim, afirmou que nunca foi questionado por superiores ou qualquer outra pessoa da companhia sobre o assunto.

Não é possível entender pelo diálogo que poderes Ribeiro teria para indicar um gerente na empresa, nem por que Delcídio pretendia ou parecia pretender atendê-lo. Ribeiro mostra, inclusive, a pretensão de mudar o organograma da companhia, criando uma diretoria de TI. Assim, todos os contratos seriam concentrados sob responsabilidade de seu indicado. Também não é possível saber a quem Delcídio se refere quando diz "... ele não conseguiu fazer um movimento". Só é possível entender que "ele" é uma pessoa com poder de nomear executivos na companhia.

Ribeiro parece — ou tenta parecer — bem informado sobre o que acontece na estatal. Diz que Graça Foster continua mandando na companhia e mostra a cópia de um possível novo organograma em elaboração na época. O senador critica a estrutura mostrada por Ribeiro e pede para levar o papel embora. Delcídio ainda comete uma indiscrição. Fala que Aldemir Bendine, presidente da estatal, é uma espécie de "rainha da Inglaterra". Segundo ele, Ivan Monteiro, o diretor Financeiro, teria mais poder que o presidente. O parlamentar também confidencia que Dilma é quem despacha com os executivos da Petrobras, não o ministro de Minas e Energia Eduardo Braga.

O mais desalentador é que o diálogo entre Delcídio e o advogado Edson Ribeiro mostra que a Petrobras continuava refém de interesses escusos, mesmo depois de quase dois anos de Operação Lava Jato.

Linha do tempo

DÉCADA DE 1950

1953

Em 3 de outubro, Getúlio Vargas cria a Petróleo Brasileiro S.A. ao sancionar a Lei nº 2.004. A Petrobras nasce estatal, controlada pela União e detentora do monopólio da exploração e da produção de petróleo no país. O monopólio estatal não era o plano original de Vargas, mas foi reivindicado pela União Democrática Nacional (UDN) e pela campanha "O petróleo é nosso", promovida por estudantes, partidos de esquerda e militares. O general Juracy Magalhães é nomeado presidente da empresa.[1]

1954

A Petrobras começa a funcionar em 10 de maio com quatro campos de petróleo na Bahia (que produzem 2.700 barris/dia); a refinaria de Mataripe (BA), que processava 5 mil barris/dia; 22 navios petroleiros; uma refinaria e uma fábrica de fertilizantes, ambas em construção, em Cubatão, no litoral paulista. Todos os ativos tinham sido herdados do Conselho Nacional do Petróleo, órgão do governo que antes desempenhava as atividades do setor.[2]

1955

O geólogo americano Walter Link é recrutado na Standard Oil de New Jersey para estruturar a área de exploração da estatal. Ele contrata a Universidade Stanford, da Califórnia, para desenvolver o curso de geologia de petróleo para os engenheiros da companhia.

É inaugurada a refinaria Presidente Bernardes, em Cubatão (SP), a primeira de grande porte do país, com capacidade para processar 60 mil barris/dia (quase um terço dos derivados consumidos no Brasil).[3]

DÉCADA DE 1960

1960
Em agosto, Walter Link apresenta à alta direção da estatal o "Relatório Link", como ficou conhecida a avaliação das bacias sedimentares brasileiras. A conclusão é que o Brasil não terá grandes volumes de petróleo em terra. A estatal deve investir na produção em países árabes, onde o petróleo é barato, e na exploração offshore. Link é execrado Brasil afora e acusado de trabalhar para interesses estrangeiros. Deixa a Petrobras no ano seguinte.

1961
A Refinaria Duque de Caxias (Reduc), na Baixada Fluminense, entra em operação com capacidade de processar 90 mil barris/dia. Sem encontrar petróleo, a empresa corre para aumentar a capacidade de refino e importar óleo cru, em vez de derivados.

1962
A petroleira atinge a produção de 100 mil barris/dia de petróleo.[4]

1963
Fundação do Centro de Pesquisa e Desenvolvimento (Cenpes), que reúne todas as atividades de pesquisa tecnológica da Petrobras. É o maior da América Latina.

1964
Até o golpe de 1º de abril, seis dos oito presidentes da Petrobras haviam sido militares. O mais famoso deles, o general Ernesto Geisel, assumiria a empresa em

1969 e só a deixaria em julho de 1973, oito meses antes de assumir a presidência da República.

1967
Criação da Petrobras Química S.A. (Petroquisa). A primeira subsidiária da estatal, será responsável por implantar a indústria petroquímica no país.

1968
Primeira descoberta de petróleo offshore: Campo de Guaricema, no litoral de Sergipe.

Depois de quase oito anos de construção, são inauguradas as refinarias Gabriel Passos (Regap), em Betim (MG), e Alberto Pasqualini (Refap), em Canoas (RS).

DÉCADA DE 1970

1971
É criada a BR Distribuidora (Petrobras Distribuidora S.A.).[5]

1972
Em maio, é inaugurada a Refinaria Planalto Paulista (Replan), em Paulínia (SP), com capacidade para processar 126 mil barris/dia. A Replan fora construída em 28 meses, prazo praticado por alemães, americanos e japoneses.[6]

Em junho, entra em operação o Polo Petroquímico de Capuava, no ABC Paulista, o maior da América Latina à época.

Criação da Braspetro (Petrobras Internacional S.A.) para explorar e produzir petróleo no exterior.

1973
Em 16 de outubro de 1973, países árabes cortam o fornecimento de petróleo para os Estados Unidos e a Europa, que haviam declarado apoio a Israel na Guerra

do Yom Kippur. O preço do barril quadruplica para quase US$ 12 em três meses. É o primeiro choque do petróleo.

1974

A descoberta do Campo de Garoupa, na Bacia de Campos, no litoral do Rio de Janeiro, abre uma nova fase na história da Petrobras, até então uma empresa essencialmente de refino.

1975

Em outubro, é lançado o Programa Nacional do Álcool (Pró-Álcool). O objetivo é diminuir o consumo de gasolina, em resposta ao choque do petróleo. A Petrobras é encarregada de comprar toda a produção das usinas de álcool e distribuir o combustível pelo Brasil.

1977

Começa a produção de petróleo na Bacia de Campos. Enchova é o primeiro campo da região a produzir comercialmente.

É inaugurada a Refinaria Presidente Getúlio Vargas (Repar), em Araucária, no Paraná, com capacidade para processar 125 mil barris/dia.

1978

Inauguração do Polo Petroquímico de Camaçari, na Bahia.

1979

Segundo choque do petróleo. Com a Revolução Islâmica no Irã, o preço médio do barril dobra, atingindo US$ 31. Os preços permanecerão em alta até 1985, e a importação de petróleo será a principal responsável pela escalada da dívida externa brasileira (de US$ 56 bilhões, em 1979, para US$ 105 bilhões, em 1985).[7]

Começa a venda de álcool como combustível automotivo no país.

A Bacia de Campos já tem treze campos descobertos, mas a produção de petróleo não passa de um quinto do consumo nacional, que explode nos anos 1970.

A Petrobras passa a operar o primeiro supercomputador do país, o IBM-3090.

DÉCADA DE 1980

1980
A Refinaria Henrique Lage (Revap), em São José dos Campos, no Vale do Paraíba (SP), começa a funcionar com capacidade para processar 188 mil barris/dia.

1982
Entra em operação o terceiro Polo Petroquímico do país, em Triunfo (RS).

1984
A Petrobras descobre Albacora, na Bacia de Campos, o primeiro campo gigante do país (com mais de 1 bilhão de barris recuperáveis).

Em fevereiro, um incêndio em um oleoduto que passa sob a favela de Vila Socó, em Cubatão, provoca a morte de 93 pessoas e ferimentos em 4 mil. Também em agosto, um vazamento de gás gera um incêndio de grandes proporções na plataforma de Enchova, matando 39 funcionários e ferindo mais de 40.

A petroleira atinge a produção diária de 500 mil barris de óleo equivalente com o avanço da extração na Bacia de Campos.

1985
Começa o período de redemocratização. O último presidente militar, o general João Batista Figueiredo, é substituído por Tancredo Neves, eleito indiretamente. Tancredo morre antes da posse e o vice, José Sarney, assume.

Descoberta de Marlim, outro campo gigante na Bacia de Campos.

A estatal substitui mergulhadores por robôs e realiza uma "completação de poço" (instalação de equipamentos dentro do poço) a 383 metros de profundidade, um recorde mundial.

1988

Um vazamento de gás provoca um incêndio que destrói completamente a plataforma de Enchova, na Bacia de Campos.

A petroleira inicia produção a 492 metros de profundidade, no Campo de Marimbá, na Bacia de Campos, e supera o seu próprio recorde mundial.

Começa a produção de óleo e gás no Campo de Urucu, no coração da Floresta Amazônica. Descoberto dois anos antes, Urucu apresenta um dos óleos mais leves — e, portanto, mais nobres — do país.

1989

A escalada inflacionária dos últimos anos e o controle de preço dos combustíveis imposto pelo governo fragilizam a situação financeira da companhia. A Petrobras termina o ano com US$ 1,3 bilhão a receber da União e das estatais (soma dos subsídios aos combustíveis, bancado pela petroleira, com calotes de outras estatais).[8]

Seis presidentes passam pela companhia em cinco anos.

A produção de petróleo atinge 675 mil barris/dia de óleo equivalente.[9]

Fernando Collor de Mello é eleito em novembro.

DÉCADA DE 1990

1990

Em março, Collor determina o fechamento da Interbras, trading criada em 1976 pela Petrobras para vender produtos brasileiros no exterior. O objetivo, na época, era gerar dólares para o pagamento das importações de petróleo.

O presidente da estatal, Luís Otávio da Motta Veiga, pede demissão em outubro e denuncia que pessoas muito próximas ao presidente Collor — Paulo César Farias, o PC, tesoureiro da campanha, e Marcos Coimbra, cunhado e secretário-

-geral de gabinete do presidente — o vinham pressionando a fazer uma operação prejudicial à Petrobras para beneficiar a companhia aérea Vasp.

1991

A Petrobras registra o primeiro prejuízo anual (US$ 237 milhões) em seus 39 anos. O reajuste dos combustíveis não acompanha a inflação, que fecha o ano em 458%.[10]

1992

Tecnologias de robótica submarina, sistemas de sensoriamento remoto e novos métodos de perfuração de poços em águas ultraprofundas conferem à estatal o prêmio mais importante da indústria de petróleo, o Offshore Technology Conference (OTC), conhecido como o Oscar do petróleo.

Uma série de reportagens denuncia o "Esquema PP", como ficou conhecido o escândalo que envolveu Pedro Paulo Leoni Ramos (conhecido como PP), secretário de Assuntos Estratégicos de Collor. Empresários ligados a PP se envolvem em uma série de negócios ilícitos com a estatal.

1993

Os governos do Brasil, já presidido por Itamar Franco, e da Bolívia assinam acordo que prevê a construção do Gasoduto Bolívia-Brasil (Gasbol) e a importação de gás natural boliviano por vinte anos.

A Petrobras continua a redução de sua participação no setor petroquímico, processo iniciado no governo Collor.

1995

Fernando Henrique Cardoso toma posse como presidente da República em 1º de janeiro.

Em 3 de maio, começa a greve que duraria 32 dias, a mais longa da história da Petrobras. Os petroleiros protestam contra a proposta de quebra do monopólio estatal enviada ao Congresso por FHC. A greve é considerada abusiva, e tropas do Exército ocupam as refinarias para permitir que elas funcionem parcialmente.

Em 9 de novembro, FHC promulga emenda constitucional que acaba com o monopólio da Petrobras na pesquisa, lavra, refino e transporte de óleo e gás. A União passa a poder contratar outras empresas, além da Petrobras, para realizar atividades relacionadas a óleo e gás.

1996
É descoberto o campo gigante de Roncador (com cerca de 3 bilhões de barris de petróleo), na Bacia de Campos.

1997
Depois de FHC enviar uma carta aos senadores, comprometendo-se a não privatizar a Petrobras, o Congresso aprova a Lei do Petróleo (9.478/97), que estabelece as novas regras do setor. A União passará a leiloar blocos a empresas do mundo todo. Até então, apenas 4% das bacias sedimentares brasileiras haviam sido exploradas.

É criada a Agência Nacional do Petróleo (ANP), que regulará o setor e promoverá os leilões de blocos exploratórios.

A petroleira supera a produção diária de 1 milhão de barris de óleo equivalente.

1998
A ANP concede à Petrobras o direito de explorar 397 blocos. São áreas onde a estatal já produzia petróleo e também aquelas em que a empresa se comprometia a iniciar produção em até três anos.

A Agência começa a preparar a liberação de preço dos combustíveis, historicamente definido pelo governo. A Petrobras adota uma fórmula de reajuste mensal. O método de reajuste de preços vai de julho de 1998 ao fim de 2001.

A Petrobras supera a marca de 1,2 milhão de barris de óleo equivalente por dia. A Bacia de Campos é responsável por 78% da produção.

1999
É inaugurada a primeira etapa do Gasoduto Bolívia-Brasil. São 1.968 quilômetros que ligam Santa Cruz de la Sierra a São Paulo.

Joel Rennó deixa a presidência da estatal depois de seis anos e quatro meses no cargo, o mais longevo até ali. O economista Henri Philippe Reichstul inicia a maior reestruturação de gestão e governança já ocorrida na companhia. O objetivo é prepará-la para competir no mercado aberto, sem monopólio.

Em junho, a ANP realiza o primeiro leilão de blocos exploratórios, abrindo, de fato, o mercado de exploração e produção de petróleo no Brasil (o que não acontecerá com o refino). Dez novas empresas arrematam quinze dos 27 blocos oferecidos. Os leilões tornam-se anuais.

DÉCADA DE 2000

2000

Pela primeira vez na história a Petrobras divulga ao mercado seus planos Estratégico e de Negócios, e passa a atualizá-los e divulgá-los anualmente.

Em agosto, a estatal lança American Depositary Receipts, ou ADRs (recibos lastreados por ações) na Bolsa de Nova York. Os papéis se valorizam quase 20% no primeiro dia, fechando em US$ 28,62. No Brasil, mais de 312 mil trabalhadores se tornam acionistas da estatal, aplicando R$ 1,6 bilhão do FGTS em ações da petroleira.

A P-36, maior plataforma semissubmersível do mundo, começa a operar no Campo de Roncador, litoral do Rio de Janeiro. A plataforma produz óleo e gás a 1.877 metros de profundidade, novo recorde mundial.

A Petrobras entra, às pressas, no setor de geração de energia para ajudar o governo a evitar um racionamento de eletricidade. O racionamento acontece em 2001, e os contratos fechados pela empresa se transformam em um prejuízo bilionário.

2001

Em 15 de março, três explosões sucessivas na plataforma P-36 matam onze funcionários. Cinco dias depois, a P-36 submerge, levando para o fundo do mar uma estrutura de 40 mil toneladas.

Em maio, a Petrobras vence pela segunda vez o prêmio Offshore Technology Conference (OTC), justamente pelos avanços alcançados em Roncador.

Em setembro, a petroleira torna-se a primeira empresa do país a ter nota de classificação de risco acima — três níveis acima — do rating soberano, ou seja, do país (a nota reflete a capacidade de uma empresa ou país de honrar suas dívidas).

A produção ultrapassa 1,5 milhão de barris/dia de óleo equivalente.

2002
Em 1º de janeiro, o preço dos combustíveis é liberado. Pela primeira vez na história, a Petrobras pode definir o preço de seus produtos. Porém, em agosto, pouco antes do início da campanha presidencial, o governo FHC manda a empresa baixar o preço do gás de cozinha.

O presidente Luiz Inácio Lula da Silva é eleito.

2003
A ministra de Minas e Energia Dilma Rousseff anuncia que será o governo, não a Petrobras, que definirá o preço dos combustíveis.

A Petrobras cancela as concorrências internacionais de plataformas e anuncia que os equipamentos serão construídos no país.

O governo cria o Programa de Mobilização da Indústria Nacional de Petróleo e Gás Natural (Prominp) para concentrar os investimentos da Petrobras em empresas instaladas no Brasil. O lema do Prominp, criado por Duda Mendonça, marqueteiro da campanha de Lula, é "tudo o que puder ser feito no Brasil será feito no Brasil".

2004
A diretoria de Gás e Energia inicia o processo de aquisição das térmicas a gás iniciadas antes e durante o racionamento de 2001. Os contratos fechados na época haviam causado mais de US$ 1 bilhão de prejuízos à estatal. A Petrobras se tornaria uma das maiores geradoras de eletricidade do país. Em 2016, é a terceira maior em capacidade garantida de geração.[11]

2005

As investigações do mensalão revelam que Silvinho Pereira, então secretário-geral do PT, ganhara um jipe Land Rover da empreiteira GDK, fornecedora da Petrobras. A investigação não avança para a estatal.

A petroleira alcança rating na categoria grau de investimento. A nota funciona como um selo de segurança para investidores e credores, pois significa que a empresa tem plenas condições de honrar suas dívidas.

Em setembro, a companhia anuncia a construção de uma refinaria em conjunto com a estatal venezuelana PDVSA, no valor previsto de US$ 2,4 bilhões. Batizada de Abreu Lima, será erguida na região do porto de Suape, em Pernambuco. Em dezembro, os presidentes Lula e Hugo Chávez, da Venezuela, lançam a pedra fundamental da refinaria.

2006

Em março, a Petrobras compra da trading belga Astra a metade da Refinaria de Pasadena, nos Estados Unidos, por US$ 359 milhões. Menos de um ano antes, a Astra havia comprado a refinaria inteira por US$ 42,5 milhões, mas essa informação só viria a público em 2012, pela imprensa.

Em 21 de abril, feriado de Tiradentes, o presidente Lula dá a partida na P-50, na Bacia de Campos, e anuncia a autossuficiência brasileira na produção de petróleo. O volume produzido (1,87 milhão de barris/dia) é superior ao consumo de derivados (1,83 milhão de barris/dia). A campanha publicitária da autossuficiência custa R$ 36 milhões e é coordenada por Duda Mendonça, já envolvido no escândalo do mensalão.[12]

Em junho, Lula lança a pedra fundamental do Complexo Petroquímico do Rio de Janeiro (Comperj), localizado em Itaboraí, na região metropolitana da capital fluminense.

Em julho, a Petrobras anuncia a descoberta de óleo leve no pré-sal. O reservatório está localizado em águas ultraprofundas, abaixo de 2.200 metros de lâmina d'água e de 5.300 metros de camadas de rochas, entre elas uma de 2.000 metros de sal (daí o nome pré-sal, pois o petróleo se formou abaixo da camada de sal). A descoberta parece grande, mas é preciso avaliar o tamanho da jazida.

A Petrobras alcança a produção de 2 milhões de barris/dia de óleo equivalente.

2007

Em 8 de novembro, a Petrobras confirma que a jazida de petróleo descoberta no pré-sal é a maior já encontrada no país, com reservas estimadas entre 5 bilhões e 8 bilhões de barris. O preço do barril beira US$ 100.

A ANP retira os blocos na área do pré-sal que seriam leiloados no final do ano, e o governo anuncia que estudará um novo modelo de exploração. Os investimentos avançam mais que a capacidade de geração de caixa da estatal e o endividamento começa a aumentar.

A Petrobras faz aquisições bilionárias no setor petroquímico. Primeiro, compra a Ipiranga — em consórcio com a Braskem e o grupo Ultra — por US$ 4 bilhões. Em seguida, paga R$ 4,1 bilhões pela Suzano Petroquímica (somando as dívidas assumidas). Os valores das duas aquisições são considerados excessivos pelo mercado. Por fim, a Petrobras integra seus ativos petroquímicos na Braskem, do grupo Odebrecht, tornando-se minoritária na sociedade.

2008

Em 21 de maio, o barril de petróleo rompe a barreira dos US$ 130 pela primeira vez na história.

Em 22 de maio, o barril chega a US$ 135 e a Petrobras atinge US$ 309 bilhões de valor de mercado em bolsa. No dia do recorde, a estatal só valia menos que a ExxonMobil, entre todas as empresas de capital aberto dos Estados Unidos.[13]

Em setembro, começa a produção do primeiro óleo do pré-sal no Campo de Jubarte, no litoral do Espírito Santo (descoberto depois de Tupi).

O governo suspende os leilões de blocos exploratórios, que vinham sendo realizados anualmente desde 1999, até que se decida um novo modelo de exploração para as áreas do pré-sal.

Nestor Cerveró é substituído por Jorge Zelada na diretoria Internacional e assume o cargo de diretor financeiro da BR Distribuidora.

Em dezembro, Lula garante que a Petrobras não cortará investimentos por causa da crise financeira mundial, que estourara em setembro: "Não haverá diminuição nas obras da Petrobras em nem US$ 1 por conta da crise".[14]

2009

Na contramão da indústria, a Petrobras anuncia que investirá US$ 174 bilhões até 2013. O valor é 55% maior que o divulgado no ano anterior. As refinarias Premium I e II, no Maranhão e no Ceará, são confirmadas pela empresa.

Em 1º de maio, Lula dá a partida simbólica da produção de petróleo no Campo de Tupi, no pré-sal da Bacia de Santos.

Em julho é instalada uma Comissão Parlamentar de Inquérito (CPI) para investigar irregularidades na Petrobras, entre elas a suspeita de superfaturamento na Refinaria Abreu e Lima. A CPI acaba em novembro sem encontrar desvios. Atualmente, investiga-se a denúncia de que a oposição tenha recebido R$ 10 milhões desviados da Petrobras para neutralizar as investigações.

DÉCADA DE 2010

2010

Em junho, a Petrobras anuncia que investirá US$ 224 bilhões até 2014, o maior volume de investimento entre as empresas listadas na Bolsa de Nova York.

A estatal realiza a maior capitalização da história mundial, arrecadando US$ 70 bilhões.[15] Desse total, US$ 42,5 bilhões vão para o Tesouro, na forma de pagamento de 5 bilhões de barris de petróleo comprados da União. Essa é a forma de a União não ter de colocar dinheiro na capitalização e não ser diluída com a entrada de novos acionistas. Apenas US$ 27 bilhões entram no caixa da empresa.

2011

Em janeiro, Dilma Rousseff assume a presidência da República.

Também em janeiro, os preços internacionais da gasolina e do diesel ultrapassam os praticados pela Petrobras no mercado doméstico, mas a inflação está em alta e o governo não permite que a estatal faça reajustes.

2012

Em fevereiro, José Sergio Gabrielli é substituído por Graça Foster, que dirigia a área de Gás e Energia.

Até setembro, quatro diretores são substituídos: Guilherme Estrella (E&P), Renato Duque (Serviços), Paulo Roberto Costa (Abastecimento) e Jorge Zelada (Internacional).

A meta de produção para 2020 é reduzida em 800 mil barris/dia de óleo equivalente.

A importação de gasolina quase dobra em relação a 2011, e a Petrobras paga mais caro pelo derivado do que cobra no mercado doméstico.

2013

Em outubro de 2013, a Venezuela desiste da Refinaria Abreu e Lima e a Petrobras assume a construção do ativo. O orçamento da obra já chega a US$ 18,5 bilhões, em vez dos US$ 2,5 bilhões inicialmente previstos.

Graça Foster apresenta fórmula de reajuste dos combustíveis ao conselho de administração, mas não é autorizada a aplicá-la. Os reajustes concedidos pelo governo ficam longe de repor a defasagem dos preços.

2014

Em 17 de março, é deflagrada a Operação Lava Jato. Paulo Roberto Costa, ex-diretor da estatal entre 2004 e 2012, é levado a depor. A Polícia Federal quer saber por que ele recebeu um carro de R$ 250 mil do doleiro Alberto Youssef, um dos presos na operação. Três dias depois, Costa é preso.

Depois de ser solto em maio pelo STF, Paulo Roberto Costa é preso novamente, em junho, quando as autoridades brasileiras descobrem US$ 23 milhões pertencentes a ele em bancos suíços.

Em junho, a Petrobras alcança a produção de 500 mil barris/dia de petróleo no pré-sal, oito anos após a primeira descoberta (2006). É um recorde para a produção em águas ultraprofundas. No Golfo do México foram necessários dezenove anos; no Mar do Norte, nove.

Em setembro, vêm a público os depoimentos da delação premiada de Paulo Roberto Costa.

Em novembro, o ex-diretor de Serviços Renato Duque é preso; ele será solto em dezembro pelo STF.

Também em novembro, o ex-gerente Pedro Barusco, braço direito de Duque, fecha acordo de delação premiada e entrega planilhas detalhadas com as propinas cobradas em noventa obras da estatal. Barusco devolve US$ 97 milhões acumulados ilicitamente entre 1998 e 2014.

A estatal não consegue fechar o balanço do terceiro trimestre, pois a empresa de auditoria externa exige que a empresa calcule os efeitos da corrupção sobre o balanço.

A Refinaria Abreu e Lima começa a operar precariamente em dezembro. O segundo trem de refino não tem data para ficar pronto.

Chega a US$ 45 bilhões a estimativa de perda de receita da estatal com a defasagem dos preços dos combustíveis entre 2011 e 2014 (o cálculo é interno da empresa, mas tem de ser mantido em sigilo).

2015

Em janeiro, Nestor Cerveró, ex-diretor internacional (2003 a 2008) e ex-diretor da BR Distribuidora (2008 a 2014), é preso por tentar movimentar recursos para o nome da filha.

Em fevereiro, todos os diretores pedem demissão e Graça Foster, sem alternativa, também pede para sair. Aldemir Bendine, ex-presidente do Banco do Brasil, assume a estatal.

A Petrobras perde o grau de investimento das agências de classificação de risco.

Em 16 de março, Renato Duque é preso novamente quando as autoridades brasileiras descobrem € 20 milhões do ex-diretor no Principado de Mônaco.

Em abril, a companhia divulga o balanço de 2014 com prejuízo de R$ 21,6 bilhões, devido à perda de R$ 44 bilhões por desvalorização de ativos (impairment) e R$ 6,2 bilhões com o desvio de propinas.

Em maio, a Petrobras recebe pela terceira vez o prêmio OTC, em Houston, nos Estados Unidos, pelo conjunto de tecnologias desenvolvidas para a produção no pré-sal.

Em 2 de julho, Jorge Zelada é o quarto ex-diretor da estatal a ser preso. A PF descobrira que ele escondia € 11 milhões em uma conta em Mônaco. Zelada fora o sucessor de Cerveró na diretoria Internacional, entre 2008 e 2012.

Em agosto, o ex-ministro José Dirceu é preso sob a acusação de receber, por meio de sua empresa de consultoria, propinas geradas por contratos da Petrobras. O ex-tesoureiro do PT João Vaccari Neto já havia sido detido em abril por receber para o partido propinas relacionadas à estatal.

Em 24 de novembro, o pecuarista José Carlos Bumlai, amigo de Lula, é preso na fase Passe Livre, da Lava Jato (ele tinha acesso livre ao gabinete presidencial nas gestões Lula). As investigações concluem que, em 2004, ele havia contraído um empréstimo fraudulento de R$ 12 milhões no banco Schahin para quitar dívidas do PT. O empréstimo, que não foi pago pelo partido, acabou perdoado pelo banco em 2009, depois que outra empresa do grupo Schahin fechou um contrato de US$ 1,6 bilhão com a Petrobras para operar uma sonda da estatal no exterior. Nestor Cerveró e seus gerentes recebem propina pela contratação.

No dia seguinte, o senador Delcídio do Amaral é preso sob a acusação de tentar comprar o silêncio de Nestor Cerveró. Na mesma fase da Lava Jato, são detidos o banqueiro André Esteves, do BTG Pactual, um assessor de Delcídio e o advogado de Cerveró.

Em dezembro, a Operação Catilinárias, desdobramento da Lava Jato no Supremo, realiza busca e apreensão nos endereços de Eduardo Cunha, então presidente da Câmara. Além de Cunha, são alvos da operação dois ministros (Henrique Alves, do Turismo, e Celso Pansera, de Ciência e Tecnologia), ex-ministros, deputados e senadores.

2016
Em fevereiro, a Lava Jato deflagra a fase Acarajé, em que são presos João Santana, marqueteiro do PT, e sua mulher e sócia, Mônica Moura. A PF descobrira que eles receberam recursos desviados da estatal.

Em março, a Petrobras divulga o resultado de 2015 com prejuízo de R$ 34,8 bilhões.

Em 3 de março, vem a público que Delcídio do Amaral havia fechado acordo de colaboração premiada. Ele afirma que o ex-presidente Lula lhe pedira para tentar impedir que Nestor Cerveró delatasse o envolvimento do amigo Bumlai no petrolão. O filho do pecuarista teria assumido os pagamentos à família Cerveró depois que o banqueiro André Esteves desistira da operação.

No dia seguinte, o ex-presidente Lula é levado a depor pela PF em nova fase da Lava Jato, que investiga o envolvimento dele e de seus familiares com desvios na Petrobras. Lula teria sido beneficiado por empreiteiras que saquearam a estatal.

Ainda em março, Marcelo Odebrecht é condenado a mais de dezenove anos de prisão. Em seguida, a PF realiza novas buscas nas empresas do grupo e descobre um departamento exclusivo para pagamento de propinas.

Em abril, a Lava Jato deflagra a fase Carbono 14 (que remete à solução de crimes antigos). São presos o empresário Ronan Maria Pinto e o ex-secretário-geral do PT, Sílvio Pereira. Outro alvo da operação é o pecuarista José Carlos Bumlai, que já estava preso. Parte do dinheiro emprestado por Bumlai do banco Schahin teria sido repassada a Ronan Maria Pinto, condenado por participar de um esquema de corrupção na prefeitura de Santo André, na gestão do petista Celso Daniel. A PF e o MPF investigam se o pagamento a Pinto tem ligação com uma suposta chantagem feita por ele ao PT, relacionada à morte de Celso Daniel. A denúncia havia sido feita, em 2012, pelo publicitário Marcos Valério, condenado no mensalão, e reaparecera na delação de Delcídio do Amaral.

Em 8 de maio, a produção no pré-sal alcança 1 milhão de barris de óleo equivalente por dia. São 40% da produção da companhia.

Em 12 de maio, o Senado aprova o processo de impeachment da presidente Dilma Rousseff, que permanecerá afastada do cargo por até 180 dias. Eduardo Cunha havia sido afastado da presidência da Câmara uma semana antes. O vice Michel Temer assume o país.

Em 31 de maio, Aldemir Bendine é substituído na presidência da estatal por Pedro Parente (ex-ministro do governo Fernando Henrique Cardoso e responsável pelo gerenciamento da crise de energia de 2001).

Parente afirma que a companhia tem carta branca para definir o preço de seus produtos.

A nova gestão pretende vender, até meados de 2017, US$ 15 bilhões em ativos para fazer caixa. O plano de desinvestimento inclui a venda de participações da BR Distribuidora, da Transpetro e de plantas de fertilizantes e termelétricas. Em julho, a estatal anuncia a venda de sua participação (66%) em um bloco exploratório do pré-sal, na Bacia de Santos, por US$ 2,5 bilhões. A área conta com a descoberta do Campo de Carcará e é adquirida pela estatal norueguesa Statoil.

Em julho, a Petrobras atinge 1,32 milhão de barris/dia de óleo equivalente produzidos no pré-sal.

Em agosto, a empresa anuncia lucro de US$ 370 milhões no segundo trimestre de 2016, após três trimestres de prejuízos consecutivos. A dívida da companhia é de US$ 103 bilhões,[16] a terceira maior entre todas as empresas listadas na Bolsa de Nova York.

Notas

INTRODUÇÃO (PP. 7-15)

1. *Economática*.

2. A capitalização arrecadou US$ 69,9 bilhões em setembro de 2010; porém, US$ 42,5 bilhões foram usados para comprar reservas da União no pré-sal que somam 5 bilhões de barris de petróleo.

3. Dossiê *A Era Vargas*, Sérgio Tadeu de Niemeyer Lamarão e Regina da Luz Moreira, FGV CPDOC http://cpdoc.fgv.br/producao/dossies/AEraVargas2/artigos/EleVoltou/Petrobras.

4. *Estranhas catedrais — As empreiteiras brasileiras e a ditadura civil-militar*, Editora da UFF, 2014.

CAPÍTULO 1 — O POLICIAL, O DOLEIRO E O JUIZ (PP. 17-30)

1. Termo de colaboração nº 51 de Alberto Youssef; depoimento de Meire Poza à Polícia Federal e ao MPF.

2. Termo de colaboração nº 51 de Alberto Youssef; anexo 17 do acordo de colaboração premiada de Rafael Ângulo Lopez.

3. Termo de colaboração nº 51 de Alberto Youssef, página 3; depoimento de Meire Poza à Polícia Federal e ao MPF.

4. O inquérito foi enviado para a justiça estadual do Maranhão, que aceitou denúncia contra João Guilherme de Abreu. Ele responde a dois processos na 3ª Vara Criminal do Tribunal de Justiça do Maranhão.

5. "O talentoso Alberto Youssef, banqueiro central do mercado paralelo no Brasil", Francisco Marcelino e Sabrina Valle, *Bloomberg*, 14/1/2015.

6. Sentença do processo nº 2003.7000039531-9.

7. Afirmação de Youssef ao promotor Silvio Marques, do Ministério Público Estadual de São Paulo, em delação premiada em 2004.

8. "Considerações sobre a operação Mani Pulite", artigo de Sérgio Fernando Moro.

9. Termo de colaboração nº 80 de Paulo Roberto Costa.

10. Apurado com a Polícia Federal.

CAPÍTULO 2 — "NÃO POSSO REVELAR MEUS SÓCIOS" (PP. 31-40)

1. O Comperj é composto por três projetos: Refinaria Trem 1, Refinaria Trem 2 e Petroquímicos. O valor refere-se a todas as obras necessárias para a entrada em operação da Refinaria Trem 1 e aos investimentos de infraestrutura compartilhada para a implantação de Trem 2 e Petroquímicos.

2. Termo de colaboração nº 1 de Alberto Youssef.

3. Termo de colaboração nº 80 de Paulo Roberto Costa.

CAPÍTULO 3 — EFEITO CAIXA DE PANDORA (PP. 41-61)

1. Sentenças dos processos nºs 5012331-04.2015.4.04.7000 (Setal Óleo e Gás e outras empreiteiras), 5083258-29.2014.404.7000 (Camargo Corrêa e UTC), 5083351-89.2014.404.7000 (Engevix), 5083360-51.2014.404.7000 (Galvão Engenharia), 5083376-05.2014.404.7000 (OAS), 5036528-23.2015.4.04.7000 (Odebrecht), 5036518-76.2015.4.04.7000 (Andrade Gutierrez) e 5083401-18.2014.404.7000 (Mendes Júnior), prolatadas pela 13ª Vara Federal Criminal de Curitiba.

2. Termos de colaboração nºs 1 e 35 de Paulo Roberto Costa.

3. Termo de colaboração nº 35 de Paulo Roberto Costa; sentença do processo nº 5045241-84.2015.4.04.7000, em que Vaccari é condenado.

4. Termo de declaração nº 1 de Alberto Youssef.

5. Termo de colaboração nº 1 de Alberto Youssef.

6. Termo de colaboração nº 14 de Alberto Youssef.

7. Termos de colaboração nºs 13 e 68 de Paulo Roberto Costa; termo de colaboração nº 14 e termo de declaração complementar nº 18 de Alberto Youssef.

8. Termo de declaração complementar nº 27 de Alberto Youssef prestado à Procuradoria--Geral da República.

9. Termo de colaboração nº 3 e termo de declaração complementar nº 20 de Paulo Roberto Costa; petição nº 5.252 da PGR ao STF, que originou o inquérito nº 3.977.

10. Termo de colaboração nº 3 e termo de declaração complementar nº 20 de Paulo Roberto Costa.

11. Termo de colaboração nº 7 de Paulo Roberto Costa; petição nº 5.255 da PGR ao STF, que originou o inquérito nº 3.986.

12. Termo de colaboração nº 4 de Paulo Roberto Costa; delações de ex-executivos da Andrade Gutierrez homologadas pelo STF também afirmam pagamento de propina ao ex-governador em várias obras no estado do Rio, inclusive R$ 2,5 milhões pelo contrato de terraplenagem do Comperj.

13. Termo de colaboração nº 5 de Paulo Roberto Costa; termo de colaboração nº 33 de Alberto Youssef; petição nº 5.209 da PGR ao STF, que originou o inquérito nº 4.005.

14. Termos de colaboração nºs 14 e 43 e termo de declaração complementar nº 19 de Paulo Roberto Costa; termo de colaboração nº 35 e termo de declaração complementar nº 7 de Alberto Youssef; petição nº 5.288 da PGR ao STF, que originou os inquéritos nºs 3.998 e 3.989.

15. Idem à anterior.

16. Idem à anterior.

17. Petição nº 5.256 da PGR ao STF, que originou o inquérito nº 3.985.

18. Termo de colaboração nº 10 de Paulo Roberto Costa; inquérito nº 3.988 aberto pela PGR.

19. Termo de colaboração nº 16 de Paulo Roberto Costa; processo nº 501572604.2015.4.04.7000 na 13ª Vara Federal Criminal de Curitiba.

20. Petições nºs 5.260, 5.276, 5.277, 5.279, 5.281, 5.289 e 5.293 da PGR ao STF, que originaram o inquérito nº 3.989.

21. Idem à anterior.

22. Termo de colaboração nº 6 de Paulo Roberto Costa.

23. Idem à anterior.

24. Termo de colaboração nº 40 de Paulo Roberto Costa.

25. Idem à anterior.

26. Petições nºs 5.274 e 5.254 da PGR ao STF, que originaram os inquéritos nºs 3.984, 3.989 e 3.993.

27. Petição nº 5.265 da PGR ao STF, que originou os inquéritos nºs 3.989 e 3.991.

28. Idem à anterior.

29. Termo de colaboração nº 36 de Paulo Roberto Costa.

30. Sentença da ação penal nº 5036528-23.2015.4.04.7000, da 13ª Vara Federal Criminal de Curitiba.

31. Termo de colaboração nº 38 de Paulo Roberto Costa.

32. Idem à anterior.

33. Sentença do processo nº 5036528-23.2015.4.04.7000, prolatada pela 13ª Vara Federal de Curitiba (itens 22, 31, 123, 162 referem-se a Bernardo Freiburghaus, apesar de o juízo ter

desmembrado o processo [nº 5039296-19.2015.404.7000] pelo fato de ele estar foragido na Suíça); termo de colaboração nº 38 de Paulo Roberto Costa.

34. Termos de colaboração nºˢ 38 e 44 de Paulo Roberto Costa.
35. Idem à anterior.
36. Idem à anterior.
37. Idem à anterior.
38. Termos de colaboração nºˢ 28, 38 e 44 de Paulo Roberto Costa.
39. Termos de colaboração nºˢ 38 e 44 de Paulo Roberto Costa.
40. Petição nº 5.264 da PGR ao STF, que originou inquérito nº 3.990.
41. Termo de colaboração nº 52 de Paulo Roberto Costa.
42. Termos de colaboração nºˢ 38 e 68 de Paulo Roberto Costa.
43. Idem à anterior.
44. Termo de colaboração nº 38 de Paulo Roberto Costa.
45. Termo de colaboração nº 36 de Paulo Roberto Costa.
46. *Economática*.
47. O Ministério Público Federal ainda não havia decidido o valor do ressarcimento a cada empresa até maio de 2016.
48. *Economática*.
49. Dados da Petrobras.
50. Dados da Petrobras e da ANP.
51. Centro Brasileiro de Infra Estrutura (CBIE).
52. *Economática*.

CAPÍTULO 4 — DE PEITO ESTUFADO (PP. 62-77)

1. *O tatu saiu da toca — Histórias da internacionalização da Petrobras*, livro produzido pela Petrobras, página 27.
2. Banco Central do Brasil, dívida externa bruta, séries temporais.
3. "Veículos de passeio e uso misto", www.biodieselbr.com.
4. *O tatu saiu da toca — Histórias da internacionalização da Petrobras*, livro produzido pela Petrobras, página 30.

CAPÍTULO 5 — "NÃO DEMITO AMIGOS" (PP. 78-85)

1. Depoimento ao Projeto Memória Petrobras.
2. "Collor quer reestruturar a Petrobras", *O Estado de S. Paulo*, 4/2/1990.
3. "Poço de problemas", *Veja*, 26/4/1989.

4. "Petrobras apura denúncia de extorsão", *O Estado de S. Paulo*, 29/11/1988.
5. "Conselho pedirá demissões no caso BR", *O Estado de S. Paulo*, 13/12/1988.
6. "Mansur usava o escritório de Nóbrega", *O Estado de S. Paulo*, 15/12/1988.
7. "Petrobras fechará deficitária Petromisa", *O Estado de S. Paulo*, 25/22/1989.

CAPÍTULO 6 — A PRIMEIRA GRANDE TENTATIVA DE ASSALTO (PP. 86-102)

1. Em entrevista concedida à autora em dezembro de 2014.
2. Idem à anterior.
3. O Ministério da Economia foi um superministério criado por Collor que, atualmente, equivaleria às pastas da Fazenda, do Planejamento e do Desenvolvimento, Indústria e Comércio Exterior.
4. "Os quatro atos do Plano Collor", João Borges e Ribamar Oliveira, *O Estado de S. Paulo*, 23/3/1990.
5. "A estrela de PP", *Veja*, 1º/4/1992.
6. "Eu não quis colaborar", Elio Gaspari, *Veja*, 17/6/1992.
7. Relatório final da Comissão Parlamentar de Inquérito (CPI) do Senado Federal destinada a apurar as irregularidades cometidas em fundos de pensão de estatais e na Petrobras, páginas 39 e 40.
8. Relatório final da Comissão Parlamentar de Inquérito (CPI) do Senado Federal destinada a apurar as irregularidades cometidas em fundos de pensão de estatais e na Petrobras, página 15.
9. Idem à anterior, página 40.
10. "Leoni interfere em negócios de estatal", Suely Caldas e Rosane de Souza, *O Estado de S. Paulo*, 22/3/1992.
11. "Registro revela ligação entre firmas suspeitas", Luiz Guilhermino, *O Estado de S. Paulo*, 28/3/1992.
12. Depoimento prestado em 29/4/1992, inquérito nº 339/92, Superintendência Regional do Rio de Janeiro.
13. Em entrevista concedida à autora no segundo semestre de 2014.
14. Depoimentos à Polícia Federal (IPL 339/92), Superintendência Regional do Rio de Janeiro; João Carlos de Luca (29/4/1992) e Alfeu de Melo Valença (1º/5/1992).
15. Depoimento prestado em 29/4/1992, inquérito nº 339/92, Superintendência Regional do Rio de Janeiro; relatório final da Comissão Parlamentar de Inquérito (CPI) do Senado Federal destinada a apurar as irregularidades cometidas em fundos de pensão de estatais e na Petrobras, página 41.

16. "Polícia prova ação de PP na Petrobras", Suely Caldas, *O Estado de S. Paulo*, 22/7/1992.

17. Relatório final da Comissão Parlamentar de Inquérito (CPI) do Senado Federal destinada a apurar as irregularidades cometidas em fundos de pensão de estatais e na Petrobras, página 43; "Polícia prova ação de PP na Petrobras", Suely Caldas, *O Estado de S. Paulo*, 22/7/1992.

18. Em entrevista concedida à autora.

19. Relatório final da Comissão Parlamentar de Inquérito (CPI) do Senado Federal destinada a apurar as irregularidades cometidas em fundos de pensão de estatais e na Petrobras, páginas 291 e 292.

20. Idem à anterior.

21. "Eles ganharam muito dinheiro", *O Estado de S. Paulo*, 21/2/1993.

22. Inquérito nº 3.883; denúncia apresentada pela PGR em 20/8/2015.

23. Inquérito nº 3.990 aberto pela PGR; denúncia oferecida em 18/12/2015, páginas 63 a 98.

24. Idem à anterior.

25. Idem à anterior.

26. Idem à anterior.

27. Idem à anterior.

CAPÍTULO 7 — O FIM DE UM TABU (PP. 103-14)

1. IGPM.

2. Instrumento de contabilidade criado em 1966 para registrar os valores devidos pela União à Petrobras em razão da diferença de preço dos derivados de petróleo no mercado doméstico e no mercado internacional. A União não "pagava" diretamente a estatal, mas permitia que a petroleira cobrasse mais de um produto (gasolina, por exemplo) para compensar as perdas com outro (óleo diesel).

3. "Dívida federal com a Petrobras é de US$ 3,6 bi", *Folha de S.Paulo*, 30/8/1992.

4. Idem à anterior.

5. "Em poucos dias sai reajuste, diz Rennó", *Folha de S.Paulo*, 20/11/1992.

6. "Para maior controle, ministros presidirão conselho de estatais", *O Estado de S. Paulo*, 2/6/1983.

7. "Petrobras ameaça demitir sindicalistas", *O Estado de S. Paulo*, 23/3/95.

8. A ANP foi um dos agentes criados pela Lei do Petróleo (9.478/97) para viabilizar o novo modelo do setor. É a Agência que promove os leilões de blocos de exploração, por exemplo. Trata-se de uma autarquia ligada ao Ministério de Minas e Energia que tem o papel de implementar as políticas estabelecidas pelo Conselho Nacional de Política Energética

(CNPE), também criado pela Lei. Ela é responsável por regular, promover (por meio de licitações), aprovar e fiscalizar todas as atividades relacionadas a exploração, produção e distribuição de óleo, gás e biocombustíveis.

9. "Petrobras cancela contrato de US$ 546 milhões", Lourival Sant'Anna, *O Estado de S. Paulo*, 18/5/1999.

10. "Obtenção de seis contratos gerou suspeitas", Lourival Sant'Anna, *O Estado de S. Paulo*, 18/5/1999.

11. "Petrobras pode cancelar outros contratos", Lourival Sant'Anna, *O Estado de S. Paulo*, 19/5/1999.

12. "Empresa vai atrasar entrega de 6 plataformas à Petrobras", Irany Tereza, *O Estado de S. Paulo*, 14/8/1998.

13. "Marítima quer receber até US$ 1 bilhão da Petrobras", Fernando Dantas, *O Estado de S. Paulo*, 18/9/2000.

14. "Relatório apócrifo lança suspeitas", Lourival Sant'Anna, *O Estado de S. Paulo*, 19/5/1999.

15. "Estou sendo perseguido", Marcelo Onaga, *Exame*, 4/5/2001; "Prestadora de serviços quer ser indenizada em US$ 2 bilhões", Nicola Pamplona, *O Estado de S. Paulo*, 6/12/2002.

16. "Petrobras explica intervenção no contrato da plataforma P-36", *O Estado de S. Paulo*, 22/5/1999.

CAPÍTULO 8 — UM CAVALO DE PAU NA PETROBRAS (PP. 115-28)

1. "The next shock?", *Economist*, 6/3/1999.

2. O Cebrap é uma instituição sem fins lucrativos fundada em 1969 por um grupo de professores universitários, muitos deles afastados de universidades brasileiras pelo regime militar. É dedicado ao estudo de temas ligados a política e a economia brasileira. Fernando Henrique Cardoso foi um dos fundadores.

3. "Reichstul foi preso e torturado em 70", Luiz Antônio Ryff, *Folha de S.Paulo*, 25/3/1999.

4. O conceito de déficit público nasceu no início da década de 1980, quando as contas do governo estavam em frangalhos, principalmente por causa dos prejuízos constantes das estatais — o que não era o caso da Petrobras, lucrativa. A partir daí, investimentos, contratações e todo tipo de despesa das estatais passaram a ser controlados pelo governo central. A Petrobras, apesar de ter receita própria, também ficava submetida às regras de contenção.

5. A nota de classificação de risco, também chamada de "rating", mede a capacidade de

uma companhia ou de um país honrar suas dívidas. O rating é dado por agências de classificação de risco como a Fitch Ratings, a S&P e a Moody's.

6. Ilha localizada na Baía de Guanabara e conectada à Reduc. É ocupada por reservatórios de armazenamento de petróleo e derivados.

7. "Pressão sobre FHC dá cabo da PetroBrax", Daniela Nahas, Sérgio Torres e Kennedy Alencar, *Folha de S.Paulo*, 29/12/2000.

8. "De pé e vitoriosa, depois do susto", Consuelo Dieguez, *Exame*, nº 770, 1º/7/2002.

9. Em entrevista concedida à jornalista Miriam Leitão, na GloboNews, 9/4/2002.

10. "Petrobras admite que pode rever sistema de reajustes quinzenais", *Folha de S.Paulo*, 11/4/2002.

capítulo 9 — blindada, mas nem tanto (pp. 129-46)

1. "PMDB ganha diretoria na Petrobras", Denise Rothenburg, *Correio Brasiliense*, 15/6/1999.

2. Em entrevista concedida à autora no primeiro semestre de 2015.

3. "Filhote da Petrobras", *IstoÉ Dinheiro*, 4/8/2001.

4. Resolução nº 49, de 20 de setembro de 2001, Câmara de Gestão da Crise de Energia Elétrica.

5. "Petrobras compra térmicas da El Paso e encerra disputa", Cláudia Schüffner, *Valor Econômico*, 3/2/2006.

6. Ata nº 1.206 do conselho de administração, de 15/3/2002, item 9, pauta 24.

7. "Alstom pagou propina à Petrobras, diz testemunha", Mario Cesar Carvalho, *Folha de S.Paulo*, 29/5/2008.

8. Relatório do inquérito policial nº 381/2006, Polícia Federal, Superintendência Regional no Paraná.

9. Anexo nº 32 da colaboração de Nestor Cerveró.

10. Termo de colaboração complementar nº 6 de Nestor Cerveró.

11. Termo de colaboração nº 14 de Delcídio do Amaral.

capítulo 10 — a partilha do poder (pp. 147-64)

1. "O consultor", Daniela Pinheiro, revista *piauí*, nº 16, janeiro de 2008.

2. A família do ex-presidente Sarney passou a nutrir ódio profundo por José Serra, candidato do PSDB e, por isso, apoiou Lula. Sarney acreditava que Serra fora o verdadeiro patrocinador da operação da Polícia Federal que sepultou a candidatura de sua filha Roseana Sarney ao Palácio do Planalto. Durante a operação, em março de 2002, a PF encontrou R$ 1,3 milhão em espécie e sem comprovação de origem na sede da construtora Lunus, empresa de Roseana e do marido dela, Jorge

Murad. Na época, Roseana disputava com Serra a vaga pela candidatura da coligação PSDB-PFL. Serra teria usado seus relacionamentos na PF para abater a oponente em forte ascensão. A suspeita nunca foi provada, mas provocou o rompimento do clã Sarney com o PFL, que apoiou Serra.

3. "À espera de novos donos", Ilimar Franco e Isabel Braga, *O Globo*, 16/3/2003.

4. "Dirceu é o coordenador político da transição", Ricardo Galhardo e Débora Ribeiro, *O Globo*, 1º/11/2002.

5. "No governo não cabe bravata", Helena Celestino e Germano Oliveira, *O Globo*, 22/12/2002.

6. "O homem que abre as portas do governo Lula", Ilimar Franco, *O Globo*, 18/5/2003.

7. Idem à anterior.

8. Termo de colaboração premiada nº 1 de Fernando Antônio Guimarães Hourneaux de Moura.

9. "O homem que abre as portas do governo Lula", Ilimar Franco, *O Globo*, 18/5/2003.

10. "PT cria portal na internet para receber indicações", Vera Rosa e Wilson Tosta, *O Estado de São Paulo*, 30/12/2002.

11. Termo de colaboração premiada nº 1 de Fernando Antônio Guimarães Hourneaux de Moura.

12. "Cometi um erro ao aceitar um carro de meu amigo", Milton F. da Rocha Filho, *O Estado de S. Paulo*, 23/7/2005.

13. Termo de colaboração premiada nº 1 de Fernando Antônio Guimarães Hourneaux de Moura.

14. "Currículo de Dutra não atende requisitos do cargo", Suely Caldas, *O Estado de S. Paulo*, 8/1/2003.

15. "Guilherme Estrella: um nacionalista no comando do E&P", Cláudia Siqueira, George Hawrylyshyn e Rosely Ferreira, revista *Brasil Energia*, 1º/3/2003.

16. Idem à anterior.

17. Idem à anterior.

18. Em entrevista concedida à autora.

19. Idem à anterior.

20. Termo de colaboração premiada nº 2 de Fernando Antônio Guimarães Hourneaux de Moura.

21. Sentença do processo nº 5045241-84.2015.4.04.7000 da 13ª Vara Federal Criminal de Curitiba.

22. Termos de colaboração premiada nºs 1 e 2 de Fernando Antonio Guimarães Hourneaux de Moura.

23. Sentença do processo nº 5045241-84.2015.4.04.7000 da 13ª Vara Federal Criminal de Curitiba.

24. Em resposta por e-mail à autora.

25. Entrevista de Evanise Santos à autora.

26. Petições de abertura de inquérito nºs 5.267, 5.280, 5.286, 5.290, 5.291, que se tornaram inquéritos nºs 3.992, 3.999, 4.000, 3.980 e 3.989. Denúncia Inquérito nº 3.997.

CAPÍTULO 11 – OS NOVOS DOUTORES (PP. 165-74)

1. "As terras do petroleiro", Amaury Ribeiro Jr., *Correio Brasiliense*, 13/8/2009.

2. "Gerente da Petrobras ganhou terreno de prefeitura", Chico Otávio e Tatiana Farah, *O Globo*, 7/7/2009; "As terras do petroleiro", Amaury Ribeiro Jr., *Correio Brasiliense*, 13/8/2009.

3. Carta de 21/3/1994 assinada por Charles Nobre Peroba, coordenador-geral do Sindipetro-CE.

4. "Contratos de risco", Consuelo Diegues, *Exame*, 23/6/2003.

5. Idem à anterior.

6. "Homem do PT na Petrobras gere R$ 700 milhões", Chico Otavio, Ricardo Galhardo e José Casado, *O Globo*, 26/11/2006; "Petrolífera vai reduzir área de comunicação", Ramona Ordoñez, *O Globo*, 19/5/2015.

CAPÍTULO 12 – O CLUBE (PP. 175-86)

1. "Petista espera mais 'tranquilidade'", Rafael Cariello, *Folha de S.Paulo*, 10/8/2002.

2. "A polêmica das plataformas", Érica Ribeiro, *O Globo*, 21/8/2002.

3. "Gros reage a Lula: 'PT defendeu interesses comerciais específicos'", Jorge Bastos Moreno, *O Globo*, 21/8/2002.

4. Idem à anterior.

5. "Plataformas vão gerar 5 mil empregos no país", Ramona Ordoñez, *O Globo*, 26/2/2003.

6. "Dilma exige nacionalização de 75%", Kelly Lima, *O Estado de S. Paulo*, 1º/4/2003.

7. Termo de colaboração nº 8 de Augusto Ribeiro de Mendonça Neto.

8. Termos de colaboração nºs 1, 2, 3, 4 e 7 de Pedro José Barusco Filho.

9. Sentença do processo nº 5012331-04.2015.4.04.7000 da 13ª Vara Federal Criminal de Curitiba.

10. Idem à anterior.

11. Termo de colaboração nº 19 de Ricardo Pessoa.

12. Idem à anterior.

13. Sentenças dos processos nºs 5012331-04.2015.4.04.7000 (Setal Óleo e Gás e outras

empreiteiras), 5083258-29.2014.404.7000 (Camargo Corrêa e UTC), 5083351-89.2014.404.7000 (Engevix), 5083360-51.2014.404.7000 (Galvão Engenharia), 5083376-05.2014.404.7000 (OAS), 5036528-23.2015.4.04.7000 (Odebrecht), 5036518-76.2015.4.04.7000 (Andrade Gutierrez), 5083401-18.2014.404.7000 (Mendes Júnior), prolatadas pela 13ª Vara Federal Criminal de Curitiba.

14. Termo de colaboração nº 1 de Augusto Ribeiro de Mendonça Neto.

15. Termo de colaboração nº 1 de Augusto Ribeiro de Mendonça Neto; sentença do processo nº 5012331-04.2015.4.04.7000/PR.

16. Termo de colaboração nº 1 de Augusto Ribeiro de Mendonça Neto.

17. Termo de colaboração nº 1 de Augusto Ribeiro de Mendonça Neto; sentença do processo 5012331-04.2015.4.04.7000/PR.

18. Termo de delação nº 28 de Ricardo Ribeiro Pessoa.

19. Idem à anterior.

20. Termo de colaboração nº 1 e termo complementar ao de nº 1 prestados por Augusto Ribeiro de Mendonça Neto.

21. Idem à anterior.

22. Termo de colaboração nº 3 de Pedro José Barusco Filho.

23. Idem à anterior.

24. Termos de colaboração nºs 1 e 10 de Augusto Ribeiro de Mendonça Neto.

25. Idem à anterior.

26. Termo de colaboração nº 1 e termo complementar ao de nº 1 prestados por Augusto Ribeiro de Mendonça Neto.

27. Termo de colaboração nº 3 de Pedro José Barusco Filho; termo de colaboração nº 9 de Fernando Antônio Guimarães Hourneaux de Moura; termo de colaboração nº 8 de Augusto Ribeiro de Mendonça Neto.

28. Termo de colaboração premiada nº 3 de Fernando Antônio Guimarães Hourneaux de Moura.

29. Idem à anterior.

30. Idem à anterior.

31. Termo de colaboração nº 25 de Milton Pascowitch.

32. Entre 2005 e 2009, as propinas da Hope e da Personal foram operadas por Julio Gerin de Almeida Camargo, que já realizava as mesmas atividades para a Toyo Setal (sociedade da japonesa Toyo com a Setal Óleo e Gás) e para a Camargo Corrêa.

33. Termo de colaboração premiada nº 3 de Fernando Antônio Guimarães Hourneaux de Moura.

34. Termo de colaboração premiada nº 3 de Fernando Antônio Guimarães Hourneaux de Moura; termo de colaboração nº 25 de Milton Pascowitch.

35. Termo de colaboração premiada nº 3 de Fernando Antônio Guimarães Hourneaux de Moura.

36. Sentença do processo nº 5045241-84.2015.4.04.7000 da 13ª Vara Federal Criminal de Curitiba.

37. Termo de colaboração premiada nº 6 de Fernando Antônio Guimarães Hourneaux de Moura.

38. Sentença do processo nº 5045241-84.2015.4.04.7000 da 13ª Vara Federal Criminal de Curitiba.

39. Termo de declarações de Gerson de Mello Almada, IPL nº 791/2014, Polícia Federal — Superintendência Regional do Paraná.

40. **Termo de colaboração nº 3 de Fernando Antônio Guimarães Hourneaux de Moura.**

41. "Patrimônio de novo delator cresceu 50 vezes entre 2003 e 2013", Fausto Macedo, blog *O Estado de S. Paulo*, 1º/7/2015.

42. Termo de declarações de Gerson de Mello Almada, IPL nº 791/2014, Polícia Federal —Superintendência Regional do Paraná.

CAPÍTULO 13 — "BILHETE PREMIADO" (PP. 187-200)

1. IBGE.

2. "A luta continua", André Lahóz, revista *Exame*, 19/12/2003.

3. Para investimento bruto, Formação Bruta de Capital. Para inflação, IPCA (12 meses) em janeiro de 2003 e dezembro de 2008. Para desemprego, média de 2008 contra média de 2003 da taxa de desocupação das pessoas com 10 anos ou mais de idade. Fonte: IBGE. Para déficit fiscal, necessidade de financiamentos do setor público. Fonte: Boletim do Banco Central do Brasil — Relatório Anual 2003 e 2008.

4. Plano Estratégico 2003-2007.

5. "Refinaria no Maranhão é viável", Nicola Pamplona e Kelly Lima, *O Estado de S. Paulo*, 27/5/2008.

6. "Ceará terá refinaria da Petrobras", Kelly Lima, *O Estado de S. Paulo*, 10/6/2008.

7. *Petróleo em águas profundas: uma história tecnológica da Petrobras na exploração e produção offshore*, José Mauro de Morais, página 222, Ipea; "Petróleo encalacrado no pré-sal", Consuelo Dieguès, revista *piauí*, nº 28, janeiro de 2009.

8. *Petróleo em águas profundas: uma história tecnológica da Petrobras na exploração e produção offshore*, José Mauro de Morais, página 223, Ipea.

9. "Petróleo encalacrado no pré-sal", Consuelo Diegues, revista *piauí*, edição nº 28, 1/2009.

10. Anuário Estatístico ANP/2008.

11. Idem à anterior.

12. "Tesouro submerso", Consuelo Dieguez, revista *piauí*, nº 19, 4/2008.

CAPÍTULO 14 — SEM PISAR NO FREIO (PP. 201-14)

1. "O intocável" (coluna Primeiro Lugar), *Exame*, 22/3/2007.

2. As refinarias podem ter diversos níveis de complexidade. Vão das mais básicas às mais complexas dependendo do tipo de petróleo a processar e dos derivados a produzir. Quanto mais pesado é o óleo, mais plantas de processos físico-químicos são necessárias para transformá-lo em derivados nobres (diesel, gasolina, nafta e gás de cozinha). Uma carga de óleo pesado processada em uma refinaria de pouca complexidade produz um volume pequeno de derivados nobres e grande volume de óleo combustível (menos nobre). Na mesma refinaria, a mesma quantidade de petróleo mais leve produzirá mais derivados nobres e menos óleo combustível.

3. "Petrobras não deve agir como miss vaidosa, diz Lula", Denise Baccoccina, BBC Brasil, 27/3/2008.

4. Comissão Interna de Apuração — DIP DABAST 71/2014 de 25/4/2014.

5. "O barril mais caro do planeta", Vinícius Sassine, *O Globo*, 14/5/2015.

6. http://www.pac.gov.br/obra/1750.

7. Plano Estratégico Petrobras 2020.

8. "Petrobras, Braskem e Ultra oficializam aquisição da Ipiranga", Agência Estado, 19/3/2007; "Petrobras quer evitar a entrada da venezuelana PDVSA no mercado", Ramona Ordoñez, Liana Melo e Matha Beck, *O Globo*, 20/3/2007.

9. "TCU vai investigar oferta da Petrobras pela Suzano", Agnaldo Brito, *O Estado de S. Paulo*, 9/8/2007.

10. "Petrobras é 'mãe da indústria', diz Lula ao lançar o pré-sal", Denise Luna, *Reuters*, 2/9/2008.

11. "Após extração simbólica de petróleo, Lula projeta R$ 2 trilhões de investimento na economia até 2017", UOL, 2/9/2008.

12. Discurso do Presidente da República, Luiz Inácio Lula da Silva, durante o IX Fórum de Governadores do Nordeste, Recife, 2/12/2008.

13. Fato relevante de 23/1/2009; http://www.investidorpetrobras.com.br/pt/comunicados-e-fatos-relevantes/fato-relevante-plano-de-negocios-2009-2013.

14. A capacidade de processamento das quatro refinarias somaria 1,28 milhão de barris de

petróleo por dia; porém, ao final de 2015 nem todas teriam atingido a capacidade plena. Por isso, a estimativa era aumentar em quase 1 milhão de barris diários.

CAPÍTULO 15 — UM PURO-SANGUE PETISTA QUE SE REBELOU (PP. 215-36)

1. "Delcídio pede a Lula que demita quem o denunciou", Eugênia Lopes, *O Estado de S. Paulo*, 18/6/2005.
2. Em entrevista concedida à autora no segundo semestre de 2014.
3. *Desafios do regulador*, Jerson Kelman, Editora Synergia, 2009.
4. Idem à anterior.
5. Em entrevista concedida à autora no segundo semestre de 2014.
6. Estimativa da consultoria Gas Energy.

CAPÍTULO 16 — POMBOS SEM ASAS (PP. 237-56)

1. Na escala de qualidade de petróleo, quanto maior o grau API — escala de densidade de petróleo, criada pelo American Petroleum Institute (API) —, mais leve e nobre é o óleo. A título de comparação, o óleo de Urucu tem grau API 45, enquanto a média da Bacia de Campos é de API 19. O petróleo tipo Brent, usado como padrão mundial, possui grau API 35.
2. Em entrevista concedida à autora.
3. Apresentação da diretoria de Gás e Energia e Relatório do Tribunal de Contas da União TC-008.725/2006-3.
4. Em entrevista concedida à autora no segundo semestre de 2014.
5. Processo nº 48500.000289/2014-66 da Agência Nacional de Energia Elétrica (Aneel).
6. Termo de colaboração nº 7 de Pedro José Barusco Filho.
7. Termo de colaboração nº 3 de Mário Frederico de Mendonça Góes.
8. Termo de colaboração nº 2 de Julio Gerin de Almeida Camargo.
9. Termo de colaboração nº 5 de Mário Frederico de Mendonça Góes.

CAPÍTULO 17 — PASADENA (PP. 257-78)

1. Comunicação de Decisão da Diretoria Executiva — Ata nº 4.542, item 21, de 18/8/2005, pauta nº 627, folha nº 7.
2. Relatório final da Comissão Interna de Apuração DIP PRESIDÊNCIA 38/2014, de 24/3/2014, página 13.
3. A sigla WTI (West Texas Intermediate) designa o padrão de qualidade do petróleo negociado na Bolsa de Valores de Nova York. Sua cotação é referência para o mercado americano. Trata-se de um óleo leve, vendido pelos intermediários do oeste do Texas, a maior região

petrolífera dos Estados Unidos. O petróleo Brent designa um padrão de qualidade de um óleo leve, negociado na Bolsa de Londres; atualmente, refere-se a todo petróleo produzido no Mar do Norte, mas, inicialmente, designava o óleo extraído de um campo muito produtivo da Shell chamado Brent. A cotação do Brent é referência para os mercados da Europa e da Ásia.

4. Antes da inauguração, em 2014, da Refinaria Abreu e Lima, em Pernambuco, a 12ª da companhia.

5. Em entrevista concedida à autora no segundo semestre de 2014.

6. "Petrobras pode ter perda milionária nos EUA", Sabrina Valle, Agência Estado, 11/7/2012.

7. Idem à anterior.

8. "Mau, não. Péssimo negócio", Ana Clara Costa, Veja, 23/4/2014.

9. Relatório final da Comissão Interna de Apuração DIP PRESIDÊNCIA 38/2014, de 24/3/2014; Protocolo de Registro na Segurança Empresarial nº 0017/2014.

10. Idem à anterior, página 22.

11. Idem à anterior, página 23.

12. Idem à anterior.

13. Idem à anterior, página 24.

14. Idem à anterior.

15. Idem à anterior.

16. Sentença do processo nº 5007326-98.2015.404.7000, em que Fernando Antonio Falcão Soares e Nestor Cuñat Cerveró são condenados (itens nos 2, 3, 4, 6, 16, 49, 108, 109, 110, 113, 114, 123, 125, 126, 135, 136, 143,148, 166, 180).

17. Relatório final da Comissão Interna de Apuração DIP PRESIDÊNCIA 38/2014, de 24/3/2014; Protocolo de Registro na Segurança Empresarial nº 0017/2014, páginas 105 e 106.

18. Idem à anterior, página 12.

19. Idem à anterior, página 15.

20. Idem à anterior, página 22.

21. Termo de colaboração nº 1 de Agosthilde Mônaco de Carvalho.

22. Idem à anterior.

23. Relatório final da Comissão Interna de Apuração DIP PRESIDÊNCIA 38/2014, de 24/3/2014; Protocolo de Registro na Segurança Empresarial nº 0017/2014, página 27.

24. Idem à anterior, página 49.

25. Idem à anterior, páginas 29, 97, 103 e 104.

26. Idem à anterior, página 57.

27. Idem à anterior.

28. "O DIP INTER-AFE 65/2008, de 15/2/2008, que apresentou o negócio de aquisição

dos 50% remanescentes à Diretoria Executiva (Ata DE 4.685, item nº 26, pauta nº 199), deixou de informar a avaliação da Refinaria na condição em que se encontrava, conforme estudo preparado pela consultoria Muse Stancil (US$ 582 milhões), e consignou como 'As Is — caso 3' o valor de US$ 1,287 bilhão quando, de fato, tal valor se referia a uma avaliação futura da refinaria, sem revamp, caso uma unidade de diesel de baixo enxofre (ULSD) fosse construída e iniciasse a operar a partir de 2010, o que não aconteceu", página 102 da CIA.

29. Relatório final da Comissão Interna de Apuração DIP PRESIDÊNCIA 38/2014, de 24/3/2014; Protocolo de Registro na Segurança Empresarial nº 0017/2014, página 102.

30. Idem à anterior, páginas 58 e 101.

31. Idem à anterior, páginas 87, 90, 91,

32. Acórdão nº 1.927/2014 — Processo nº 005.406-2013-7, 23/7/2014.

33. Termo de colaboração nº 53 de Paulo Roberto Costa.

34. Idem à anterior.

35. Pedido de busca e apreensão dos autos nº 5047526-50.2015.404.7000 feito pelo MPF ao juiz da 13ª Vara Federal do Paraná. O documento reproduz trecho do termo de colaboração nº 5 de Fernando Soares, cuja íntegra permanecia em sigilo.

36. Termo de colaboração nº 1 de Agosthilde Mônaco de Carvalho.

37. "Delator diz que entregou US$ 1 milhão a amigo de infância de senador do PT", Rubens Valente, Folha de S.Paulo (online), 16/11/2015.

38. Termo de colaboração nº 6 de Nestor Cerveró.

39. Relatório final da Comissão Interna de Apuração DIP PRESIDÊNCIA 38/2014, de 24/3/2014; Protocolo de Registro na Segurança Empresarial nº 0017/2014, página 39.

40. "E o rombo só aumenta", Malu Gaspar, Veja, 19/6/2013.

CAPÍTULO 18 — UM NAUFRÁGIO NO HORIZONTE (PP. 279-94)

1. Plano de Negócios Petrobras 2010-2014.

2. Boletim Energia em Foco (Centro Brasileiro de Infra Estrutura, CBIE), páginas 26 e 27, julho de 2010.

3. Inclui a produção de gás natural, convertida em barris de petróleo.

4. Plano de Negócios Petrobras 2010-2014.

5. Idem à anterior, página 16.

6. Conforme relato de dois participantes da reunião no Palácio do Planalto. Na mesma semana, ambos descreveram o encontro com o governo a um grupo de associados da entidade que dirigiam. A reunião da entidade foi gravada em vídeo, ao qual a autora teve acesso.

7. Idem à anterior.

8. Idem à anterior.

9. Idem à anterior.

10. Idem à anterior.

11. Fato relevante de 30/5/2008.

12. Os contratos da Scorpion, de origem americana, e da Delba, brasileira, foram assumidos pela Queiroz Galvão e a Odebrecht, respectivamente. As vencedoras originais não conseguiram financiar a construção dos equipamentos, devido ao choque no mercado de crédito provocado pela crise financeira internacional de 2008.

13. Termo de colaboração nº 1 de Pedro José Barusco Filho; documento de celebração de colaboração premiada de João Carlos de Medeiros Ferraz e Eduardo Costa Vaz Musa; processo nº 5040086-03.2015.4.04.7000, evento 1, página 3.

14. Sentença do processo nº 5036528-23.2015.4.04.7000/13ª Vara Federal Criminal de Curitiba.

15. Inicialmente, a Samsung Heavy Industries, que engloba o braço de construção naval do grupo coreano, tinha participação no EAS. Mais tarde, a empresa foi substituída pela Ishikawagima, que também abandonou a sociedade, em 2016.

16. Sentença do processo nº 5036528-23.2015.4.04.7000/13ª Vara Federal Criminal de Curitiba.

17. Termo de colaboração nº 1 de Pedro José Barusco Filho.

18. Denúncia oferecida pelo MPF no Paraná — referente a inquéritos nºs 5005002-38.2015.404.7000 (IPL Zwi Skornicki) e nº 5046271-57.2015.404.7000 (IPL João Santana e Monica Moura) — à 13ª Vara Federal Criminal de Curitiba.

19. Mais tarde, a empresa japonesa Kawasaki entrou na sociedade.

20. Termo de colaboração nº 1 de Pedro José Barusco Filho; denúncia do MPF no Paraná referente a inquéritos nºs 5005002-38.2015.404.7000 (IPL Zwi Skornicki) e nº 5046271-57.2015.404.7000 (IPL João Santana e Monica Moura).

21. Termo de colaboração nº 7 de Pedro José Barusco Filho.

22. Termo de colaboração nº 1 de Pedro José Barusco Filho; documento de celebração de colaboração premiada de João Carlos de Medeiros Ferraz e Eduardo Costa Vaz Musa; processo nº 5040086-03.2015.4.04.7000, evento 1, página 3.

23. Termo de colaboração nº 1 de Pedro José Barusco Filho.

24. Termo de colaboração nº 2 de Pedro José Barusco Filho.

25. Idem à anterior.

26. Termo de colaboração nº 2 de Pedro José Barusco Filho; depoimento ao juiz Sérgio Moro.

27. Termo de colaboração nº 2 de Pedro José Barusco Filho.
28. Termo de colaboração nº 7 de Pedro José Barusco Filho.
29. Em depoimento ao juiz Sérgio Moro.
30. Termo de colaboração nº 2 de Pedro José Barusco Filho.
31. Idem à anterior.
32. Balanço de 31 de março de 2016. Fonte: *Economática*.

CAPÍTULO 19 — UMA EMPRESA ASFIXIADA (PP. 295-314)

1. "Comando com mão de ferro e dedicação quase absoluta", Cláudia Schüffner, *Valor Liderança — Executivas*, ano 2, nº 2, 12/2011, página 36.

2. "Brasil com Graça", Isabel Flórido, *Brasileiros*, nº 56, 3/2012.

3. "Comando com mão de ferro e dedicação quase absoluta", Cláudia Schüffner, *Valor Liderança — Executivas*, ano 2, nº 2, 12/2011, página 36.

4. "Ministra Dilma se diz 'gratificada'", Kelly Lima, Agência Estado, 22/11/2008.

5. O primeiro, depois das denúncias do deputado Roberto Jefferson sobre a existência do mensalão. O segundo, após a quebra ilegal de sigilo bancário de uma testemunha de acusação ouvida na CPI dos Bingos. A testemunha era o caseiro Francenildo Santos Costa. Ele confirmou que o ministro frequentava uma mansão em Brasília que funcionava como ponto de encontro de lobistas, políticos e prostitutas.

6. Faturamento com meta cheia: considera o preço médio do barril de petróleo praticado pela Petrobras em 2011 (US$ 102,21) e 365 dias do ano.

7. "Guilherme Estrella: um nacionalista no comando do E&P", *Brasil Energia*, 3/2003.

8. Para o faturamento estimado em 2012, cálculo com base na produção média diária de 75 mil barris de óleo durante os 365 dias do ano, multiplicada pelo valor médio do barril praticado pela Petrobras no ano (US$ 104,60). Para o faturamento estimado em 2013, cálculo com base na produção média diária de 150 mil barris de óleo durante os 365 dias do ano, multiplicada pelo valor médio do barril praticado pela Petrobras em 2013 (US$ 98,19).

9. "Pré-sal, o maior desafio do Brasil", Roberta Paduan, *Exame*, 27/6/2012.

10. Em entrevista concedida à autora no segundo semestre de 2007, sobre conteúdo nacional e a descoberta do pré-sal.

11. Em entrevista concedida à autora para reportagem sobre a capitalização da Petrobras.

12. Em entrevista concedida à autora sobre os atrasos nas entregas de navios e plataformas de produção encomendadas pela Petrobras.

13. "Petrobras enterrou máquina de R$ 51 mi", Julio Wiziack, *Folha de S.Paulo*, 9/2/2012.

14. "Aprovação de Dilma vai a 77%, diz Ibope", Andrea Jubé Vianna e Ricardo Britto, *O Estado de S. Paulo*, 5/4/2012.

15. Plano de Negócios Petrobras 2012-2016.

16. Apesar de o investimento na apresentação ser dado como US$ 2,3 bilhões, o valor divulgado ao mercado pela companhia em 29/9/2005 foi de US$ 2,5 bilhões. Na apresentação, Graça Foster também menciona que, dos US$ 20 bilhões, US$ 3 bilhões equivaliam a pleitos em discussão.

17. *Energia em Foco* (Centro Brasileiro de Infra Estrutura, CBIE), ano 8, nº 92, 12/2010.

18. "Petrobras quita dívida com a Petros", Marta Barcellos, *Gazeta Mercantil*, 31/12/2001.

19. "Petrobras comemora maior capitalização do mundo", *Fatos e Dados Petrobras*, 7/10/2010.

EPÍLOGO — A TEMPESTADE PERFEITA (PP. 315-38)

1. ANP, Boletim anual de preços 2012 e 2014.

2. *The Petrobras Handbook — An investor's guide to a unique oil company*, Vinicius Canheu e Andre Sobreira, relatório do banco Credit Suisse, 3/2014.

3. "Petrobras pode ter perda milionária nos Estados Unidos", Sabrina Valle, *O Estado de S. Paulo*, 12/7/2012.

4. "Contrato da Petrobras com a Odebrecht é investigado por superfaturamento", Sabrina Valle, *O Estado de S. Paulo*, 9/11/2013.

5. "As denúncias do operador do PMDB na Petrobras", Diego Escosteguy, Flávia Tavares, Marcelo Rocha, Murilo Ramos e Leandro Loyola, *Época*, 9/8/2013.

6. Idem à anterior.

7. Idem à anterior.

8. Idem à anterior.

9. "Investigação de suborno da SBM inclui Petrobras", Claudia Schuffner, *Valor Econômico*, 13/2/2014; declaração de defesa de Jonathan David Taylor contra a SBM Offshore, Corte de Roterdã, caso nº C/10/486176, 25/11/2015.

10. "Lesão por squash levou Barusco ao crime", Bruna Fantti, *Folha de S.Paulo* (online), 22/12/2015; termo de colaboração nº 3 de Pedro José Barusco Filho.

11. "Lula contraria TCU e libera verbas para obras irregulares", Marta Salomon, *Folha de S.Paulo*, 28/1/2010.

12. "Desde 2010, Congresso poderia ter paralisado obras da Refinaria Abreu e Lima", Dyelle Menezes e Gabriela Salcedo, *Contas Abertas*, 25/11/2014.

13. "Dilma apoiou compra de refinaria em 2006; agora culpa 'documentos falhos'", Andreza Matais e Fábio Fabrini, *O Estado de S. Paulo*, 19/3/2014.

14. "Senadores Renan e Delcídio trocam farpas sobre caso Petrobras", Felipe Néri, G1, 20/3/2014.

15. Apurado com a Polícia Federal.

16. Termo de colaboração nº 80 de Paulo Roberto Costa; denúncia do MPF, auto nº 5010109-97.2014.404.700, de 21/4/2014.

17. CPI Petrobras, Secretaria de Registro e Redação Parlamentar, 10/6/2014.

18. "Ex-diretor da Petrobras delata propina a deputados, senadores e governador", Andreza Matais, Fausto Macedo e Ricardo Brito, *O Estado de S. Paulo*, 5/9/2014.

19. Dos 52 ativos reavaliados, 31 apresentaram valor inferior (R$ 88,6 bilhões) ao valor contábil registrado no balanço. Ou seja, esses 31 ativos estariam superavaliados. A reavaliação também mostrou 21 ativos subavaliados em R$ 27,2 bilhões, ou seja, valiam, no conjunto, R$ 27,2 bilhões a mais do que mostravam seus registros contábeis. A discrepância final do valor dos ativos, portanto, seria de R$ 61,4 bilhões.

20. Apurado com uma fonte que participou da reunião e que pediu para não ser identificada.

21. Apurado com fontes presentes na reunião; "'Não nos confunda com Pasadena. Não nos ofenda', diz Graça Foster", Fábio Fabrini, *O Estado de S. Paulo*, 20/5/2015.

22. "Após escolha de novo presidente, Petrobras despenca 7% na Bolsa e perde R$ 8,5 bi em valor", Rennan Setti, *O Globo*, 6/2/2015.

23. "Divulgamos nossas demonstrações contábeis auditadas", *Fatos e Dados Petrobras*, 22/4/2015.

24. Ação cautelar nº 4.070 do MPF, ministro Teori Zavascki, 4/5/2016, página 41.

25. Termo de colaboração nº 1 de Julio Gerin de Almeida Camargo.

26. Denúncia do inquérito nº 3.983/PGR.

27. Denúncia contra Eduardo Cosentino da Cunha e Solange Pereira de Almeida, inquérito nº 3.893, MPF/PGR.

28. Idem à anterior.

29. Termo de colaboração nº 3 de Fernando Soares.

30. Termo de acareação de Fernando Antonio Falcão Soares e Paulo Roberto Costa, Departamento de Polícia Federal/Superintendência Regional do Paraná; "A cota de Renan no petrolão", Daniel Haidar e Talita Fernandes, *Época*, 17/10/2015.

31. Termos de colaboração nºs 6 e 59 de Paulo Roberto Costa.

32. "OAS gastou R$ 380 mil com mobília para cozinha e quarto de tríplex que Lula diz não ser dele", Andreza Matais, Fábio Fabrini e Fausto Macedo, *O Estado de S. Paulo*, 30/1/2016.

33. "Lula afirma que Bumlai ofereceu reforma em sítio", Bela Megale e Flávio Ferreira, *Folha de S.Paulo*, 27/2/2016.

34. "Dinheiro movimentado pelo Instituto e empresa de Lula reforça elo com a Lava Jato", Thiago Bronzatto, *Época*, 4/3/2016.

35. Gravação feita por Bernardo Cerveró, íntegra disponível em <http://g1.globo.com/politica/operacao-lava-jato/noticia/2015/11/leia-e-ouca-integra-da-conversa-que-levou-o-senador-delcidio-prisao.html.

36. Idem à anterior.

37. Denúncia do inquérito nº 3.990 e petição do inquérito nº 3.883, ambos da PGR.

38. Denúncia do inquérito nº 3.990 e petição do inquérito nº 3.883, ambos da PGR; termo de declarações complementares nº 1 de Alberto Youssef; anexos nºs 10, 13 e 29 da colaboração de Rafael Ângulo Lopez.

LINHA DO TEMPO (PP. 339-54)

1. CPDOC — Centro de Pesquisa e Documentação de História Contemporânea do Brasil /FGV.

2. Livro *Petrobras 50 anos* e site da Petrobras.

3. *O Estado de S. Paulo*, 17/4/1955, página 11.

4. Agência Petrobras/História/Década de 60.

5. No ano seguinte será criada a Braspetro (Petrobras Internacional S.A.) para explorar e produzir petróleo no exterior.

6. "A conquista da eficiência", *Veja*, 9/2/1972, página 60.

7. Banco Central do Brasil, dívida externa bruta, séries temporais.

8. *O Estado de S. Paulo*, 4/2/1990, página 66.

9. Agência Petrobras: Sala de imprensa/História/A década dos recordes (Anos 80).

10. IGPM.

11. Consultoria Excelência Energética, considerando capacidade de geração garantida sobre a potência instalada.

12. *O Globo*, 22/4/2006, página 17.

13. *Economática*.

14. Discurso do presidente da República Luiz Inácio Lula da Silva durante o IX Fórum de Governadores do Nordeste, Recife, 2/12/2008.

15. "Petrobras comemora maior capitalização do mundo", *Fatos e Dados Petrobras*, 7/10/2010.

16. *Economática*.

Índice remissivo

Agência Nacional de Energia Elétrica (Aneel), 228, 232
Agência Nacional do Petróleo (ANP), 110, 115-6, 122, 155, 178, 191, 193-4, 197-8, 209, 305-6, 311, 346-7, 350
Agnelli, Roger, 208
Agostini, Antônio Carlos, 36, 109, 112, 114
Albertazzi, Hamilton, 96-8
Alckmin, Geraldo, 51
Alencar, Alexandrino Ramos de, 54
Almada, Gerson de Mello, 185, 282; delação premiada, 185-6; prisão de, 186, 293, 323
Almeida, Solange: relação com Eduardo Cunha, 330
Alstom, grupo industrial francês, 144-6
Alumini Engenharia (Alusa), 182, 282
Alvarenga, Maurício, 96, 98
Alves, Henrique, 355
Alves de Oliveira, João Muniz, 91-2, 94-100, 106-7
Amaral, Delcídio do, 37, 248, 263, 275; carreira, 130; compra de turbinas, 144-5; confessa o recebimento de propinas, 274; conversa gravada por Bernardo Cerveró, 334-8; delação premiada, 146, 355; e as termelétricas merchants, 225; e Eike Batista, 140-1; e usinas termelétricas merchants, 137-8, 227; na diretoria da Petrobras, 129-30, 136-7; prisão de, 334, 355; relação com Nestor Cerveró, 321; saída da Petrobras, 143; senador, 143-4, 218, 274, 276
Andrade Gutierrez, empreiteira, 12, 42, 47-8, 57, 180, 182, 247, 250, 252, 255, 276, 327
Andrade, Carlos Cesar Borromeu de, 262
Anselmo, Márcio Adriano, 17-8, 24-8, 321; formação, 26-7
Araújo, Rogério, 54-5, 275-6, 283-4
Argolo, Luiz, 328
Arianna, filha de Paulo Roberto Costa, 29-30, 33, 39-40, 57, 322
Arruda, Aloísio, 170
Arruda, Inácio, 170
Arruda, José Roberto, 126
Associação dos Engenheiros da Petrobras (Aepet), 105-6, 171
Aster Petróleo, 102, 334-5
Astra Oil, empresa belga de energia, 259-62, 264-75, 277, 315, 349
Avancini, Dalton dos Santos: prisão de, 323
Azevedo, Otávio: prisão de, 327

Bacia de Campos, 33, 36, 65, 72-6, 94, 104, 110-1, 113, 119, 122, 124, 131, 169, 191, 195-6, 220, 257, 302, 310, 342-4, 346, 349

Bacia de Santos, 36, 59, 194-6, 203, 209, 220, 224, 231, 351
Bacoccoli, Giuseppe, 62, 72-3
Banco do Estado do Paraná (Banestado), 21, 45; escândalo, 21-2, 26-8, 37, 45
Bancoop (cooperativa de bancários), 332
Barbalho, Jader, 129-30, 143, 331
Barbassa, Almir, 34, 277, 281, 285, 293, 309, 312, 325-6
Barbosa, Joaquim, 151, 163
Barroso Alves, general Albérico, 82-3
Barusco, Pedro, 42, 282, 308; atrito com equipe de Ildo Sauer, 240-1, 245-7; delação premiada, 179, 182, 255, 287-93, 319, 323-4, 353; devolução de valores, 59, 292, 353; e a Sete Brasil, 287-9; e Pasadena, 276; relação com Dilma, 233; relação com Milton Pascowitch, 185-6; superfaturamento no Gasoduto Urucu--Manaus, 250, 252, 256
Bastos, Marcio Thomaz, 226
Batista, Eike, 138, 140-1, 197
Belchior, Miriam, 313, 326
Beltrão, Hélio, 78, 80
Beltrão, Mário, 49
Bendine, Aldemir, 174, 207, 326-7, 338, 354, 356
Bernardo, Paulo, 49, 152
Bezerra Coelho, Fernando, 48, 328
BG, petroleira britânica, 195-6, 219
Bittar, Jacó, 332-3
blecaute de 1999, 133-4
"boom das commodities", 58, 187
BNDES, 127, 135, 149, 212, 286, 292-3, 303, 313
BR Distribuidora, 14, 81-3, 89, 99, 101-2, 129, 164, 169, 174, 272, 297-8, 307, 316-7, 334-6, 341, 351, 354
Brandão, Murilo, 165-7
Braskem, 53, 208, 350
Braspetro, 67, 71, 73-5, 105, 108-9, 341; no Iraque, 73-5
BRIC, 58
British Petroleum (BP), 74, 122, 132
Brizola, Leonel, 91
BTG Pactual, banco, 102, 286, 334
Bumlai, José Carlos, 49, 332, 333; prisão de, 354

Cabral, Sérgio, 47-8
Caldas, Suely, 81-2, 92, 99
Calheiros, Renan: indicação de Sérgio Machado, 50; relação com Nestor Cerveró, 321; relação com Paulo Roberto Costa, 45, 50; suspeitas de recebimento de propinas, 51, 329, 331
Camargo Corrêa, 12, 37, 42, 57, 180, 182, 246, 256, 276, 284, 287, 292-3, 303-4, 323; devolução de valores, 60
Camargo, Jorge, 118, 124
Camargo, Julio, 59, 330; atrito com Eduardo Cunha, 330; delação premiada, 256, 328-9, 331
Campos, Carlos Walter Marinho, 65, 72-3
Campos, Eduardo, 48, 213
Canhedo, Wagner, 88-9
Cardoso de Mello, Zélia, 87, 90
Cardoso, Fernando Henrique, 36, 106-7, 109, 114, 145, 209, 216, 345; e a tentativa de mudança de nome da Petrobras, 126; e o blecaute de 1999, 134, 141, 263; e o Gasbol, 131; e o PPT, 228; extinção da conta-petróleo, 312; indicação de Reichstul à presidência da Petrobras, 116; interferência política na Petrobras, 119; liberação do preço da gasolina, 193; nomeação de Francisco Gros, 127-8; nomeação de Reichstul à presidência da Petrobras, 117-8; tentativa de acabar com o monopólio do petróleo, 192
Carioca Engenharia, 182, 247, 250, 252, 255
Carreiro, Valdir Lima: prisão de, 323
Carrilho, Humberto Amaral, 53
CartaCapital, 226
cartel de empreiteiras, 41-2, 60, 180-3, 240, 243, 304, 322-3, 333
Carvalho, Gilberto, 230
Carvalho, Henry Hoyer de, 34, 46, 57
Catta Preta, Beatriz, 331
Central Única dos Trabalhadores (CUT), 152, 165, 167
Centro Brasileiro de Infra Estrutura (CBIE), 61, 209, 306
Cerveró, Bernardo, 334, 336-8
Cerveró, Nestor, 44, 143, 190, 290, 307, 355; a serviço do PMDB e do PT, 164; acordo com a justiça suíça, 145; acusação a Delcídio, 275;

acusação a Dilma, 275; ambição, 136; delação premiada, 145, 273-5, 276, 278, 331, 334; demissão, 272; e a TermoCeará, 141; e as termelétricas merchants, 225; e Delcídio do Amaral, 136, 143-5, 160, 321, 334-6; e Fernando Baiano, 274, 323, 329-30; e Marcelo Oliveira Mello, 263; e o PPT, 136; e Pasadena, 51, 145-6, 257, 259, 261, 264, 266-7, 269-72, 274-5, 316, 321; e Renato Duque, 243; ocultação de bens, 263; Patricia Anne, esposa, 136; prisão de, 327; propina no caso Bumlai/Shahin, 355; saída da Petrobras, 143-4, 351; volta à Petrobras, 144, 160

Chater, Carlos Habib, 25-6, 28
Chaves, Aureliano, 105, 214
Chávez, Hugo, 202, 205, 207, 349
Chevron, petroleira norte-americana, 195
China, 58, 187, 285
choques do petróleo, 10, 69, 70-2, 75, 116, 160, 312, 342
Cícero, Paulino, 104-5, 107
"Clube" das empreiteiras, 180-6
Coimbra, Marcos, 86, 89, 92, 344
Colares Filho, Ildefonso, 49, 276, 287; prisão de, 323
Collor de Mello, Fernando, 71, 81, 86-7, 90-2, 96, 100, 102, 106; afastado da presidência, 103; apadrinhados na BR Distribuidora, 335; apreensão de carros de luxo, 328; cooptação de funcionários de carreira da Petrobras, 93, 95, 98; e a Petrobras, 13, 81, 84-5, 104; e Marcos Coimbra, 86, 89; e o Gasbol, 131; e Pedro Paulo Leoni Ramos (PP), 88; investigado pela Lava Jato, 13, 328; presidente, 12, 344; recebimento de propinas, 335; relação com Youssef, 101-2; retorno como senador, 101
Comino, Rafael, 145, 261-5, 274-5
Comissão de Valores Mobiliários (CVM), 90, 127, 188
Comissão Interna de Apuração (CIA), 206, 261-5, 270-1, 275, 278
Complexo Petroquímico do Rio de Janeiro (Comperj), 32, 38, 45, 47-8, 52, 191, 207, 212, 310, 319-20, 349; prejuízo, 59

Conselho Nacional de Política Energética (CNPE), 198
Conselho Nacional do Petróleo, 339
Constran, empreiteira, 20, 242
Construcap, empreiteira, 182
Corrêa, Pedro, 50, 162-4; prisão de, 328
Costa e Silva, Artur da, 12
Costa Global, 29-30, 32-3, 38, 57, 320, 322
Costa, Humberto, 49
Costa, Paulo Roberto, 32-3, 35, 38-40, 43-4, 48, 56, 182, 190-2, 202-3, 211, 307; Arianna, filha, 29-30, 33, 39-40, 57, 322; carreira, 32-7; contas no exterior, 39, 53, 55; delação premiada, 40-4, 46-54, 100, 164, 179, 273, 322, 324, 331, 353; demissão, 32, 38, 46, 308-9, 352; devolução de valores, 59; e o PP, 162; e Pasadena, 51, 269-71, 274, 276; e Renato Duque, 243; homenagem de parlamentares do PP, 47; intocável, 204; Marici, esposa, 33-4; prisão de, 7-9, 30-2, 37, 39, 206, 321-2, 353; propinas retroativas, 57; relação com José Janene, 29, 37, 42; relação com Lula, 38, 214; relação com Renan Calheiros, 50; relação com Youssef, 9, 29, 31, 320-1; Shanni, filha, 30, 33, 40, 55, 322; sinais de enriquecimento, 31, 34-5
Coutinho, Luciano, 226, 313
Covas, Mário, 90-1
CPI da BR Distribuidora (governo Collor), 14, 82, 99
CPI da Petrobras, 40, 48-9, 177, 291, 322, 331, 351
CPI da Refinaria Abreu e Lima, 317
CPI do PC (Farias), 92, 100
CPI do PP (Pedro Paulo Leoni Ramos), 88, 92, 95-100, 106
CPI dos Correios, 185, 227
Credit Suisse, banco, 313
crise internacional de 2008, 190, 210, 212-3, 277, 279, 286, 311, 327, 351
CSA, empresa de participações, 23-4
Cunha, Eduardo, 44, 329; afastado pelo STF, 329, 331, 356; atrito com Julio Camargo, 330; busca e apreensão pela PF, 355; contas não declaradas no exterior, 330; e Fernando Baiano,

330; manobras para atrapalhar as investigações, 331; réu na Lava Jato, 331
Cunha, João Paulo, 149

Dallagnol, Deltan, 288
de Luca, João Carlos, 93-6, 99, 107-9, 219-21
delação premiada, 14, 22, 60
DEM (partido político, ex-PFL), 133
Departamento de Justiça dos Estados Unidos, 60
Dias Toffoli, 335
Dornelles, Francisco, 46
Dunel, 23-5
Duque, Renato, 42-4, 180-1, 183-4, 190, 253, 255, 290, 302, 307, 309, 323; a serviço do PT, 164; apoio de Cerveró e Costa, 243; atrito com a equipe de Ildo Sauer, 239-41, 244, 247-8, 308; carreira, 157-8; confronto com Gabrielli, 277; confronto com Graça Foster, 308; contas no exterior, 291; contestado por Rafael Frazão, 233; controle das concorrências, 182; defendendo o cartel das empreiteiras, 243-4; demissão, 352; e a construção de navios-sonda, 281-3, 285; e a Sete Brasil, 287-9; e o Gasoduto Urucu-Manaus, 246, 256; e o superfaturamento de plataformas, 179; e Pasadena, 275-6; indicado por José Dirceu, 158-9; na diretoria de Serviços, 238; pedido de demissão, 307-8; prisão de, 323, 327, 353-4; relação com a Etesco, 158-60; relação com Delcídio do Amaral, 276; relação com José Dirceu, 158, 160; relação com Milton Pascowitch, 185-6; temor de ser descoberto, 290; valor das propinas, 292
Dutra, José Eduardo, 151-3, 162, 164, 172, 177, 188-90, 194, 226-7, 307, 326
Dutra, Olívio, 216
DVBR, rede de postos de combustível 102

Eco-92, 132
Economist, The, 116
Efromovich, German, 111-4
El Paso, empresa norte-americana de energia, 137-40, 225-6, 258
Eletrobras, 60, 134-5, 252, 327; calote na Petrobras, 327

empreiteiras, crescimento durante os governos militares, 12; *ver também* o nome das empresas
Engevix, empreiteira, 42, 57-8, 182, 184-6, 282, 288, 293, 323
ENI, estatal italiana de petróleo, 22
Enron, empresa americana de comercialização de gás, 132, 137-40, 225-6
Época, 316
Equador, distribuidora de petróleo, 53
esquema PP, 13, 92-3, 95-6, 99-100, 106, 345
Estado de S. Paulo, O, 81, 84-5, 92, 99, 227, 315-6, 321
Estaleiro Atlântico Sul (EAS), 287-9, 293, 303-4
Esteves, André, 292, 334-5; prisão de, 335, 355
Estre Ambiental, 51
Estre Petróleo, 51
Estrella, Guilherme, 72, 154-6, 169-71, 182, 197-8, 221, 224, 231, 234, 279, 281, 301-2, 306; demissão, 352
Etesco, empreiteira, 158-60, 245-6, 248-9, 256, 281, 284
Exame, 9, 32
Exxon, petroleira norte-americana, 59, 61, 63, 132, 279, 313
ExxonMobil, petroleira norte-americana, 350

Faerman, Julio, 291, 318-9
Falcão Soares, Fernando *ver* Fernando Baiano
Falcão, Hélio Lins Marinho, 158
Faria, Fernando Ramos, 52
Faria, Márcio, 276, 284
Farias, Lindbergh, 49
Farias, Paulo César (PC), 14, 88-9, 92, 100, 344; CPI do, 92, 100
Federação Única dos Petroleiros (FUP), 165, 167
Feghali, Jandira, 248
Feilhaber, Alberto, 260, 262, 267, 274-5
Fernando Baiano, 49, 51, 57, 274-5, 323, 329-30; delação premiada, 331
Ferraz, João Carlos, 285, 287-9, 292-3; delação premiada, 288, 290
Fidens, construtora, 52, 182
Figueiredo, João Batista, 105, 343
Financial Times, 58

Folha de S.Paulo, 190, 308
Fonseca, Venina Velosa da, 203-4
Fonte, Eduardo da, 48, 328
Formigli, José Miranda, 293, 307
Fortune, 301
Foster, Colin Vaughan, marido de Graça Foster, 295
Foster, Graça, 9, 29, 32, 37, 39, 164, 168, 182, 207, 222-3, 236, 248-50, 252, 254, 278, 281, 293, 297, 306, 309, 338; acumulando cargos, 309, 316; carreira, 295; como presidente da Petrobras, 295, 299, 301, 304-5, 307-8, 313, 316, 325, 352; demissão de Paulo Roberto Costa, 38, 309; demissão de Renato Duque, 308; e a divulgação da superavaliação dos ativos da Petrobras, 325-6; pedido de demissão coletiva da diretoria, 326, 354; Plano de Negócios para a Petrobras, 310; relação com Dilma, 296, 299; temperamento difícil, 297-8, 307
Franco, Itamar, 86, 103-4, 106, 130, 345; e o Gasbol, 131
Frazão, Rafael Schettini, 169-71, 233, 238-40, 241-50, 253, 308
Freiburghaus, Bernardo, 54-5
Freire, Wagner, 91-2, 94, 97
Fujikawa, Hélio, 243-4

Gabrielli, José Sergio, 49, 107, 156, 173, 189; apoio a Renato Duque, 281; assume a Petrobras, 190; atrito entre diretorias da Petrobras, 244-7; carreira, 156; confrontado por Renato Duque, 277; demissão de Frazão, 233; desavenças com Dilma, 299-300; e a construção de navios-sonda, 283; e a CPI da Refinaria Abreu e Lima, 317; e a Sete Brasil, 288; e o Comperj, 191; e Jacques Wagner, 157, 301; e o Gasoduto Urucu-Manaus, 243, 252; e o pré-sal, 197; e Pasadena, 266-7, 270-3, 276, 278; e a Refinaria Abreu e Lima, 191, 211; favorecimento à Bahia, 254; formação do governo Lula, 172, 177; opção para suceder Lula, 300; refinarias Premium, 192; relação com Lula, 157, 214, 229, 299; saída da Petrobras, 171, 301, 352

Galvão Engenharia, 42, 182, 323
Galvão Filho, Orlando, 80
Gandra, Wanderley Saraiva, 56
Garotinho, Anthony, 161-2
gás liquefeito de petróleo (GLP), 241
gás natural, 37, 61, 74, 130-2, 135-6, 179, 189, 208, 219, 224-5, 228, 231-2, 239, 327, 345, 348
gás natural liquefeito (GNL), 235-6, 254
Gasbol *ver* Gasoduto Bolívia-Brasil
Gasoduto Bolívia-Brasil, 36-7, 131, 219, 253, 296, 345-6; encalhe do gás boliviano, 219, 224, 231
Gasoduto Caraguatatuba-Taubaté, 308
Gasoduto Sudeste Nordeste (Gasene), 240
Gasoduto Urucu-Manaus, superfaturamento, 237-43, 246, 248-50, 252, 255-6
GDK, empreiteira, 42, 151, 182, 185, 241, 349
Geisel, Ernesto, 70, 73-4, 83, 105, 340
General Electric (GE), 69, 130-1, 137, 144-6
Genoino, José, 150
Genú, João Cláudio, 163
Germano, José Otávio, 52
Giambiagi, Fábio, 200
Glencore, trading, 56
Globo, O, 149, 176, 207
Gomes, Aníbal, 45, 331
Gomes, Cid, 213
Gomes, Ciro, 213, 216
Gonçalves, Roberto, 289, 327
Gradin, Miguel, 283-4
Grau, Eros, 226
Gros, Francisco, 127-8, 141, 152, 160, 175-7, 191, 193, 198, 219, 258-9
Guedes Coelho, Armando, 68, 78, 80-3, 160
Guerra, Sérgio, 48-9
Gushiken, Luiz, 217

Heloísa Helena, 188
Henriques, João Augusto Rezende, 316-8
Hernandes, Diego, 167-8, 170-1
Hoffmann, Gleisi, 49
Hope Recursos Humanos, 183-5

Iesa, empreiteira, 42, 48, 57-8, 182, 323
Instituto Brasileiro de Petróleo e Gás (IBP), 306

Interbrás, trading da Petrobras, 70
Interoil, 106
Ipiranga, rede de abastecimento, 208, 350
Iraq National Oil Company (Inoc), 75
Ishikawagima Heavy Industries (IHI), 304
Itaipu, 133

Janene, José, 9, 23-5, 42, 54; apoio do PP ao governo Lula, 161-2; e o mensalão, 190; esquema de propinas na Petrobras, 162-3; indicação de Paulo Roberto Costa, 29, 37, 41; relação com Youssef, 24, 44-6, 101; réu no processo do mensalão, 163
Janot, Rodrigo, 164, 329
Jaraguá Equipamentos, 182
Jefferson, Roberto, 151, 163, 190
Jereissati, Tasso, 140-1
João Pedro, 49
Jornal Nacional, 255
José Dirceu: atuante na oposição, 14; divergência com Lula após a eleição, 147; e a Interoil, 106; e a JD, 328; e apadrinhados, 150, 158; e o Conselho Político, 148; e o mensalão, 151, 300; e o petrolão, 183; formação do governo Lula, 216; hostilizado em lugares públicos, 186; indicação de Renato Duque, 158-9; ministro da Casa Civil de Lula, 44; partilha da propina, 184; prisão de, 328, 354; projeto para eleição de Lula, 147; relação com Fernando Moura, 150, 184; relação com Milton Pascowitch, 185-6; relação com Renato Duque, 160; relação com Silvio Pereira, 148-9
Jucá, Romero, 45, 49, 317
Jurong, estaleiro, 284, 288-90, 293

Keppel Fels Brasil, ex-Fels Setal, 176, 178-9, 284, 292, 328
Kodama, Nelma, 18, 28
Kotronakis, Konstantinos, 34, 56-7
KPMG, consultora, 236

Labogen, laboratório farmacêutico, 102
Lago, Jackson, 213
Landim, Rodolfo, 36-7, 168-9, 219-21

Lava Jato, operação policial, 13-4, 22-3, 25-9, 34, 45, 49-50, 59-60, 106, 145, 154, 192, 218, 255, 261, 263, 283, 288, 301, 303-4, 327; antecedentes, 17-25; delações, 102, 151, 158, 178-9, 181, 233, 255, 266, 290-1, 318, 322; e André Esteves, 335; e Eduardo Cunha, 331; e empreiteiros, 186; e Lula, 332-3; e o PP, 164; e Pasadena, 273, 278; e Pedro Paulo Leoni Ramos (PP), 100; e Youssef, 101; foco na Petrobras, 323; início, 7-8, 25, 352; linha sucessória na mira, 329; origem do nome, 25; prisão de grandes empreiteiros, 323; prisões, 276, 282, 293, 318, 320, 327, 334
lavagem de dinheiro, 8, 18, 21, 23-7, 42, 45, 54, 101, 145, 163, 180, 186, 332-3
Lewkowicz, Márcio, 57
Libra, campo de petróleo, 200
Lima, Haroldo, 198
Link, Walter, 63-4, 71, 339-40
Lira, Benedito de, 50
Lobão, Edison, 38, 47, 213, 282, 308, 313
Lula da Silva, Luiz Inácio: alianças para chegar ao poder, 147-8; amigo de José Carlos Bumlai, 49; autossuficiência em petróleo, 349; avaliação popular, 309; campanha para reeleição, 328; candidato, 85, 91, 101; comício sobre plataformas nacionais, 175, 178, 323; conhece Dilma, 216; construção de plataformas de petróleo, 176; contrato das termelétricas merchants, 225; controle dos preços de combustíveis, 312; cooptação de funcionários de carreira da Petrobras, 14, 100; credibilidade, 187; defendendo o cartel das empreiteiras, 243; depoimento para a Lava Jato, 332, 335; e a crise internacional de 2008, 351; e Aldemir Bendine, 326-7; e apadrinhados, 150-2, 162, 167, 170, 173; e Bumlai, 355; e Delúbio Soares, 149; e Dilma, 217-8; e Fernando Collor, 14, 335; e Ildo Sauer, 144; e José Sergio Gabrielli, 157, 299-300; e o atrito entre Dilma e Gabrielli, 300; e o Comperj, 349; e o embate entre Dilma e Ildo Sauer, 229; e o Gasoduto Urucu-Manaus, 246, 252; e o PAC, 201, 300; e o pré-sal, 197-9, 209-10, 281, 302, 351; e

Pasadena, 270; e Paulo Roberto Costa, 38; e a Refinaria Abreu e Lima, 211-2; e Roger Agnelli, 208; e Silvio Pereira, 149; e Wilson Santarosa, 173; empresa de palestras que encobriria propinas, 333; escolha do sucessor, 300; esquema de corrupção na Petrobras, 248; estabilidade econômica durante o governo, 189; formação do governo, 216; investigado, 13; mudanças na Petrobras, 151, 154, 175, 177; negociações para preenchimento de cargos, 148; negócios com a Venezuela, 202-3, 205, 207, 349; plano para uso da Petrobras, 13; política de incentivo à indústria naval, 280, 282-3, 303-4; política energética de Ildo Sauer, 155, 215; presidente, 24, 37, 50, 139, 143, 149, 188, 215, 348; reação a recomendações do TCU, 320; reforma no setor elétrico, 228; sítio em Atibaia, 332-3; tríplex no Guarujá, 332-3; troca de presidentes na Petrobras, 189; utilização política da Petrobras, 213-4
Lula, campo de petróleo, 194
Lula, Instituto, 333

Macaé, 33, 35-6, 123
Machado, Licínio, 158, 160
Machado, Sérgio, 50-1, 331
Maciel Neto, Antonio, 76-7, 85, 105
Maciel, Marco, 107
Maersk, companhia de navegação dinamarquesa, 56
Magalhães, Antonio Carlos, 107, 129
Magalhães, Juracy, 63, 339
Magnus, Hermes Freitas, 23-4
Majnoon, campo de petróleo no Iraque, 73-5
Malan, Pedro, 133, 137
Maluf, Paulo, 21, 148
Manso, Rogerio, 98, 120, 154, 160-3, 233-4, 258-9
Mansur, Eid, 82
Mantega, Guido, 312-3, 325
Mãos Limpas (*Mani Pulite*), operação contra a corrupção na Itália, 22
Marcondes Ferraz, Mariano, 55
Marcos Valério, 163

Marítima Petróleo e Engenharia, 111-4
Meirelles, Henrique, 157
Mello, Marcelo Oliveira, 263
Mendes Júnior, empreiteira, 12, 42, 180, 183, 323
Mendes, Gilmar, 335
Mendes, Sérgio Cunha: prisão de, 323
Mendonça de Barros, Luiz Carlos, 114
Mendonça Neto, Augusto Ribeiro, 176-7, 179, 182-3; delação premiada, 41, 178-81, 323
Mendonça, Duda, 280, 348-9
Mendonça, Paulo, 197
Menezes, Antonio Luiz Silva de, 141, 144, 177
mensalão, 24, 27, 50, 151, 159, 163, 180, 184, 186, 190, 227, 328, 349
Mesquita, Humberto Sampaio de, 40, 55-7
Meurer, Nelson, 50, 164
Ministério Público Federal, 14, 21, 23-4, 34, 40, 44, 51, 59, 151, 159, 164, 181, 185, 287, 290, 292, 332-3
Miranda, Thales Rezende de, 262
Mitsubishi, 112, 114
Mitsui, 37, 330
modelo elétrico brasileiro, 234
Mônaco de Carvalho, Agosthilde, 267; delação premiada, 266, 275-6, 278
Mônaco, Principado de, 354
Monteiro, Dilmar Jacy, 106
Montoro, André Franco, 117
Moody's, agência de avaliação de risco, 61, 124
Moraes, Olacyr de, 20
Morales, Evo, 223
Moreira da Silva, Luis Carlos, 145, 257, 261-4, 266-7, 274-5
Moreira Franco, 129
Moreira, Benedicto, 103-4, 106-7
Moro, Sérgio, 7, 22-3, 25, 27, 29-30, 54, 159, 180, 183, 185, 322
Motta Veiga, Luis Octavio da, 88-96, 103, 344
Moura, Fernando Antônio Guimarães Hourneaux de, 150-1, 185; delação premiada, 158-9, 183-5
Moura, Mônica, prisão de, 328, 355
MPE, empreiteira, 42, 180
Musa, Eduardo, 289; delação premiada, 290
Muse Stancil, consultora, 263-4, 271

Negromonte, Mário, 46, 50, 164, 328
Nepomuceno Filho, Francisco, 169
Nóbrega, Maílson da, 87

OAS, empreiteira, 42, 182, 245-6, 248-9, 256, 284, 288, 293, 323, 329, 332-3
Odebrecht Óleo e Gás (OOG), 280, 283
Odebrecht, empreiteira, 12, 42, 53-5, 180, 182, 208, 241, 267, 275-8, 280, 283-4, 288, 293, 316-7, 333; esquema de pagamento de propinas, 327-8, 356; relação com a Petrobras, 53-4
Odebrecht, Marcelo, 283-4; condenado pela Lava Jato, 356; prisão de, 327
Offshore Technology Conference (OTC), 77, 108, 345, 348, 354
Operador Nacional do Sistema Elétrico (ONS), 134, 137-9, 232, 234

Palocci, Antonio, 49, 157, 187, 216, 226, 336; e o mensalão, 300
Pansera, Celso, 355
Parente, Pedro, 130, 133, 137, 140, 356
Partex, petroleira portuguesa, 195
Pascowitch, Milton, 185-6; delação premiada, 184, 328
PDVSA, petroleira estatal venezuelana, 61, 191, 202, 204-7, 349
Penna, Alexandre, 250-3, 255
Pereira, Silvio, 148, 158, 167, 183, 185, 349; prisão de, 356
Peroba, Charles, 170-1
Personal Service, limpeza e recepção, 184
Pessoa, Ricardo, 181-2, 276, 282; delação premiada, 101, 180-1; prisão de, 323
Petrobras: abertura do capital, 119, 123; acusada de doutrinar funcionários, 166; América, 272; aquisições no setor petroquímico, 350; auditorias para fechar balanço após revelação dos desvios, 324; blindagem sob FHC, 118-20; Centro de Pesquisa e Desenvolvimento (Cenpes), 76, 197, 296, 340; classificação de risco pelas agências, 61, 124; comandada por militares, 11, 78; construção de refinarias, 68; construção do edifício-sede, 12; corrupção na gestão Collor semelhante à gestão petista, 14, 101; corrupção sistêmica, 183; CPI da, 40, 48-9, 177, 291, 322; criada por Getúlio Vargas, 63; cursos para funcionários no exterior, 64-7; desastres, 111, 124-5; diretoria Corporativa e de Serviços Compartilhados, 307; diretoria de Abastecimento, 32, 37, 42-7, 57, 161-2, 164, 179, 186, 203-5, 212, 214; diretoria de Engenharia, Materiais e Tecnologia, 307; diretoria de Exploração e Produção (E&P), 32, 43, 105, 112, 182, 191-3, 280-1; diretoria de Gás e Energia, 37, 43, 129, 182, 190, 223-4, 228, 231-2, 239, 245, 254, 297, 308, 348; diretoria de Novos Negócios, 258; diretoria de Serviços, 43, 52, 179, 183, 205, 233, 240-1, 246, 281, 302; diretoria Financeira, 42-3, 269, 286; diretoria Internacional, 43, 50, 191, 257, 259, 264, 269, 271, 274, 316-7, 323, 329; disputa entre diretorias, 247; divisão em unidades de negócio, 122; durante o governo Collor, 85-6, 103-4; durante o governo Fernando Henrique, 110, 112-4; durante o governo Itamar Franco, 104, 106-9; durante governo Lula, 188; durante o governo Sarney, 78-84; durante os governos militares, 68-70, 72-6; e as "Sete Irmãs", 58; e as crises nos anos 1980 e 1990, 116; e desenvolvimento de tecnologia, 77; e o pré-sal, 8, 58, 74, 77, 104, 195-8, 202-3, 208-10, 277, 279-81, 293, 301-2, 305, 307, 349-51, 353-4; e o Pró-Álcool, 70; e o propinoduto, 43, 45, 48-9; endividada, 61, 116; entrada na Lava Jato, 30; escândalo no governo Collor, 92-3; esquema de corrupção com a SBM Offshore, 318; estrutura da empresa, 35-7, 43, 63, 65; exploração no Iraque, 72-4; fatiamento entre os partidos políticos, 43; fonte de financiamento de campanhas políticas, 39; fornecimento de nafta para a Braskem com desconto, 53-4; funcionários mobilizados contra a corrupção, 83-4, 97-8, 128, 250; greve em 1995, 107; história, 10-2, 62-85, 103-8, 110, 112-4; internacional, 121-2; investimentos altos mesmo na crise, 212; irregularidades sob FHC, 111-4; levantamento do total desviado, 325; marco regulatório para o pré-sal, 199; merito-

cracia, 65-6; monopólio nacional, 11; na Bolsa de Nova York, 8, 60, 119, 123, 188-9, 194, 279, 313, 324, 347, 351, 357; nepotismo na, 83; ocupação de cargos no governo do PT, 171; offshore, 71-2; organização do esquema de propinas, 44, 163; orgulho dos funcionários, 62-3, 67, 83; overbooking de gás natural, 232, 234; perda de foco, 189; plano estratégico, 84-5, 120-1, 123; planos ambiciosos de crescimento, 279; poder dos sindicatos durante o governo do PT, 167; polêmica na licitação das plataformas P-51 e P-52, 176; política de conteúdo local, 306; preços congelados para conter a inflação, 15, 32, 61, 80, 118, 125, 193; prejudicada por interesses políticos, 9-10, 13, 32, 41, 60, 81, 88-90, 118, 129, 162, 214; prejuízo, 59, 103, 116; prejuízo com as termelétricas, 139; "primeira grande tentativa de assalto", 86-102; primeiro escândalo de corrupção, 81-3; primeiros anos, 64-6, 68; primeiros sinais da crise, 8; problemas de gestão, 60-1; produção de petróleo, 32-3, 58, 73-4, 97, 103; produzindo sua própria energia, 132; recordes, 77, 188-9; regime de partilha para o pré-sal, 199; relação com a MPX, 140; relação com a Odebrecht, 53-4; requisitos mínimos para diretores, 152; situação financeira, 315; sócia da PDVSA, 202; subsídio ao Pró-Álcool, 104; subsídios, 103; superfaturamento em Pasadena, 262; suspeitas de corrupção na diretoria de Serviços, 237-56; tentativa de abolir o monopólio do refino, 194; tentativa de mudança de nome, 125-6; transformação durante o governo FHC, 115, 118, 120-4, 127-8; valorização em 2008, 59

Petrofértil, empresa de fertilizantes da Petrobras, 83

Petrogal-Galp, petroleira portuguesa, 196

petrolão, 49, 101, 146, 163, 179, 183, 256, 274, 328

petróleo: alta de preços, 58, 69, 73, 189, 209, 342; e a dívida externa brasileira, 70; fim do monopólio estatal sobre o, 109-10, 115-6, 128, 192; na Amazônia, 237-8; na visão de Getúlio Vargas, 63; no pré-sal, 197, 277, 279, 307, 349-50; preços do, 60, 97, 116, 128, 188-9, 193, 209-10, 311; processamento, 302; venezuelano, 206

Petromisa, subsidiária de mineração da Petrobras, 83, 152

Petroserv, empreiteira, 284

PFL (partido político, hoje DEM), 107, 129, 133, 148

piauí, revista, 147

PIB em crescimento, 2004-8, 187

Pinheiro Rivas, Antônio José, 171

Pinheiro, Léo, 329, 332; prisão de, 323

Pinto, Ronan Maria, prisão de, 356

Pires, Adriano, 209, 306

Pizzolatti, João Alberto, 50, 162-4, 328

Plano de Aceleração do Crescimento (PAC), 51, 60, 201-2, 207-8, 299-300

Plano de Massificação do Uso de Gás Natural (PMUGN), 224-5, 231

plataforma P-36, 113, 125, 347; explosão da, 111, 124, 126, 347

PMDB (partido político), 34, 37, 43-5, 50-1, 129-30, 143, 147-8, 317, 323, 329, 331; e Nestor Cerveró, 164

Poza, Meire, 20

PP (partido político), 9, 24, 37, 41-50, 53-4, 57, 148, 161-4, 179; partilha da propina, 42

PPSA (Pré-Sal S.A.), 199

Prado, Eduardo, 106

Prado, Gilberto, 106

Pratini de Moraes, Vinícius, 103

Prêmio Nacional da Qualidade (PNQ), 204

PricewaterhouseCoopers (PwC), auditora (EUA), 324-5

Pride, empresa de perfuração (EUA), 111, 113

Procuradoria-Geral da República, 24, 101, 164, 328-30

Programa de Capacitação Tecnológica em Águas Profundas (Procap), 76-7

Programa de Excelência em Gestão Ambiental e Segurança Operacional (Pegaso), 127

Programa Prioritário de Termeletricidade (PPT), 135-6, 139-40, 225, 228

Promon, empresa de engenharia, 42, 180

PSB (partido político), 148, 161-2

PSDB (partido político), 48, 50, 106, 128, 140, 148, 156, 215, 317
PT (partido político), 43-4, 91, 159, 161, 332; alianças com partidos de direita, 147; campanha de 2002, 175-6; chegada ao poder, 144, 148; como máquina para eleger Lula, 147; compromisso com sindicatos, 167; contestando as metas de Palocci, 187; destinatário de propinas, 317-8; destinatário de propinas dos estaleiros, 289-90; disputa por cargos no governo Lula, 148; doações oficiais com dinheiro desviado da Petrobras, 180; e a Sete Brasil, 287; e Armando Tripodi, 173; e Delcídio do Amaral, 227, 263; e Dilma, 216, 218; e Fernando Collor, 101; e Fernando Moura, 158; e Graça Foster, 39, 309; e Guilherme Estrella, 154, 169, 221; e Ildo Sauer, 155, 215; e Jacques Wagner, 173; e João Santana, 328; e José Eduardo Dutra, 152; e José Sergio Gabrielli, 156, 173, 189, 299-300; e Milton Pascowitch, 185; e Nestor Cerveró, 164; empréstimo fraudulento de Bumlai, 355; e o mensalão, 24; e o PPT, 228; e Renato Duque, 164; e Silvio Pereira, 149, 151; e usinas merchant, 140; esquema de propinas na Petrobras, 41; expulsão de Delúbio Soares, 151; grupo de energia, 215-6; partilha da propina, 42, 183, 255, 287; partilha do poder na Petrobras, 147-64; preenchimento de cargos com apadrinhados, 150; propina do Gasoduto Urucu-Manaus, 256; propina referente às plataformas P-51 e P-52, 179-80

Queiroz Galvão, empreiteira, 42, 48-9, 57, 182, 276, 281, 283-4, 287, 293, 303-4, 323
Queiroz, Ademar, 79
Quintella, Wilson, 51
Quote, revista, 318

Ramos, Pedro Paulo Leoni (PP), 13, 86-8, 92-3, 95-6, 99-102, 335, 345; relação com Youssef, 101-2
Rangel de Andrade, Gézio, 239-41, 243, 245, 248-55
Refinaria Abreu e Lima, 8, 32, 45, 49, 212, 309, 349, 352; a mais cara do mundo, 207; ampliação do projeto, 205; CPI da, 317; cronograma adiantado por Lula, 202-4; operação parcial, 207, 353; orçamento quintuplicado, 205, 211; prejuízo, 59, 206; projeto político, 202; suspeitas de superfaturamento, 48, 351
Refinaria Alberto Pasqualini (Refap), 68, 341
Refinaria de Pasadena, 51, 57, 145-6, 183, 191, 257-78, 315-6, 321, 326, 349; cláusula marlim, 271; cláusula put option, 269; distribuição da propina, 274; passivo ambiental, 265; propina ainda não esclarecida, 278
Refinaria Duque de Caxias (Reduc), 68-9, 124, 135, 340
Refinaria Gabriel Passos (Regap), 68, 341
Refinaria Henrique Lage (Revap), 68, 343
Refinaria Landulpho Alves-Mataripe (RLAM), 68, 98, 135
Refinaria Planalto Paulista (Replan), 68, 341
Refinaria Presidente Bernardes (RPBC), 68, 135, 181, 340
Refinaria Presidente Getúlio Vargas (Repar), 68, 124, 181, 319, 342
Refinarias Premium no Ceará e no Maranhão, 52, 59, 192, 212-3, 310, 327, 351
Reichstul, Henri Philippe, 36-7, 85, 112, 114-6, 118-20, 123-30, 141-2, 160, 167, 175, 191-2, 257, 347; apoio à guerrilha na ditadura, 117; carreira, 117
Rennó, Joel Mendes, 36, 104-8, 111-2, 114, 119, 125, 170, 317, 347
Repsol YPF, petroleira espanhola, 109, 137, 219-22
Restum, Marcelo, 240, 250
Ribeiro, Aguinaldo, 46
Ribeiro, Edson, 334-8
Rocha, Carlos Alexandre de Souza: delação premiada, 48
Rocha, Sérgio Pereira da, 91-2, 97-8, 100, 106
Rodenheber, Edio, 99-100
Rondeau, Silas, 13, 229
Rosa, Luiz Pinguelli, 155, 215-6, 228
Rousseff, Dilma, 51, 101, 177; acusada no caso de Pasadena, 275, 321; afastada no processo de impeachment, 329; apoio a Graça Foster na

Petrobras, 308; atrito com Ildo Sauer, 218, 224, 229, 248; avaliação dos ativos da Petrobras após os desvios, 325; bem avaliada em 2012, 309; candidata, 300; carreira, 216; centralizadora, 305; conhece Lula, 216; constrangimento em reunião na Bolívia, 222; contrária às propostas de Ildo Sauer, 235; contrato das termelétricas merchants, 225; controle dos preços de combustíveis, 194, 310-2, 348; defendendo a fabricação de sondas no Brasil, 282; defensora da energia hidrelétrica, 228; demissão de Gabrielli, 300; demissão de Ildo Sauer, 297; demissão de Mário Negromonte, 46; demissão de Paulo Roberto Costa, 38, 309; demissão de Roger Agnelli, 208; desautoriza o ministro Lobão, 282; diagnóstico de câncer, 300; e a construção dos navios-sonda, 283, 304; e a Repsol YPF, 220; e apadrinhados, 170; e Cerveró, 272; e Fernando Collor, 14, 335; e Giles Azevedo, 240; e Graça Foster, 223, 299; e João Santana, 328; e Lula, 299; e Rodolfo Landim, 169; e o Gasoduto Urucu-Manaus, 246, 252; e o pedido de demissão coletiva da diretoria da Petrobras, 326; e o pré-sal, 209; e Pasadena, 271-2, 321; e plataformas P-51 e P-52, 178; e usinas termelétricas, 228-9; esquerdista moderada, 216; interferência na Petrobras, 233, 299-300; ministra da Casa Civil, 199, 201; ministra de Minas e Energia, 168, 177, 216, 218; negociação do gás boliviano, 220-1, 223; no comando da Petrobras presidida por Aldemir Bendine, 338; no conselho da Petrobras, 177, no RS, 240, 296; plano para uso da Petrobras, 13; presidente, 352; presidente do conselho da Petrobras, 273, 282, 321; problemas com a Petrobras, 296; processo de impeachment, 356; propina do PP na campanha eleitoral, 49; reunião na Bolívia, 222; temperamento explosivo, 218; transfere-se para o PT, 216; utilização de caixa 2 na campanha da reeleição, 328

Sá, Rogério Nora de: delação premiada, 47-8
Saboia, Cid, 100

Samsung, 287, 303-4, 329-31
Sant'Anna, Carlos, 78-9, 81, 84-5
Santana, João, 280, 327; prisão de, 328, 355
Santarosa, Wilson, 173-4
Santiago, Carlos Alberto, 102
Sarney, José, 12, 80, 82-3, 87, 93, 116-7, 148, 213, 343; fiel aos amigos, 82
Sarney, Roseana, 20, 47, 148, 159
Sauer, Ildo, 139, 182, 216, 228-9, 231-6, 238, 242-3, 308; "puro-sangue" petista, 156, 217; admirado pelos subordinados, 230; atrito com Dilma, 218, 221-4, 229; carreira, 155; comunista declarado, 156; conflito com Renato Duque, 239-41, 244, 248; contrariando Delcídio do Amaral, 227; estilo extravagante, 230; política energética do governo Lula, 155, 215; pretensão de ser ministro, 217; revisão dos contratos das temelétricas, 225-7; saída da Petrobras, 297; vida simples, 217
Sayad, João, 117
SBM Offshore, prestadora de serviços holandesa, 291, 318-9
Schahin, banco, 355
Schahin, empreiteira, 284
Securities and Exchange Commission [EUA] (SEC), 60, 119, 188
Serra, José, 128
Sessim, Simão, 50
Setal Óleo e Gás (SOG), 41-2, 179
Setal, empreiteira, 41-2, 180
Sete Brasil, 284, 287-93, 303, 328; composição acionária, 286; foco de propinas, 287
setor automotivo: estimulado pelo governo, 311
Shanni, filha de Paulo Roberto Costa, 30, 33, 40, 55, 322
Shell, 130, 132
Silva, Ozires, 13, 80, 83, 213-4
Silveira, José Paulo, 76, 85
Sindicato Nacional da Indústria Naval (Sinaval), 176
Sistema Geral de Indicações (SGI) (cadastro de apadrinhados do PT), 150
Skanska, empreiteira, 42, 182, 246, 256
Skornicki, Zwi, 179, 290, 328

Soares, Delúbio, 149-50, 163
Souza, Paulo Renato, 107-8
Srour, Raul Henrique, 18, 28
Standard Oil, petroleira, EUA, 63, 339
Stanford, Universidade, 12, 64, 67, 339
Statoil, petroleira norueguesa, 357
Suassuna, Ney, 34
Suplicy, Marta, 167
Supremo Tribunal Federal (STF), 8, 27, 39, 48, 151, 163, 226, 329, 331, 335, 353; Operação Lava Jato e, 7-8, 14, 49, 322
Suzano Petroquímica, 83, 208-9, 350

Tavares, Cezar de Souza, 145, 263, 274-5
Távora, Edilson, 83
TBG, subsidiária da Petrobras, 37
Techint, empreiteira, 42, 180, 241
Teixeira, Eduardo, 96, 103
Telles, Aurélio Oliveira, 262, 275
Temer, Michel, 317, 335, 356; na mira da Lava Jato, 329; planos para o futuro da Petrobras, 356
TermoCeará, usina termelétrica, 138, 140-1, 225-7
Thompson & Knight, advogados, 262-3, 265, 268
Tomé Engenharia, 182
Total, petroleira francesa, 132, 219
Tourinho Costa, Luiz Geraldo, 144-5
Tourinho, Rodolpho, 133-5, 137
Toyo Setal, construtora, 323
Trafigura, trading, 55
Transpetro, subsidiária da Petrobras, 50-1, 57, 303, 331
Tribunal de Contas da União (TCU), 317, 320; e a compra de Pasadena, 261, 273, 315; irregularidade em Abreu e Lima, 319-20; irregularidades no Comperj, 320
Tripodi, Armando, 49, 172-3, 248

Ueki, Shigeaki, 70, 74-5, 78, 105
Ultra, distribuidora, 208, 350
União Democrática Nacional (UDN), 11, 339
Universidade Petrobras, 165, 167
usinas de cogeração, 132, 135, 137
usinas termelétricas, 129, 131-3, 137-9, 141-5, 190, 228, 232, 234, 238, 251, 296; complemento das hidrelétricas, 135
UTC, empreiteira, 20, 42, 101, 180-2, 276, 282, 284, 288, 293, 323

Vaccarezza, Cândido, 56
Vaccari Neto, João, 42, 44, 152, 160, 180, 287-90, 317, 328; presidente da Bancoop, 332; prisão de, 256, 354; réu no caso Bancoop, 332
Vale, mineradora, 105, 208, 286
Valença, Alfeu, 91-6, 103
Valor Econômico, 318
Vargas, André, 328
Vargas, Getúlio, 10, 11, 63, 339
Veiga Pereira, Mario, 65, 141-2
Vieira Lima, Geddel, 129
Villa, Roberto, 63, 81

Wagner, Jacques, 157, 172-3, 301
Weber, Ernesto, 103
Weber, Rosa, 27
Welch, Jack, 137

Youssef, Alberto, 7-8, 19-21, 23-4, 26-9, 40, 42, 44-9, 51, 55, 57, 101-2, 164, 186, 274, 320, 335, 353; delação premiada, 37, 44, 47-9, 323; devolução de valores, 59; prisão de, 19-20, 37; prisões de, 21, 23, 28, 31, 45; relação com Collor/PP, 101-2; relação com José Janene, 45-6; relação com Paulo Roberto Costa, 29, 31; tentativa de fuga, 19

Zak, Albin, 66
Zavascki, Teori, 7, 322, 329, 331, 335
Zeca Dirceu, 106
Zelada, Jorge Luiz, 44, 277, 290, 307, 316-7, 323, 335, 351; demissão, 309, 352; preocupação de Temer, 335; prisão de, 327, 354
Zylbersztajn, David, 155, 209

Créditos das imagens

1 e 25: Wilton Junior/Estadão Conteúdo
2, 9 e 10: Cristiano Mariz/Abril Comunicações S.A.
3: Dida Sampaio/Estadão Conteúdo
4: Arquivo/Estadão Conteúdo
5: Veja/edição nº 1.239/Abril Comunicações S.A.
6: Eugenio Novaes/Folhapress
7: Marcos Bezerra/Futura Press/Folhapress
8 e 15: Ana Carolina Fernandes/Folhapress
11: Corbis Corporation/Fotoarena
12: Joedson Alves/Estadão Conteúdo
13: Ed Ferreira/Estadão Conteúdo
14: Silvia Costanti/Valor/Folhapress
16: Paulo Araújo/Estadão Conteúdo
17: Ailton de Freitas/Agência O Globo
18: Ed Darack/Getty Images
19: Fábio Motta/Estadão Conteúdo
20: Piti Reali/Estadão Conteúdo
21: Alan Marques/Folhapress
22: Jefferson Coppola/Folhapress
23: André Dusek/Estadão Conteúdo
24. Beto Barata/Estadão Conteúdo

ESTA OBRA FOI COMPOSTA PELA PÁGINA VIVA EM INES E IMPRESSA
PELA GEOGRÁFICA EM OFSETE SOBRE PAPEL PÓLEN SOFT DA SUZANO PAPEL
E CELULOSE PARA A EDITORA OBJETIVA EM SETEMBRO DE 2016

A marca FSC® é a garantia de que a madeira utilizada na fabricação do papel deste livro provém de florestas que foram gerenciadas de maneira ambientalmente correta, socialmente justa e economicamente viável, além de outras fontes de origem controlada.